物権法

第2版

平野裕之
Hiroyuki Hirano

DROIT CIVIL

日本評論社

第２版はしがき

本書の初版が出版されたのは2016年（平成28年）である。その後、2017年（平成29年）には債権法が改正されている（施行は2020年４月）。また、2018年（平成30年）には相続法の改正があり、物権法に関係する改正も含まれている。さらに本巻で特筆すべきは、2021年（令和３年）の物権法改正であり、同時に特別法として「相続等により取得した土地所有権の国庫への帰属に関する法律」（相続土地国庫帰属法）も制定され、また、不動産登記法の改正により相続登記が罰則付きで義務化され、住所等の変更登記の申請義務化また登記官の職権による変更登記の許容などの内容の改正がなされた。施行期日は、相続登記の義務化は2024年（令和６年）４月１日、改正民法物権法は2023年（令和５年）４月１日、相続土地国庫帰属法は同年４月27日である。

以上の改正の結果、大きく本書の書換えが必要になり、今回の第２版を出版した次第である。第２版の出版に際しては、上記の改正内容を盛り込むだけでなく、その後の判例・学説の進展も取り込むことを心がけた。また、執筆方針も随分と改めている。詳細な解説は『民法総合』シリーズ（信山社）に譲るというコンセプトで、初版は控えめな分量とし、また、自説も控えめにしたが、今回の改訂に際して大きく改めた。そのため本文が60頁も増えてしまったが、細かく見出しを付けて整理をするなどして、読み易さを高める工夫をした。また、第２版では、判例紹介欄のベタをとってスッキリさせた。

今回も、編集部の室橋真利子さんには大変お世話になった。加筆程度にとどまらない全面改訂であり、大変な作業をしていただいた。ここに記して感謝をしたい。

2022年７月

平野裕之

はしがき

著者には、同一の出版社による初級者向けのコアテキストシリーズ（新世社）のほか、辞書として使用することを予定した民法総合シリーズ（信山社）と学習書も兼ねた民法総則（日本評論社）とがあり、後者の関係については、著者自身対応に窮していた。その中で本書はどういう位置づけなのか疑問を持つ読者がいるだろう。そこで本書の位置づけについて一言しておきたい。一言でいえば、本書は、辞書として使用することを予定した民法総合シリーズ（信山社）、初級者向けのコアテキストシリーズ（新世社）の中間に位置する、中級から上級者向けの「教科書」である。学習用の一番需要性の高い部分が欠落していたため、満を持して出版するものである。民法総則も同じコンセプトの下に修正の上、本書と並ぶシリーズとして刊行する。3つのシリーズが分けられることにより、需要に合った一層の改良が可能になり、積年の悩みが解消された。

「教科書」であることに配慮し、内容はもちろんのこと、デザインも改良した。本書では、学習上の有用性の観点から、様々な要素を盛り込んでいるが、それらが決してうるさくなってしまわないよう、デザイン面での工夫が不可欠であった。本書の編集担当を引き継いだ室橋真利子さんと新しくデザインを担当してくれることになった大村麻紀子さんに、その点は全面的にお任せした。また、利用者となるべき学生にもデザイン案についていろいろ意見を出してもらい、学生の意見が採用されて変更された部分もある。室橋さんと大村さんの2人による何度にも及ぶ打ち合わせによって、配慮の行き届いたデザインができ上がっている。不思議なもので、デザインが良いと内容もわかりやすく思えてしまう。見た目に負けない内容も備えなければと、こちらも励まされる相乗効果が生まれるものである。

民法総合シリーズとは異なり、注は少なめにして、一気に本文を読ませること、すなわち通読する教科書であることを本書の基本方針とした。まずは、本文を一通り読み切ってもらい、その際には◆のマークの付いた項目については読み飛ばしてもらって構わない。2回目に読む際にはぜひ読んでほしい内容であり、1回目であっても興味を持ち、通読の妨げにならなければ、その都度読んでみてもよいだろう。図や表は用いていないが、これはコア・テキストシリーズを目で見る教科書として、図表をさらに充実させようと考えている。本書内のクロスレファレンスも充実させ、他の巻とのクロスレファレンスも、すでに全巻の原稿ができているのでその通し番号ですべて引用しようとしたが、さすがにまだ出版されていない巻を引用するのは控えてもらいたいと要請され、先行して作業の進んでいてすでに校正ができており、出版は改正法案の成立を待つだけの民法総則のみ通し番号で引用した。

内容については、判例の解説・分析を中心として、説明に必要な場合に限り比較法や起草過程の説明を最小限行うことにした。また、学説の説明は網羅的ではなく、原則として代表的なものに限定して説明することにした。異説で説明する価値のあるものは注で説明するにとどめている。単に参考文献を表示するだけの注も原則として削除し、文献も含めて詳しくは民法総合に譲ることにした。なお、大審院時代のカタカナの判決文については、適宜濁点を付けまた必要に応じて句読点を追加した上でひらがなに変更した。また、判決文の下線また①などの番号は、特に判決文にもとから付されていたことを注記していない限り、著者が説明の便宜のために追加したものである。登場人物についても、説明されている事例との対応関係がわかりやすいように、適宜変更している。判決文引用の正確さには欠けるものの、これは読みやすさを考えたものである。

ところで、大学で授業を持つようになってから30年近くなり、また、自身の教科書を初めて出版してから20年以上が経ち、法学教育そして教科書の移り変わりをこの目で見てきた。この20年ほどの教科書の変わり様は激しいものがある。自分が学生の頃に読んだ物権法の教科書は、舟橋諄一先生の物権法（有斐閣法律学全集）であった。渋谷の某書店の法律書のコーナーに有斐閣法律学全集が1か所に集められた壮観たる棚があり、そこから訳もわからず選んだものであった。縦書きで学者の研究の集約ともいうべき学問的雰囲気が漂い、大学受験の参考書とは異なる威厳に満ち溢れていた。現在でも、平井宜雄先生の薄い教科書でありながら、論文を圧縮したような学理的教科書には憧れを持ちつつ、本書は講義で使える教科書、学習のために何を学めばよいのかを伝えることを追求する教科書を目指した。学生の意見を聞き、いささか法科大学院入試・期末試験、予備試験、司法試験など試験に役に立つということに配慮しすぎた感は否めないが、冒頭に述べたように教科書として最大限許される到達点に抑えたのが本書のシリーズである。

民法総合とは異なり研究を意識した書物ではないので書くのは適切ではないかもしれないが、物権法の執筆については、フランス物権法研究会（代表は金山直樹教授）および改正物権法研究会（代表は吉田克己教授）に参加して、物権法の改正のために日本法の改正に必要な問題点を探るだけでなく、諸外国の物権法についての研究を総合的に行っており、本書の初めから終わりまで地になり肉となる知識を得ており、同研究会の諸先生方には感謝したい。

最後になったが、校正段階で、早慶の私のゼミの3年生に目を通してもらい読者としての感想や改善すべき点の指摘などをしてもらった。貴重な意見を出してくれた、山本樹、山下鈴乃、陳鴻、中根俊介、塩田あすみ、北山万由子、竹内恒太（以上、慶應義塾大学3年生）、野崎智裕、庄司竜太郎、小善有真、松崎俊紀、森崎蓮（以上、早稲田大学3年生）のゼミ生諸君に感謝する。また、室橋さんには、判例の確認から文章についての指摘など数限りないサポートをしてもらっており、室橋さんにも感謝したい。民法改正が遅々として進まないため、影響のほとんどない物権法から出版することにして、先行していた民法総則の校正がストップしたままであるが、改正が成ったならば、総則から不法行為まで速やかに刊行したい。

2016年8月

平野裕之

目次

第１章　物権法総論

第2章　物権変動総論

第3章 不動産物権変動論

第8章 所有権と共有

文献等略記

【教科書】

生熊	生熊長幸『物権法［第２版］』（三省堂・2021）
石口	石口修『民法講論２物権法』（信山社・2015）
石田喜	石田喜久夫『口述物権法』（成文堂・1982）
石田文	石田文次郎『全訂改版物権法論』（有斐閣・1945）
石田穣	石田穣『物権法』（信山社・2008）
稲本	稲本洋之助『民法Ⅱ（物権）』（青林書院・1983）
今泉	今泉孝太郎『物権法論』（泉文堂・1967）
岩田	岩田新『物權法概論』（同文館・1929）
内田	内田貴『民法Ⅰ総則・物権総論［第４版］』（東京大学出版会・2008）
梅	梅謙次郎『民法要義巻之二物権』（有斐閣・明治44年版復刻版）
近江	近江幸治『民法講義Ⅱ物権法［第４版］』（成文堂・2020）
岡松	岡松参太郎『註釈民法理由上巻』（有斐閣・明治30［1897］）
於保	於保不二雄『物権法(上)』（有斐閣・1966）
加藤	加藤雅信『物権法［第２版］』（有斐閣・2005）
金山	金山正信『物権法総論』（有斐閣・1964）
川井	川井健『民法概論２物権［第２版］』（有斐閣・2005）
河上	河上正二『物権法講義』（日本評論社・2012）
川島Ⅰ	川島武宜『民法Ⅰ総則・物権』（有斐閣・1960）
北川	北川善太郎『物権［3版］』（有斐閣・2004）
佐久間	佐久間毅『民法の基礎２物権［第２版］』（有斐閣・2019）
七戸	七戸克彦『基本講義物権法Ⅰ』（新世社・2013）
篠塚	篠塚昭次『民法セミナーⅡ物権法』（敬文堂・1970）
末川	末川博『物権法』（日本評論社・1956）
末弘	末弘厳太郎『物権法上巻』（有斐閣・1921）
鈴木	鈴木禄弥『物権法講義［5訂版］』（創文社・2007）
田山	田山輝明『物権法』（成文堂・2012）
富井	富井政章『民法原論第２巻物権』（有斐閣・明治39［1906］）
中島	中島玉吉『民法釋義巻之二物権編上』（金刺芳流堂・1914）
中舎	中舎寛樹『物権法』（日本評論社・2022）
広中	広中俊雄『物権法［第２版増補］』（青林書院・1987）
藤原	藤原正則『物権法　物権・担保物権』（新世社・2022）
船越	船越隆司『物権法［第３版］』（尚学社・2004）
舟橋	舟橋諄一『物権法』（有斐閣・1960）
星野	星野英一『民法概論２物権・担保物権』（良書普及会・1976）

松井	松井宏興『物権法［第 2 版］』（成文堂・2020）
松尾	松尾弘＝古積健三郎『物権・担保物権法［第 2 版］』（弘文堂・2008）
松岡	松岡久和『物権法』（成文堂・2017）
松坂	松坂佐一『民法提要・物権法［第 4 版］』（有斐閣・1984）
安永	安永正昭『講義物権・担保物権法［第 4 版］』（有斐閣・2021）
山野目	山野目章夫『民法概論 2 物権法』（有斐閣・2022）
柚木・高木	柚木馨＝高木馨『判例物権法総論［補訂版］』（有斐閣・1972）
我妻・有泉	我妻栄＝有泉亨補訂『新訂物権法』（岩波書店・1983）

【注釈書】

基コメ	遠藤浩＝鎌田薫編『基本法コンメンタール物権［第 5 版］新条文対照補訂版』（日本評論社・2005）
新基コメ	鎌田薫＝松岡久和＝松尾弘編『新基本法コンメンタール物権』（日本評論社・2020）
注民⑹［執筆者］	舟橋諄一編『注釈民法⑹物権⑴』（有斐閣・1967）
注民⑺［執筆者］	川島武宜編『注釈民法⑺物権⑵』（有斐閣・1968）
新版注民⑹［執筆者］	舟橋諄一＝徳本鎮編『新版注釈民法⑹物権⑴』（有斐閣・1996）
新注民⑸［執筆者］	小粥太郎編『新注釈民法⑸物権⑵』（有斐閣・2020）

【論文集など】

幾代・変動と登記	幾代通『不動産物権変動と登記』（一粒社・1986）
石川・小西	石川清＝小西飛鳥『ドイツ土地登記法』（三省堂・2011）
石田・変動論	石田喜久夫『物権変動論』（成文堂・1979）
於保Ⅰ	於保不二雄『民法著作集Ⅰ』（新青出版・2000）
改正提案	吉田克己編著『物権法の現代的課題と改正提案』（成文堂・2021）
鎌田・ノート	鎌田薫『民法ノート物権法①［第 4 版］』（日本評論社・2022）
川井・公示と公信	川井健『不動産物権変動の公示と公信』（日本評論社・1990）
川島・理論	川島武宜『新版所有権法の理論』（岩波書店・1987）
鈴木・研究	鈴木禄弥『物権法の研究』（創文社・1976）
瀬川・附合	瀬川信久『不動産附合法の研究』（有斐閣・1981）
高木・研究	高木多喜男『不動産法の研究』（成文堂・1981）
鷹巣・検討	鷹巣信孝『物権変動論の法理的検討』（九州大学出版会・1994）
鷹巣・基礎理論	鷹巣信孝『所有権と占有権――物権法の基礎理論』（成文堂・2003）
滝沢・理論	滝沢聿代『物権変動の理論』（有斐閣・1987）
滝沢・理論 2	滝沢聿代『物権変動の理論 2』（有斐閣・2009）
多田・理論	多田利隆『信頼保護における帰責の理論』（信山社・1996）
辻・所有の意思	辻伸行『所有の意思と取得時効』（有斐閣・2003）
林・交錯	林良平『近代法における物権と債権の交錯』（有信堂・1989）

半田・研究　半田正夫『不動産取引法の研究』（勁草書房・1980）
半田・範囲　半田正夫『177 条における第三者の範囲［改訂］』（一粒社・1982）
藤原・時効　藤原弘道『時効と占有』（日本評論社・1985）

【2021 年物権法改正の解説】

安達ほか・ガイドブック
安達敏男ほか『改正民法・不動産登記法実務ガイドブック』（日本加除出版・2021）
荒井・Q&A　荒井達也『Q&A 令和 3 年民法・不動産登記法改正の要点と実務への影響』（日本加除出版・2021）
七戸・解説　七戸克彦『新旧対照解説　改正民法・不動産登記法』（ぎょうせい・2021）
日弁連・解説　日本弁護士連合会所有者不明土地問題等に関するワーキンググループ編『新しい土地所有法制の解説』（有斐閣・2021）
松尾・所有者不明土地
松尾弘『所有者不明土地の発生予防・利用管理・解消促進からみる改正民法・不動産登記法』（ぎょうせい・2021）
松尾・読む　松尾弘『物権法改正を読む』（慶應義塾大学出版会・2021）
山野目・改革　山野目章夫『土地法制の改革』（有斐閣・2022）

※上記改正については、その他、下記のような文献を参照。
児玉隆晴『〈民法〉所有権・相続のルール大改正』（信山社・2022）
所有者不明土地法制研究会『所有者不明土地の利用の円滑化等に関する特別措置法解説』（大成出版社・2020）
松尾弘『土地所有を考える　所有者不明土地問題解消に向けた近時の法改正をふまえて』（日本評論社・2022 予定）
村松秀樹＝大谷太『Q&A 令和 3 年改正民法・改正不登法・相続土地国庫帰属法』（きんざい・2022）

第1章
物権法総論

第１節　物権の客体、意義および種類

§Ⅰ
物権の客体

1　物権の客体――「物」

1-1　**物権**とは、「物」に対する直接支配権（排他的権利）である（☞ 1-12）。「物」については総則の説明に譲るが（☞民法総則 5-1 以下）、日本民法は、「物」をドイツ民法に倣い「有体物」（85 条）に限定している。フランス民法のように、無体物（債権、知的財産権など）も含めて財産一切を物と認め、これを所有権や用益物権の対象とはしていない（水津太郎「物概念論の構造」新世代法政学研究 12 号［2011］299 頁）。物は、物権の公示また物権変動という観点からは、下記のように大別することができる。

> ① 不動産
> 　ⓐ　土地
> 　ⓑ　土地の定着物（③以外）
> ② 動産
> 　ⓐ　不動産から独立した動産（登録動産・非登録動産）
> 　ⓑ　不動産の従物
> ③ 独自の取引対象となる土地の定着物（立木、未分離果実等）

1-2　**◆海面下の土地**

土地は地球の一部であり、空気に覆われている陸地、海水に覆われている海面下の土地とに分かれ、陸地内にも河川や池・湖といった水に覆われている水面下の土地もある。河川法が適用になる場合には河川の周辺を含め私人の所有は認められないが、山林を所有していて、そこに池や川があっても、その部分も私人の所有の客体たる土地の一部である。

では、海面下の土地は、私権の客体となる「物」たる土地であろうか（国の領地ではなく領海）。海面下の土地も有体物であるが、権利の客体たる「物」と認められるための障害事由（支配可能性がない）があるのであろうか。

海岸に接した私人所有の土地について（典型的には島1つの所有）、土地が海没すると所有権が消滅すると考えられている（☞ 15-2）。なぜなら、海没すると土地ではなくなるからである。他方、海面下の土地の埋立てを国から許可を得て、埋め立てて陸地とすれば土地所有権が考えられる（下記判例参照）。問題は海面下のままで私人の土地所有権が認められる場合があるのかである。将来的には海底利用が考えられ、立法論として、国の許可を得て海底利用権を取得することが考えられる。

実際に問題となった事例として、江戸時代に新田開発許可を得て、明治政府から地券の交付を得て、その所有の登記がされている海面下の土地（干潟）につき、県が一帯の干潟の埋立てを計画し、先の登記について登記官が海没を理由に滅失登記をしたのに対して、登記名義人らが処分の取消しを求めた事例がある。最判昭61・12・16民集40巻7号1236頁は、現行法は海面下の土地を私人の所有に帰属させる制度を採用しておらず、過去に帰属させたことがあれば現行制度の下でも存続していると解すべきだが、徳川幕府の新田開発許可は、開発権を付与するものにすぎず、「後の民法施行により所有権に移行するところの排他的総括支配権を付与するものではない」として、原告らの海面下の土地の所有権を否定した。

1-3
◆遺体・遺骨

「人」は権利主体であり物ではないが、死亡すれば死体や遺骨は「物」になる。しかし、被相続人にも所有権はなかったのであるから相続財産ではない。その所有権は祭祀主宰者（897条）に帰属し、また、206条に規定する自由に使用・収益・処分できる所有権ではなく、埋葬をするという義務を内容とする特殊な支配権である[1)]（鈴木龍也編著『宗教法と民事法の交錯』［2008］211頁以下参照）。学説には、死体には所有権を認めず、埋葬管理および祭祀供養のための権利（埋葬管理権および祭祀供養権）のみを認めればよいという考えもある（前田達明『風紋の日々』［2011］226頁）。ただし、家族の許諾を得て学問的研究の対象たる標本として骨格が保存されることはあり、また、寺院が管理する即身仏のミイラは所有の対象になる。この場合においても、死者の人格権の尊重が可能な限り図られるべきである。

1)　判例は遺体に所有権の成立を認めるが（大判大10・7・25民録27輯1408頁）、埋葬管理および祭祀供養の目的を達することにその内容を限定する（大判昭2・5・27民集6巻307頁）。東京地判平12・11・24判時1738号80頁は、病死した死者の内臓等を病院側の申出に応じて提供した遺族が、承諾を与えていない遺体部分も採取したと主張しその返還請求をした事例で、病院と遺族との間に贈与、使用貸借等が成立していると認定し、「本件承諾の基礎にある高度の信頼関係が剖検時における被告側の事情により破壊されたものと認められるから、原告は、本件承諾と同時にされた寄付（贈与）又は使用貸借契約を将来に向かって取り消すことができる」として、返還請求を認容した。

1-4

◆身体について

⑴　身体についての自己決定権（人格権）

人は「物」ではなく、生きている人間の身体には所有権は成立せず、本人さえも自己の体に所有権を有しない。しかし、所有権とはいわないだけで、自己の体を管理また処分する――髪や爪を切る、髪を染める、刺青をするなど――権利（**自己決定権**）を有している。これは、所有権ではなく人格権である。意思無能力者（幼児等）の場合には法の許容する限度で法定代理人に、その財産だけでなく、その身体についての身上監護の権利に基づき、散髪、手術などについての管理権限が認められる。ただし、可能な限り本人の意思を尊重すべきである。

1-5

⑵　身体の一部

人の手や指が切断された場合に、その切断された手や指の帰属については議論がある（ジャン・ピエール・ボー／野上博義訳『盗まれた手の事件――肉体の法制史』［2004］参照）。切り離された手や指を他人が奪う行為の刑事責任について、①縫合手術により元に戻す可能性を奪ったことになり、傷害罪を問題にする、②人の一部ではなくなり「物」になるので窃盗罪になる、③「物」ではなく犯罪とならない、等の考えが可能とされている。民法上は、①の観点からは縫合手術による復元の可能性を奪った不法行為を認めるべきである。復元可能性がある限り、依然として身体の一部と考えるべきであり、本人に「帰属」すると考えられ、人格権に基づく返還請求を認めるべきである。ただし、切られた髪の毛、治療のため切断された足、摘出された盲腸などは、事前に意思表示をしておかない限りは無主物になる。この場合でも、人格権は存続しており、無主物先占は制限され、その処分は人格権を尊重した形でなされるべきである。

1-6

⑶　人由来製品

頭髪、血液、卵子、精子、骨髄だけでなく、特殊な細胞等々、人間から分離された細胞や組織の一部は、公序良俗に反しない限りまた法令の限度内で「物」となり所有権の客体となり、取引の対象とすることが許される。取引だけでなく、寄託の対象ともなりえ、冷凍保存庫が故障してそれがだめになってしまえば損害賠償が認められる（損害の評価は難しい）。

例えば、エイズに対する耐性のある者の細胞を無断で加工してエイズ対策の製品を作り出した場合、加工の規定を類推適用して加工者の所有権取得を認める余地がある。臓器については、臓器の移植に関する法律11条により臓器の取引が禁止されている。また、臓器移植は、①本人が生前に書面により臓器提供の意思を表示し、遺族が拒否しない場合のほか（同法6条1項1号）、②平成21年（2009年）改正では、本人の書面による臓器提供の意思表示がなくても、反対の表示がされていない限り、遺族が臓器提供について書面で承諾している場合には、臓器提供が可能になった（同2号）。献血の場合には、身体からの分離により血液に対する所有権が成立すると同時に、贈与に基づきそれが採血機関に移転し、輸血によって輸血された者の身体に付合することで所有権は消滅する。

2　一物一権主義

1-7　### (a)　一物一権主義の内容

一物一権主義とは、「1つの物に1つの物権」の成立を認める法原則である。この原則は次の3つを内容とする。注意すべきは、これは所有権についての原則だということである。用益物権については②（☞ 1-9）、担保物権また担保のための所有権（譲渡担保権）については③について異なる規律が可能である[2)]。

> ①　1つの物には1つの所有権しか成立しない
> ②　1つの物の一部には独立した物権は成立しえない
> ③　複数の物があれば複数の物権が成立する

1-8　### (b)　1つの物に重量的に所有権は成立しない（①）

一物一権主義を宣言した条文があるわけではないが、ⓐ権利は客体の数に応じてその分だけ存在することが原則であり、また、ⓑそのように解さなければ取引の安全を害するおそれがあるため―― 1つの自動車の車体はA、エンジンはB所有という状態を認めては取引に支障が生じる――、解釈上認められている。①については、封建的な重層的所有権を認めないという意味のほか、即時取得や取得時効によって元の所有権が消滅する理論的根拠となる。

1-9　### (c)　構成部分は1つの物の一部（②）

1つの物の一部をA、他の部分をBの所有とすることはできない。構成部分が個性を持たない**単一物**か、指輪と宝石のように構成部分の個性が失われていない**合成物**かを問わない。

ただし、この点、土地については注意が必要である。土地は人為的に登記

2)　抵当権も複数の不動産に設定する場合には、不動産ごとに抵当権が成立する。しかし、財団抵当のように複数の物に1つの抵当権、集合動産質のように変動する複数の動産に1つの質権の成立は可能である。なお、主物に成立した抵当権の効力は従物にも及ぶが、これは従物ごとに1つの抵当権が成立するのではない。地上権や賃借権についても、土地の従物にもその効力が及んでいると説明すればよい。

簿によって画されるものであり、登記は１つの所有権が成立する要件ではなく、あくまでも対抗要件にすぎないので、土地の一部のみの譲渡・地上権等設定（地上権については区分地上権も可能☞ 23-4）、さらに、時効取得が可能である[3)]。これにより独立した所有権が成立するが、登記をしない限り対抗できない。また、建物については、その一部に区分所有権の成立が認められている（☞ 22-1 以下）。

1-10　**(d)　１つの担保の客体としての物の集合体（③）**

例えば、リンゴ３つを１つの袋に入れた場合、商品としてはその１袋が１個の商品であるが、リンゴそれぞれにつき所有権が成立する。ただし、限界づけは微妙であり、もやしの入った１袋には１つの所有権を認めてよいであろう。他方、債権は契約の個数によって決まり、リンゴ３つを購入しても契約は１つであり、３つのリンゴの引渡しを求める１つの債権が成立する。

担保物権については、従物があっても主物の抵当権の効力が従物に及ぶだけで、１つの抵当権が成立するにすぎない。さらには、財団のように複数の財産の集合体に１つの抵当権の成立が認められる場合もある。集合物については、判例は１つの所有権を認めるが、担保としての所有権（譲渡担保権）だから１つとして認められるのである（☞担保物権法 4-57）。

1-11　**◆建物の合体**

一物一権主義は、建物についても当てはまる。隣接する甲建物と乙建物を増築工事により結合し、１つの建物にした場合、①主従を決められなければ、合体建物は新たな建物（丙建物）となる――それぞれの表題部の登記を抹消し、新たに丙建物の表示登記をすることになる――。②他方、乙建物が甲建物の附属建物であって従たるものにすぎなければ、甲建物に乙建物は吸収される――甲建物の表題部の変更登記、乙建物の表題部の抹消登記をする――。合体は、２つの建物が同一所有である事例が普通であるが、別々の所有に属する建物である場合も考えられる。この場合には、付合についての 243 条・244 条・247 条を類推適用すべきである。主従がつけられなければ、元の建物の価格に応じた共有になる。

3）　当初の判例は、一筆の土地の一部を占有し時効取得したと主張して、土地の登記名義人に対して土地分割登記を請求した事例で、請求を棄却したが（大判大 11・10・10 民集１巻 575 頁）、その２年後には土地の一部の売買により所有権が有効に移転しうることを認め（大判大 13・10・7 民集３巻 476 頁）、土地の一部の時効取得を認めるに至った（大連判大 13・10・7 民集３巻 509 頁。最判昭 30・6・24 民集９巻７号 919 頁も同様）。越境して他人の土地を占有している場合には、その部分の時効取得が可能になる。

では、ケース①で、甲建物に抵当権が設定してある場合、ケース②で、ⓐ甲建物に抵当権が設定してある場合、ⓑ乙建物に抵当権が設定してある場合、抵当権はどうなるのであろうか。

②ⓐは増築同様に建物全体に抵当権の効力が拡張する。②ⓑでは、乙建物の抵当権は消滅するか——他人所有の場合には、償金請求権に物上代位が認められる——、①と同じ効果を認めることが考えられる（これによるべきである）。

問題はケース①である。最判平6・1・25民集48巻1号18頁は、「互いに主従の関係にない甲、乙2棟の建物が、その間の隔壁を除去する等の工事により1棟の丙建物となった場合」、「右抵当権は、丙建物のうちの甲建物又は乙建物の価格の割合に応じた持分を目的とするものとして存続する」という。その理由として、「甲建物又は乙建物の価値は、丙建物の価値の一部として存続しているものとみるべきであるから、不動産の価値を把握することを内容とする抵当権は、当然に消滅するものではなく、丙建物の価値の一部として存続している甲建物又は乙建物の価値に相当する各建物の価格の割合に応じた持分の上に存続するものと考えるべきだからである」という。甲乙共に同一所有者に帰属していたが、甲建物の価値の限度で抵当権が存続し、丙建物を競売し甲建物の価格の限度で配当を受けられるというのではなく（これでよいと思うが）、あえて価値に応じた持分を観念し、これに抵当権を存続させるのである。したがって、抵当権者は丙建物を競売できず、持分を競売できるにすぎない。

§Ⅱ
物権の意義と物権法

1　物権は物に対する「支配権」である——物権の権利としての性質

1-12　次に物権の「権利」としての内容・特質を考えてみよう。物権は物に対する**直接支配権**であり**排他性・絶対性**を有する権利（**絶対権**＝排他的帰属権）である。直接支配権といっても支配している事実状態を保護する占有制度とは異なり、支配しうる権利という観念的な権利である。債権と比較してみると、物権がより理解しやすくなるため、下記に物権と債権の定義を比較してみたい。なお、物権の特徴として支配権を前面に出す日本の説明は、比較法的には異例であり、ドイツやフランスでは絶対権であることや排他性が物権の特徴として指摘されている。

① 物権＝物に対する排他的、直接支配権（絶対権）
② 債権＝人に対する請求権（相対権）

1-13 **(1) 債権の特質（相対権・請求権）**

例えば、Aがパソコン1台（種類物）をカタログによる注文に基づいてBに販売したとする。この場合、BはAに対して契約で約束したパソコン1台を引き渡すよう請求でき、このAに対するBの請求権が債権である。債権は、下記のように、特定人に対する（＝相対権）、給付請求権ないし履行請求権である。また、物権については物権法定主義（☞ 1-25 以下）による制限があるのに対して、債権は契約自由の原則（521条2項は債権契約の規定）が妥当し、公序良俗に反しない限りその内容を自由に合意できる（第三者に関わるため譲渡制限はできない［466条2項］）。

① 債務者に履行を請求する権利であり（請求権）、その履行によって権利の内容が実現される
② 給付が履行されて消滅することが債権の目的である（継続的給付を目的とする不動産賃借権などは別である）

1-14 **(2) 物権の特質（絶対権・支配権）**

これに対し、物権については次のような特質を指摘できる。

① 直接かつ排他的に物を支配（使用・収益・処分）しうる権利である（直接支配権）
② 権利が存続することに存在意義がある

(a) **絶対権（対世的効力）**　債権は、特定人（債権者）の特定人（債務者）に対する権利であるため**相対権（対人権）**であるのに対して、物権は人との関係でいうと全ての者に対して主張しうる**絶対権（対世権）**である。

①ただし、全ての権利が他人の侵害から保護されるべきであり、全ての者が他人の権利を侵害しない義務（不可侵義務）を負い、これに違反し侵害状

態が継続している限り、侵害を受けている権利者がその停止を請求でき、その意味で債権も絶対性を有している（権利不可侵性理論☞2-5）。

②注意すべきは、債権が相対権であるというのは、給付の履行請求は債務者に対してのみ認められるという意味だということである。約束した金銭の支払、商品の引渡し、修理・運送といったサービス給付等の履行の請求は、債務者に対してしかできず、この意味では債権は依然として相対権であり相対効しか認められない。また、特定物につき所有権は1つしか認められないが、これを二重に販売すれば、同一物につき2つの引渡請求権（債権）が成立することになる。

1-15　(b)　**支配権（優先的効力）**　物権の「支配」権という特性からして、同一内容の物権は複数成立することはないという物権の**排他性**が導かれる（☞2-1）。両立しえない物権変動が競合した場合には、先に成立した方が優先する——これを**優先的効力**という（☞2-2）——。ただし、対抗要件主義の帰結として（177条［不登4条］・178条）、先に対抗要件を満たした者が優先する。所有権は優劣決定により1つの所有権のみが認められるが、制限物権同士では、例えば複数の抵当権が設定されればいずれも成立した上で、その優先順位が登記によって決められる。先に登記された抵当権が優先することになる。抵当権と地上権とでは、地上権の負担のある抵当権か負担のない抵当権か、その優劣が登記の先後によって決められる。

2　物権法——民法および特別法

1-16　民法は、物権と債権という2つの財産権を基軸として、物権関係を規律する物権編（第2編）と債権関係を規律する債権編（第3編）とを分けて規定している。**物権法**は、狭義ないし形式的には民法の第2編「物権」（175条～398条の22）を意味し、広義ないし実質的には「物権」について規律する法領域のことである。

物権編の規定は次のように分かれている。本書はこの全てを扱うのではなく、留置権以下は講学上「担保物権法」として区別され、「担保物権法」は別巻に委ね、本書はこの部分は扱わない。

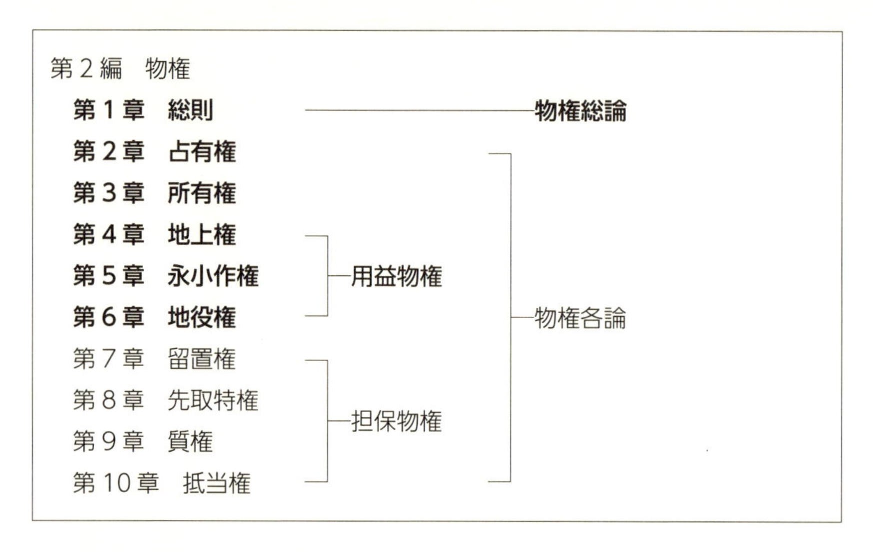

物権法「総則」では、物権法定主義（175条）、意思主義（176条）、対抗要件主義（不動産）（177条）、対抗要件主義（動産）（178条）、混同（179条）といった、全ての物権に共通する通則規定が置かれている。そして、占有権、所有権に続く物権は、講学上、用益物権（地上権、永小作権、地役権）および担保物権（留置権、先取特権、質権、抵当権）に分類されている。

物権法の法源には、民法のほか、各種の関連法規があり、登記を規律する不動産登記法、動産登記を規律する特例法（☞ 12-3）、区分所有権を規律する建物の区分所有に関する法律（区分所有法）、用益物権に関連するものとして借地借家法や農地法、特殊な物権を規律するものとして鉱業法、採石法等、また、土地所有権の制限関係については建築基準法、大深度地下についての法律（☞ 19-13）等の行政法規がある。これらを全て本書で取り上げることはできないが、関連する箇所で必要に応じて言及することにしたい。

1-17

◆物権法の史的素描

日本の民法史は、ヨーロッパ民法史に接ぎ木されたものである。ヨーロッパの物権法は、ローマ法に遡る。ローマ法には法人はなく（代理制度もない）、また、契約では方式が重視されていた。そして、権利それ自体が保護されるのではなく、法により認められた「訴権」が救済されることになり、所有権でいうと、物権的引渡し訴権（action in re）が認められていたにすぎない。この訴権の訴訟手続において、その前提として所有権の取得が証明される必要があった。その後、ガイウスの法学提要による整理によって、有体物と無体物（債権、用益物権）が区別され、前者が動産と不動産に分けられ、これについてのみ所有権が認められることになる。所有権は、権利というよりは、権限であり、その物についての人への帰属が問題とされていた。

その後、ローマ帝国が崩壊しローマ法が廃れると、封建的な領主の支配する世の中になり（中世）、物権法においては土地の階層的所有など土地を中心とした複雑な封建的物権秩序ができあがる。領主が土地を所有し（統治権のようなもの）、農民に農地についての所有権がさらに認められる等重層的な物権構造となり、これに種々の封建的拘束が伴った（この点は日本も同様）。

上記は 1789 年のフランス革命により崩壊することになる。領主の支配による封建秩序は打破され、複雑な所有関係は 1 つの単純な所有とされ、そして恒久また絶対的な所有権が宣言された（フランス人権宣言 17 条は所有権を「神聖かつ不可侵の権利」と宣言する）。しかし、1804 年のフランス民法典は、ローマ法の影響の強かった南部とゲルマン慣習法の影響を受けた北部とを統一法典とするため、ローマ法の影響を強く受けつつ、人役権など中世の法制度が維持されるが、領主の支配の復活を恐れて、人役権はその人限りのもので世襲（相続）を認めないことにされた。

20 世紀には、都市に人口が集中し、農村が縮減し、法人（会社）制度の導入により、法人を主役とした経済社会の発展がめざましく、労働者が土地を持つ資本家により支配される構図が作り上げられる。都市での住宅問題（区分所有も）、農村での農地問題、また都市での環境問題など、民法の外で特別法が社会の変化に応じて次々と制定されていく。絶対的な所有権も、従前の相隣関係の規制を超えて、種々の特別法により都市計画などによる社会的制約を受けるようになる。しかし、民法の物権法は手つかずのままというのは、フランスでも日本でも同様であった。

21 世紀には、情報化社会になり、有形的な書面ではなく情報による管理や情報伝達がなされ、地球温暖化といった環境問題が緊急の課題となった。ペットなど「物」からの脱却が必要とされるなど、物権法に関わる周辺状況の変化もめまぐるしい。フランスでは、物権法の改正準備草案が作成公表されたが、その立法作業は難航している。日本では、所有者不明また管理不全不動産問題を契機として、関連した立法がされると共に、物権法も必要な限度で改正された（2021 年）。物権法全体の改正は、将来に残された立法課題であるが、土地と建物を別の不動産とするわが国の制度は、抜本的な制度改革が必要であってその影響は計り知れず、改正には限界がある。

§Ⅲ
物権の種類と物権法定主義

1　民法および特別法上の物権の分類

1-18　民法の「物権」編に掲げられた物権は、1-16の表の通りである。占有権については、これを観念的な権利である物権と位置づけてよいのかは疑問がある（☞16-3）。特別法上の物権としては、用益物権として、採石権（採石4条）、鉱業権（鉱業12条）[4]、租鉱権（鉱業71条）、漁業権（漁業60条）[5]、入漁権（漁業98条）、ダム使用権（特定多目的ダム20条）、PFI（Private Finance Initiative）における公共施設等運営権（民間資金等の活用による公共施設等の整備等の促進に関する法律）[6]、担保物権として、工場抵当権（工場抵当法）、財団抵当権（工場抵当法、鉱業抵当法、漁業財団抵当法、観光施設財団抵当法、鉄道抵当法、軌道ノ抵当ニ関スル法律、運河法等）、企業担保権（企業担保法）、動産抵当権（農業動産信用法、建設機械抵当法、自動車抵当法、航空機抵当法等）、立木抵当権（立木ニ関スル法律）等がある。仮登記担保権については、いわゆる仮登記担保法（仮登記担保契約に関する法律）が制定されているが、仮登記担保権という物権を認めるものではない。

1-19 (1)　所有権

所有権は、物の支配について下記①～③の一切の利益を享受しうる物権の完全体であり（206条）、かつ、個々の権能の集合体を超えた淵源たる権利

4)　鉱業権等については、土地の鉱物を所有しているのではなく、鉱物を採取してその所有権を取得しうる権利であり、物権の一種であるが特殊な物権取得権と分類されている。

5)　漁業権については、「漁業権は、物権とみなし、土地に関する規定を準用する」（漁業23条1項）と明記されている。漁業権の法的性質について漁業法学者の通説は、**漁業行為絶対権説**であるといわれ、判例もこの立場であり、刑事事件であるが、「所謂専用漁業権なるものは行政官庁の免許を受け海上一定の区域内に於て天然に生育する水産動植物を排他的先占的に採捕し又は漁業者が其の所有に係る水産動植物を養殖することを得る権利」であり、「該区域内の動植物の上に当然占有権若は所有権を獲得し得べきものに非ず」とされている（大判大11・11・3刑集1巻622頁）。これに対して、学説には**漁場支配権説**も主張されている。

6)　同法24条は「公共施設等運営権は、物権とみなし、この法律に別段の定めがある場合を除き、不動産に関する規定を準用する」ので、公共施設等運営権は、譲渡やこれに抵当権設定が可能とされている（同法24条）。「公共施設等運営権及び公共施設等運営権を目的とする抵当権の設定、移転、変更、消滅及び処分の制限……は、公共施設等運営権登録簿に登録」し（同法27条1項）、この「登録は、登記に代わるものとする」（同条2項）。物権とすることの大きな意義は、譲渡また抵当権の設定を可能とすることにある。

（物に対する**全面的支配権**）である（弾力性につき☞ 1-21）。詳しくは☞ 19-1 以下の説明に譲る。

①　使用（→使用利益の享受） ②　収益（→天然ないし法定果実の収受） ③　処分（→法的処分・事実的処分）

土地を例に説明すると、①使用とは、建物を建てて住む、資材置場として用いる、②収益とは、農地として利用し農作物を収穫し販売して利益をあげる、他に貸して賃料を取得する、③処分とは、物を廃棄したり他人に売却することであり、これら一切のことを所有者はできる。これらの利益のうちの一部だけを独立させることができ、このような制限された内容の物権を**制限物権**という。他人の財産の上の物権であるため、**他物権**ともいわれる。

1-20 **(2)　制限物権**

(a)　用益物権　民法は、所有権に続けて、土地を利用するための権利として地上権、永小作権および地役権を規定しており、講学上この３つを総称して**用益物権**と呼んでいる。用益物権は、日本民法では土地についてのみ認められ、建物や動産については、他人の物の使用は賃貸借ないし使用貸借という債権による利用が認められるだけである。民法は、所有権とは別に占有権を物権の１つとして規定しているが、占有という事実状態に種々の法的効果が付与されているにすぎない。物を支配しうる観念的な権利ないし物の支配を正当化する権利（これを**本権**という［202 条参照］）とは異なる。

1-21 **◆所有権の弾力性**

例えば、用益物権が設定された土地所有権は、土地所有者にとって土地を利用できず地代を受けるだけの権利になる（**虚有権**といわれる）。所有者は土地を売却できるが、建物所有のための地上権が設定されていれば、いわゆる「底地」としての価値しかなく、代金はかなり低下する。所有者は用益権を失っているが、用益物権が消滅すれば用益権が復活する（**所有権の弾力性**という☞ 19-2）。所有者は用益権を永遠に失うのではなく、一時的に用益物権の存続している限りにおいて失っているにすぎない。

1-22 **(b)　担保物権**　民法は、用益物権に続けて、留置権、先取特権、質権および抵当権の４つの物権を規定している。これらの物権は債権の存在を前提とし――被担保債権という――、その債権の回収のための（＝担保）権利であるため、**担保物権**と呼ばれている。しかし、これらも一括りにするには適しない特性があり、次の２つの種類に分類できる。

①まず、留置権のように、単に抗弁権として構成するのではなく、他人の物を占有するため、占有を正当化するための権利として物権と構成されている担保物権がある。②次に、債権者が担保の対象たる財産を競売して（換価権）、代金から優先弁済を受ける（優先弁済権）担保物権がある。この優先弁済権を本質とする担保物権として、先取特権、質権および抵当権がある。質権は①のような留置権の機能も持つ。

1-23

◆担保物権に基づく担保価値維持保存請求権――担保物権の物権性

用益物権は、所有権の内容たる使用収益権を用益物権者に譲渡（委譲）したものである。これに対して、抵当権などの優先弁済権型の担保物権は、他人の所有物の処分権とその換価金に対する被担保債権のための優先弁済権を認めるものにすぎず、債権の効力を物権的に強化するものである（物権ではないという主張さえある[7)]）。そのため、抵当権者らは、目的物からより確実な債権回収ができるように、目的物の価値の維持について切実な利害関係を有するゆえに、目的物の管理についての必要な権限が認められる。第三者が目的物の価値を下げる行為をしていれば、この管理権限に基づいて妨害排除請求が認められるべきである。また、第三者が換価を妨害する場合にも、換価のために必要な限度での管理権限も認められるべきであり、やはり妨害排除が認められてよい。これらの妨害排除請求権は、抵当権が物権と構成されるため物権的請求権と考えられている（☞担保物権法 1-19）。

さらには、目的物の所有者との関係で、抵当権の物権的効力を問題にできる。所有者は、価値を侵害しないだけでなく、目的物が損傷などにより価値が減少した場合に、修理などにより価値を回復させる義務を負う。すなわち、担保物の適切管理義務だけでなく、価値の維持・復元も義務づけられる。これは物的義務であり、抵当権設定契約上の債権関係ではなく、第三取得者にも認められる。以上のことは譲渡担保や所有権留保にも当てはまり、例えば集合動産譲渡担保であれば、集合物を構成する商品などが販売や滅失等により減少すれば、設定者は補充をしなければならない。そして、価値が維持されている限り、それ以上干渉する

7)　加賀山教授は、抵当権などの優先弁済権型の担保物権について、それは債権に優先弁済効が与えられただけであって、債権とは別に物権を認める必要がないとする（加賀山茂「『債権に付与された優先弁済権』としての担保物権」『民法学の軌跡と展望』［2002］291 頁以下）。

権限を認める必要はなく、代金などへの物上代位は認められない。

このように、担保物権は債権回収に特化した物権関係であり、以上に述べた処分権（換価権）＋管理権限を物権と構成しているだけの物権である。

1-24 **◆担保物権の追及力**

例えば、AがBに融資をしてBの土地に抵当権の設定を受け、その登記を受けたとする。この場合、Bから土地を譲り受けたCは抵当権による制約を受けた所有権を取得しうるにすぎない。逆にいえば、Bは抵当権に制約された所有権しか有していないのであるから、そのような所有権しか移転できないことになる。これをAの抵当権からみると、土地の所有者がBからCに変わっても、Aは抵当権をCに主張できるということになる。そのため、これを抵当権の**追及力**という。対抗力が認められる限り、担保物権のみならず制限物権にも、このような追及力が認められる。

2　物権法定主義――物権的合意の制限

1-25 (1)　法定された物権と異なる物権の創設禁止

175条は、「物権は、この法律その他の法律に定めるもののほか、創設することができない」と規定している。この規定は、いわゆる**物権法定主義**を明記したものであり、次の2つの内容を含意している。

> ①　法律（民法および特別法）に認められていない新たな物権の創設の禁止
> ②　法律で認められた物権について法定の内容と異なる合意の禁止

175条は民法施行後の行為規範というだけでなく、近代民法典の制定に際する経過規定として[8]、それまで存在していた封建的物権秩序を否定し、これを民法その他法定の物権秩序に整理するという意義も有している[9]。この趣旨を明確に定めたものが、民法施行法35条である。例えばA所有の湖でBが釣りをする、A所有の森でBが狩りをする、キノコを採取するといっ

8)　民法典を導入せず判例法のまま発展した英米法では、民法典制定に際する封建的物権制度の清算はなされず、多様な物権的合意が可能なままである。比較法としては、最も広い物権的合意を認める英米法――判例法国なので制定法を前提とした物権法定主義という議論がほとんどない――、人役権を認めさらに自由な支分権の設定を認めるフランス法、用益権を制限しかつ物権法定主義を明確に宣言する日本法と、新たに創造できるかどうかを措くとしても、物権的合意の自由度は国によって異なっている。

た用益を内容とする物権を設定することはできない。

1-26 **◆物権法の規定の強行規定性と債権的合意**

物権法の規定は、物権の内容についての規定だけでなく、物権法の制度（対抗要件主義など）についての規定も含めて、原則として強行規定であると考えられている。しかし、添付の規定等、当事者の特約が可能な規定もあり（物権法が補充規定の場合として、225条2項など）、また、共有物分割禁止の合意等明文で合意が認められている場合もある。したがって、強行規定か否かは規定ごとに判断するしかない。ただし、制限されるのは、物権的合意ないし物権的効力だけである。契約自由の原則（521条2項）が適用される債権契約は、物権法規の趣旨も勘案しつつ、公序良俗に反しない限り、有効である。例えば、所有権は譲渡性が認められており（206条）、譲渡性のない所有権を作り出すことはできないが、当事者間で譲渡しないという債権的拘束を認めることは可能である。また、土地の所有権は土地の上下に及び（207条）、これを制限した所有権を作り出すことはできないが、当事者間で一定の高さ以上の建物を建てないといった特約をすることはでき、これに違反すると債務不履行が問題となる——特定承継人には対抗できないが、建築協定は特定承継人にも効力が認められる（建築基準75条）——。

1-27 (2) 物権法定主義の根拠とその限界

物権法定主義が必要とされるのは、債権とは異なる物権の性質による。物権は絶対権であり第三者に対抗できるため、公示のない物権を自由に創造できその対抗ができるというのでは、取引の安全を害するのである。その他、自由に物権を創造できるとすると、徴税その他の公法関係においても、複雑な事態を生じさせ経済を混乱させる弊害が生じること（末川25頁）、土地についての調査コストの低減ということも指摘されている（能見善久「信託と物権法定主義」『現代民事法学の理論(上)』［2001］57頁以下）。

物権法定主義のおかげで、例えば、登記を見て用益物権が設定されていないことを確認して購入したデベロッパー（買主）は、その土地で狩猟をする権利の設定、その土地の沼で釣りをする権利の設定を受けていると主張する

9)　民法施行前の封建的物権関係が、民法施行後に民法上の物権に整理された例として、いわゆる上土権（うわつちけん）がある。これは、小作人が上土権という一種の所有権を有するものと主張し、地上権と認定した原判決を不服として上告したのに対して、大審院は、「一箇の土地に付き、其所有権以外に上告人主張の如き上土権なる地表のみの所有権を認むることは我民法の許容せざる所」であり、また、「他人の土地の上に建物を所有する為め其土地を使用する権利は民法に所謂地上権にして別種の権利にあらざる」と判示して、上告を棄却している（大判大6・2・10民録23輯138頁）。

者が出てきて、開発が挫折する憂いを味わなくて済む。物権の設定だけでなく、物権的合意も同様である。神社がその所有する由緒ある岩がある土地を大学に売却し、買主たる大学がその岩を保存し神社が管理することを認める約束をしたが、大学がその土地をデベロッパーに売ってしまった事例がある。この場合、物権的合意としての効力は認められず、買主に承継されることはない。

では、慣習法上の物権以外は一切認められないのかというと、譲渡担保のように、認める必要性があり、物権法定主義の立法趣旨と抵触せず、また、それを認めても第三者の取引安全を害さないならば、これを有効としてよいと考えられる（安永８頁）。

1-28

◆物権法定主義と譲渡担保および所有権留保

判例は、譲渡担保について所有権の移転を認めつつ、これを担保に必要な限度にとどめ、この担保に必要な限度で移転した所有権を「譲渡担保権」と呼び、所有権の移転であるにもかかわらず「譲渡担保権の設定」といった表現で説明している（☞担保物権法 4-9）。このような物権関係が、物権法定主義との関係で認められてよいのかは問題になる。所有権留保についても、判例は、所有権移転時期の合意としつつも、「弁済期が到来するまでは、当該動産の交換価値を把握するにとどまる」と傍論的に述べている（☞担保物権法 4-104）。なお、譲渡担保権については、集合物についての１つの譲渡担保権の設定も認められている（☞担保物権法 4-58）。ちなみに、今は明文化されたが、根抵当権という特殊な規律を要する抵当権が、明文規定がなくても認められていた。

所有権の「処分」の内容は自由ではなく、物権法定主義に従わなければならないはずである。担保目的の場合には、法定の担保物権の設定、用益権の設定も法定の用益物権しか設定できないはずである。用益物権については、債権契約（使用貸借、賃貸借など）により代替が可能なため、実務上の要請が高くはなく問題にならないが、担保関係については、取引社会の創意工夫の努力が物権法定主義と抵触しても尊重されている。いい過ぎかもしれないが、担保関係では、物権法定主義に抵触して無効かどうかではなく、単純に公序良俗（90条）に違反するかどうかが効力を認めるか否かが基準になっている印象である。このように物権法定主義の射程外とする法的処理は、担保関係に関する限り適切である。動産については、即時取得により取引の安全が保護されることが大きい。あえて慣習法上の物権として根拠づける必要はない。

3　慣習法上の物権の承認

1-29 (1)　民法施行前の慣習上の物権

物権法定主義の導入により、民法施行前の物権は以下のようになった。

> ①　民法上の物権に整理されたもの
> ②　民法に対応するカテゴリーがないもの

問題は後者の②である。ⓐ注９の上土権のように否定されたものばかりではなく、ⓑ温泉権[10)]、水利権[11)]、墓地使用権[12)]など、現在でも認められている物権がある。物権法定主義の下でも、次の要件を満たすならば、慣習法による物権を認めてよい。

> ①　現に慣習法として定着しており、それを認める必要があること
> ②　民法上の物権のカテゴリーに整理しえないものであること
> ③　封建的な物権秩序の復活とされるような不合理なものではないこと
> ④　その物権の公示方法が確立している、ないし、その存在が周知のものとなっていること

10)　温泉権を認めた判例は数多くある（大判昭15・9・18民集19巻1611頁など）。温泉以外の地下水について、大判明37・3・7刑録10輯429頁は、その部落の承認なしに自分の土地に井戸を掘ることが制限される慣習が問題となった事例で、これを否定している。慣習法がなければならないので、自然に湧出する温泉ではなく、都会によく見られる掘削して湧出させた温泉については、温泉権を土地所有権とは別の物権とする慣習法が成立しているとは思われず、掘削地の所有権とは別の物権として認めることはできない。そのため、他人の土地を賃借して地下深くから温泉を汲み上げている事例は、「土地所有者から債権的に温泉の利用を許されるにすぎない」ことになる（東京高判令元・10・30金判1587号22頁）。

11)　池や川から水を引く慣習法の権利を水利権といい、一般流水利用権と流水専用権とがある。水利権を認めた大判大6・2・6民録23輯202頁は、「他人の所有地より湧出する流水を永年自己の田地に灌漑するの慣行あるときは、之に因りて其田地所有者に流水使用権を生じ水源地の所有者と雖も之を侵すことを得ざるは、古来本邦の一般に認められたる慣習法なり」という（その他、大判大14・12・11民集4巻706頁など）。

12)　墓地使用権は、土地は寺院の所有のままに墓碑の所有と埋葬のための土地の永代使用権であり、慣習法上の物権と理解されている（山形地判昭39・2・26下民集15巻2号384頁、福岡高判昭59・6・18判タ535号218頁など）。寺院の檀家になることが前提とされ、寺院は永代供養といった管理を伴い、正当な承継者に代々承継される譲渡できない権利である。永代使用権の二重設定は、墓石を設置し永代使用を開始した者が優先するというべきか。永代使用権の侵害に対しては物権的請求権が認められるべきである。

民法制定当初は、175条を根拠に、単純に慣習法上の物権は認められないと理解されていた（富井32頁以下、中島24頁）。しかし、今や175条は私人が創設することを禁止するだけであり、慣習法として認められている物権まで当然に否定するものではないという結論には異論がない。問題は、175条の物権法定主義との関係でこの結論をどう説明するかである。

1-30 **(2)　慣習法上の物権の法的根拠づけ**

民法施行法35条は、「慣習上物権と認めたる権利にして、民法施行前に発生したるものと雖も、其施行の後は民法其他の法律に定むるものに非ざれば、物権たる効力を有せず」と規定するが（原文カタカナ、読点なし）、例えば、墓地使用権は慣習法上の物権として存続を認めるべきである。175条は私人が「創設」することを禁止するだけであり、創設が問題とならない慣習法上の物権については適用されないと考えるべきである（下記②説）。

①学説には、法の適用に関する通則法3条を問題にして、175条の「法律」には、「法律と同一の効力を有す」る「法令に規定なき事項に関する」慣習が含まれるという考えもある（我妻・有泉26～27頁、松坂13～14頁、末川27頁、石田喜23頁など）。しかし、175条の規定があるにもかかわらず、「法令に規定なき事項に関する」ものというのは疑問である。

②そのため、法の適用に関する通則法3条により慣習法と認められる慣習法に基づく物権ならば、公示の要請を満たすものについては、175条を制限解釈して、慣習法上の物権を認めてよいと考えられている（舟橋18頁、広中33～34頁、鈴木436頁、近江9頁など）。

1-31 **◆慣習法上の物権の対抗要件**

慣習法により対抗力が認められる例として、立木や未分離果実（☞13-1）のほかに、慣習法上の物権についても明認方法による対抗力の取得が認められている。例えば、温泉権を土地とは独立して設定・譲渡することが可能となる。その結果、慣習法上の物権の移転についての対抗要件が問題となってくる。判例はこれを明認方法によることを認めるが、所有権の変動に関する明認方法ではないことなどの諸点において、立木や未分離果実とは大きく異なることが指摘されている（清水恵介「温泉利用権の明認方法をめぐる序論的考察」『現代法と法システム』［2004］564頁）。そのため、必ず明認方法が必要とされるわけではない（下記②）。墓地使用権や水利権のように、明認方法を要せず現実の利用実態が外部からわかればよく、慣習法上の物権も認められる。

①大判昭15・9・18民集19巻1611頁（**鷹の湯事件判決**）は、「排他的支配

権を肯認する以上、此の種権利の性質上民法第177条の規定を類推し第三者をして其の権利の変動を明認せしむるに足るべき特殊の公示方法を講ずるに非ざれば之を以て第三者に対抗し得ざるものと解すべきことは敢て多言を俟たざる」と判示している。続けて、「右地方に在っても、例へば温泉組合乃至は地方官廳の登録等にして右公示の目的を達するに足るべきもの存するや否や、或は尠くとも立札其の他の標識に依り、若くは事情に依りては温泉所在の土地自體に對する登記のみに依り第三者をして叙上權利變動の事實を明認せしむるに足るべきや否やに付」審理判断をすべきであるとしている。

②他方、その後の判例には、温泉源を継続的に管理・支配しているという客観的事実によって公示ありと認めて、対抗力が肯定された事例がある（東京地判昭45・12・19下民集21巻11＝12号1547頁、高知地判昭53・1・26判時888号107頁）。これは川島博士の所説によったものと評価されており、いまだ判例法理が定着していないものと考えられている（清水・前掲論文565頁）。その中にあって、配湯権についての東京高判平23・10・19（判例集未登載）について、清水・前掲論文は判決文を入手検討し、未登記通行地役権についての最判平10・2・13民集52巻1号65頁も含めて、川島博士のいう施設設置による緩やかな明認方法による解決として注目をする。

第2節　物権の効力

§Ⅰ
排他的効力（優先的効力）

2-1 (1) 物権の排他的効力

物権は排他的な権利であるため、1つの物には内容の牴触する物権は1つしか成立しえない。同一の物についてなされた二重譲渡の買主の債権、二重賃貸の賃借人の債権のように、債権は牴触する内容のものでも複数成立しうるが、所有権の取得については対抗要件を先に備えた者のみに認められ（177条・178条）、残りの債権は履行不能となる。相矛盾する債権が競合する段階では、物権取得についての対抗要件具備は自由競争の妥当する領域である。

他方、例えば、地上と地下に別の者のために地上権を設定する場合には、

２つの地上権は両立する。地上権や抵当権、複数の抵当権も併存しうるが、その優劣を決定する必要がある。

2-2 **(2)　物権の優先的効力**

物権の排他性から、相両立しえない物権変動があれば、物権の絶対効とも相まって、先の物権変動の効力が優先することになる。例えば、Ａがその所有の甲地をＢに売却すれば、Ａは無権利となり、その後にＡが甲地をＣに売却してもＣは所有権を取得しえない（債権契約としては有効）。

ところが、物権取得の優劣の決め方については、日本では対抗要件主義が採用され、不動産では登記（177条）、動産では引渡し（178条）によって決められる。不動産については、不動産登記法４条１項が、「同一の不動産について登記した権利の順位は、法令に別段の定めがある場合を除き、登記の前後による」と明記している。申請が競合した場合は、受付番号の順による（同法20条）。これは抵当権にも妥当し、複数の抵当権が同一の不動産に設定された場合、登記の先後で優劣を決して、後れた抵当権は劣後する順位の抵当権として扱われる。

§Ⅱ　物権的請求権（物上請求権）

1　物権的請求権の意義・根拠とその種類

2-3 **(1)　物権的請求権の意義・根拠**

(a)　物権的請求権の意義　物権は物に対する権利であり、物権において人との関係、すなわち人に対する請求権が問題となるのは、物権が侵害された場合にその者との間においてである。物権の効力として、その侵害に対して返還、妨害排除また予防といった請求を、侵害者ないし侵害のおそれのある者に対して請求できる。この請求権を**物権的請求権**といい（**物上請求権**ともいう）、「物権の効力」として説明がされてきた[13)]。

民法は占有訴権（☞ 18-22 以下）の規定において、占有訴権のほかに「本権の訴え」が認められることを前提としており（202条）、物権的請求権を認めることに異論はないが、その根拠づけについては議論がある（根本尚徳

『差止請求権の理論』［有斐閣、2011］388頁以下）。

2-4　(b) **排他権説（判例）**　物権的請求権の理論的根拠としては、①物権の直接支配性、②物権の絶対性、③物権の排他性、④権利の通有性としての不可侵性などが考えられてきた。この点、同様に妨害排除請求権が認められる人格権や不動産賃借権などとの議論との整合性を考える必要がある。

物権の排他権ないし絶対権の効力として物権的請求権を基礎づけると、絶対権である人格権にも同様に、人格権の効力としてその侵害に対する差止請求が認められ、物権のみの特有の効力ではないことになる。さらには、債権であっても不動産賃借権については対抗力を備えて排他性を認められれば、物権と同様にその効力として侵害に対する妨害排除請求権が認められるようになる（**排他権説**［判例である☞ 2-6］）。

2-5　(c) **不法行為の効果？（違法侵害説）**　物権以外の権利さらには利益であろうと、それに対する違法な侵害に対して、被害者はその停止を請求できるべきである。違法な行為を止めるよう請求できず、不法行為については損害賠償を請求するしかないというのは非常識極まりない結論である。不法行為については、損害賠償にとどまらず、差止請求が認められるべきである（条文はないが、いわば法の一般原則）。

規定はないが、全ての権利また法益を侵害する不法行為に対して、被侵害者が不法行為の停止・排除を請求できるべきである（債権侵害についての**権利不可侵性理論**）。これは不法行為それ自体の効果として認められ、損害賠償とは異なり故意・過失また責任能力は必要ではない――他方で、空港、鉄道など、損害賠償請求よりも停止請求が制限されることがある――。この考えでは、不法行為の効果として、物権的請求権を含めて差止請求権を統一的に説明することになる（**違法侵害説**）。これが本書の立場であり、物権的請求権についても、客観的に違法な侵害の効果と構成し、被侵害者に侵害者に対する請求権を認め、不法行為の問題に解消されることになる。

13）　ドイツ民法では、物権法に「所有権に基づく請求権」と題する節に985条から1007条までの詳細な規定が規定され、これが地上権（1017条）、地役権（1027条）、用益権（1065条）、人役権（1090条2項）、質権（1227条）に準用されている（抵当権への準用規定はない）。ドイツでは、物権的請求権は絶対性・不可侵性に根拠づけられ、支配権ということを根拠とする説明はされないが、日本では物権の排他性に求められてきたといわれる（於保Ⅰ 90頁以下）。絶対権の特殊な請求権と考えられているのである。

2-6 **◆判例は権利不可侵性説→対抗要件具備要求→排他性を要求（排他権説）**

当初は、物権の絶対権という性格から物権的請求権が導かれ（注 13 も参照）、債権は債務者への履行請求権であり、物権的請求権は対世権である物権に特有の属性として考えられ、債権の第三者による侵害に対して、債権者はその停止を求めることはできないと考えられていた。しかし、末弘博士により権利不可侵性理論が提唱され、債権も不可侵性を持ち、第三者が不可侵義務を負うのは物権や他の権利と変わらず、債権についても妨害排除請求権が認められるべきことが主張される。判例は漁業権の賃借権の事例でこれを直ちに採用する（大判大 10・10・15 民録 27 輯 1788 頁)。「権利者が自己の為めに権利を行使するに際し之を妨ぐるものあるときは其妨害を排除することを得るは権利の性質上固より当然にして、其権利が物権なると債権なるとによりて其適用を異にすべき理由なし」と宣言した。

ところが、最判昭 28・12・18 民集 7 巻 12 号 1515 頁は、二重賃貸借の事例において、対抗要件を具備した賃借権は、「爾後その土地につき賃借権を取得しこれにより地上に建物を建てて土地を使用する第三者に対し直接にその建物の収去、土地の明渡を請求することができる」というが、根拠を示していない。対抗要件具備を要求したのは、二重賃貸借という事例の特殊性によるものと考えるべきである。その後、人格権に基づく差止請求について、最大判昭 61・6・11 民集 40 巻 4 号 872 頁は、「人格権としての名誉権に基づき、加害者に対し、現に行われている侵害行為を排除し、又は将来生ずべき侵害を予防するため、侵害行為の差止めを求めることができる」。けだし、「人格権としての名誉権は、物権の場合と同様に排他性を有する権利というべきであるからである」と、「排他性」を差止請求の根拠としている。判例の立場は必ずしも明確ではないが、排他権説に依拠しているといえる。

2-7 (2) 物権的請求権の種類

(a) **物権的返還請求権（rei vindicatio）**　まず、所有権に基づく物権的請求権について説明していく（それ以外の物権につき☞ 2-10 以下）。例えば、A の土地に B が権原なく家を建てて居住していたり、A の絵画を B が盗んで自分の家に飾っているとする。この場合には、A は自分の所有物の占有を失っており、その占有は B が有している。占有を根拠づける権利（本権）を有する A は、占有を奪われた場合に、物の「返還」（200 条 1 項の用語）を B に対して求めることができる。これを**物権的返還請求権**という。表現であるが、動産の場合には「引渡し」、不動産の場合に「明渡し」と呼ばれる。後者では、占有している者の退去、持ち込んだ物の撤去、建物の収去が包含される。また、建物が違法に建てられている場合には、建物所有者には

「建物収去土地明渡し」、建物を賃借している者については、「建物退去土地明渡し」がそれぞれ請求内容となる。

2-8　(b)　**物権的妨害排除請求権（actio negatoria）**　例えば、Aの土地に、Bが無断で不要になった工作機械を捨てたとする。この場合、Aは土地の占有を保持しており、Bに占有（土地の使用収益）を妨害されているだけである。AはBに対して妨害状態を除くよう、先の例では工作機械を取り除くよう請求できる。これを**物権的妨害排除請求権**という。占有侵害に限定すれば、所有物を壊すまたは傷つける行為に対しては物権的請求権が認められないが、占有を奪う以外の所有権侵害に対する一切の妨害排除につき、妨害排除請求権を認めることが可能である。

2-9　(c)　**物権的妨害予防請求権**　もし以上の２つの権利しか認められないとすると、現に物権の侵害が生じるまで何らの保護も受けられないことになる。しかし、例えば、Xの土地の隣接地の所有者Aが畑を水田にするために境界付近を掘り下げ段差が生じたが、崩落防止工事をしていなかったため崩落の危険が生じた事例で、その後、Aがその所有地をYに譲渡し、XがYに対して崩落防止工事を求めた請求が認められている（☞2-14）。このように侵害の危険性がある場合には、侵害を予防するための適切な措置をとるよう請求することができる。これを**物権的妨害予防請求権**という。

2-10　**◆所有権以外の物権に基づく物権的請求権**

(1)　用益物権

用益物権は占有を内容とする物権であるから、占有が妨害されたり、奪われたり、また、侵害されるおそれがある場合に、先の(a)〜(c)の物権的請求権が認められる。この場合、所有者にも物権的請求権が認められるのであろうか。所有者は用益物権の設定により用益権限を失うとすれば（虚有権化）、占有により所有権は侵害されておらず、侵害されているのは用益物権だけであり、所有者には物権的請求権は認められないことになる――賃貸借とは異なる――。

2-11　**(2)　担保物権**

質権は占有を伴う担保物権である。動産質には利用権限はなく占有訴権しか認められないが（353条）、不動産質権は用益権限が認められるので、用益物権同様に物権的請求権が認められる。抵当権については、交換価値を把握する優先弁済権という観点からは、物を損傷する等目的物の交換価値を侵害する行為は、抵当権を侵害することになり、物権的請求権が抵当権者に認められることになる。他方、抵当権は占有権原がないため、抵当不動産に不法占有者がいるというだけでは抵当権侵害にはならないが、実行段階に入ると優先弁済権（換価権）の行使を妨害していることになり、抵当権の侵害が認められる（☞担保物権法2-45）。

2-12 **◆物権的請求権の法的性質**

物権的請求権の内容は、作為か認容（不作為）かは2-22以下のように議論があるが、特定人の特定人に対する「請求権」であることは疑いない。では、債権ないし債権に準ずる権利と考えるべきであろうか。

①特定人の特定人に対する請求権であることから、債権それ自体ないし債権に準じる請求権であると考える説があった（末弘54頁）。物権的請求権に債権についての規定が適用されることになる。しかし、債権には、請求力のほかに財産の取得を正当化する受領力があるが、物権的請求権では物権の返還を受けられるのは所有権があるからにすぎない。②そのため、物権的請求権は請求権ではあるが独立した権利ではなく、物権侵害の状態がある限り不断に発生しそれがなくなればなくなるという、物権の効力として認められる請求権と考えるのが現在の通説である。所有権と別に譲渡できるものではない。判例もこの物権的効力説であるといってよい（大判大5・6・23民録22輯1161頁など）。本書の立場では、物権の効力ではなく物権を侵害する不法行為の効力と構成し（差止請求権と同じ）、物権を侵害する違法状態がある限り不断に発生する請求権ということになる。債権の規定は「請求権」として共通の部分については類推適用が可能であり（413条・413条の2・478条・492条など☞2-15）、また、履行の強制が可能である（☞2-23）。危険の移転は考える必要がないから567条の類推適用は不要であり、占有者に故意・過失があるかどうかだけを問題にすれば足りる。

2　物権的請求権の成立要件・効果（総論）

2-13 物権的請求権は、不法行為責任とは異なり、侵害者に故意・過失があることは不要であり（☞2-5）、違法な侵害があるまたは侵害の危険性があれば認められる。このように、物権的請求権の認否は、責任判断を加味することなく、客観的に物権に対する違法な侵害があるか否かによって判断される。不法行為の効果ではあるが、不法行為責任ではなく、すでに生じた損害の填補を目的とするものではない。

物権的請求権の内容としていかなる請求ができるのかは議論がある（☞2-22以下）。他人の財産、例えば建物を侵害した場合に、不法行為の効果としては、損害填補の方法として金銭賠償しか認められておらず（722条1項・417条）、現実賠償、例えば損傷の修理を求めることはできない。ただし、他人の土地に木を植えて付合した場合には、不法行為の効果として、原状回復（妨害排除請求の方法の1つ）——上の例では木の除去——請求権を認めるべきである（☞ 20-31）。

2-14 **◆故意・過失また責任能力も不要**

排他権説も違法侵害説も、物権的請求権の成立のためには相手方の故意・過失は不要であり、不法行為「責任」が成立することを必要としない。土地の前所有者が畑を掘り下げて田んぼにしたため、境界付近に段差が生じこの部分から崩落の危険が生じたため、隣地所有者が現所有者に対して崩落予防工事を施すよう請求した事例で、「所有権の円満なる状態か他より侵害せられたるときは所有権の効力として其の侵害の排除を請求し得べきと共に、所有権の円満なる状態が他より侵害せらるる虞あるに至りたるときは又所有権の効力として所有権の円満なる状態を保全する為、現に此の危険を生せしめつつある者に対し其の危険の防止を請求し得る」とし、「土地の所有者は……該侵害又は危険が不可抗力に基因する場合若くは被害者自ら右侵害を認容すべき義務を負ふ場合の外、該侵害又は危険が自己の行為に基きたると否とを問はず又自己に故意過失の有無を問はず、此の侵害を除去し又は侵害の危険を防止すべき義務を負担する」と明言した（大判昭12・11・19民集16巻1881頁）。賃借人が賃借した機械を賃借した建物に放置した事例（☞ 2-24）、所有権留保買主が目的物を他人の土地に放置した事例（最判平21・3・10民集63巻3号385頁）でも、所有者に妨害排除義務が認められる。置くという作為の不法行為をしていないとしても、所有者には妨害排除義務が成立するため（☞ 2-20）、除去しなければ不作為不法行為が成立する。ただし、損害賠償義務は故意・過失の要件を満たして初めて成立する（☞担保物権法 注84）。

3　物権的請求権の当事者

2-15 (1)　物権的請求権の権利者

物権的請求権を取得するのは、侵害されているないし侵害のおそれのある物権の権利者である。この者が対抗要件を具備しているか否かを問わない。不法行為者は177条や178条の「第三者」に該当しないからである。例えば、AがBに土地を売却したが、所有権移転登記を受けていない段階で、Cが土地を不法に占有し始めた場合、BはCに対して明渡しを求めることができる。売却前から侵害があった事例については、Aに成立している物権的請求権がBに移転するのではなく、物権的請求権は侵害という事実から不断に発生し続けるものであり、Bの下で今発生している物権的請求権を行使することになる。

確かに、動産については、Cは誰に返還したら有効になるのか不安であるが、478条の類推適用による保護を受けられる（☞2-12）。また、Cは目的物を供託することもできる。

2-16 **(2) 物権的請求権の義務者**

物権的請求権の相手方（作為義務者）は、現に物権を侵害しているないし物権を侵害するおそれのある者である。過去に侵害していても、損害賠償責任は別として、現在侵害していなければ物権的請求権の相手方にはならない。物権的請求権は、物権侵害という事実がある限り不断に発生する反面、物権侵害という事実がある限りにおいて存続するにすぎないからある。

相手方が問題となるのは、他人の土地上に権原なく建物を建てたり、利用権限が消滅したのに占有を継続している事例における、建物が譲渡されたが所有権移転登記がいまだされていない場合や、建物が所有者以外の名義で登記されている場合である。問題が生じる事例は、次のように分けられる。

ケース①（譲渡ケース）
ⓐ Aの土地につきBが権原なく建物を建築し未登記のままであり、Bが建物を未登記のままCに譲渡した場合
ⓑ Aの土地につきBが権原なく建物を建築しその名義で所有権保存登記をしたが、Bが建物をCに譲渡したものの、Cにいまだ所有権移転登記がされていない場合
ケース②（他人名義の保存登記ケース）
Aの土地につきBが権原なく建物を建築し、BがCの名義で所有権保存登記をした場合（Cの承諾の有無によりさらに分けられる）

2-17 ❶ **実質的所有者説**　まず、登記は無視して誰が建物を所有して土地を侵害しているのかを考える学説がある（**実質所有者説**）。

判例もケース②についてはこの立場である。妻の名義で保存登記した事例につき最判昭47・12・7民集26巻10号1829頁は、「建物の所有権を有しない者は、たとえ、所有者との合意により、建物につき自己のための所有権保存登記をしていたとしても、建物を収去する権能を有しないから、建物の敷地所有者の所有権に基づく請求に対し、建物収去義務を負うものではな

い」と判示する。ケース①については、ケースⓐにつき未登記建物の譲渡の事例につき最判昭35・6・17民集14巻8号1396頁、ケースⓑについては、当初、大判昭13・12・2民集17巻2269頁、最判昭49・10・24集民113号47頁は所有者たる譲受人を相手方として請求すべきものとしたが、2-19判決により変更される。

この説は、㋐対抗関係ではないこと、また、㋑処分権限を持たない者に建物の収去を命じえないことなどを根拠とする。本書は実質的所有者説を支持し、ケース①ⓑについても、法定取得・失権説の立場からは（☞6-14）第三者の登記により所有権取得が失権するにすぎないので、実質的所有者説による。

2-18　**❷　登記名義人説**　被害者であるAに、目に見えない建物所有権がどこにあるのかという調査を負担させるのは酷である。そのため、Aが所有者Cに対して物権的請求権を行使することを認めつつ、登記簿上の所有者であるBに対しても物権的請求権を認める考えが登場する（幾代・変動と登記77頁以下、広中39頁）。問題は、その根拠づけである。

まず、建物譲渡につき、譲渡人も所有権移転登記をしなければ所有権の喪失を土地所有者に対抗できないとして、177条の対抗問題を適用する考えがある[14)]。すでに最判昭35・6・17民集14巻8号1396頁の小谷・河村反対意見がこの立場を主張し、最判平6・2・8民集48巻2号373頁が、ケース①ⓑにつき従来の判例を変更してこの立場を採用した（☞2-19）。ただし、対抗関係そのものとまでは明言せず、また、ケース①ⓐおよびケース②については、実質的所有者説を維持することが確認されている[15)]。不完全物権変動説（☞6-11）では、譲渡人も所有権移転登記をするまでは不完全ながらも建物所有者なので、物権的請求権の相手方となる（我妻・有泉172～173頁）。

建物所有者が他人名義で建物の保存登記をしたケース②については、同意を与えていた登記名義人は、94条2項の類推適用により自分が所有権を取

14）　このような登記の義務免脱資格要件（鈴木158頁の用語）は、ほかにも地上権を譲渡したがその旨の登記がされていない場合に、譲渡人が地代支払義務を負わないことを土地所有者に主張できるのかという問題にも妥当し、対抗関係ではないが登記がなければ地上権譲渡人は地代の支払請求を拒むことはできないと考えている（鈴木160頁）。

得しなかったことを善意の第三者に対抗できないという主張もある（前掲最判昭47・12・7の大隅意見）。しかし、悪意になった後には、94条2項の類推適用を主張できないとすれば、実際上意味がない。

2-19

◉最判平6・2・8民集48巻2号373頁「他人の土地上の建物の所有権を取得した者が自らの意思に基づいて所有権取得の登記を経由した場合には、たとい建物を他に譲渡したとしても、引き続き登記名義を保有する限り、土地所有者に対し、右譲渡による建物所有権の喪失を主張して建物収去・土地明渡しの義務を免れることはできないものと解するのが相当である。けだし、建物は土地を離れては存立し得ず、建物の所有は必然的に土地の占有を伴うものであるから、土地所有者としては、地上建物の所有権の帰属につき重大な利害関係を有するのであって、土地所有者が建物譲渡人に対して所有権に基づき建物収去・土地明渡しを請求する場合の両者の関係は、土地所有者が地上建物の譲渡による所有権の喪失を否定してその帰属を争う点で、あたかも建物についての物権変動における対抗関係にも似た関係というべく、建物所有者は、自らの意思に基づいて自己所有の登記を経由し、これを保有する以上、右土地所有者との関係においては、建物所有権の喪失を主張できないものというべきであるからである」。

2-20

◆所有権留保の事例について

自動車の所有権留保売買の事例について、買主が自動車を他人の土地に放置して、土地所有者が、自動車の所有者として登録されている代金の立替払いをした信販会社（売主から所有権の移転を受け、立替金債務完済まで担保として留保）に対して妨害排除請求をした事例で、最高裁は、これを次のように判示して認容している（最判平21・3・10民集63巻3号385頁）。

期限の利益を喪失して残債務全額の弁済期が経過したときは、買主から本件車

15）最判平6・2・8民集48巻2号373頁は、傍論であるが、「土地所有権に基づく物上請求権を行使して建物収去・土地明渡しを請求するには、現実に建物を所有することによってその土地を占拠し、土地所有権を侵害している者を相手方とすべきである。したがって、未登記建物の所有者が未登記のままこれを第三者に譲渡した場合には、これにより確定的に所有権を失うことになるから、その後、その意思に基づかずに譲渡人名義に所有権取得の登記がされても、右譲渡人は、土地所有者による建物収去・土地明渡しの請求につき、建物の所有権の喪失により土地を占有していないことを主張することができるものというべきであり（最判昭35・6・17民集14巻8号1396頁参照）、また、建物の所有名義人が実際には建物を所有したことがなく、単に自己名義の所有権取得の登記を有するにすぎない場合も、土地所有者に対し、建物収去・土地明渡しの義務を負わないものというべきである（最判昭47・12・7民集26巻10号1829頁参照）」と述べている。

両の引渡しを受け、これを売却してその代金を残債務の弁済に充当することができることになっているので、留保所有権者の権原が、「期限の利益喪失による残債務全額の弁済期の到来の前後で上記のように異なるときは、留保所有権者は、①残債務弁済期が到来するまでは、当該動産が第三者の土地上に存在して第三者の土地所有権の行使を妨害しているとしても、特段の事情がない限り、当該動産の撤去義務や不法行為責任を負うことはないが、②残債務弁済期が経過した後は、留保所有権が担保権の性質を有するからといって上記撤去義務や不法行為責任を免れることはないと解するのが相当である。なぜなら、上記のような留保所有権者が有する留保所有権は、原則として、残債務弁済期が到来するまでは、当該動産の交換価値を把握するにとどまるが、残債務弁済期の経過後は、当該動産を占有し、処分することができる権能を有するものと解されるからである」。

しかし、弁済期になっても担保権を実行できるというだけで、実行して初めて確定的な所有権を取得するのであるから、疑問である（放置されて傷んだ車両は実行しないであろう）。実行までは、買主が残余の所有権部分を取得しており、買主を妨害排除請求の相手方とすべきである。また、担保のための所有権であるので、抵当権などと同様に債権者は留保所有権を放棄でき、それにより買主に確定的に所有権を帰属させることができる。

2-21

◆譲渡担保の事例について

2-20と同様の問題は譲渡担保についても考えられる。例えば、AがBから土地を借りてクレーン等の建設機械の置場として使用しており、AがCから融資を受ける際に建設機械を譲渡担保に供したとする。その後、Aが賃料を支払わないためBとの賃貸借契約を解除した場合、土地の所有者Bは誰に対して、建設機械の撤去を請求できるのであろうか。Aは、所有権の有無を問わず、賃借人として撤去を義務づけられるが、問題は、譲渡担保権者Cである。

①担保権的構成では、Cは担保権者にすぎず土地を侵害しているのは、建設機械を所有するAということになる。したがって、実行により所有権を取得するまでは、Aが所有者としての妨害排除義務を負うことになる。②他方、所有権的構成では、所有権の移転を認めるとしても、判例は担保に必要な限度での移転のみを認めるので、残部の利用等にかかわる所有権の部分は設定者Aに残されていることになる。結局は、所有権的構成とはいえ実質は担保権的構成と変わることはなく、同様の扱いになるはずである。しかし、所有権留保の判例（☞2-20）とパラレルに扱うと、弁済期以降はCが所有者として妨害排除義務を負うことになる。Cは担保権を実行できるが、それは義務ではなく権利にすぎない。Cは実行しないで、譲渡担保権を放棄することもできる。

4　物権的請求権の内容――物権的請求権の交錯

2-22 (1)　問題点

物権的請求権が認められる場合、その内容としていかなる行為を相手方に対して請求できるのであろうか。また、物権的請求権が衝突するようにみえる場合に、各自にどのような内容の物権的請求権を認めるべきであろうか。例えば、A所有の庭石がBの土地の上にあり、Aに土地使用権限もBに庭石の使用権限もない場合には、次の4つのケースが考えられる。

① BがAの庭石を盗んで自分の庭に設置した場合（盗取ケース）
② Aが不要になった庭石をBの土地に捨てた場合（投棄ケース）
③ CがAの庭石を盗み、Bの土地に捨てた場合（第三者投棄ケース）
④ 不可抗力たる大地震でAの土地が崩れ、その庭石がBの土地に転がっていった場合（不可抗力ケース）

現在の客観的状態はすべて同じであるが、その経緯を考慮すると①～④について同じ規律が適切であるとは誰も考えまい。①では、BがAの庭石を盗んで、庭石を侵害しているのであり、②では、Aが庭石を置いてBの土地を侵害したのであり、2つを同じ規律に服せしめるのは適切ではないし、③④では、庭石はBにとって邪魔であり、Bに占有する意思はない。

従来、物権的請求権は不法行為責任とは異なり、「妨害状態の発生原因の如何は一切問うことなく、現在妨害されている物権者が現在妨害状態を維持している者に対して有する」ものと考えられてきたため（於保115頁）、問題とされてきた。この理解では、①～④いずれも同じ規律になりかねない。しかし、物権的請求権を「不法行為」の効果と位置づける本書の立場では（☞2-5）、その過程を考慮して、誰の不法行為で誰が被害者かという法的評価により問題が解決されることになる。

③について、Cが先行行為に基づく作為義務として妨害排除義務を負い、これを怠るのは不作為不法行為と考えることができる。②では、Aは庭石の所有権を放棄できないと考えるべきであるが、仮に放棄可能だとしても――土地所有者Bは無主物として勝手に処分できる――、先行行為に基づく妨

害排除義務はなくならないと考えるべきである。

2-23 **(2)　排他権説による解決**

❶　行為請求権説（判例）　物権的請求権の内容として、侵害者に対して侵害状態の除去、返還、侵害の予防措置などの積極的な行為を請求できると考える学説がある（金山 54 頁等）。**行為請求権説**といわれる。ただし、場合によっては費用の折半を認めるなど、この説にも修正説がある（安永 25 頁、生熊 26 頁など、近時の通説）。

①妨害排除請求であれば、廃棄物の撤去等を請求でき、②返還ないし明渡請求であれば、建物の収去、動産の返還を請求でき——直接強制は、民事執行法 169 条 1 項により執行官は「引渡し」を行うにすぎず、権利者は引渡しを受けて自分で運送することになる——、③妨害予防請求であれば、予防工事を請求できることになる。もちろん、物権的請求権者が自ら取戻しなどを行うこともできる——取立債務のように相手の占有下で引渡しを受ける必要があり、自力救済は認められない——。判例もこの説によっている（☞ 2-24）。

この学説の問題点は、プロセスを無視して現状だけで考えることによって相互に侵害状態が認められるために、相互に物権的請求権の行使が可能になってしまう点である。事後処理として損害賠償請求で調整されるが、不法行為責任が成立しない場合には、請求された者が費用を負担するのは不合理である。

2-24 **◆判例の状況**

大判昭 7・11・9 民集 11 巻 2277 頁は、山林の前所有者により許可された者による土砂採取により、山林に隣接する住宅地が崩壊する危険を生じた事例で、原因が前の所有者にあれ、「現所有者が其の危険なる状態を其の儘に放置して顧みざるは、隣地の所有権を侵害するものなるを以て、之が予防に必要なる設備を為すの義務あるものと謂」うべきであるとした。また、類似の事例につき、大判昭 12・11・19 民集 16 巻 1881 頁（☞ 2-14）は、「此の侵害を除去し又は侵害の危険を防止すべき義務を負担するものと解するを相当とす」とした。一般論としては行為請求権説を明言したわけだが、事案としては相手方の前主が原因を作った場合である。

A からその所有の砕石機を借りた B が、これを C から賃借している建物に設置して作業をしていたが、C との賃貸借契約が終了した後、B がこの砕石機を放置したまま立ち退いた事例で、C から A に対する砕石機の妨害排除請求権が肯定されている（大判昭５・10・31民集９巻1009頁。ただし、事案は損害賠償請求事件でありその前提としての判断である）。「家屋の賃借人が他より賃借したる機械類を該家屋に据付けたる場合に、其の家屋の賃貸借終了したるときは賃借人に於て其の据付けたる機械類を撤去し原状に復して家屋の返還を為す義務あるべきことは論なしと雖、賃借人に於て之を撤去せず家屋内に放置したる場合に、賃貸人が賃貸借終了を事由とし所有者に対し其の撤去を求めたるときは、所有者は賃借人に対する関係如何に拘らず之を撤去することを要するものにして、若し所有者之に応ぜず其の放置することに因りて賃貸人の家屋の使用を妨ぐるに至りたるときは、所有者は之に因りて生じたる損害を賠償することを要するものと為さざるべからず」と判示する。

2-25　**❷　忍容請求権説**　物権的請求権の相手方に積極的な行為義務を認めると、相手方がその費用を負担しなければならないことになり、故意・過失がなければ不法行為責任は成立しないこととの均衡を失する。そのため、物権的請求権は、侵害者に対して積極的な行為を請求することのできる権利ではなく、自分で妨害状態を除去できる権利、そしてその行使を忍容（認容）するよう相手方に対して求める権利と構成する学説もある（近藤11頁、槇63頁、鈴木21頁）。

この考えでもケース①〜④は統一的に解決されることになり、必要な方が自分の費用で妨害除去ないし取戻しをして、責任負担者にその費用を賠償請求することになる。問題はケース③④であり、ＡとＢのいずれが行動に出たかで負担が決まってしまうことになる。

2-26　**❸　責任説**　忍容請求権説を原則として採用しつつ、相手方に責任が認められる場合には（不法行為責任が成立することが必要）、行為請求権が認められるという学説もある（川島117頁、末川44頁、舟橋46頁、丸山19頁）。責任判断を加味するので**責任説**と呼ばれる。ケース①〜④のいずれについても、Ａ・Ｂいずれにも忍容請求権は認められるが、ケース①ではＡに、ケース②ではＢに行為請求権が認められることになる。ケース③④では、Ａに管理の過失があった場合には、ＢからＡに対する行為請求権を認める余地がある。責任説に対しては、妨害排除と原状回復を混乱している、金銭賠償主義の理念と抵触する等の疑問が提起されている（根本・2-3文献329頁以下参照）。

2-27　**(3)　違法侵害説による解決（本書の立場）**

(a)　当事者の一方の不法行為が原因である場合（ケース①②）　物権的請

求権を客観的な不法行為の効果として構成する本書の立場では、誰が不法行為（違法な侵害）を行っているのかという評価に、問題は解消されることになる。そして、本書は、差止請求と同様に行為請求権説を採用する。ケース①では、BがAの庭石を盗むという不法行為をしており、AのBに対する返還請求が認められてよい。ケース②は、Aがその所有の庭石をBの土地に捨てるという不法行為をしており、BのAに対する庭石の妨害排除請求が認められる[16)]。先行行為に基づく作為義務として妨害排除義務が成立し、義務者がその費用を負担するのは当然である（485条）。

2-28　**(b)　第三者の不法行為または自然災害が原因である場合（ケース③）**　問題はケース③④である。ケース③では不法行為を働いたのはCであり、AとBとに対する損害賠償義務を認めてよい。では、AB間ではどう考えるべきであろうか。動産が他人の土地に何らの法律関係なしに置かれている場合、土地所有者が動産をその占有下に置いているのは、盗取したケース①でない限り土地所有者が土地の侵害を受けていると考えるべきである（☞2-20）。動産所有者が土地所有権を侵害していると法的に評価すべきであり（客観的に違法）、Aが庭石を除去する作為義務を負うと考えるべきである（不作為不法行為）。この結果、ケース③④でも、土地所有者Bはケース②同様に、Aに庭石の除去を求めることができる。

2-29　**◆相隣関係における事例（ケース④）**

(1)　両所有者に責任がある場合

高低差のある隣接地の境界の土留めが、集中豪雨の際に崩壊した事例で、その原因は長年にわたって水抜き工事を怠り、また、流水を放置したことなどに由来するものであり、その過失は高地・低地の両所有者共に存し、その責任は「相半する」とした上で、次のように述べた判決がある（静岡地浜松支判昭37・1・12下民集13巻1号1頁）。

「我民法典は、低地所有者は高地の自然排水に付受忍義務を認めると共に、高地所有者に対しては雨水、下水が直接低地に流下せざる様工作物設置に付注意義務を課し、高地土壌が低地に崩壊しない様な予防義務を定め、更に境界標示その

16)　**＊義務者の権利者に対する受領義務（協力義務）の履行請求権**　この場合に、Aが庭石を引取りに行ったのに、BがAの土地への立入りを拒否した場合、Bはいわば受領義務としてAの土地への立入りを容認すべき義務があり、これに違反しているというべきである。引取りの申出（提供）によりAはその後の不法行為責任を免責されるというべきである（492条の類推適用）。他方、ケース③の場合に、Aの提供時以降は、庭石の不法占有者として逆にBがAに対して損害賠償義務を負う可能性がある。

他之に類する工事について費用は相隣者双方が平分負担することを明定する趣旨よりして、原被告双方の過失を彼此考慮すれば、本件崩壊の修復工事は原被告が共同で行い、その費用を平分して負担するのが相当である」。

相隣関係の趣旨と双方に過失があることから「共同で」工事を行い費用を「平分」して負担すべきものとしているが、「崩壊の修復工事」の共同工事の請求とはいえ、実際にはいずれかが工事を行い費用の償還請求をするしかない（共有物の保存と同様）。

2-30　**⑵　両所有者に責任がない場合**

これに対して、相隣関係にある土地について、両者に責任が認められないケースについて、原則として行為請求権説を宣言しながら、次のような例外を認めた判決がある（東京高判昭 58・3・17 判タ 497 号 117 頁）。

「相隣地の関係にある場合には、右のような危険は相隣地両地に共通に同時に発生する特性を有するものであり、右予防措置を講ずることは相隣地両地にとって等しくその必要性があり利益になるものといえるうえ、これを実施するには多大の費用を要することが一般であるから、このような場合において、一方の土地の所有者又は占有者にかかる請求権を認めることは著しく衡平に反するものといわねばならない」。「このような場合には、むしろ土地相隣関係の調整の立場から民法 223 条、226 条、229 条、232 条の規定を類推し、相隣地所有者が共同の費用をもつて右予防措置を講ずべきである」。「なお、予防措置のための工事の実施、費用分担などについては、まず相隣地当事者間で協議し、もし協議が調わないときは、一方でこれを施工したうえ、他方にもその分担すべき費用の補償を請求すべきである」。

結論としては相手に一方的に土砂崩落予防工事をするよう請求できず、いずれかが自分で工事をした上で他方に分担分を求償するしかないことになる。学説としても、相隣地所有者間の境界付近の設備に関する費用負担の規定（223 条～ 227 条）を類推適用し、侵害または危険を除去した者は、相隣地の所有者に対して費用分担分の償還請求をすることを認める主張がされている（松尾 44 頁）。基本的に賛成したいが、ケース④は、高地の所有者が不可抗力であろうとその所有物が落下するリスクを負担すべきである（予防工事を行う作為義務を負う）。そのようなリスク負担が認められない事例に限って、上記判決を支持したい。

5　物権的請求権をめぐるその他の問題点

2-31　**(1)　物権的請求権の消滅時効**

妨害予防請求権は、妨害の危険が存在する限りいつまでも認めてよい。物権的返還請求権も、所有権が消滅時効にかからないのに[17]、所有権に基づく返還請求権だけ時効にかかって消滅するというのは不合理である[18]。もちろん取得時効が成立すれば、反射として所有権が消滅することになる。したがって、問題になるのは、物権的妨害排除請求権の消滅時効である。例えば、Aの土地とBの土地とは隣接しているが、崖上にあるAの土地から岩が崩れ落ちてきて、Bの土地の上に転がっている場合に、岩が5年前、20年前、または、50年前に崩れた事例を考えてみよう。なお、Aによる崩れた岩の所有権放棄は公序良俗に反するので許されない（☞ 15-3）。

2-32　**❶　消滅時効肯定説**　消滅時効肯定説は古くには有力であったが、現在では少数説である（末川37頁、星野23頁等）。肯定説の根拠は、①侵害があったか否かは時の経過と共に不明となること、また、②侵害状態が長期にわたって継続することによりその状態が正当視されるようになることである。また、③物権的請求権を含む相続回復請求権が時効にかかることも（884条）、引き合いに出される。

ただし、注意すべきは、肯定説も、物権的請求権一般ではなく、物権的妨害排除請求権についてのみ消滅時効を認めるにすぎないということである。制限の必要性は認めつつ信義則または権利濫用による提案もされている（内田373頁）。比較法的には、ドイツ民法197条1項2号のように、物権的返還請求権のみ消滅時効を認める立法もある。

2-33　**❷　消滅時効否定説**　通説は、物権的請求権の消滅時効を否定する。①侵害があったか否かが不明になる点については、物権的請求権を主張する者の側に証明責任を負わせればよいし、また、侵害状態はいくら継続しても不法なままである。また、②返還請求権については、もし物権的請求権が消滅時効にかかるとしても、所有権は時効消滅しないため（166条2項）、違法な状

17）166条2項により20年の消滅時効にかかる用益物権については、これから派生する物権的請求権もこの時効に服すべきであるという学説もある（金山直樹『消滅時効の理論と解釈』10頁）。用益物権に限定せず、所有権以外の物権については、それが消滅時効にかかるため（166条2項）、所有権以外の物権に基づく物権的請求権は消滅時効にかかるという主張もされている（鈴木15頁）。

18）物権的請求権と同様の性質を持つ相続回復請求権については、侵害の事実を知ってから5年という消滅時効期間が規定されている（884条。相続から20年は除斥期間と考えられている）。しかし、884条の適用は、「自ら相続人でないことを知りながら相続人であると称し、又はその者に相続権があると信ぜられるべき合理的な事由があるわけではないにもかかわらず自ら相続人であると称し、相続財産を占有管理することによりこれを侵害している者は、本来、相続回復請求制度が対象として考えている者にはあたら」ず、「実質において一般の物権侵害者ないし不法行為者であって、いわば相続回復請求制度の埒外にある」とされている（最大判昭53・12・20民集32巻9号1674頁）。

態のままなのか疑問となる。さらに、③理論的にいっても、物権侵害状態がある限り、不断に物権的請求権が発生し続けているのである。判例も物権的請求権の消滅時効を否定する[19]。また、他人の物を占有していれば、悪意でも20年経過すれば取得時効が成立し、永遠に不安定になるわけではない。以上より、本書は否定説を支持したい[20]。

2-34 **(2)　物権的請求権と契約上の請求権の関係**

物権的請求権と契約上の請求権とが競合する事例があり、2つの請求権の規律をどう考えるべきかは議論がある。次の2つの事例で考えてみよう。

① Aはその所有の絵画をBに賃貸したが、その賃貸期間が終了した後もBがこの絵画を返還しない（寄託・賃貸型ケース）。
② Bはその所有の絵画をAに売却したが、Bが引渡期日を過ぎてもAに絵画の引渡しをしない（売買型ケース）。Aが代金を支払っている場合と代金未払いの場合とが考えられる。

契約関係があれば契約関係についての特別の規律に服し、その規律が物権的請求権に対して特則とされるのであろうか。例えば、契約上の債権について、同時履行の抗弁権や留置権があったり、消滅時効が完成したような場合に、物権的請求権を選択して、同時履行の抗弁権や消滅時効の規律が無意味にされてよいのであろうか。

ケース①については、10年経過してもAの所有権による返還請求権を認めて不都合はない。権原の性質上、Bは他主占有なのでそのままでは時効取得しえない。賃借人Bの留置権については、物権的請求権にも対抗できて

19）　大判大5・6・23民録22輯1161頁は詳細は不明であるが、婚姻予約破棄による損害賠償請求と共に「書状」（内容不明）4通の所有権に基づく返還請求につき、消滅時効を否定する。「所有権に基く所有物の返還請求権は、其所有権の一作用にして、之より発生する独立の権利に非ざるを以て、所有権自体と同じく、消滅時効に因りて消滅することなしと云わざるを得ず」という。

20）　では先の事例で、岩の落下が100年前であっても、相続により土地、崩れた岩共にそれぞれBとAに移転しているはずである。そして、物権的請求権が時効にかからないとすると、現在でも物権的請求権が存在していることになるが、それは不都合であろう。そのため、Bがその状態を容認したと認められる状態になった後は、Aの所有権放棄（黙示）を有効とし、Bに岩の所有権を帰属させるべきである（Bの占有下にあるので、Aの所有権放棄が有効となる反射としてBの無主物先占を認める）。

しかるべきである。

ケース②では、ⓐ代金が未払い、したがって双方未履行の場合には、Bに同時履行の抗弁権を認めるべきであり、両債権が時効にかかった後にAによる所有権に基づく引渡請求に対しても、抗弁権の永久性を認めて同時履行の抗弁権を認めるべきである。他方、②代金が支払われている場合には、Aの物権的請求権をいつまでも認めてよい。

2-35
◆契約に基づく占有と物権的請求権

例えば、Aがその所有物をBに賃貸した場合、契約が終了するまでは契約上の返還請求権の行使が認められないだけでなく、所有権に基づく返還請求も認められるべきではない。その説明としては、2つの構成が考えられる。

①まず、物権的請求権は成立しているが、契約によって所有者にはそれを行使しない債務が負わされているという考えが可能である。契約の存在は、物権的請求権に対して抗弁権となると主張されている（末弘59頁）。②他方、Bの占有はそもそも契約に基づく適法なものであり、不法行為も不当利得も問題とならない。このように、占有が適法である以上、そもそも物権的請求権が成立しないと考えられている（末川38頁、舟橋43頁）。賃貸人は賃借人のみならず適法な転借人に対しても物権的請求権を行使することはできないが、賃借権が消滅すると「転借人の占有は又以て賃貸人の所有権に対抗するを得ざるに至る」ものとされ、物権的請求権が認められる（大判昭9・11・6民集13巻2122頁）。本書は物権的請求権を不法行為の効果として構成するので、契約がある場合には違法性がなく不法行為にならず、物権的請求権が成立しないと考えることになる。

2-36
❶　自由競合説　判例はケース①で「寄託物の返還請求は契約上の債権に基きて之を為すことを得るの外、自己の所有物を寄託したるときは所有権を主張して其の物の引渡を請求することを得べく、契約上の請求権と物上請求権とが相競合することあるを妨げざるを以て、契約上の返還請求権が消滅時効に因り消滅したればとて受寄者の為に寄託物の取得時効完成せざる限り、其の物の所有権に基く返還請求を拒否し得べきものに非ず」と判示し、競合を認める（大判大11・8・21民集1巻493頁）。

ケース②について、大阪高判昭33・5・26高民集11巻4号276頁は、土地建物の買主が内金を支払って移転登記を受けたが、引渡しを受けず、また残金を支払わずに、10年以上が経過した事例で、代金債権また売買契約上の引渡請求権も消滅時効が完成したとしたが、買主による所有権に基づく明渡請求を認めている。原告は「売買契約により取得した所有権に基きその明渡を求めるものであって、所有権に基く明渡請求権は消滅時効にかかるものではない」。「相手方は契約に基く請求権ならばこれに対し同時履行の関係にある請求権をもってその履行を拒むことができるものであったとしても、所有者が所有権に基き明渡を求め、契約に基く明渡請求権を行使しないことをもって信義誠実の原則に反するものということはできない」と、同時履行の抗弁権による所有権に基づく明渡請求への対抗を否定した（代金12,500円のうち8,500円の支払は済んでいる）。

2-37　❷　**修正競合説**　他方、競合を認めつつ、契約上の請求権についての規律を物権的請求権にも適用する修正説が提案されている（星野23頁）。これによれば、2-34のケース②では、Aが物権的請求権を行使してきても、Bは同時履行の抗弁権を対抗できることになる。しかし、不合理な事例の調整をするだけなので、おそらくは、ケース①で、契約上の債権が消滅時効にかかったとしても、所有権に基づく物権的請求権に消滅時効の規律を及ぼすことまでは認めるものではないと思われる。この点を留保しつつ、本書は修正競合説を支持したい。ちなみに、返還が遅滞した場合の違約金、損害賠償額の予定は契約上の債務についての約束であり、これを所有権に基づく返還請求権には適用すべきではない。

また、法的には物の返還を求めることのできる1つの地位が法によって与えられているとみればよく、返還請求ができる地位があるかどうかが問題なのであり、「2つの請求権の折衷的な1つの請求権がある」ものと考え、「その内容は、2つの請求権の趣旨を考慮しつつ構成していくことになる」という**全規範統合説**もある（内田374頁、石田穣59頁）。

2-38　**◆不競合説（契約上の請求権を優先させる説）**

契約関係を規律する法は契約関係を必ずしも前提とはしない物権法に対して特別法の関係に立ち、「特別法は一般法を排除する」ということをここに適用して、契約上の請求権が成立する限り契約当事者間では物権的請求権は認められないという処理をする学説もある[21)]。この説も、成立段階では契約上の債権がある

21）　不競合説を採用する学説として、本吉邦夫「売買契約にもとづく引渡請求権と所有権にもとづく物権的請求権との関係についての覚え書」『民事法特殊問題の研究』（1962）31頁、伊藤高義『物権的返還請求権序説』（1971）13頁、鈴木20頁、松坂12頁、稲本103頁、近江36頁。鈴木20頁は、売買契約が無効な場合における売主の買主に対してなす返還請求権も、純粋の所有権に基づく請求権の問題ではなく、所有権の復帰的変動の実現のための「給付不当利得返還請求」の問題であると考えるべきであると主張する。

ため物権的請求権が成立しないとしても、契約上の債権が消滅した後については、理解が分かれる。

①まず、物権的請求権は成立していないのであるから、契約上の債権が消滅しても、物権的請求権は認められないという処理が考えられる。これによれば、Aは所有者でありながらBに返還を請求できないことになる。②これに対して、2-34の①②いずれのケースについても、契約上の債権があるがために物権的請求権が認められないだけで、契約上の債権が消滅すれば物権的請求権が認められるようになるという処理も考えられる。

第2章
物権変動総論

第1節　公示と公信

§Ⅰ
物権変動の意義および種類

物権変動とは条文上の用語ではない。177条の「物権の得喪及び変更」すなわち物権の発生、消滅、移転および変更の総称である。

1　物権の発生（絶対的発生）

3-1 (1)　所有権の発生（原始取得）

物について新しい所有権が発生する場合、承継取得と区別して、これは**絶対的発生**という（**原始取得**ともいう）。

①まず、天然果実が生じるように（鶏が卵を産むなど)、新たな物が独立して成立し、それにつき所有権が成立することがある。1つの物を分割して複数の物を成立させる場合、それ以前にあった所有権が分裂する形で個々の物に新たな所有権が成立する（土地の分筆も)。立木のように、伐採して土地から分離する前にその部分だけ所有権を独立させ、これを第三者に移転させることも考えられる（☞13-1以下)。②また、無主物先占のように、いまだ誰の所有にも属していない物に、所有の意思を持ってその占有を開始した者が所有権を取得することがある（239条)。さらには、③すでに所有権が成立していた物につき新たに所有権が成立し、既存の所有権がその反射として消滅する場合がある。取得時効や即時取得がその例である。ただし、取得時効は、実質的には所有権の移転に近く、登記実務も所有権移転登記によっている[22]。

22）　最判昭50・9・25民集29巻8号1320頁は、「時効による所有権の取得は、いわゆる原始取得であって、新たに所有権を移転する行為ではないから」、農地法3条による都道府県知事等（現行法では農業委員会）の許可を受けなければならない「行為」に該当しないと判示している。ただし、時効完成時の所有者と時効取得者とは実質的には「伝来取得［承継取得］の当事者たる地位に在るものと看做され」「其の所有権の取得登記は、移転登記の方法に依るべき」であるとされている（大判昭2・10・10民集6巻558頁)。学説には、取得時効を承継取得と考える異説もある（岡村玄治「取得時効と即時取得とは果して原始取得か」新報62巻2号［1955］1頁以下、注民⑸235頁［安達］など)。

3-2 **(2)　制限物権の発生**

土地所有者は、土地に地上権や抵当権を設定する場合、所有権の内容全部を移転させる承継取得ではなく、所有権の内容の一部だけを独立させてこれを取得させることになる（制限物権の「設定」という）。なお、所有権のうち用益権限のみを譲渡する場合には、用益物権の「設定」であるが、賃貸と異なり、用益権限の譲渡であり（「委譲」といわれる）、これにより所有権は用益権限を失った空の所有権となり、これを「虚有権」という。

制限物権は、所有者がその意思で設定ができるだけでなく（設定的取得）、取得時効により原始取得することも可能である（163条）。また、法定地上権のように法律上当然に成立するものもある。地上権に抵当権を設定するように、制限物権にさらに制限物権を設定することも可能である。

3-3 **◆譲渡担保権の設定――所有権移転の形式による担保物権の設定？**

所有権の移転には「原因」が必要になる。売買、贈与、遺贈、代物弁済など財産の供与を内容とした法律行為のほか、その名での管理を任せるための便宜的な所有権の移転である信託も、所有権の移転「原因」として認められる。問題は譲渡担保である。「担保」を動機ないし目的にとどめれば、便宜的な所有権の移転原因なので「信託」が原因となり、信託行為になるかのようである（フランス民法2372-1条以下、2488-1条以下は譲渡担保を信託と明記）。しかし、日本では「担保」ないし「譲渡担保」が直截に所有権移転原因として認められている（☞担保物権法4-8）。ただ財産供与を目的とした契約ではないので、「担保の目的を達するのに必要な範囲内での所有権の移転」を認め、譲渡担保権の実行により初めて完全な所有権を取得することになる。

このため、所有権移転といいつつも、実質は担保物権の設定であり、判例も全く躊躇することなく「譲渡担保権の設定」とか「譲渡担保権の物上代位」といった説明をしている。担保物権は換価権と目的物の価値を維持また担保の実行のための管理権限を実質とするが（☞1-23）、譲渡担保の場合には、担保権者としてではなく、信託のように所有者としてこれらを行えるようにしている。設定者は、実行までは弁済をして所有権を取り戻す権利、さらには実行後も清算金が支払われるべき場合には取戻権が解釈上認められる。使用収益権限は設定者に残され、担保物権の設定とは異なり、また制限物権の設定とも異なる意味での所有権の分属が認められることになる（反対説もある）。

ただ、担保を所有権の移転原因と認めない学説は、無名の担保物権の設定と直截に構成するので、担保物権の設定となる。他方、担保を所有権移転原因と認めても、所有権の分属を認めない学説は、所有権を「担保所有権」に転化させこれを担保権者に移転し、担保権者が設定者に受戻権（物権的効力を有する期待権で、使用権限を含む）を設定するものと構成する（石口133頁）。使用収益権限を移転しないで保持するのではなく、所有権は譲渡担保権者に移転し、それから再度受戻権の付与という型で使用権限を付与されると構成することになる。

2　物権の消滅（絶対的消滅）

3-4　物権が消滅する場合として、まず、所有権につき、①そもそも権利の客体である物自体が滅失し、その上の所有権が消滅する場合、②所有者が所有権を放棄し無主物となる場合、③即時取得または取得時効により新たな所有権が発生し、その反射として従前の所有権が消滅する場合、また、④付合により、他の物の一部になり、その物の独立した所有権が消滅する場合がある。所有権は消滅時効にはかからない（166条2項）。

制限物権については、まず、所有権同様に目的物の滅失により消滅するが、担保物権については物上代位（304条）により目的物の価値的代位物等に存続する。また、制限物権も放棄できるのは当然であるが、地上権は268条1項、永小作権には275条の制限があり、また、抵当権が付いている場合には、抵当権者に対抗ができない（398条）。抵当権付きの土地が分筆されてもそれぞれの土地に抵当権が存続し、他方、抵当権付き土地が他の土地と合筆されると、土地の割合に応じて抵当権が土地全体に存続する。制限物権の消滅原因としては、混同（179条）、消滅時効（166条2項）があるほか、担保物権には被担保債権の消滅の場合に付従性による消滅が考えられる。

3　物権の移転（承継取得）

3-5　所有権や地上権など既存の物権が、ある者からある者に移転することを、**承継取得**という。所有権の移転には原因が必要であり、売買等の譲渡、相続、合併などがある。「担保」を原因とする所有権の移転が認められるのか、譲渡担保において議論されている（☞担保物権法4-8）。例えば、Aがその所有物をBに売却した場合、所有権がAからBに移転することになり、ABそれぞれにつき相対的にみれば消滅また取得であるため、3-1の**絶対的発生**、3-4の**絶対的消滅**に対して、所有権の移転はBにつき**相対的発生**、Aにつき**相対的消滅**といわれる。

古代ローマには、権利が特定の主体を離れて他の主体に移転するという、所有権の「移転」という概念がなく、移転するのは有体物そのものであり、権利としては、売主の権利が消滅し、新たに買主の所有権がその物に対して発生すると考えられていた（野上聡「意思主義における所有権移転の理論」植木哲編『法律行為論の諸相と展開』〔2013〕365頁）。権利が同一性を保って「移転する」というのが現在の一般的理解である。

4　物権の変更

3-6　私人の自由に決められる内容の限度内であれば、自由に内容を決められると共に、一度決めた内容を変更することもできる。例えば、地上権の設定登記は、設定の目的、地代その支払時期、存続期間等を登記することになっているが（不登78条）、一度合意し登記された内容を合意により変更することができる。抵当権は比較的合意の自由が保障されているが、第三者の利害に関わるため、例えば、順位の変更は利害関係人の同意が必要であるし（374条1項〔成立要件〕）、抵当権の内容の変更はこれを登記しなければ第三者に対抗できない（同条2項）。

§Ⅱ
物権の公示

3-7 ### (1)　物と物権の公示

物権は絶対権であるため、第三者に対して効力を主張できる。また、契約の債権的効力は相対効であるのに対し（**契約の相対効の原則**）、契約の効力ではあるが――ドイツのように物権行為の効力とする立法もある――所有権の移転等の物権的効力はその性質上絶対的である。そうすると、物権変動は第三者に当然に対抗できることになる（**対抗可能性の原則**という）。

物権の客体である物自体は物理的に存在し、その形状等は物を見て確認できる。しかし、物の上の権利そのものを物を見て確認することはできない。ところが、所有者（またはその代理人、破産管財人等処分権者）から購入をしなければ、有効に所有権を取得しえない。また、所有権があっても、何らかの第三者の物権が成立している場合には、その制限を受けた所有権しか取得できず、そのような権利がないかを確認して取引しなければならない。

そのため、物権をめぐる権利関係を容易に確認できる人工的な公示方法が望まれ、不動産については、国家の管理する登記制度が導入されたのである。以下に物権の公示について説明していこう。

3-8
◆不動産取引における公示と現地検分主義

不動産取引はまず現物を確認してから、その物についての権利関係を登記で確認することになる。不動産に限らず、権利の客体である物については現物を目で見て確認してから取引をするのは当然であり、ネットでの取引は別として、目的物を自分の目で確認してから購入するのが普通である。不動産はもちろんそうであり、どのような土地かその周辺はどのような状況か等を調査し、また、建物であればどのような建物でどのような状態か、自分の目で確認し検討してから購入するのが普通である。これを**現地検分主義**という。他方、権利関係は登記を確認することになる。このように、客体たる物については当然のことながら現地検分、その上の権利関係については登記の調査という役割分担があることになる。

以上のように不動産では取引前の現地検分が当然であるため、借地人および借家人保護のために、賃借権についての公示を単なる手掛かり程度に緩和することが認められており、それが借地借家法における借地権および借家権の対抗力の規定である（借地借家10条・31条）。

3-9
(2)　物権の公示――物権の確認手段

(a)　**占有**　最も原始的な所有者の確認手段は物の占有である。物を占有している者がその物の所有者であるのが通常であり、物を占有している者が占有物の所有者だという外観を持つことになる。しかし、占有では所有権程度しか物権の公示は期待できず、また、不確実である。占有している者が必ずしも所有者とは限らないためである。そこで、取引安全の確保のためには、確実な公示制度の創設が要求されることになり、不動産や重要な動産については登記・登録という制度が作り出されている。

登記・登録のない動産については、依然として占有が所有者を確認する手掛かりである。そのため、占有者を動産の所有者として安心して取引ができるように、即時取得制度が導入されている（192条☞14-1）。

3-10
(b)　**登記・登録**　不動産および重要な動産については、国家により管理され信頼できる公示制度が要求されることになる。このような制度が、不動産については登記制度[23)]、動産については登録制度である。

不動産については、不動産登記法により登記制度が導入されている。このほか、立木は立木法により土地とは別の登記制度が用意され、一群の立木を登記し、土地から独立した所有権を成立させ、その譲渡また抵当権の設定を可能としている。

動産については、重要な動産について登録制度（物的編成）が用意されていただけであるが（自動車、船舶、飛行機など）、現在では、いわゆる動産債権譲渡特例法により、「法人がする動産……の譲渡」を全て動産譲渡登記ファイルにより公示することが可能になっている（人的編成）。自動車、船舶、飛行機等の登録動産については、登録によりその権利関係、所有者、抵当権設定の有無が確認できることになる。

3-11

◆登記の推定力

登記の効力として、対抗力が認められ（177条）、公信力は日本では認められていない（☞3-15以下）。その他、登記のいわば事実上の効力として、その記載は一応は真実であるという推定が認められると考えられている（最判昭34・1・8民集13巻1号1頁など）。最判昭46・6・29判時635号110頁は「登記はその記載事項につき事実上の推定力を有するから、登記事項は反証のないかぎり真実であると推定すべきである」と、事実上の推定力にすぎないことを明言する。なお、占有に推定力を認める188条は特にその対象を動産に限定していないが、登記された不動産については登記の推定力が優先すると考えるべきである（通説）。

ただし、①現在の権利関係の公示のみならず、②その原因関係の表示についても推定の効力が及ぶかは議論がある。判例はこれを肯定し、売買を原因とする土地所有権の移転登記につき、債務担保のための「売渡抵当」であったと主張して、債務の弁済を理由に登記の抹消を請求した事例で、「其登記原因と為りたる売買契約は反証なき限り真実に行はれたるものと推定するを当然とす」としている（大判大11・1・20民集1巻4頁）。その結果、登記の内容を争う者が、それが真実ではないことについての反証を挙げなければならないことになる。

3-12

◆権利保護要件としての登記

さらには、登記を取得することを、権利が保護されるための要件（権利保護要件）として要求する学説が強くなってきており、登記の要否が対抗要件を超えて拡大されて問題になっている。ただし、対抗要件としての登記を狭義の対抗要件

23）登記制度は、ローマ法にはなかった。近代法に至って土地についての農業金融の要請のため土地に抵当権を設定できるようにするために公簿の作成が要請され、これが広く土地についての権利関係の公示方法へと利用されるに至ったものである。わが国では、明治5年に地券制度が採用され、明治19年には民法に先立ちプロイセンの登記制度に倣った近代的登記制度が登記法により導入された。

としての登記といい、権利保護要件としての登記を含めて、広義の対抗要件としての登記と説明する学説もある（鈴木禄弥「登記懈怠の効果について」民事研修441号11頁以下参照）。また、権利保護要件を超えて、登記の保護機能を認める学説がある（良永和隆「登記の保護機能(1)(2)完」専法48号109頁以下、49号1頁以下）。

3-13 **◆明認方法**

人為的な公示方法として明認方法がある。国家により管理されている情報管理機関による公示でなく、土地の所有者を立て札をして明らかにする、動産に名前を書いて所有者を明らかにするといった方法である。登記という公示方法のある不動産では意味がないが、占有しか公示のない未登録動産については、即時取得の過失の有無の評価の際に考慮される事情になる。

即時取得の過失判断を超えて明認方法が意味を有するのは、以下２つの場面である。①まず、温泉権などの慣習法上の物権の公示方法としてである（☞1-31）。②もう１つは、立木（立木法により登記されていないもの）や未分離果実を収穫前に売却し、所有権の移転を公示する方法としてである。後者については、土地の定着物として収穫（分離）前は独立した所有権が成立しないはずであるが、その部分だけ所有権を独立させてこれを移転させることを認め、その分離・譲渡についての公示方法として、明認方法が認められている（☞13-9以下）。

§Ⅲ
公信の原則および公示の原則

1　公信の原則

3-14 (1)　原則としての無権利の法理

所有者でない者は、他人の物の所有権を、自分から譲受人に移転させることはできない。例えば、A所有の物をBが自分の物と偽ってCに売却しても、Cは所有権を取得できない。権利について「**無から有は生じない**」のが原則であり、これを**無権利の法理**という。“Nemo plus juris in alium transfere potest quam ipse habet”「何人も自己の有する権利以上のものを他人に移転することができない」というローマ法の格言に由来する。無権利の法理に対しては、取引の安全を保護するために、例外原理として**権利外観法理**が認められている（94条2項・192条等）。その１つとして、所有者その他の物権を有する者としての外観を持つ者と、その外観を信頼して売買契約等の取引をした者を保護する取引安全保護原理を、**公信の原則**という（外観法理の一類型である）。そして、この公信の原則が認められる場合、第三者の保護を権利外観の効力として、広く**公信力**という。日本民法には、動産の占有には公信力が認められているが（192 条）、登記に公信力を認める規定はない。

3-15 **(2)　公信力の認否**

(a)　動産の占有（即時取得）　動産については、登録制度がない限り、また、登録制度があっても登録がされていない限り、占有しか所有者を知る手掛かりはない。もし、無権利の法理を貫くと、動産取引はかなり危険なものとなり、取引が停滞すると共に費用のかかるものとなってしまう。それは、ひいては資本主義経済の発展に対する足かせともなりかねない。そこで、民法は、動産については、即時取得という制度を設け、占有という権利の外観に対する信頼を保護し、無権利者から購入しても所有権を取得しうるものとした（192 条）。登録動産には即時取得は認められないが、特例法による動産登記には、即時取得を阻止する効力は認められていない。詳しくは 14-1 以下に説明する。

3-16 **(b)　登記または登録（公信力なし）**　登記により公示される不動産、また、登録により公示されている動産につき、例えば、A の土地を B が勝手に自己名義に所有権移転登記をして、これを自己の土地と偽って C を信頼させて売却した場合、登記を信頼した C は所有権を取得できるのであろうか。これを認める場合、その効力を登記の効力と位置づけて**登記の公信力**という。ドイツ民法では、物権行為の無因性により取引安全保護が図られているだけでなく（☞ 3-19）、登記に公信力が認められている。日本では、民法そして動産につき登録を規定した特別法に公信の原則を明記した条文がない以上、書かれざる原則である無権利の法理（☞ 3-14）が適用される。

ただし、注意すべきは、登記が虚偽表示によってされた場合には、その原因行為の無効を対抗できないという形で、第三者の保護が図られ（94 条 2 項）、さらには 94 条 2 項の類推適用という一般的判例法原理が生み出されていることである（☞民法総則 6-114 以下）。

3-17 **◆虚偽の登記を予防するための制度**

登記に公信力がないため、登記が虚偽であった場合、それへの信頼は保護されないことになるが、虚偽の登記が蔓延していたら、不動産取引を安心して行えないことになる。そのため、虚偽の登記を予防する体制を整えることは必須である。

①まずは、登記の申請に対して、登記官に物権行為について真実か否かの審査権（実質的審査権）を認め、疑わしい場合にはその受理を拒否できる権限を与える方法が考えられる。しかし、わが国では、登記手続の遅滞を避けまた登記官の負担加重となることから、この方法は採用されていない。②次に、登記申請前の段階にチェック制度を設けておくことが考えられる。それは、登記申請手続ができるのを公証人に制限し、問題となる取引を公正証書により作成することを必要とする方法である。公証人が関与するため、虚偽の登記を予防できる。わが国では、公証人ではなく司法書士による登記代理制度が導入されたが、これは強制ではない（七戸克彦「意思主義の今日的妥当性」『民法と著作権法の諸問題』［1995］26頁以下参照）。①②いずれも採用しない日本では、2004年の不動産登記法の改正により、登記申請には登記情報また登記原因情報を必須のものとし、これによる虚偽の登記の予防が期待されている（ほかに共同申請主義☞10-1）。

2　物権変動と取引安全保護 ——意思主義（公示の原則）vs 成立要件主義（形式主義）

3-18　(1)　物権変動レベルでの取引安全保護の問題点

公信力の問題は、積極的に作り出された虚偽の外観を信頼した事例を問題にする。これに対して、例えば、AがBに、土地を売却したが移転登記はしていない、動産を売却したが引渡しをしていない場合、公示は元のままで権利関係だけが変わったことにより、権利と公示との間にいわば消極的に齟齬が生じることになる。いずれも、現在の権利関係だけをみれば、権利と公示（権利外観）との間に齟齬がありパラレルな問題のようにもみえる。

しかし、後者の場合には、物権変動がありこれに伴うべき公示がされていないのであり、第三者の保護は公信力という原始取得以外の方法によることが可能である。2つの立法を概説しておこう。

3-19　(2)　物権変動における2つの立法主義

(a)　形式主義・成立要件主義（ドイツ法）——公示との齟齬なし　不動産では登記、動産では引渡しがされること、すなわち、公示を物権変動のための成立要件とする立法例がある。ドイツ民法がこのような制度を採用している（同法873条・925条・928条）。物権変動の原因行為である売買契約とは別に、所有権を移転させる行為（＝物権行為）を必要とし（**物権行為の独自性**の承認）、売買契約とは別に不動産では登記、動産では引渡しという物権行為を必要とする（**形式主義**ないし**成立要件主義**）。原因行為たる売買契約等が締結されただけでは所有権移転の効果は発生せず、別個にされる登記・引渡しという物権行為により所有権の移転が生じるのである。また、ドイツ民法は、さらに**物権行為の無因性**を認め、一定の場合には原因行為たる売買契約等が無効であっても、すでにされた物権行為の効力（所有権の移転）は否定されず、依然として買主を所有者として、この者による処分を有効として、手厚い取引安全保護が図られている。

この法制度の下では、物権行為があれば、必ずその公示もされていることになり、公示を伴わない物権変動という問題が生じないことになる――相続と強制競売は登記なくしてその効力が生じる――。ただし、動産では占有改定を所有権移転のための物権行為と認めるため、取引安全保護は即時取得によらざるをえない。ドイツ民法には対抗不能という法理はない。

3-20　**(b)　意思主義・対抗要件主義（フランス法）――公示と齟齬あり**

(ア)　意思主義　債権行為と物権行為を分離せず（一体主義）、売買契約等の物権変動を内容とする行為がされれば、売買等の契約の効力として所有権移転等の物権変動が生じ、引渡しや登記を要件にはしない立法がある。フランス民法の立法であり、**意思主義**という。フランスでは私人において売買契約を締結しても（予約にすぎない）、そのままでは登記はできないので、公証人に売買契約書を公正証書により作成してもらい、あわせて登記手続を依頼することになる。公証人は紛争予防の役割を果たす重要な職業であり、代金は一旦公証人の口座に振り込まれ、振込みを確認の上、公証人は登記手続を行い、代金を売主の口座に振り込むことになる。

売買契約は要式契約ではないので、私署証書による契約で売買契約が成立していると考えれば、それによりすでに所有権は買主に移転していることになる。しかし、私署証書による売買契約には所有権の移転を公正証書作成時まで後らせる条項が挿入されており、公証人による売買契約書作成によって初めて売買契約が成立する、またはその時点で所有権が移転することになる。そのため、実質上形式主義と変わらない状況になっている。

3-21　**(イ)　対抗要件主義による補完**　物権変動の効力は絶対効であることから、

例えば、Aが土地をBに売却したならば、登記はA所有のままになっていても、所有者はすでにBになっているので、Aがこの土地をその後にCに売却しても、Cは所有権を取得しえない（対抗可能性の原則☞ 3-7）。

公証人によりほぼ予防されるものの、このような不都合を避けるため、フランスでは1855年の改正により、債権譲渡において規定されていた対抗要件主義が不動産物権変動に導入された。物権変動は登記がなければ「第三者」に対抗できないことになったのである。物権変動は意思表示だけで生じるが、それを登記しなければ第三者には対抗しえないという原則を、**公示の原則**ないし**公示主義**（または**対抗要件主義**）という。第三者の善意という要件は明記されていないが、取引安全保護制度であることから善意を要件とするものと考えられていた。2016年の改正法では動産と不動産とがパラレルに、二重譲渡の優劣関係につき、動産を先に現実に占有した者、不動産の登記を先にした者が優先するという法理により規律され、いずれにおいても、第2譲受人については善意が要件として明記された（同法1198条）。

3-22　**(c)　日本法による意思主義・対抗要件主義の採用**　旧民法においてボアソナードにより意思主義・対抗要件主義（第三者の善意を要件として明記）が導入され、現行民法も、意思主義を宣言し（176条）、登記による対抗要件主義を採用しているが（177条）、第三者の善意という要件は削除された。

規定だけ眺めれば、2016年改正前のフランス民法と同様の立法のようである。しかし、フランスでは公証人が紛争予防のために関与し、私人間の合意はいわば予約として締結され、実質的には公正証書による要式契約とされるので紛争が回避されており（☞ 3-20）、法的インフラの背景が大きく違っている。登記制度は現在の権利関係を公示するドイツ法系の登記制度が導入されており、登記原因たる売買契約証書などを公示するフランスの登記法制とは異なり、微妙なボタンの掛け違いが所々にみられる。

他方、日本では動産についても引渡しによる対抗要件主義を採用し（178条）、フランス法とも異なる独自の立法を導入した。

3-23　**◆第三者の登記の要否**

例えば、Aが土地をBに売却したが所有権移転登記をしないうちに、Cが登記を調べてAの名義なのでAの土地だと信じてAからこの土地をさらに購入したとする。177条の「第三者」は、先に登記をした第三者と制限されていないので、契約段階でも「第三者」として保護されることになる。そのため、BC共に不完全ながら所有者であるという学説（不完全物権変動説）が登場することになる。しかし、後述のように、第三者として保護されるための要件として、第三者が先に登記をしたことを要求する学説もある（本書もその立場☞6-14）。Bは登記なくして所有権取得をCに対抗でき、Cが登記を備えて初めて177条が適用され、Bの所有権取得が失権する。後者の登記必要説における第三者の登記は、①B以外の第三者に対抗するための対抗要件であることは疑いないが、②Bとの関係では、177条の適用の要件、すなわち既存のBの所有権取得を否定するための要件となる（いわば権利保護要件）。フランス民法では、第三者は善意かつ登記を取得することが要件とされており（☞3-21）、これと等しくなる。

第2節　物権行為・債権行為

§Ⅰ
物権行為と債権行為

4-1　物権の発生、移転、変更、消滅という物権変動を生じさせる意思表示を**物権行為**という。無主物先占や所有権放棄といった単独行為による物権行為——意思表示（法律行為）かは措く——が存在すること、また、抵当権や地上権の設定やこれらの権利の設定の合意解除といった物権契約が認められることは疑いない。ところが、「所有権を移転する」という合意だけをすることはできず、必ず原因行為たる売買契約等の債権契約が必要である。問題なのは、売買契約等の債権行為がされた場合に、目的物の所有権の移転という物権的効果の部分を、売買契約の効果の一部と位置づけるのか、それとも、売買契約とは別の物権行為の効果として考えるべきか、そうだとしてもその物権行為について売買契約とは別の特別の形式——不動産では所有権移転登記、動産では引渡し——を必要とするか、である。**物権行為の独自性**を認めるかどうかという問題である。

ドイツ民法の形式主義によれば、売買契約は物権行為をして所有権を移転させる債務を生じさせる債権契約にすぎない。日本民法は、176条において、「**物権の設定及び移転**は、当事者の意思表示のみによって、その効力を生ずる」と規定し、物権変動には登記や引渡しは必要ではないことを宣言しており、これはまさに意思主義を宣言する規定である。そして、これを前提として、対抗要件主義を採用している（177条・178条）。

意思主義・対抗要件主義を採用する日本民法では、所有権移転登記や引渡しは、対抗要件にすぎず成立要件ではない。物権行為を理論的に認め、これが売買契約に含まれていることは認めてよいが、物権行為の独自性まで認める必然性はない。下記の点について、①②を§Ⅱ、③を§Ⅲで考察したい。

> ① 所有権が移転するためには、売買契約とは別の行為が必要か
> （物権行為の独自性の要否）
> ② 所有権が移転するのは売買契約の効力か
> ③ 所有権はいつ移転するのか

§Ⅱ
物権行為の独自性の問題

4-2 **(1) 物権行為の独自性とは**

(a) 意思主義の規定へのドイツ的解釈の導入　物権行為の「独自性」を認めるということは、「物権変動を生ずるためには、常に物権の変動だけを目的とする別個の法律行為でなければならないという意味」であり（舟橋78頁）、ドイツ民法が採用している立法である。しかし、上記のように日本民法は、ドイツ民法の形式主義は採用せず、意思主義・対抗要件主義を採用していることは明らかである。それにもかかわらず、民法施行後、「ドイツ法に非ざれば法に非ず」という程のドイツ民法学への傾斜がみられ、物権変動論においても木に竹を接いだような議論がされることになる。すなわち、176条の「意思表示」とは物権行為のことであり、売買契約とは別個になされる物権行為の規定であると考える学説さえ登場するのである（☞4-4）。

4-3 **(b) 学説は二転三転**　学説の流れはこのようである（それぞれにつき詳しくは後述）。ⓐ民法制定当初は、フランス民法に倣い独自性否定説①（債権

の効力として移転）が当然視されていたが、ⓑその後ドイツ民法学の絶対的影響の下に独自性肯定説①が登場する。ところが、その後、ⓒ条文に素直な独自性否定説①が見直されるようになるが（大正10年の末弘77頁以下)、ⓓその後再び、わが国の取引慣行、取引当事者の通常の意思を根拠として、独自性肯定説②（外部的徴表説）が主張されるようになる。そして、ⓔその後、戦後は、独自性肯定説②と独自性否定説②（併存説）とが対立する状況になり、現在では、独自性肯定説は支持者を失い、独自性否定説の間で、所有権の移転時期をめぐる意思表示解釈に、争いの主戦場が移され、独自性の議論の意義自体が失われた感がある。以下には、簡単に議論状況を確認しよう。

4-4 **(2)　物権行為の独自性肯定説**

❶　古い独自性肯定説　かつては債権行為である売買契約と別個に、登記、引渡しといった物権行為により所有権が移転されるものと考える**物権行為の独自性**を肯定する学説が有力であった。とはいえ、その内容は、時代により若干の変遷がある。

古い独自性肯定説には、不動産では、登記申請の時または登記申請に必要な書類を受け取った時、動産については引渡しの時に物権行為がされ、そして物権変動が生じるというドイツ民法さながらの考えがあり、一時期は通説的理解になっていた（中島32頁以下、石田文76頁)。現在でも、債権行為の履行行為として物権行為がされ、それは単独行為であり、原則として不動産は登記、動産は引渡しであると考える異説がある（石田穣117頁)。物権行為が必要なので、履行の強制は引渡しや登記だけでは足りず、意思表示に代わる判決を得る必要がある。

4-5 **❷　外部的徴表説**　次にみるように、独自性肯定説が批判され、独自性否定説が通説化した後に再登場した独自性肯定説は、「外部的徴表を伴う行為」がされた時に物権行為があり、物権変動が生じるものと考える（**外部的徴表説**)。代金支払等の外部的徴表を伴う行為がされた時に物権変動が生じると取引通念上意識されており、わが国の取引慣行に合致するというのが根拠である（末川59頁以下)。独自性肯定説の利点としては、物権行為の時期＝物権変動の時期となって明らかになること、物権行為の無因性肯定と結び付き取引の安全に資することなどが挙げられる。

独自性否定説にも上記と同様に所有権の移転時期をずらす考えもあり（☞

4-14)、売買契約とは別にこれらの時に物権行為がされていると考えるか、それとも、売買契約の中に物権行為は混在しているが、その効果（物権的効果）の発生についてこれらの時に生じるものと特約がされていると考えるかという差があるにすぎない[24)]。

4-6
◆物権行為の有因・無因

ドイツ民法では、原因関係である売買契約などの債権行為が無効、取消し、解除などにより効力が認められない、ないし効力を失った場合でも、物権行為の効力には影響を及ぼさない。買主は所有権を取得し、所有権を戻す物権行為を不当利得の返還として義務づけられる。買主は所有者なので、第三者は外観法理によることなく保護されることになり、取引安全保護にも寄与することになる。このように、物権行為の効力を原因関係から切り離すことを、**物権行為の無因性**という。「無因」とは、原因はあるがそれと切り離すという意味である。影響を認めることを有因性という。

わが国でも、かつては、物権行為の独自性を認めるだけでなく、さらにドイツ民法と全く同様に無因性まで肯定する学説が支配的であった（石田文83頁など）。例えば売買契約が取り消されても当然に所有権が復帰するのではなく、解除後に抹消登記、返還などの外部的徴表を伴う物権行為が新たになされて初めて所有権が復帰するものと解している（末川5頁以下）。しかし、無因性肯定説は独自性肯定説と共にほぼ消え去り、今は支持者をみないといってよい。

4-7 (3)　物権行為の独自性否定説

①フランスでは、売買契約上の債務の効力として所有権移転が生じるものと説明され、日本でも、同様に売買契約の効力そのものとして所有権が移転するのであり、売買契約と別個の物権行為という2つの法律行為を想定しない考えがある（**債権効力説**）。「所有権の観念性のゆえに、所有権の移転を目的とする物権行為はその原因たる観念的な債権契約に吸収せられ、物権変

24）＊**独自性肯定説と独自性否定説で所有権の移転時期をずらす説との差異**　独自性肯定説②と独自性否定説で所有権の移転時期を契約からずらす学説も、引渡し、移転登記、代金支払があった時に所有権の移転を認める点で共通しているが、次のような差異が生じる。①独自性否定説では、これらの事実に所有権の移転という効果の発生がかかるだけであるのに対し、②独自性肯定説では、これらの事実のあった時に物権行為が行われたと説明する。そのため、買主が代金を供託しただけでも独自性否定説では所有権は移転するのに対し、独自性肯定説では、双方の意思に基づいた行為がされることが必要であり、供託だけで所有権が移転することはない（末川66頁）。また、強制執行も、独自性肯定説では、引渡しを受けるだけでは所有権の取得のために十分ではなく、物権的意思表示に代わる判決を得ることが必要になる。さらに、独自性肯定説には物権行為の無因性を認める学説もある（☞4-6）。

動は『債権契約の効力として』行われることになる」といわれる（川島219頁。我妻・有泉57頁、広中51頁、鎌田・ノート16頁以下等同旨）。

②しかし、理論的にいって物権変動は物権行為の効果と構成でき、売買契約の合意には、債権契約としての売買契約と物権的合意（物権行為）とが含まれており、所有権の移転は売買契約に含まれる物権行為の効力と構成する考え（**併存説**）が、独自性否定説の中では今や通説となりつつある（星野31～32頁、丸山46頁、安永34頁等）。しかし、売買契約の物権行為の部分の効力発生時期、すなわち所有権の移転時期の問題については、さらにこの学説内部で議論がある。このことを注意して、次に所有権移転時期の問題をみてみよう。

4-8 **◆判例は物権行為の独自性否定**

判例は一貫して独自性否定説を採用している。例えば、「特定物を目的とする売買は、特に将来其物の所有権を移転すべき約旨に出でざる限は、即時に其物の所有権を移転する意思表示に外ならざるを以て、前示法条［民法第176条］の規定に依り直ちに所有権移転の効力を生ずるものとす」（大判大2・10・25民録19輯857頁）、「他人の物を自己の所有に属するものと誤信し之を第三者に売却したる場合」において、「売買の目的たる物が他人所有の特定物なる場合に売主が後日其の物の所有権を取得するに至りたるときは、当事者に於て更に何等の意思表示を為すことを要せず其の物は当然直に買主の所有に帰するものとす」（大判大8・7・5民録25輯1258頁）と判示されている。なお、555条の規定する所有権移転義務との関係については、前掲大判大2・10・25は、「民法第555条には、売買は当事者の一方が或財産権を相手方に移転することを約し云云とあるも、其趣旨は啻に将来に財産権を移転すべきことを約する場合のみならず、当事者の一方が直ちに特定物の所有権を相手方に移転する対価として相手方が之に其代金を支払うべきことを約する場合の如きも広く之を包含する法意に出でたるものにして、従て売買の約旨に依りては之に第176条の規定の適用を妨げざるものと解するを相当とす」と述べる。

§Ⅲ
物権変動の時期――所有権移転時期

4-9 (1) 物権行為の独自性肯定説からの帰結

所有権の移転時期は、独自性肯定説では、物権行為がされた時に物権変動の効力が生じることになり、当事者がいつ物権行為をしたかの認定により容易に確定できる。①不動産では登記の申請または登記義務者より権利者に対して委任状その他登記申請に必要な書類が交付された時――物権行為の時であるから、登記がされた時ではない――、動産では引渡しの時に物権行為がされたものと考えられている（柚木92頁）。②他方、4-5の**外部的徴表説**（**分離説**ともいわれる）は、外部的徴表を伴う行為（引渡し、登記、代金支払）を広く物権行為と認めている（末川62頁以下）。しかし、これらの行為により物権行為がされているというのは擬制にも等しく、特に代金の支払（銀行への振込）という買主の一方的行為を、売主の所有権を移転させる物権行為とみるのは無理がある（4-7の併存説により淘汰される）。

4-10 **(2)　物権行為の独自性否定説からの帰結**

❶　売買契約と同時に所有権移転を認める考え（判例）　独自性否定説①（債権効力説）では、売買契約上の債権の効力として所有権が移転するのであるから、原則として売買契約の効力が生じると同時に所有権が移転することになる（梅61頁、末弘85頁以下）。これが判例の考えといってよい（民法施行前の大判明28・11・7民録1輯4巻28頁以来の判例である☞4-11）。しかし、学説では、今や少数説である（我妻・有泉61頁、高島81～82頁）。独自性否定説②（併存説）でも、物権行為と同時に所有権移転の効力も生じるという考えがある（田島56頁、金山103頁）。

176条は、形式主義を採用しないことを宣言することに意義があり、所有権の移転時期の合意について推定する規定ではない。売買契約の効果として所有権の移転時期をいつと合意するかは自由である。推定規定がない以上、意思表示解釈により、いつ所有権が移転すると合意しているかが認定される。本書初版では、売買契約と同時に所有権移転を認め、売主保護は契約解除で図るべきであると解した。しかし、現在では、有償性説が社会通念に合致するということに賛成し――贈与の場合は契約と同時に所有権が移転し、書面によらない場合には贈与者に解除権を保障すればよい――、意思表示解釈の問題として、有償性説を採用したいと思う（☞4-19）。

4-11 **◆所有権移転時期をめぐる判例状況**

(1)　原則――直ちに移転

大判大2・10・25民録19輯857頁は、「物権の設定及び移転は当事者の意思表示のみに因りて其効を生ずることは民法第176条の規定する所なるを以て、物権の移転を目的とする意思表示は単に其意思表示のみに因りて直に物権移転の効力を生ずることは民法一般の原則とする所なるや明かなり。而して特定物を目的とする売買は特に将来其物の所有権を移転すべき約旨に出てざる限りは、即時に其物の所有権を移転する意思表示に外ならさるを以て前示法条の規定に依り直に所有権移転の効力を生ずるものとす。民法第555条には売買は当事者の一方が或財産権を相手方に移転することを約し云云とあるも、其趣旨は啻に将来に財産権を移転すべきことを約する場合のみならず、当事者の一方が直に特定物の所有権を相手方に移転する対価として相手方が之に其代金を支払ふべきことを約する場合の如きも広く之を包含する法意に出てたるものにして、従て売買の約旨に依りては之に第176条の規定の適用を妨げざる」ものと判示する。

戦後の判例としても、買主が代金163万円余のうちすでに100万円を支払い、残代金の提供をして再三売主に対して履行を求めたが、売主が移転登記や明渡しに応じない事例で、残代金の支払と引き換えに土地所有権移転登記と建物明渡しを請求すると共に、保存登記未了建物について建物所有権の確認を求めた事例で、「売主の所有に属する特定物を目的とする売買においては、特にその所有権の移転が将来なされるべき約旨に出たものでないかぎり、買主に対し直ちに所有権移転の効力を生ずるものと解するを相当とする」と、これを認容している（最判昭33・6・20民集12巻10号1585頁［上記大判大2・10・25を引用］）。そして、売買予約では、予約完結の意思表示により売買契約の効力が生じると同時に買主に所有権が移転し（大判大7・2・28民録24輯307頁）、遺贈についても、遺言の効力発生と同時に所有権の移転が生じるという（大判大5・11・8民録22輯2078頁［事案は債権］）[25]。

4-12
⑵　例外の許容

ⓐ　契約と同時に物権変動を生じることができない事情がある場合　他人物売買などのように、売買契約時に所有権が移転しえない事情がある場合には、売主が他人から所有権を取得した時に、引渡しや移転登記を要することなく、当然に所有権が売主から買主に移転し（大判大8・7・5民録25輯1258頁、最判昭40・11・19民集19巻8号2003頁）、第三者のためにする契約では受益者の受益の意思表示の時に所有権の移転が生じる（大判昭5・10・2民集9巻930頁）。また、当然のことながら、不特定物売買では目的物が特定していないので契約と同時に所有権が移転しえないが、特定があれば、その引渡し＝受領がなくても、特定の時に所有権が移

25）　また、契約解除についても、特定物売買の解除のケースで、解除の効果につき直接効果説を採用した上で、「売買契約解除当然の効果として、買主は所有権を取得したることなきものと看做さるべく、所有権は当然売主に帰属するに至るものと解すべきもの」であり、「売買契約解除後特別なる所有権移転の意思表示なくんば売主に於て其所有権を取得することなしと解すべきものにあらず」と判示されている（大判大6・12・27民録23輯2262頁）。

転する（最判昭35・6・24民集14巻8号1528頁）。

4-13　(b)　**明示・黙示の特約がある場合**　倉庫にあるハンカチーフの売買契約において、所定の日時までに代金を支払わない場合には契約が失効するという失権約款（解除条件）付きの売買契約において、目的物の所有権は、特段の事情がない限り売買契約と同時には移転しない――黙示の特約を認める――とした判例がある（最判昭35・3・22民集14巻4号501頁）。また、土地建物の売買で、代金完済、所有権移転登記手続の終了まではその所有権を買主に移転しない合意を認定した原判決を支持した判決もある（最判昭38・5・31民集17巻4号588頁）。また、所有権留保をどう法的に分析するかは問題であるが、所有権留保の特約を認める判決は多い（例えば、最判昭49・7・18民集28巻5号743頁）。

大判昭3・10・11民集7巻903頁は、XとYとの間に本件物品の売買契約が成立後、売主Xは、訴外Aを運送人、Yを荷受人とし運送人Aをして貨物引換証を発行せしめ、また、自分も為替手形を振り出し荷為替附きにて物品を発送した事例につき、「右の如く貨物引換証を発行し荷為替附にて物品を発送したる場合に在りては、特段の事情の徴すべきものなき限り買主に於て貨物引換証と引換に代金の支払を為して物品を受領するまでは其の所有権は依然として売主に存するものと云ふべく、即［ち］荷為替附の発送は売主に於て物品の所有権を保留する所以に外ならざるものと観ざるべからず」という。買主の信用状態に危惧の念を抱いたからこのような仕組みにしたのであり、「反対の意思表示なかりしの故を以て売買の成立と共に物品の所有権かXよりYに移転した」とした原審判決は「前示明白なる実験則を無視したる違法あるものとす」という（貨物引換証によらず目的物を受領して処分した、Yに対する所有権侵害による損害賠償請求を認容）。

4-14　**❷　引渡しまたは代金支払（不動産ではさらに移転登記）のいずれかの時に所有権の移転を認める考え**　独自性否定説②（併存説）によりつつも、所有権移転時期について、独自性肯定説②の外部的徴表説と同様の結論を認める学説が、現在では有力である（川島Ⅰ151頁以下、舟橋87頁、清水43頁等）。あくまでもその時に物権行為がされているとみるのではなく、売買契約と同時に物権行為がされているが、その効力発生時が当事者の合意により代金支払、引渡し、そして不動産では移転登記のいずれかがされた時に生じると考えるのである[26)]。当事者の合意が明確ではない場合に、判例では契約時に効力が生じるものと176条から法定の推定を導き、これを争う者に反証の責任を負わせるが、独自性否定説②（併存説）は、逆に上記のいずれかの時に効力が生じるものと合意されているという、いわば経験則による事実上の推定を認めるものといえる。

その根拠としては、①取引慣行ないし取引における当事者の通常の意思を根拠とする説明（舟橋86頁以下）、②この社会通念を理論的に正当化するために有償性説といわれる説明がされている（松岡95頁）。ⓐ代金の対価が所有権であるから両者は同時履行の関係に立ち、代金を支払えば対価たる所有権が移転し、ⓑ代金を払っていないのに引渡しや移転登記を受ければ、信用を付与して先に履行するものであるから所有権が先に移転すると説明される。③さらには、果実収取権は所有権の移転に伴うものであることから、果実収取権の移転時期についての575条を根拠にする説明もある（広中54頁）。

4-15

◆確定不要説（なし崩し的移転説）および二段階物権変動説

⑴　なし崩し的移転説

所有権は、売買の前には売主に、一切の履行が終了した時点では買主に帰属していることは疑いなく、この履行過程ではなし崩し的に売主から買主に所有権が移転するのであり、どの時点で移転するのかを議論をしても無意味だという学説もある（鈴木・研究109頁以下、鈴木122頁以下。星野37頁、内田433頁がこれを支持）。しかし、果実の帰属、妨害排除義務の負担者を決める等、本当に所有権の移転時期を決定することが無意味かは疑問がある（石田・変動論118頁以下、128頁以下☞4-18）。また、なし崩し的移転という観念は、所有権を諸権能の集まりと考える鈴木教授の所有権概念によってのみ筋の通ったものとなるにすぎず、所有権を物に対する独占的支配権たらしめるモメントである排他的支配力（所有権の実体）から切り離された諸権能のみが独立して移転するということは不可能である（所有権が移転したがゆえに諸権能も買主に移行する）、とも批判されている（鷹巣・検討22頁）。なし崩し的移転説の発想を取り入れた考えとして、**二段階物権変動説**があり、契約と引渡期日とが異なる場合には、①契約の時には債権（純粋債権）が発生し、②引渡しの時に「萌芽的所有権」の移転があり、③移転登記により完全な所有権が移転すると説明する（加藤97頁）。所有権のなし崩し的移転は、フィンランドで認められており、比較法的に異例な考えではない（畑中久彌「フィンランドにおける段階的所有権移転論の諸相」福岡法学58巻1号［2013］223頁以下）。

26）　学説には、不動産につき、物権変動の時期は、有償性原理のみならず、証拠方法の確実性および公示の要請という観点も斟酌しなければならず、当事者の合理的意思解釈の問題として、登記時とみるべきであって、引渡しや代金支払等の外部的徴表を加えるべきではなく、書面作成時に176条の意思表示がなされたものと認定すべきであるという学説もある（七戸克彦「意思主義の今日的妥当性」半田正夫教授還暦記念『民法と著作権法の諸問題』［1993］46頁以下。生熊193頁も同旨）。

4-16

⑵　使用・収益権能と処分権能の移転の分離

①所有権は、使用・収益権能と処分権能からなっているため、売買契約の当事者間で、所有権移転時期と使用・収益権能とを切り離して、所有権移転に先行させたり所有権移転に後らせたりすることができるという考えが提案されている（生熊189頁）。従前議論されてきた所有権の移転時期は、処分権能の移転時期を意味するものと捉えている。②これに対して、１つの独占的支配権として所有権を考える立場では、このような権能の束の一部だけを移転することは認められないことになるが、所有権を移転しないで買主に使用収益を認めることの法的説明が必要になる。

いずれの考えでも、所有権という「タイトル」の帰属の移転を認めるが、その上で、権能が全部移転するということは譲れないと考えるか、一部だけの移転を認めるかという差があるにすぎない。所有権留保をした上で、売却物を引き渡して使用収益を認めるのは、所有権移転を代金完済にかからしめつつ引渡義務を履行するものであるが、売主所有物の使用を認める債権関係というのは不合理な印象を受け、使用収益権能は移転するというのは説得力がある。ただ所有権の移転時期の特約にすぎないと考えるのではなく、代金債権「担保」を「原因」として、所有権の全面的な移転の「留保」ができると、全面的な所有権の移転ではなく使用収益権能の移転だけに「留保」することは、担保制度だから認められるものと考えるべきである（使用収益権能だけの移転）。譲渡担保においても、「担保」を「原因」とした所有権移転だから、使用収益権能を留保した移転が認められるのである（使用収益権能以外の部分の移転）。こうして「権能の束」説に対しては、「担保」を原因とする移転、留保に限って賛成したい。

4-17

◆不動産売買契約の成立時期

判例のように売買契約時に所有権の移転を認めるとしても、売買契約成立の認定によって、社会通念との齟齬はかなり回避できる。例えば、住宅を不動産仲介業者の仲介により購入する場合には、次のようなプロセスを経ることになる。

①買主が購入の意思決定をして（買付証明書が交付させられることもある）、売主が了解すれば、売買契約を正式に締結する日を合意し（大安など日のよい時を選ぶ）、②契約締結当日に、買主は、重要事項の説明を受けて手付金を支払い、契約書に署名押印して、残代金の支払と移転登記手続の日を決める。③残代金の支払日に、例えば買主がローンを組んだ銀行の一室に、売主、買主、銀行員そして司法書士が集まって、売主が登記に必要な書類を渡し司法書士に移転登記を依頼すると同時に、買主がその日までに用意した残代金の売主への振込みを銀行に依頼して、契約が完了する。

①の時点で口頭で合意ができているので、売買により買主に所有権が移転するとみるのは確かに社会通念に反しよう。フランスのように公証人による契約書の

作成という二段階のプロセスによるわけではないので、①と②とで私署証書での契約、公正証書による契約という二段階の契約ではなく、契約は②だけである。②で契約は成立し、③を所有権移転時期とする特約がされているにすぎない――その時点での、果実、租税等の費用負担が買主に移転、危険の移転は、同時にされる引渡しの効果である（567条１項）――。

4-18

◆所有権の移転時期を決定する実益

①まず、かつては所有権の移転と危険の移転とをセットに考えていたので、いつ危険が移転するかが所有権移転時期に関わり重要な問題であった。しかし、現在では、改正法により引渡しまたは提供が危険移転時期とされたので、所有権移転時期と離れて危険の移転を考えればよいことになっている（567条１項・２項☞債権各論Ⅰ 6-65以下）。

②第三者が目的物を侵害している場合に、所有者には所有権に基づいて物権的請求権が認められ、また、所有権侵害による損害賠償請求権が認められる。反対に、妨害している物の所有者が、妨害排除義務を負うことになる。この点では、所有者が誰かが決め手になることは否定できない。同様に、土地工作物責任は、占有者に過失がない場合には、土地の所有者が無過失責任を負うことになっているため（717条１項ただし書）、誰が土地の所有者として責任を負うかは誰が所有者か決定しなければわからないことになる。

③果実は元物の所有者に帰属するので（89条１項）、いつ所有権が移転するのかを決める必要がある。確かに、売買契約では575条があるので、所有権の移転を認めても特則が規定されていると考えることもでき、所有権移転を確定しなくても問題は解決できる。ただし、575条は所有権の移転時期を定めた規定であると考える学説もあり、また、契約で所有権移転時期について明記する場合、賃料債権の帰属がそれを基準に決められており、所有権の移転が重要なことを示すものである。

4-19

◆本書の立場

176条は形式主義を採用しないことを宣言することに意義があり、売買契約の中に所有権移転を目的とした意思表示が含まれ、その効力発生をいつと合意するかは自由である。176条はその合意された移転時期についてまで推定をする規定ではない。他人物売買のように所有権移転の障害事由がある場合には、売主が目的物を取得した時、代物弁済予約の場合には予約完結の意思表示がされた時に、所有権移転の効果発生を認めてよい。推定規定がない以上、意思表示解釈の事実認定により、いつ所有権が移転すると合意しているかが認定される。本書初版では、所有権留保を担保契約と考えて、所有権留保の合意がない以上は、売買契約と同時に所有権移転を認め、売主保護は契約解除で図るべきであると解した（また、176条に所有権移転時期についての推定規定としての意義を認めた)。しかし、現在では、有償性説が——贈与の場合は契約と同時に所有権が移転し、書面によらない場合に贈与者の解除権を保障すればよい——社会通念に合致するということに賛成し、これに従いたいと思う。不動産売買は仲介業者が介在する限り、代金支払と所有権移転登記が引き換えになされており問題自体が発生しない——日本では不動産仲介業者がヨーロッパの公証人さながらの機能を果たしている（☞ 4-17）——。また、所有権留保の場合の所有権移転をめぐっても、売主は担保に必要な限度で所有権を留保し、使用収益権限は買主に移転している——これは売買と同時または引渡し時に移転——と考える（☞ 4-16）。

第3章
不動産物権変動論

第1節　登記の意義と種類

§Ⅰ
登記および登記簿

1　登記についての法制度

5-1　(a)　**不動産登記制度**　不動産の購入、抵当権の設定などの際に、取引相手が所有者なのか、目的不動産に地上権などの制限がないか、すでに抵当権の設定がないかなどの確認ができるようにしたのが、登記という公示制度である。登記に公示制度としての目的を全うさせるためには、虚偽の登記を予防する体制作りが必要になると共に、新たな物権変動があったら速やかにそれを登記により公示させる仕組みが必要になる。

177条は、不動産登記法等により「登記」制度が用意されることを前提としており、不動産登記法、不動産登記令、不動産登記規則が制定されている。不動産登記法1条は、「登記」が「不動産の表示及び不動産に関する権利」を一般に「公示」するものであり（**登記簿公開の原則**）、その目的が「取引の安全と円滑に資する」ことであることを宣言している。

5-2　(b)　**不動産登記法**　わが国における近代的登記法制度を整備するため、民法に先立って1886年（明治19年）に登記法[27]が制定され、民法施行後の1899年（明治32年）に不動産登記法が制定された。これが2004年（平成16年）に約100年ぶりに大改正されている。不動産登記簿は、2004年改正前は用紙により作成・管理がされていたが、改正後は、「登記記録」という電磁的情報による管理に移行している[28]。不動産登記は人的編成主義による立法もあるが、不動産登記法は1つの土地または1つの建物ごとに登記簿を編成する**物的編成主義**を採用している（☞ 5-10）。登記簿は、不動産の所在

27）　**＊公証制度から旧登記法へ**　明治6年よりフランス型の公証制度が導入され、公証簿の編成は公証の事実を年代順に記録していた。ところが、検索が不便で間違いも頻繁に起こったため、政府はドイツ（プロイセン）登記制度の導入を決断し、その結果できたのが本文の1886年（明治19年）の登記法である。物的編成主義を採用し、また、当事者出頭主義・共同申請主義を採用している。このシステムが、民法と同時に制定された明治32年不動産登記法に承継されていく。

地を管轄する法務局または地方法務局ないしその支局または出張所が、管轄登記所としてこれを掌ることになっている（不登 11 条以下）。

5-3

◆相続登記また遺産分割登記の義務化

⑴　2021 年改正

不動産登記法 16 条 1 項は、「登記は、法令に別段の定めがある場合を除き、当事者の申請又は官庁若しくは公署の嘱託がなければ、することができない」と規定し、不動産を購入しても所有権移転登記をするかどうかは任意であり、登記をしないと 177 条の対抗不能という不利益を受けるにすぎない。相続も同様であり、相続の場合には 177 条の対抗不能も適用にならず、特に売却などの必要性がなければそのままになり、山林など価値のない土地はそのまま被相続人の死後長年にわたって放置されることもままみられた。その間、共同相続が代々生じると、所有者が不明になったり、所有者が判明してもあまりにも多過ぎて今更分割や管理をどうやったらよいのか戸惑うことになる。そのため、所有者不明土地また管理不全土地の対策（予防）として、民法改正や相続土地国庫帰属法制定（☞ 15-14）と共に、2021 年に不動産登記法が改正され、不動産の相続登記が義務づけられた。

5-4

⑵　登記申請義務

①「所有権の登記名義人について相続の開始があったときは、当該相続により所有権を取得した者は、自己のために相続の開始があったことを知り、かつ、当該所有権を取得したことを知った日から3 年以内に、所有権の移転の登記を申請しなければならない。遺贈（相続人に対する遺贈に限る。）により所有権を取得した者も、同様とする」と規定された（不登 76 条の 2 第 1 項）。また、②相続登記がされた後に「遺産の分割があったときは、当該遺産の分割によって当該相続分を超えて所有権を取得した者は、当該遺産の分割の日から 3 年以内に、所有権の移転の登記を申請しなければならない」（同条 2 項）。相続登記なしに遺産分割がされた場合には①による。

5-5

⑶　登記官への申出による猶予

前記⑵①の申請義務を負う者は、「登記官に対し、所有権の登記名義人について相続が開始した旨及び自らが当該所有権の登記名義人の相続人である旨を申し出ることができ」（不登 76 条の 3 第 1 項）、前記⑵①の期間内にこの申出をした者

28）　2004 年（平成 16 年）改正の目玉は登記簿の情報化（データ化）であり、登記手続に次のような大きな変更がされている（山野目章夫ほか編『実務論点集新不動産登記法』［2005］39 頁［斎木賢二］）。
①　「当事者出頭主義の廃止」→「電子申請制度の導入」
②　「登記済証制度の廃止」→「登記識別情報制度の導入」
③　「保証書制度の廃止」→「資格代理人による本人確認情報提供制度の導入」
④　「申請書副本制度の廃止」→「登記原因証明情報必要的提供制度の導入」

は、前記(2)①の登記申請義務を履行したものとみなされる（同条2項）。また、この申出をした者は、「その後の遺産の分割によって所有権を取得したとき（前条第1項前段の規定による登記がされた後に当該遺産の分割によって所有権を取得したときを除く。）は、当該遺産の分割の日から3年以内に、所有権の移転の登記を申請しなければならない」（同条4項）。この点は申出による申請のみなし規定はない。

5-6
(4)　申請義務違反による罰則

不動産登記法76条の2第1項もしくは2項、また、76条の3第4項の規定による申請をすべき義務がある者が正当な理由がないのにその申請を怠ったときは、10万円以下の過料に処せられる（不登164条）。

2　登記簿

5-7
(1)　登記簿とは

登記簿は、「登記記録が記録される帳簿であって、磁気ディスク（……）をもって調製するものをいう」（不登2条9号）。かつては、紙媒体による帳簿方式で作成されていたが、順次磁気ディスク方式へと移行されている。1筆の土地または1個の建物ごとに、表示登記および権利登記について「電磁的記録」が作成され、これを「**登記記録**」という（不登2条5号）。不動産登記法により「登記記録として登記すべき事項」を「**登記事項**」といい（不登2条6号）、権利の保存等（保存、設定、移転、変更、処分の制限または消滅）ができる「権利」は法定されており、①所有権、②地上権、③永小作権、④地役権、⑤先取特権、⑥質権、⑦抵当権、⑧賃借権、⑨配偶者居住権、および、⑩採石権の10の権利に制限されている（不登3条）。物権法定主義（175条）により、これ以外の物権を創設し登記することはできない。また、慣習法上の物権も登記することはできず明認方法によるしかない。登記される不動産は、土地と建物でありそれぞれ土地登記簿と建物登記簿に分けられている。

5-8
◆登記簿のコンピュータ化（データ化）

登記簿は、当初の大福帳式の帳簿が、その後に登記用紙の加除が自由なバインダー式の帳簿方式に変更されたが、このような紙製の帳簿による処理方式を**ブック・システム**という。2004年の改正により、現在では登記簿は順次電磁記録化され、ブック・システムの登記簿は閉鎖されている。登記を磁気ディスクに電磁的データで記録する方式を**コンピュータ・システム**というが、コンピュータ化の目的は、①登記事務の迅速な処理を可能にすること、および、②登記簿の閲覧に際する改ざん・抜取りを避けることである。2004年の不動産登記法の改正により、インターネット経由での登記申請（**オンライン申請**）が可能とされ、これにより登記事務の簡素化・効率化と国民の負担軽減を実現し、国民の利便性を向上することが意図されている。政府の「e-Japan戦略」の一環である。

5-9

◆登記簿謄本と登記事項証明書（および閲覧について）

①従来型のコンピュータ化されていない法務局（**ブック庁**）では、登記簿の写し（登記簿謄本）は、その不動産の所在地を管轄する法務局（登記所）で取得することになる。登記簿謄本はブック庁で交付される証明書である。②他方、登記簿のデータがコンピュータによって管理されている法務局（**コンピュータ庁**）では、他の管轄の登記簿も取得できるようになっており（**登記情報交換システム**）、コンピュータ庁では、「登記官に対し、手数料を納付して、登記記録に記録されている事項の全部又は一部を証明した書面（以下「登記事項証明書」という。）の交付を請求することができる」（不登119条1項）ほかに、「登記官に対し、手数料を納付して、登記記録に記録されている事項の概要を記載した書面の交付を請求することができる」（同条2項）。後者の**登記事項要約書**は証明書ではなく、登記官の認証文も証明日付けの記載もない。登記事項証明書は従来の**登記簿謄本・抄本**に代わるものであり、不動産登記法および他の法令において謄本・抄本と同一の効力がある。

ブック庁では、登記簿はブック式ファイルで管理されているため、従来通りこれを閲覧することができる。これに対して、コンピュータ庁では登記簿はコンピュータで管理されているため、インターネットで登記簿の閲覧ができる（**オンライン登記情報提供制度**）。閲覧の方法には、民事法務協会に利用者登録（登記情報提供契約の締結）をして、IDとパスワードの交付を受け、これを用いて利用する方法と、利用者登録をすることなく、住所、氏名、クレジットカードの番号等のクレジットカードの有効性の確認のために必要な事項を入力して一時的に利用する方法がある。

5-10

◆不動産ごとに1つの登記簿が作成される（物的編成主義）

1つの不動産ごとに1つの登記簿が用意され、1筆の土地または1個の建物につき1個の登記簿が作られることになる（不登2条5号）。紙媒体で管理していた時代に**一不動産一用紙主義**と呼んでいたが、現在では登記用紙が登記記録に代えられたので、一不動産一記録主義というべきことになる。土地は人為的に区切られているものであり、1つの登記簿に1つの土地として登記されることになり、これを2つまたはそれ以上の土地に分けるためには、**分筆登記**をしなければならない。逆に2つまたはそれ以上の土地を1つの土地にまとめる**合筆登記**をすることもできる。分筆登記は成立要件ではなく、1筆の土地の一部を譲渡したり取得時効することは可能である（☞1-9）。他方、合筆登記については、隣地を取得しても当然に1つの物になるわけではなく、合筆登記は1つの土地になるための成立要件と考えざるをえない。

5-11 **(2)　登記簿および登記記録の構造**

(a)　表示の登記

(ア)　表示登記の意義　「不動産の表示に関する登記」を「**表示に関する登記**」――**表示登記**ないし**表示の登記**と称される――という（不登2条3号）。登記の「表示に関する登記が記録される部分」を**表題部**（同条7号）という[29]。表示登記の権利登記と異なる点をまとめておくと、①職権主義（不登28条）、②強制申告主義（不登36条）、③実質的審査主義（不登29条）などがある。

建物を建築しても、5-14の権利登記（所有権保存登記）は抵当権を設定する予定がなければ実際上なされないが、課税の基礎となる表示登記は登記を義務づけられる。177条の「登記」は権利登記であるが、借地借家法10条1項の登記は表示登記でもよい（最判昭50・2・13民集29巻2号83頁）。「当該土地の取引をなす者は、地上建物の登記名義により、その名義者が地上に建物を所有する権原として借地権を有することを推知しうるからであり、この点において、借地権者の土地利用の保護の要請と、第三者の取引安全の保護の要請との調和をはかろうとしている」ことが理由である。

5-12 **(イ)　表示登記の登記事項**　「不動産の表示」とは、土地や建物そのものの状態、土地については、①土地の所在する市、区、郡、町、村および字、②地番、③地目、④地積（不登34条）、建物については、①建物の所在する市、区、郡、町、村、字および土地の地番、②家屋番号、③建物の種類、構造および床面積、④建物の名称があるときは、その名称、⑤附属建物があるときは、その所在する市、区、郡、町、村、字および土地の地番ならびに種類、構造および床面積、⑥建物が共用部分または団地共用部分であるときは、その旨、⑦建物または附属建物が区分建物であるときは、当該建物または附属

29）　**＊台帳制度の廃止――表示の登記へ**　登記は177条の対抗要件であるから、177条の登記として予定されているのは権利関係についての登記のみである。このため、初めの段階では登記は権利の登記のみであった。現在の表題部（表示登記）は、別個の土地台帳、家屋台帳という固定資産課税のための台帳制度によって担われていた。それが、1960年（昭和35年）の不動産登記法の改正により、登記簿と台帳が一元化され、登記簿が課税台帳としての機能を果たすことになった。

建物が属する１棟の建物の構造および床面積、⑧建物または附属建物が区分建物である場合であって、当該建物または附属建物が属する１棟の建物の名称があるときは、その名称、⑨建物または附属建物が区分建物である場合において、区分所有者の有する専有部分と分離して処分することができない敷地権である（不登44条）。不動産の物理的状況は現物を見て調べることになるが、正確な土地の所在場所、面積、状態、建物の所在場所、形態、大きさ、また、原因および日付欄でいつ新築されたかが表示登記によりわかることになる。

5-13　**◆筆界特定**

表題登記のされている１筆の土地と隣接する土地との境を**筆界**（ひっかい）といい、これは「公法上の境界」であり（不登123条１号）、私人の合意により決めたり変更することはできない。すなわち、地積や地図に表示されている筆界を、私人が変えることは認められない。他方、いわゆる「私法上の境界」（**所有権界**）は、隣接地所有者との合意に基づき自由に決定や処分、変更することができる。また、取得時効により変更されることになる。前者の筆界についての制度であるが、筆界をめぐる紛争の解決を図るために、2005年（平成17年）の不動産登記法改正により、いわゆる**筆界特定制度**が導入されている（不登123条以下）。筆界特定登記官が、土地の所有権の登記名義人等の申請により、申請人・関係人等に意見および資料を提出する機会を与えた上、外部専門家である筆界調査委員の意見を踏まえ、筆界の現地における位置を特定することになる。これにより特定されるのは、公法上の境界である。

5-14　**(b)　権利関係の公示（権利登記）**

(ア)　権利登記の意義および登記事項　「不動産についての……権利に関する登記」が「**権利に関する登記**」であり（不登２条４号）、**権利登記**ないし**権利の登記**といわれる。そして、「権利に関する登記が記録される部分」は**権利部**（同条８号）といわれる。権利の登記は、①甲区（所有権の登記）と②乙区（所有権以外の権利関係の登記）とに分かれている（不登規４条４項）。登記できる権利は物権（民法以外では採石権）であるが、占有権、留置権、入会権は登記できず、他方、不動産の貸借権や買戻権は登記ができる。

権利登記の登記事項は、①登記の目的、②申請の受付の年月日および受付番号、③登記原因およびその日付、④登記に係る権利の権利者の氏名または名称および住所ならびに登記名義人が２人以上であるときは当該権利の登記名義人ごとの持分、⑤登記の目的である権利の消滅に関する定めがあるときは、その定め、⑥共有物分割禁止の定めがあるときは、その定め、⑦他人に代わって登記を申請した者（代位者）があるときは、当該代位者の氏名または名称および住所ならびに代位原因、⑧上記②に掲げるもののほか、権利の順位を明らかにするために必要な事項として法務省令で定めるものである（不登59条）。

5-15　**(イ)　権利登記の申請**　権利に関する登記を申請する場合には、「申請人は、法令に別段の定めがある場合を除き、その申請情報と併せて登記原因を証する情報を提供しなければならない」（不登61条）。権利の登記については、登記官には実質的審査権はないので、「登記原因を証する情報」（例えば、売買契約書）が真正かどうかを審査することはできず、形式的に書類が整っていればこれを受け付けざるをえない。

権利の登記には、その所有権保存登記がされた以後の全ての物権変動が記録されており、これを見ることによって、①現在の権利関係を知ることができるだけでなく、②過去にどのような権利関係であったのか、過去に誰がどのような権利をどの時期に持っていたのかも調べられることになる。そのため、登記は**不動産の履歴書**といわれる。

5-16　**◆権利証（登記済権利証ないし登記済証）と登記識別情報**

権利証とは「権利に関する登記済証」の略語である（「登記済権利証書」と題されて作成される）。登記申請書に添付されている、①登記原因証書（売買契約書など）または②申請書副本（登記原因証書が初めから存在しないか、提出できないときに提出するもの）に、申請書受付の年月日、受付番号、順位番号と登記済みである旨を記載して、登記所の印が押されたものであり、登記がされると申請者に交付される。この権利証は権利者確認の機能を果たしており、権利証を火災などで失った場合のために、**保証書**による代用が可能であった。

ところが、2004年改正による登記簿の電子化により、権利証の制度は廃止された。登記完了時には「登記完了証」と「登記識別情報通知」とが交付され、後者には「**登記識別情報**」という登記所が無作為に選んだ12桁のアルファベットと数字の組合せが記載されている（目隠しシールが貼付されている）。この情報を「知っていること」が、不動産の権利者を示す判断材料の１つとなり、不動産を売却したり担保に入れたりする場合には、この登記識別情報を登記所に提示することが必要となる。なお、既存の権利証は有効であり、廃止というのは新規には権利証の交付はされなくなったという意味にすぎず、権利証が発行されている登記簿については、今後も登記申請の際に必要である。その場合、登記済証の交付ではなく登記識別情報が通知され、順次電子化されていくことになる。

従来の権利証を保管していればよかった時代とは異なり、登記識別情報を他人に知られてしまった場合の悪用のおそれについては、登記識別情報を失効させる制度が導入されている。また、登記識別情報を失念してしまった場合のために、事前通知制度（不登23条1項）および本人確認情報制度（不登24条）が創設されている。

§Ⅱ 表示登記・権利登記以外の登記の分類

1　本登記・仮登記

5-17　(a)　**本登記と仮登記の意義**　**本登記**とは、177条にいう「登記」であり、その登記により物権変動に対抗力が付与される登記である。**終局登記**ともいわれる。所有権の保存登記、所有権の移転登記、抵当権等の制限物権の設定登記などの主登記、地上権の譲渡登記といった付記登記等であり、本登記は5-19に述べるいくつかの種類の登記がある。

仮登記は、①物権変動は生じているが本登記がいまだできない場合、例えば売買契約をしたが代金が用意できない場合にしておくもの（不登105条1号＝**1号仮登記**または**物権保全の仮登記**といわれる）、および、②いまだ物権変動自体が生じていない場合に、例えば、売買予約をした場合にしておくもの（同条2号＝**2号仮登記**または**請求権保全の仮登記**といわれる）の2つがある。

5-18　(b)　**仮登記の効力**　仮登記の効力は、「仮登記に基づいて本登記（……）をした場合は、当該本登記の順位は、当該仮登記の順位による」というものであり（不登106条）、これを仮登記の**順位保全効**という。例えば、AからBへの甲地につき売買予約の仮登記をした場合、その後に、Aが甲地をCに売却してCへの所有権移転登記をすることはできる。

しかし、仮登記の順位保全効により、Bは仮登記に基づいてCの登記の抹消を求めることができる[30)]。つまり、仮登記を有する者には、その保全された順位の保全と矛盾する登記の抹消を求める法定の請求権が付与されることになるのであって、対抗力自体は遡及せずあくまでも本登記の時に生じるのである[31)]。

2　目的による登記（本登記）の分類

5-19　①新しく登記簿に記載される登記を**記入登記**という。権利の登記でいうと、ⓐ所有権の保存登記、ⓑ所有権およびその他の制限物権の移転登記、ⓒ地上権、抵当権等の制限物権の設定登記がこれである。

②すでになされた登記の内容を変更する登記を**変更登記**といい（不登2条15号）、登記された内容に新たに変更が生じたためにする場合の登記である。③他方、登記されたところが初めから間違っていた場合にこれを更正する登記は、**更正登記**（同条16号）といわれる。更正登記の原因には、記録すべきではない事項が登記されている「錯誤」と、記録されるべき事項がされていない「遺漏」とがある。

④**抹消登記**とは、すでにされた登記を抹消する登記である。建物が滅失して建物の所有権が消滅すれば建物登記を抹消して廃止し、設定された抵当権が債務の弁済により消滅すれば抵当権の設定登記を抹消する登記がされる。AB共有の不動産がAの単独所有として登記がされている場合に、Bの持分を登記することは、一部抹消（更正）登記と呼ばれる（☞21-52）。ただし、AからBに贈与を原因として所有権移転登記がされているが、実はBではなくCが受贈者である場合、CはBに対して真正な登記名義の回復を原因として所有権移転登記をするよう求めることができる。

30）　最判昭38・10・8民集17巻9号1182頁は、以下のように述べる。
「代物弁済の予約の仮登記を経由した場合に、債権者が所有権を取得するのは予約完結の意思表示をしたときであって、仮登記を経由したときに遡るのではないこと勿論であるが、本登記の順位は仮登記の順位による（不動産登記法7条2項［現106条］）のであるから、仮登記権利者は、本登記を経由し、または本登記をなすに必要な要件を具備するに至ったときは、仮登記によって保全された権利に牴触する仮登記後の物権変動を、それが仮登記権利者の所有権取得の時期の前であっても、すべて否認し、その登記の抹消を請求しうる」。しかし、「仮登記は本登記の順位を保全する効力があるに止まり仮登記のままで本登記を経由したのと同一の効力があるとはいえない。したがって、本登記手続が終るまでは、YはXの右登記の欠缺を主張しうる第三者に該当し、XはYに対しその所有権の取得を対抗しえない」。

31）　最判昭36・6・29民集15巻6号1764頁は、「所有権移転の本登記によって、仮登記の時以後における、これと相容れない中間処分の効力が否定されるということは、決して仮登記の時に所有権の移転があったという事実を擬制するのではないから、Yの本件家屋の占拠によってXに仮に損害があったとしても、その損害の発生は、特段の事情のないかぎりXにおいて現実に本件家屋の所有権を取得した以後でなければならない」と、対抗力が遡及するものではないことを認めている。

⑤登記が不適法に抹消されたのを元通りに回復する登記は、**回復登記**といわれる。虚偽の申請により抵当権設定登記が抹消されたのを回復する場合がこれに当たる。

5-20 **◆主登記・付記登記**

不動産登記法４条２項は、①「付記登記の対象となる既にされた権利に関する登記」を**主登記**、そして、「権利に関する登記のうち、既にされた権利に関する登記についてする登記であって、当該既にされた権利に関する登記を変更し、若しくは更正し、又は所有権以外の権利にあってはこれを移転し、若しくはこれを目的とする権利の保存等をするもので当該既にされた権利に関する登記と一体のものとして公示する必要があるもの」を**付記登記**と定義している。そして、「付記登記……の順位は主登記……の順位により、同一の主登記に係る付記登記の順位はその前後による」ものとされている。

不動産登記規則３条が付記登記の具体的内容を列挙している。例えば、「所有権以外の権利の移転の登記」（同条５号）は付記登記になっており、所有権の移転登記は主登記であるが、抵当権や地上権の移転登記は付記登記による（抵当権設定登記に付記１号、付記２号と登記がされていく）。そして、同規則148条により、「付記登記の順位番号を記録するときは、主登記の順位番号に付記何号を付加する方法により記録するものとする」ことになっている。例えば、地上権の設定登記は主登記であり、地上権の譲渡登記は設定登記の付記登記によることになる。

第２節　177条の構造

§Ⅰ　177条による結論

6-1 **(a)　先に登記をした物権変動に優先的効力が認められる**　176条の意思主義を適用すれば、例えば、ＡがＢに甲地を売却した場合——意思主義を修正する学説では、引渡しまたは代金の支払がされたことが必要——、Ａに登記は残っていてももはやＡは所有者ではなく、Ｂが甲地の所有者になっている。

ところが、Ｂは所有権移転登記をしなければ、所有権取得を、「第三者」に対抗できない（177条）。この結果、Ｃが先に所有権移転登記を了すればＣ

が所有権を取得できることは、結論として疑いない。ところが、学説はこれを理論的にどう説明するのかを議論してきた。Aは無権利者であるから、AからCへの所有権移転はありえないので、Cの所有権取得をどう説明するのかを議論してきたのである（☞6-10以下）。

6-2　**(b)　法定の効果である**　理論的に不可能なことを可能にするのが177条の対抗不能である。94条2項の対抗不能であれば、AからBへの不動産の仮装譲渡がされた場合、Bは所有者ではなく、Bから譲渡を受けたCは所有権を取得しえないことを、無効の対抗不能という法定の効果によって可能にしたのである。177条では、AがBに不動産を譲渡しても、登記していない限り、AからBへの所有権の移転を第三者には対抗できず、依然としてA所有とされAから第三者Cは有効に所有権を承継取得できることになる。94条2項と同様に対抗不能という法定の効果である。

177条がなければありえない結論を、177条が法定の効果として可能にしたのであり、それで説明は足りる。対抗不能の内容につき、第三者が177条の保護を受けられるためには、自ら登記をすることが必要になるのか、また、いずれも未登記の段階の権利関係を考えれば足りる（☞6-17）。実益はともかく、議論があるため、6-10以下にこの問題を説明しておく。

6-3　**◆第三者は177条の対抗不能の保護を放棄できる**

(1)　利益といえども強制されない

第三者は、対抗不能形式による外観法理であれば（例えば、94条2項）、利益といえども強制しえないので、例外的保護を受けるかそれとも原則通り権利取得ができないことを認めるのか、選択できる。177条は外観法理ではないとしても、無権利の法理また対抗可能性の原則では不可能な物権の取得を、177条の法定の効果により認められるものであるため、第三者がその法定の効果を放棄することができてよい。大判明39・10・10民録12輯1219頁は、AがBのためにその所有地上に地上権設定後、その登記をしないで土地をCに譲渡し所有権移転登記がされた事例につき、「法律は他人の設定したる物権を承認することを禁ぜざるのみならず、登記を為すに非ざれば物権の得喪及び変更を第三者に対抗することを得ざる旨を規定したる民法第177条に無効なる旨を規定せずして、単に対抗を為すを得ずと規定せり。故に此規定は暗に第三者が対抗する権利を拋棄するときは物権の得喪変更は其第三者に対して効力あることを示すものにして、第三者は其意思表示のみにて対抗の権利を拋棄するも亦特に其物権の得喪及び変更に付き利害関係を有する者と契約を為して之を承認するも妨げなきものとす」という。「Cは本件の土地取得の際、特約に依りBの地上権を承認したるより、其権利を遵守し登記を為すの義務あり」として、登記なくして地上権取得の対抗を認め、Cに地上権設定登記手続を命じている。

6-4

⑵　権利放棄の法的構成など

例えば、Aが土地をBに売却したが所有権移転登記をする前に、AがCに売却した場合（さらにはCに所有権移転登記をした場合）、CはBの所有権取得を認め、自分は無権利であることを承認することができる（上記判例の事案では、Bの地上権取得を認め、地上権の負担のある所有権の取得を認める）。6-10の否認権説では否認権を放棄する意思表示であり、対抗不能（したがってCの所有権の取得）を当然に認める考えでは、一旦生じた法定の効果の放棄であり、やはり意思表示といってよい（詐害行為取消しや強迫などの取消しが可能）。

否認権説は措くとして、当然に生じた対抗不能によるCの所有権取得は、Cの債権者などCの177条による保護を援用する利益がある限り、これを援用することが許される（Cが所有権移転登記を受けていれば、不法占有者もCが所有者だと主張できる）。Cの選択の自由を認める限り、これらCの177条による保護に利害関係を持つ者がいても、Cの放棄に従わざるをえない。

ただし、Cの債権者が詐害行為取消しをできることは当然である。また、Cを起点として新たな第三者が登場した場合には、もはや放棄は許されないと考えるべきである。例えば、CがDのために土地に抵当権を設定したり賃貸したならば、もはや放棄は許されない。DはBにとって第三者になるが（☞8-19）、Cは放棄したのでBは所有権を対抗できるといった複雑な権利関係の発生は認めるべきではない。

6-5

◆所有権移転時期を修正するとどうなるか

177条は、176条で所有権移転が生じているのに対して例外を認めて不可能を可能にする点に意義がある。したがって、もし売買契約と同時に所有権が移転するのではなく、登記、引渡し、代金支払のいずれかがされた時に所有権が移転すると考えれば、売買契約がされても債権が成立するだけで、Aが所有者のままになるから、CがAからさらに所有権の移転を受けることは、177条によるまでもない――債権侵害が問題になるだけ――。逆に、Cは先に生じたBの所有権取得に対抗するために登記が必要になる。このように、所有権の移転時期を後らせる考えでは、二重譲渡をめぐる対抗の問題が生じる場面は、意思主義を貫いた場合と比べて狭められることになる（末川91頁）。

6-6

◆譲渡人の義務免脱資格要件としての登記

AからBへの不動産の売買でいうと、Bが所有権を取得したことを第三者に対抗するために登記を必要とするのが対抗要件制度であるが、Aについても、所有者ではなくなったことを主張するために登記が必要とされるか否かが議論されている。この場合の登記を義務免脱要件としての登記として、対抗関係ではないが登記を必要とするという主張がされている（鈴木157頁以下）。問題となるのは、物権的請求権の相手方（☞2-16）、土地工作物責任の所有者責任（717条）であるが、さらに事例を変えると、地上権が譲渡された場合の地代支払義務も問題になる。しかし、本書の法定取得・失権説からは、これは対抗関係とは考えない。また、日本民法が形式主義を採用せず画一的に登記で不動産の権利関係を確定する立法によらない以上、これらの場合には登記は不要というべきではあるまいか。登記にここまでのことを認めるのであれば、形式主義を採用するべきである。

6-7

◆相対的法律関係——対抗不能法理

⑴　対抗不能法理による第三者保護（相対効の承認）

93条2項・94条2項・96条3項・177条・178条・467条といった対抗不能の規定では、ある権利関係が誰との間で問題になるかによって異なってくる。94条2項でいえば、虚偽表示、例えば売買契約は当事者間では無効であり債権的効力も所有権移転という物権的効力も認められないが、善意の第三者との関係ではこの無効を対抗できない。目的物の譲受人や契約上の債権の譲受人（94条2項については468条の適用は排除される）といった第三者との関係では、売買契約により所有権が有効に移転し、また代金債権も発生していることになる。対抗不能という法的構成を認めるフランス法を承継した法的構成である。

6-8

⑵　相対的法律関係を認めないドイツ民法

これに対して、ドイツ民法はこのような相対的権利関係は認めない。無効や取消しの対抗不能は認めず、物権行為の無因性により、不当利得返還請求権により所有権を戻す物権行為を請求できるだけで、登記や占有を有する買主は所有者のままであり、これと取引した者は保護される。また、債権譲渡も当然に債権者また債務者以外の第三者に対抗でき、債務者が譲渡人または第2譲受人に善意で弁済したならば、その弁済を有効にするという日本の478条の各論的規定のような規定があるだけである。物権変動も、公示なしに所有権の移転を認めず、対抗不能という問題自体が生じないようにしている。ただ動産では占有改定でも所有権の移転を認め、第三者への対抗も認め、第三者の保護は即時取得（善意取得）によっている。不動産についての94条2項の類推適用のように対抗不能という処理もなく、登記の公信力により第三者は保護される。

6-9

⑶　対抗不能、相対的法律関係の再検討

物権変動につき、ドイツには対抗不能という法理はなく、対抗不能の場合に保護される第三者に善意を要求するかといった議論を考えることはない。フランスでは、現在は対抗不能という法的構成を放棄し（☞3-21）、動産、不動産共に第2譲受人が善意でありかつ先に登記（不動産の場合）、占有（動産の場合）を取得した場合に限り、所有権取得を認めている（実質は対抗不能と同じ）。債権譲渡も対抗不能制度を廃止し、先に譲渡を受けたことを証明した者を優先し、譲渡通知による対抗制度を廃止し、債務者への対抗制度（通知が必要）だけを残した。したがって、第2譲受人は対抗不能による保護はされない。

わが国をみると、112条の代理権消滅の対抗不能は表見代理制度へと変更されたが、委任契約の終了の相手方への対抗不能はそのまま残されている（655条）。詐害行為取消しの相対効は、債務者との関係では解消されたが（425条）、判決の効力として位置づけられていることもあり、転得者を被告とする場合に受益者への効力には相対効が維持されている。騙取金による弁済でも、被害者との関係では法律上の原因を欠くといった、相対的解決をしている（☞債権各論Ⅱ 2-64以下）。相対的権利関係が解釈によっても認められている。対抗不能法理また相対的法律関係という法的処理については、今後は再考が必要になるかもしれない。

§Ⅱ 第2譲受人の所有権取得の法的構成

1　承継取得説

6-10 (1)　否認権説

古くには、所有権が第三者に対する関係においてもBに移転しているが、Bが登記をしない限りは177条により第三者Cに、AからBへの所有権移転の効力を消滅させる形成権（否認権）を認める学説があった（中島67頁、石田文110頁、今泉34頁）。否認といっても売買契約を否認するのではなく、物権変動だけを否認するのである。形成権なので、第三者Cがこれを行使する意思表示をBに対しなして初めてABの所有権移転の効力が否定され、AからCへの所有権の移転が認められる。第三者に否認権が認められるためには、登記の取得を要件とすべきかは問題になり、Bがいまだ登記を取得する可能性があるのにCが登記なしに否認できるのは不合理であり、登記をした第三者にのみ否認権を認める学説がある（田島107頁）。否認権説では、第三者Cによる否認の意思表示があるまでCが所有権を取得しないことになり、意思表示を要求することが適切なのか疑問である。

6-11 (2)　Aに所有権が残っていると構成する学説

これに対し、登記がされるまで物権変動の効力を制限的に理解する学説もある。①まず、物権変動（所有権移転）の効力は、登記がない限り当事者間において債権的効力しか有しないという**債権的効力説**がある（近藤36～37頁、山中康雄「権利変動論」名法1巻3号2頁以下）。②また、AからBの所有権移転はAB間では効力が生じているが、登記をするまでは第三者たるCに対してはその効力を主張できないと考える**相対的無効説**もある（富井59頁、末川95頁以下）。③さらには、物権の観念化ということを徹底して、物権変動の登記がされるまでは、観念的所有権は二重、三重にも譲渡することが可能であり、登記によって両立しえない他の物権の存立は排除されるという**観念的所有権説**もある（於保126頁、於保Ⅰ 183頁）。

④このほかに、AからBへの所有権の移転は、登記をしない限り第三者の登場を許すという法定の制限を受けているという意味で不完全であるという説明をする学説もある（**不完全物権変動説**）。Aは所有権を完全には失わずいまだ不完全ながら所有権を保持しており、Cにさらに所有権を移転することができ、どれが完全な所有権となるかは登記により決定される（我妻・有泉149頁）。判例も、登記をしない限り完全に排他性のある物権変動の効力を生じないと説明しており、この学説に近い（☞6-12）。しかし、「不完全」とは「登記がない以上第三者に対抗できない」ということを言い換えただけであり、問いに対して何も答えていないと批判されている。物権の本質である排他性は対抗要件の具備によって生じるものなのか疑問であるとも批判されている（鷹巣・検討92頁）。

6-12

◆判例は不完全物権変動説？

このような抽象的な議論を判例がすることは稀である。最判昭33・10・14民集12巻14号3111頁は、「本件土地の元所有者亡Dが本件土地をEに贈与しても、その旨の登記手続をしない間は完全に排他性ある権利変動を生ぜず、Dも完全な無権利者とはならないのであるから、右Dと法律上同一の地位にあるものといえる相続人Fから本件土地を買受けその旨の登記を得た被上告人は、民法177条にいわゆる第三者に該当する」という。また、最判昭39・3・6民集18巻3号437頁は、「不動産の所有者が右不動産を他人に贈与しても、その旨の登記手続をしない間は完全に排他性ある権利変動を生ぜず、所有者は全くの無権利者とはならない」という。不完全物権変動説に比較的近い説明である。それ以前には、大判大15・2・1（☞9-25）は、不動産を譲渡後に未登記のまま譲渡人が死亡した事例で、「譲渡に因りて全く不動産の所有権を失ひたる者に非ず」、第三者との関係では「依然所有者にして所謂関係的所有権を有する」と説明していた。相対的に法律関係を説明する相対的無効説に近い説明である。

6-13 ### (3) 法定効果説ないし法定制度説（法定制限説）

❶ 第三者が登記しなくても対抗不能の効力を認める考え　民法は176条を177条により修正したのであり、第三者の権利取得は177条の法定の効果としてCの所有権取得が認められていると考えれば足りる（鈴木134頁、星野40頁、広中70頁など）。**法定制度説**ないし**法定効果説**といわれる。177条が「第三者」に対抗できないと規定しているだけなので、第三者が先に登記をしていることは必要ではなく、Cが未登記でも対抗不能という177条の効力を認めることになる。そうすると、BもCも所有権取得が認められ、いずれが優先するかは登記により決着がつけられることになる。

6-14 **❷ 登記して初めて対抗不能を認める考え（法定取得・失権説）**　他方で、AからBへの所有権移転の効力に対して、「第三者が登記すること」が法定の解除条件となるといった説明をする学説もある（滝沢・理論222～223頁、星野英一『民法論集第4巻』［1978］341頁が支持）。**法定取得・失権説**といわれる（石口308頁もこれに近い）。Cが売買契約をしただけではいまだ177条は適用されず、Bが依然として所有者のままであり、Cが登記をして初めて177条が適用されBの所有権取得が失効し――Cが地上権の設定を受けその登記がされた場合にも、Cとの関係では所有権取得は失効する――、AからCへの所有権移転が認められることになる（善意という要件は別として、フランスの改正法と同じ）。Cが登記をしていない限り、Bは登記なくして所有権取得をCに対抗できる。本書はこの立場を採用する。Cの登記によりAB間の所有権移転が初めて対抗不能となり、それまではAB間の所有権移転のみが認められることになる。また、失効は将来に向かってのみ、Cの承継取得を可能とする限りで認められる。

2　原始取得説（公信力説）

6-15 以上の学説は、AからCへの所有権の移転＝承継取得を説明しようとする立場であった。これに対して、AからBに所有権が移転した以上、AからCへの所有権の移転は不可能であり、Cの取得をAに残っている登記に対する信頼保護による原始取得と説明をする学説もある。積極的に虚偽の登記がされた場合の公信力は認められていないが、177条は、物権変動が生じたのにそれが登記されていないことにより消極的に登記が真実の公示との食い違いが生じた場合について、この信頼を保護する消極的公信力を認めた規定と考える学説であり、**公信力説**と呼ばれる（半田・研究12頁以下、石田・変動論175頁以下、篠塚100頁以下）。第三者は善意であることが必要になる。

公信力説では、177条は消極的な外観法理の規定となるが、第三者に登記を必要とするかどうかは、公信力説内部で対立がある。①一方で、第2譲受人Cが登記をし所有権を原始取得して初めて第1譲受人Bがその反射として所有権を失うと考え、BCに二重の所有関係を認めない考えがある（篠塚106頁）。②他方で、Cが登記前でもいわば不完全な原始取得による所有権取得を認め、いずれも登記しない間はBにもCにも排他的な所有権が帰属し、両者の優劣は登記によって決せられるという考えもある（半田・研究27頁、同・範囲114頁以下、120頁）。公信力説は、今や過去の学説になったといってよい。

6-16

◆物権取得者の帰責性―― 94条2項の類推適用と177条

94条2項の類推適用の議論においては、判例は重大な帰責事由によって虚偽の外観を作出した事例まで適用を拡大するにすぎないが、学説には、虚偽の登記を知りつつこれを放置した場合にも適用を拡大する主張がある。かたや177条に目を向けてみると、取得時効や取消しなどにおいて、いまだ登記を期待できない事例への177条の適用を否定することが考えられている。177条においても、物権取得者の帰責事由が考慮され、これが暗に要件とされているといってよい。

そうすると、学説によれば、全くの虚偽の登記でも、真の権利者がこれを認識しながら放置すれば、第三者は94条2項の類推適用により保護される。177条の構造もこれとパラレルに、その適用のためには登記をしなかった帰責事由が必要になり、帰責事由が取得した権利を失う根拠になっている。そのため、権利者側の帰責事由をめぐって、177条と94条2項の類推適用に連続性を認めることができる。

ただし、94条2項の類推適用については、取引安全保護法理であることから、第三者に善意（無過失）が必要とされるのに対して、177条はこの点が大きく異なっている。物権変動をめぐる対抗関係については、登記で形式的画一的に解決ができるようにして、177条では外観法理以上の保護――行き過ぎた保護とみるかは評価次第――が第三者に与えられているが、背信的悪意等信義則上登記欠缺を主張する正当な事由は考慮される。177条は政策的に第三者に主観的要件を不要としたが、権利取得者の帰責事由また第三者の事情（背信性）を考慮することは否定されていない。

§Ⅲ 登記による優劣決定前の二重譲渡の法律関係

1　対抗関係の当事者間の法律関係

6-17　(a)　**対抗関係だけでBの所有権取得は対抗できなくなるのか**　Aが土地建物をBとCに二重に譲渡し、例えば、Bが引渡しを受けて占有していたり、建物を損傷さらには滅失させた後に、Cが所有権移転登記――建物滅失の場合には土地だけ――を受けたとする。この場合、BC間の法律関係はどう考えるべきであろうか。Cが登記取得前でも177条の適用を認めるか否かにより、結論が変わってくる。

6-18　(b)　**第三者の登記（また否認）を必要とする考え**　まず、Cが登記を取得して初めて177条が適用されるという学説（法定取得・失権説）や否認権説では、Cが譲渡を受けたとしてもB所有のままである。いずれも登記を受けていない段階では、Cが占有・損傷等をした事例では、BはCに対して所有権に基づいて明渡しまた損害賠償を請求でき[32]、他方、Bが占有・損傷等をした場合には、CはBに対して明渡しまた損害賠償を請求できないことになる（滝沢・理論266頁［法定取得・失権説］)。本書はこの立場である（☞6-14）。

6-19　(c)　**対抗関係だけでよいという考え**　他方、不完全物権変動説、相対的無効説などでは、Cが譲渡を受けただけで177条の適用を認め（判例もこの立場[33]）、BCが相互に所有者ということになり、相互に自分の所有権が排他的な所有権であると主張しえないことになる。いずれかが登記を取得したとしても、対抗力は遡及しないため、それ以前の他方による損傷や占有に対して、不法行為による損害賠償請求は認められないことになる。

32）　占有はよいとしても――ACが連帯して賠償責任を負いCからAに求償できる――、損傷については最終的に所有権を取得しなかったので損害は認められず、BからCへの損傷による損害賠償請求を認めるべきではない。問題は滅失である。土地建物は別の不動産ということを貫くと、BのCに対する損害賠償請求権が認められるが、法的には可能な限り一体として取り扱うべきであると考えれば、Cが土地の登記を取得したならば、やはりBからCへの賠償請求を認めるべきではない。

2　不法行為者らとの法律関係

6-20　**(a)　同じ問題は不法行為者らとの関係でも生じる**　Aが土地建物をBCに二重に譲渡し、いずれかが登記を受ける前に、Dが不法占有したり建物を損傷ないし滅失させた場合、Dに対して所有権に基づいて明渡請求や所有権侵害による損害賠償請求ができるのは誰であろうか。上記の整理をそのまま流用できる。

6-21　**(b)　第三者の登記（また否認）を必要とする考え**　まず、Cが登記を取得して初めて177条が適用されるという学説では、Cが譲渡を受けたとしてもB所有のままであり、BのみがDに対して所有権に基づいて明渡しまた損害賠償を請求できるにすぎない（滝沢・理論266頁)。その後、Cが登記を取得した場合には、Cが明渡請求や損傷による損害賠償請求権を取得し、Bはこれを失うと考えるべきである。滅失については、Cが登記を取得しえないが、土地と運命を共にし、損害賠償請求権をCが取得するものと考えるべきである（注32参照)。

6-22　**(c)　対抗関係だけでよいという考え**　不完全物権変動説、相対的無効説などでは、Cが譲渡を受けただけで177条の適用を認めるため、第三者に該当しない不法行為者または不法占有者に対しては、いずれも所有者として明渡請求また所有権侵害による損害賠償請求権が成立し（金山279頁)、不真正連帯債権に類似した関係になる。しかし、いずれ登記により決着がつけられ、登記を取得した者が、いずれの権利も土地および建物所有権と共に取得し（舟橋195頁)、他方はこれを失うと考えられている。建物の滅失の場合には、登記により決着がつけられないのでどう解決されるのか、疑問が残される。

33）177条の第三者としてBの所有権取得を否定するためには、Cは登記を取得する必要はないというのが判例である（大判昭9・5・1民集13巻734頁)。「民法第177条に所謂第三者とは登記の欠缺を主張するに付正当の利益を有する第三者を指称し、第三者が其の取得したる権利に付登記を為したりや否やは毫も之を問はざる趣旨なりと解せざるへからず。従て同一不動産に付二重売買の行はれたる場合に於て、第二の買受人は其の登記を為さざるも、第一の買受人に対し登記の欠缺を主張するに付正当の利益を有する第三者に該当するものと謂はざるへからず」という。

第3節　「第三者」の客観的要件

§Ⅰ
177条の「第三者」の意義

1　第三者の要件——94条2項などの「第三者」との差

7-1　(a)　**94条2項などの「第三者」**　94条2項や96条3項の「第三者」は、①「第三者」性についての、虚偽表示や詐欺による法律関係を基礎として新たな独立した「法律上利害関係を有するに至りたる者」という客観的要件[34]と、②善意（94条2項）・善意無過失（95条4項・96条3項の解釈）という主観的要件とを満たすことが必要である。177条は、同じ「対抗不能」規定ではあるが、「善意」という主観的要件は規定していない。

では、登記を基礎として「法律上利害関係を有するに至りたる者」という客観的要件で処理されているかというと、判例は、177条の「第三者」を「登記欠缺を主張する正当な利益を有する者」と定義して、ⓐ一方で、新たな利害関係の取得がない者も含め——不動産賃借人——、他方で、ⓑ第三者の主観的事情を取り込んでいるのである——背信的悪意者排除——。

7-2　(b)　**177条と94条2項などの「第三者」の比較**　94条2項や96条3項でも不動産賃借人を含めるのであれば整合性が認められるが、177条だけ賃借人を含めるのはなぜであろうか。また、背信的悪意の点を主観的要件として独立させないのはなぜであろうか。確かに、背信的悪意は主観的事実を越えた、第三者の行為態様や売主との関係などの客観的事情を総合判断するものであり、あくまでも客観的要件において考慮されるべき一事情にすぎないとの反論は可能であろう。悪意の一態様ではなく客観的要件に組み込んでよいという評価も可能である。しかし、94条2項などと同様に、①客観的要件として新たな独立した「法律上利害関係を有するに至りたる者」とし、

34)　94条2項の「第三者」とは、「①虚偽の意思表示の当事者又は其の一般承継人に非ずして、②其の表示の目的に付法律上利害関係を有するに至りたる者」と考えられている（大判昭8・6・16民集12巻1506頁）。

賃借人は177条の適用から除外し、②主観的要件として背信的悪意ではないことを別に整理すべきである。

7-3 (c) **本書の立場** 以上のように、判例は177条の第三者につき「正当な利益」の解釈に種々の事情を取り込み、背信的悪意をその1つの考慮事情としている。しかし、背信的悪意は主観的要件（ただし、抗弁事由☞8-11）として独立させるべきである。不法行為者や不法占有者は「正当な利益」で制限するのではなく、新たに独立した法律上の利害関係を取得した者という客観的要件を否定すれば十分である。

外観法理である94条2項と不動産取引をめぐる紛争を登記だけで形式的・客観的に解決しようとした177条では、主観的要件は異なってよい。しかし、「第三者」の客観的要件まで異なるものとする必要があるのかは疑問であり、この点は94条2項・95条4項・96条3項とパラレルに考えるべきである。不動産賃借人への対抗また物権的妨害排除請求の相手方について所有権移転登記を要するかという問題は、177条から除外すべきである。とすると、第三者の要件は以下のようになる。③は、法定取得・失権説では、物権変動を自分との関係で失効させる要件である。

① **客観的要件（第三者性の要件）** 登記上の権利関係を基礎として、新たな独立した法律上の利害関係を取得した者であること
② **主観的要件（抗弁事由）** 背信的悪意ではないこと
③ **権利保護要件** 自己の物権変動につき登記を経ていること

2 第三者の制限

7-4 (1) 第三者を制限するか否か

第三者とは最広義では当事者およびその包括承継人以外の全ての者であるが、古くには177条の第三者をこのように無制限に考える学説があった（富井61頁など［**無制限説**］）。しかし、94条2項・95条4項・96条3項などと同様に無制限に第三者を問題にするべきではなく、新たな独立した利害関係を取得した者に限定すべきである（差押債権者は議論がある）。現在の判例そして学説は、94条2項などとは異なる基準を採用し、第三者を「登記欠缺

を主張する正当な利益を有する者」に制限している（**制限説**）——判例は物権変動については無制限説（☞ 9-2）——。

新たな利害関係を取得した者という客観的要件によらないのは、7-1 のⓐⓑのような事情による。まずⓐの点を考察したい。

7-5 (2) 第三者の客観的要件を制限する基準

❶ 賃借人も第三者に含める学説　①制限説を初めて採用した大連判明 41・12・15 民録 14 輯 1276 頁は、177 条の「第三者」の要件について「登記欠缺を主張する正当の利益を有する者」という基準を提示した。94 条 2 項が法律上の利害関係の取得を問題にするのに対して、正当な利益があればよい——登記上の権利関係に基づいて新たに利害関係を取得する必要はない——とするのである。その後、この基準は判例として確立されていく（学説として、柚木 193 頁など）。しかし、この基準は、結局は 177 条の立法趣旨からその保護に値する者を保護するということを言い換えたにすぎず、基準といえるものか疑問であると批判されている（舟橋 180 頁）。また、判例はこの基準の適用として背信的悪意者も排除するため、「第三者」の客観的要件と主観的要件が区別されていないきらいがある。

②我妻教授は、「当該不動産につき有効な取引関係に立つ者」という基準を提案する（我妻・有泉 154 頁）。新たな利害関係を取得することを要求しない点は①の説と同じであり、不動産賃借人も第三者に含まれることになる。さらにこの基準によって、賃借人を超えて一般債権者も含めているが、一般債権者が当該不動産につき有効な取引関係にあるといえるのかは疑問である。

7-6　**❷ 物的支配を相争う関係にある者に限定する学説**　相容れないいわばお互いに食うか食われるかという関係に立つ者であることを第三者の要件として、「当該不動産につき物的支配を相争う関係にある者」ということを基準にする学説もある（舟橋 182 頁）。類似の学説に、対抗問題を「両立しえない物権相互間における優越に関する問題」と理解する学説もある（於保Ⅰ 180 頁）。この立場では、「第三者」の客観的要件とは別に、背信的悪意ではないことを主観的要件として切り離すことができる。

本書は基本的にこの立場を支持するが、第 2 譲受人 C にとって第 1 譲受人 B は 177 条の第三者ではなく、C が 177 条の保護を受けるための権利保護要件として登記を要求し、94 条 2 項などと第三者の定義は全く同じでよいと考える（☞ 7-3)。不動産賃借人については177条の適用を否定し（☞ 7-18以下)、また、背信的悪意の問題は主観的要件に整理する（☞ 8-11)。

§Ⅱ 第三者に該当しない者

1 転々譲渡の前主

7-7 A→B→Cと不動産が転々と売却されたが、登記がA名義のままになっている場合、Cの所有権取得について、Aは第三者に該当しない。Aはすでに Bに所有権を移転してしまい、何らCと相争う利害関係を有せず、また、登記を信頼して新たな利害関係を取得した者ではないからである。

なお、ABが仮装譲渡の場合にも、Cが94条2項により保護されれば、Aは転々譲渡の前主となるためCは登記なくして対抗できることになる（最判昭44・5・27民集23巻6号998頁）――ただし、94条2項の第三者に登記を権利保護要件として要求する学説もある――。そのため、AからBに所有権移転登記がされていないとしても、CはAに対して自己への直接の所有権移転登記を求めることができる。94条2項の効果を、AからCへの承継取得と考えれば、中間省略登記と抵触することはない。

2 不法占有者および不法行為者

7-8 Aが不動産をBに譲渡したが所有権移転登記がされていないとして、この不動産をCが不法に占有していたり損傷・滅失させた場合、不法占有者や不法行為者は177条の第三者には該当せず、Bは登記なくして明渡しや損害賠償を請求できる。判例もこの立場であり、不法占有者につき、最判昭25・12・19民集4巻12号660頁など、損害賠償の請求につき、大判昭12・5・20法学6巻1213頁などが、この結論を認めている。不法占有者ないし不法行為者は、誰が所有者であろうと明渡しを義務づけられ、また、損害賠償義務を負い、BではなくAに対してならばこれを免れるわけではなく、所有者が誰かを争う正当な利益が否定されるからである。本書の立場でも、不法占有者ないし不法行為者は登記を基礎として取引により新たな独立した利害関係を取得した者ではなく、客観的要件を満たさないと解することになる。

ただし、不法占有者や不法行為者も、所有者に返還や賠償をしなければならないので、誰が所有者として明渡しや賠償を請求できるのかを登記で確認する利益は有している。しかし、これは——適法占有者である賃借人とは異なり—— 177条で保護される「正当な利益」ではなく、478条の適用または類推適用（明渡しにつき）により保護すれば足りると考えられている。

§Ⅲ
第三者に該当する者

1　所有権取得者（第2譲受人）

7-9　Aが不動産をBに譲渡した後に、同一の不動産をAから譲り受けた——売買、贈与、代物弁済、離婚に際する財産分与など—— Cが、177条の第三者に該当することは疑いない。Bが所有者でありAは所有権を有しないが、177条の法定の効果のおかげでCはAから所有権を承継取得できる。Cは、Bの「登記の欠缺を主張する正当な利益」（判例）を有し、また、同一の土地につき「有効な取引関係に立つ者」（我妻）である。また、少数説のいう「食うか食われるか」という関係に立ち、どの考えでも第三者に該当することは疑いない。本書の立場でも、取引に基づいて登記を基礎とした新たな独立した法律上の利害関係を取得しており、第2譲受人Cが177条の第三者に該当することは疑いない。

177条の「第三者」につき物的支配を相争う関係であることを要求せず、登記欠缺を主張する正当な利益さえ認められればよいと考えれば、第2譲受人は所有権移転登記を受けていることは必要ではなく、未登記の第三者も177条の第三者性が認められることになる。これに対し、177条の第三者に権利保護要件として登記の取得を必要とする本書の立場（法定取得・失権説）では、所有権移転登記をして初めて所有権取得者は177条の「第三者」となる。

上記はAがBに譲渡をした事例を例にしているが、AがBに地上権を設定したが、対抗要件を満たす前にAがCに不動産を譲渡した場合にも177条が適用になり、色々なバリエーションが考えられる。

2 制限物権の取得者および賃借人

7-10 (1) 用益権者（地上権者など）

Aが土地をBに譲渡し所有権移転登記をしないうちに、Aが同じ土地にCに地上権などの用益物権を設定したとする。この場合、地上権者Cは、Bに所有権が移転してしまえばAから地上権の設定は受けられないので、Aから有効に地上権の設定を受けられるという、Bの「登記の欠缺を主張する正当な利益」（判例）を有する。また、地上権の設定という、同一の土地について「有効な取引関係」（我妻）に立つことになり、さらには、地上権の成立を争う食うか食われるかの関係（舟橋）に立つ。本書の立場でも、CはAの登記を基礎に取引により新たな独立した法律上の利害関係を取得した者であり、Cが先に地上権設定登記をすれば177条の第三者として保護され、BはCの地上権の制限の付いた所有権を取得することになる。

7-11 (2) 担保物権者（抵当権者など）

(1)と同様の説明は、Aが不動産をBに譲渡した後に、AがCのためにこの不動産に抵当権や不動産質を設定した事例についても当てはまる。抵当権者CはBの「登記の欠缺を主張する正当な利益」（判例）を有し、また、抵当権の設定という、同一の土地について「有効な取引関係」（我妻）に立つことになる。また、抵当権の成立を争う食うか食われるかという関係（舟橋）に立つ。本書の立場でも、CはAの登記を基礎に取引により新たな独立した法律上の利害関係を取得した者であり、Cが先に抵当権設定登記をすれば、BはCの抵当権の制限の付いた所有権を取得することになる。

7-12 (3) 譲渡後の不動産賃借人

借地人は、土地について物権を取得する者ではなく、賃貸人に対して債権を取得するにすぎないが、不動産賃借人は対抗要件を具備することにより譲受人に対抗でき（605条、借地借家10条・31条）、その意味で地上権と変わらない物権的効力が認められている。そのため、不動産賃借人も、177条の第三者と認められる。Bの所有権移転登記前に、賃借人Cが登記、または借地の場合には建物を建築し自己名義で登記をする、借家の場合には占有を開始すれば、BはAからCの借地権の負担ある所有権を承継取得することになる（605条の2第3項も適用される）。

§Ⅳ 第三者に該当するか否かが争われている者

1　債権者（差押債権者・一般債権者）

7-13 **(1)　問題点**

(a)　一般債権者（詐害行為取消権の有無）　AがBに不動産を贈与したが所有権移転登記をしておらず、その後に、Aが無資力状態になったり、または、その後にCがAに対する金銭債権を取得し（この場合は贈与時に無資力）、この段階でAからBへの贈与を原因とする所有権移転登記がされたとする。この場合、Cの詐害行為取消訴訟に対して、無資力状態になる前に贈与していた、また後者では、Cの債権取得前の贈与であるというBの主張が認められるのか、それとも一般債権者も登記がされていない以上、この土地を責任財産として期待する正当な利益があるため、177条の第三者として保護されるのであろうか。

7-14 **(b)　差押債権者**　Aはその所有の土地をBに売却したが、所有権移転登記をしないままになっていたところ、Aの債権者Cが、この土地をAの土地として差し押さえたとする。Cは177条の第三者に該当し、Bは第三者異議により差押えを排除することができないのであろうか。94条2項や96条3項の第三者については、不動産を差押えすることにより新たな独立した法律上の利害関係の取得が認められ、差押債権者の第三者性が肯定されている。特別規定がなければパラレルに考えられ――192条や333条の場合には差押債権者は保護されないが――、177条だけ特別扱いする理由はない。ただし、94条2項などについて差押債権者を第三者として認めない少数説もあり、その立場であれば177条でも否定することになる。以下、検討してみたい。

7-15 **(2)　学説の状況**

❶　無制限肯定説　金銭債権者にとって債務者の財産はその債権の責任財

産であり、債務者の財産の多寡によりどれだけ債権を回収できるのかが決まってくる。したがって、債権者はBにどれだけの財産があるのかについて利害関係を有している。そのために、譲渡人の債権者を差押えの前後を問わずに「第三者」と解する**無制限肯定説**も主張されている（末川110頁、我妻・有泉158頁、松坂74頁）。すでに譲渡されているが、譲渡人名義の不動産のままなので、資力のある者であると信じてこの者と取引をした債権者の信頼を保護する必要がある。問題の不動産についての具体的な新たな利害関係の取得を要件としないならば、正当な利益の有無だけが基準なので、全く不可能な説明ではない（松岡130頁は肯定説によりつつ例外を認める）。

7-16 **❷ 制限的肯定説** これに対して、単に債権者というだけでは、不動産につき物的支配を取得しておらず、差押えをして初めて特定の不動産につき物的利害関係を取得するとして、差押債権者についてのみ「第三者」と認める**制限的肯定説**が通説である。また、判例もこの立場であるが、理由は説明されていない（最判昭39・3・6民集18巻3号437頁）。国税滞納処分をした国も第三者と認められている（最判昭31・4・24民集10巻4号417頁）。学説は、差押えにより債権者は「直接一種の支配関係」を当該不動産につき取得し、「他の物権取得者の権利を否認することにより自己の権利が生かされる関係」を生ずる（舟橋191頁、広中93頁、鈴木160頁等）、債権の支配的権能（掴取権能）が差押えにより具体化したとみられるので、物権取得者相互間と同様な対抗関係が生じると説明をしている（北川76頁）。

7-17 **❸ 否定説** 以上に対し、差押債権者や破産債権者を一般取引における譲受人と同じ地位に置くことに反対し、Bは登記なくしてCに対抗できるが、ただ競売がされて買受人Dが登場した場合に、Dを177条の第三者として保護すればよいという少数説もある（鈴木旧説［三訂版］110頁）。本書は、94条2項などと同様に（☞民法総則6-101）、差押債権者の第三者性を否定する。日本法では、差押えにより差押質権等の優先権が成立するわけではない。差押えにより新たな独立した法律上の利害関係を取得することはない。もし問題にするならば、債権を発生させた原因行為を問題にすべきであるが（責任財産が十分あると思って取引をした）、これだけで177条で保護すべき第三者というべきではない。したがって、譲渡人は第三者異議の訴え（民執38条1項）を提起することができる。もちろん、買受人Dは177条の第三者になるが、Bは差押債権者Cに対して、不当利得返還請求ができる。

2　不動産賃借人

7-18 (1)　問題点

(a)　問題となる事例　①Aから土地をBが購入したが、いまだ所有権移転登記を受ける前にAがこの土地をCに賃貸したならば、BはCの賃借権の取得を争うことになり、Cは177条の第三者として保護され、先に対抗要件を満たせばBに賃借権（借地権）を主張できる（☞7-12）。②議論される事例はこれとは異なり、Aが土地をCに賃貸しCが対抗要件を備えた後に、Aがこの土地をBに譲渡したが所有権移転登記がされる前に、BがCに対して賃料の支払を請求する事例である。

賃借人Cは、この事例では、賃借権の取得が争われているわけではなく、「誰に賃料を支払えばよいのか」登記で確認するという利害関係を有するだけである。その意味で登記は無関係ではない。しかし、所有者が誰であり誰に損害賠償をすべきか、登記で形式的・画一的に判断できれば助かるのは不法行為者の場合と同じであって、不法行為者は177条の第三者にはならない。

また、賃料の請求で問題となっているのは、所有権の移転ではなく、賃貸人たる契約上の地位の移転の対抗である。この点を敷衍してみよう。

7-19　**(b)　賃貸人たる地位の譲渡の対抗**　BがCに対して賃料の支払を請求するのは、所有権移転そのものの対抗ではなく、それと密接不可分の関係にはあるが、別の法律関係である賃貸借契約の賃貸人たる地位の移転の対抗である。そもそも所有権の移転自体については対抗関係にない。

賃貸人たる地位の譲渡の対抗は、契約当事者間という相対的法律関係の移転の対抗であり、債権譲渡に類似しそこでの考慮が当てはまる。すなわち、相手方、債権譲渡であれば債務者に譲渡の事実を知らしめて初めて対抗が可能になるのである。この点につき参考になる立法がある。動産債権譲渡特例法は債権譲渡が譲渡登記により「第三者」に対抗可能になっても、債務者に譲渡通知をしない限りは債務者には対抗できないのである（478条の保護にはよらない）。本問題においては177条を適用するということは、逆にいうと登記だけで賃借人に対抗できるということを意味している。登記がされていれば譲渡を知らなくても賃借人にも賃貸人たる地位の移転を対抗できることになり、譲渡人に対する賃料の支払は478条で保護するしかないことになる。

7-20 **(2) 改正前の議論および2017年改正法**

(a) 登記不要説

❶ 177条適用否定説①(一切対抗要件不要) 賃借人は177条の第三者に該当せず、177条を適用しないことから登記を不要と主張する学説がある(舟橋189～190頁、稲本163～164頁)。誰に弁済すればよいのかという利害関係を有するにすぎず、不法行為者と変わることはないというのである。478条によればよいというが、それでは賃貸人たる地位の譲渡の対抗という側面が無視され、契約上の地位の譲渡に相手方への対抗要件は不要というのに等しい。

7-21 **❷ 177条適用否定説②(467条1項類推適用説)** そのため、債権譲渡に準じて、債務者・賃借人に知らしめること(＝譲渡通知)は外せないため、467条1項を類推適用する学説があった(清水80頁)。起草者もこのような理解であった(梅227頁以下)。467条1項類推適用説では、BがAから譲渡通知を受けても、その後に、Aがこの土地をDに二重譲渡してしまいDが移転登記を受けたならば、その対抗力は覆されざるをえないことになる。

7-22 **(b) 登記必要説(改正により明文化)** ①「第三者」の定義について、「登記欠缺を主張する正当な利益」(判例)や「有効な取引関係」(我妻)といった漠然とした基準を持ってくるならば(☞7-1、7-5)、ここで問題にしている賃借人にもこの定義を当てはめることが可能になる。判例はこの立場であり、177条を適用し、賃貸不動産の譲受人が賃借人に対して賃料の請求をするためには、所有権移転登記を必要とする(大判昭8・5・9民集12巻1123頁、最判昭49・3・19民集28巻2号325頁、最判昭25・11・30民集4巻11号607頁)。最判昭49・3・19は、「本件宅地の賃借人としてその賃借地上に登記ある建物を所有するCは本件宅地の所有権の得喪につき利害関係を有する第三者であるから、民法177条の規定上、BとしてはCに対し本件宅地の所有権の移転につきその登記を経由しなければこれをCに対抗することができず、したがってまた、賃貸人たる地位を主張することができない」という。

②他方で、ここでは賃貸人たる地位の譲渡の対抗であることから、467条1項の類推適用によりつつも、同条の対抗要件として登記を要求する学説も

あった（我妻・有泉159頁、広中91頁、田山80頁）。

7-23　**(c)　2017年改正法および本書の立場**　改正法は、「不動産の賃貸人たる地位の移転」と題する規定を新設して、この問題を規律した。「賃貸人たる地位の移転は、賃貸物である不動産について所有権の移転の登記をしなければ、賃借人に対抗することができない」と規定する（605条の2第3項）。判例は「所有権の移転」の対抗を問題としていたのに対して（☞7-21）、「賃貸人たる地位の移転」の対抗を問題としており、この問題を177条の問題から切り離したと考えてよい（(b)②説）――法定取得・失権説では、賃借人が先に権利保護要件（物権変動を失効させるための要件）として登記を満たすべき物権変動がない――。ただし、賃貸人たる地位の譲渡の第三者への対抗要件は、605条の2第3項により所有権移転登記でよいが、賃借人への対抗要件は、賃借人への通知が必須であり、登記プラス賃借人による譲渡通知を必要と考える（467条1項類推適用）。

§V
「当事者」か「第三者」かが争われる場合

7-24　**(1)　問題点**

①Aはその所有地をBに売却し、その後さらにその土地をCに売却し、その後に、AがBCのいずれにも移転登記をしないうちに、AがCからこの土地を買い取ったとする（**ケース①**）。登記には一切変更はない。この場合、いわば中間省略登記のような形になる。Cがこの土地をDに売却して、AからDへの所有権移転登記（中間省略登記）がされた場合には、Dが所有者になる。Aはこの場合のDと同視してよいのであろうか。

②また、Aはその所有地をBに売却した後、さらにその土地をCに売却し、Cが移転登記を受けた後に、Aがこの土地をさらにCから買い取ったとする（**ケース②**）。すでにCが所有権移転登記を受けたことにより、177条の問題は終了したはずである。CがDに転売し移転登記をしたが、Dが背信的悪意の場合には、相対的構成によるならばBに対してDは第三者として保護されない。また、絶対的構成でも、この場合には例外を認めるべき

であろうか。

7-25 **(2) ケース①**

ケース①で、全くの第三者Dが転得した場合には、中間省略登記を備えることによって、DはCからの所有権取得をBに対抗できることになるが、AをDと同様に扱ってよいのであろうか。

しかし、そのような結論は、AがCを介在させることにより土地を取り戻せることになり、また、藁人形的に介在させる事例も考えられ、不都合である。判例（最判昭42・10・31民集21巻8号2213頁）も、正確にはこのような事例ではないが、AがCに対して177条の「第三者」であることを主張しえないという解決をしている（学説としても、例えば半田・範囲4頁）。ただし、理論的には第三者性を肯定することは不可能ではなく、むしろその方が論理は貫かれている。そこで、Aは第三者ではあるが、背信的悪意であるので177条の適用が認められないという処理も可能である。藁人形ケースでは、Bが登記をしても対抗関係は終了していないと考えるべきである。

7-26 **(3) ケース②**

(a) **絶対的構成による解決** ケース②では、Cが移転登記を受けたことにより、177条の問題は終了し、BはAに対して履行不能による填補賠償請求権を取得することになる。その後にAがCから買い取ると、履行不能が再度可能に復活し、Aに対して履行請求ができるようになるのであろうか。

まず、いわゆる絶対的構成（☞ 8-23）を採用しかつ、BはAに対して履行不能による填補賠償しか請求しえないという解決が考えられる。これにより、法律関係の安定が図られ、例えばCが移転登記を受けた後にAが買い取ったのが、1ヶ月後の場合であろうと、1年後や5年後であろうと、不動産の権利関係はC取得時点で確定するという利点がある。

7-27 (b) **相対的構成による解決** これに対して、相対的構成（☞ 8-22）を採用する立場ではAの第三者性が否定される。また、絶対的構成を原則としつつも、藁人形ケースに限り例外を認めることも考えられる。藁人形ケースについては、AにつきBとの関係で177条の「第三者」性を否定する学説が主張されている（半田・範囲6頁）。この立場では、Bに売却後、Cを藁人形的に使いこれに一旦所有権移転登記をしても、177条の適用は排除されず、これからAが所有権移転登記を受けても、177条の「第三者」として保護されないことになる。これを本書は支持したい。藁人形ケースでなければ、Aが買い取っても、Cからの所有権取得が認められる。

第4節　「第三者」の主観的要件

§Ⅰ
「第三者」は悪意でもよいのか

1　177条と主観的要件

8-1　**(a)　主観的要件は規定されていない**　取引安全保護のための規定である94条2項・95条4項・96条3項では、「第三者」という要件（客観的要件）に加えて、善意（後2者では無過失も）という主観的要件が必要とされている。対抗不能という形式をとらない外観法理の規定でも、善意無過失という主観的要件が明記されている（例えば、192条）。翻って177条をみると、「第三者」としか規定されておらず、「善意」といった主観的要件が設定されていない。積極的に虚偽の登記がされたのを信頼して取引をした者を保護する制度とは異なり、権利変動が生じたのにそれに公示が伴っていない場合の第三者保護には、主観的要件が規定されていない（178条や467条2項も同様）。

8-2　**(b)　主観的事情を要件にどう組み入れるか**　確かに、不動産賃借人も177条の第三者に含めると、賃借人は登記を信頼して取引をした者ではなく、取引時の善意といった主観的要件を問題にできない。しかし、賃借人保護は、177条の問題から除外されたことは先に述べた（☞7-22）。また、親会社・子会社の関係にあるなど、177条の保護を与える必要がない事例も考えられるが、その場合には、そもそも第三者の客観的要件を否定すべきである。

判例は177条の「第三者」につき、「登記欠缺を主張する正当な利益を有する者」と定義し、「正当な利益」という坩堝（るつぼ）に種々の異なる事例を投げ込んで解決するのである。主観的事情もこの要件で考慮している。以下には主観的要件について検討するが、説明の便宜上、特に断らない限り、Aが不動産をB、ついでCと二重譲渡した事例を念頭に置いて説明する。

8-3

◆177条における悪意の内容

177条で悪意を問題にすると、物権変動についての悪意を問題にせざるをえないが、先にみたように所有権移転時期については争いがある。判例の立場では、売買契約の存在を知れば、それだけで所有権移転（物権変動）を知ったことになる。ところが、所有権移転登記がされていない場合には、引渡しまたは代金支払があって初めて所有権の移転を認める学説では、そこまで知って初めて悪意になる。ただし、売買契約を知ったならば、それを調査すべき義務を認めて、過失を認めることはできる。

判例では売買契約を知っていれば、所有権移転につき悪意となるが、特約を認めれば別である。所有権が特約により後日となっていれば、売買契約を知っていても、所有権移転については悪意ではなく、債権侵害（物権取得の期待権）の悪意しか考えられない。その場合には、Bが移転登記を受けるのをCが詐欺や強迫により妨害したならば、債権者間の自由競争を超えるものとして債権侵害の不法行為を認めることができる。その場合の救済方法としては、損害賠償よりも不動産の取得を認めるいわば現実賠償が適切である―― 96条1項の取消しを現実賠償の一種とするように――。その現実賠償の機能を177条に担わせて、BにCに対する所有権移転登記の抹消登記請求を認めることが適切である。そのため、この事例でも背信的悪意者排除論を拡大して適用してよいと思われる[35)]。

8-4

◆取得時効について悪意を緩和する判例

判例は、取得時効にも177条を適用することは後述するが（☞ 9-36）、取得時効については悪意の対象である所有権取得の時期が明確ではない。判例は、「甲が時効取得した不動産について、その取得時効完成後に乙が当該不動産の譲渡を受けて所有権移転登記を了した場合において、乙が、当該不動産の譲渡を受けた時点において、甲が多年にわたり当該不動産を占有している事実を認識しており、甲の登記の欠缺を主張することが信義に反するものと認められる事情が存在するときは、乙は背信的悪意者に当たる」とし、「乙において、甲が取得時効の成立要件を充足していることをすべて具体的に認識していなくても、背信的悪意者と認められる場合があるというべきであるが、その場合であっても、少なくとも、乙が甲による多年にわたる占有継続の事実を認識している必要がある」と判示している（最判平18・1・17民集60巻1号27頁）。売買などのように悪意を容易に認定しにくいため、悪意を問題としつつも、その内容について緩和しているので

35） 学説には、①第1の取引が契約段階・債権段階にとどまっている場合には、第2譲受人を「第三者」から排除するためには、単なる悪意では足りず、それ以上の悪質さが必要であり背信的悪意者でなければならないが、②目的物引渡し後や代金支払後の所有権移転後の段階では、単なる悪意で「第三者」から排除されるという主張もある（鷹巣・検討199頁）。

ある。当然のことながら、悪意の評価を緩和するだけなので、背信性がさらに加われば背信的悪意者排除が認められることになる。

2　善意・悪意不問が原則

8-5　**(a)　条文では善意は要求されていない**　177条の「第三者」に善意を要求しないのが、起草者また当初の学説の考えである（富井63頁、末弘158頁等）。善意・悪意を問わない根拠は、以下のようである。

①民法は、特に第三者につき善意を要求する場合にはその旨明示しているが（94条2項・96条3項など）、177条では善意が要求されていない。また、不動産登記法5条の規定は、善意・悪意を不問とすることが前提とされている。②立法経緯からも基礎づけられる。現行177条は、旧民法では善意の第三者に限定していたのを、起草者は善意を不要とする趣旨で善意という要件を外したのである。③ではなぜ善意を要求しなかったのか、核心部分を確認してみよう。善意か悪意かという主観的な事情、さらにその対象たる物権変動が生じているか否かは明確でなく、これを争えるとなると訴訟が紛糾するが、形式的に登記の有無で決着をつけることにより紛争を容易に解決し、不動産取引の安定を図ろうとしたのである。

8-6　**(b)　177条は外観法理の規定ではない**　Bへの所有権移転があった以上、無権利の法理が適用され、Aに残っている登記――権利とは異なる外観――への信頼を保護する第三者の取引安全保護制度が問題になるのではないか、したがって、第三者は善意が要求されるのではないかという疑問があるにもかかわらず、起草者が第三者の善意を要件としなかったことは明らかである。①これを立法過誤として解釈により善意という要件を設定するか（☞8-7）、②立法を容認しつつも、その合理的な制限を考える必要がある。この点、登記により形式的・画一的に不動産物権変動をめぐる争いを解決し、登記を取得しなかった者に権利取得を断念させ紛争を防止し、不動産取引を活発化させようとしたという起草者の設定した制度趣旨を容認しつつ、不合理な結論を解釈により回避すべきである（②の立場）。

8-7　**◆悪意者排除説（少数説）**

177条の「第三者」を制限解釈して、悪意者（無過失まで要求するかは議論あり）を排除する学説がある。先に説明した公信力説（☞6-15）が悪意者を排除するのは当然であるが、承継取得を認める学説においても、対抗要件制度・登記制度また公示制度の趣旨から悪意者排除を主張する学説がある（松岡久和「民法177条の第三者・再論」『民事法理論の諸問題下巻』185頁以下など）。公示制度は、目に見えない権利関係を目に見えるものとして、取引の安全を保護する制度である（松岡136頁は、善意無過失を要求する）。177条を公示の理念に基づいた取引安全保護制度と理解して、登記を信頼した善意の第三者のみが保護されるというのである。物権変動過程においても、物権の排他性・絶対性を貫徹して考えるのである。

悪意者包含説（善意・悪意不問説）の根拠については、善意を要求している条文はほかにも沢山あるのに、177条だけ善意をめぐる証明問題を回避しなければならないという合理性があるのか疑問であると批判する。いつ物権変動が生じているのか明確ではないという、悪意の対象の不明瞭性の問題がある程度である。

ドイツ法の形式主義の立法の下で債権侵害やフランス法での予約の段階であれば、いまだ自由競争といってよいが―― 2016年フランス民法改正により、二重譲渡につき善意が要求されたことは3-20に述べた――、売買契約書の作成だけでも売買契約が成立する日本法では、売買契約締結までが自由競争であり、その後に悪意で買い取ることは自由競争として正当化できる行為ではないともいわれる。学説には、善意・悪意不問を自由競争により根拠づける説明もされているが、登記の段階までを自由競争というのは、学者の机上の空論――実在しない――であり、**自由競争の神話**と揶揄される[36)]。

筆者はかつてこの立場を支持した。しかし、今は改説して判例を支持し、不合理な事例のみ悪意を争うことを認めたい（背信的悪意者排除を支持）。

8-8

◆第三者は悪意でも債権侵害の不法行為責任を負わないのか

悪意のCは、先に所有権移転登記を受けることにより、AのBに対する債務が履行不能になるため、Bの債権を侵害していることになる。所有権侵害については、Cは第三者に該当するためCとの関係ではBは所有権者ではないので考える必要はないとしても、債権侵害の事実は否定しえない。そして、債権侵害は債権侵害の認識があれば、不法行為を成立させるに足りる違法性を満たすことになり、不法行為が成立するのが原則である。しかし、最判昭30・5・31民集9

36） ①悪意の第2譲受人につき（債権侵害を問題にするので、所有権の移転についての悪意を問題にする必要はなくなる）不法行為責任の成立を認め、その責任の内容として原状回復的効果を認めるのに匹敵する解決として、直截に177条の「第三者」に該当しないという処理をし、少なくとも賠償義務を認める学説がある（吉田邦彦『債権侵害論再考』［1991］579頁）。②また、悪意で債権を侵害していることから、債権者を害する詐害行為として詐害行為取消権を転用し、第1譲受人に第2譲受人の売買契約を取り消すことを認めるものもある（磯村保「二重譲渡と債権侵害⑵」神戸35巻2号390頁以下）。この場合、善意転得者の保護も424条1項ただし書により図られ、また、取消しの主張も2年間という期間制限があるため（426条）、法律関係を長期にわたって不安定にすることはない利点が指摘されている。

巻6号774頁は、CのBに対する不法行為責任を否定した（BがX、CがYに対応する）。その判旨は次のようである。

「一般に不動産の二重売買における第二の買主は、たとい悪意であっても、登記をなすときは完全に所有権を取得し、第一の買主はその所有権取得をもって第二の買主に対抗することができないものと解すべきであるから、本件建物の第二の買主で登記を経たYは、たとい悪意ではあっても、完全に右建物の所有権を取得し、第一の買主たるXはその所有権取得をもってYおよび同人から更に所有権の移転を受けその登記を経たGに対抗することができない」。「したがって、Xが悪意で本件建物を買受けその登記を経由しこれを更にGに売り渡してその登記をなしたというだけでは、たといこれがためXがその所有権取得をGに対抗することができなくなったにしても、いまだもってYに不法行為の責任を認めるには足らない」。

要するに、177条は悪意の第三者も保護しているので、Cの行為は適法行為であるということが、不法行為を否定する理由である。しかし、学説には、CにBに対する債権侵害の不法行為責任を認める主張がある。悪意でもよいのは不動産取引をめぐる紛争の簡易な解決という政策的な根拠であり、第三者はその反射として保護されるにすぎず、責任肯定説に賛成したい。

3　背信的悪意者の排除

8-9 (1)　背信的悪意者排除説の登場

(a)　背信的悪意者排除説の提案と定着　当初の学説は、単純に善意不要というだけであったが、現在では、信義則に反する事情のある悪意者（**背信的悪意者**という）は、177条の第三者として保護しないという**背信的悪意者排除説**が、判例・通説となっている。

信義則また権利濫用を研究した牧野英一（『民法の基本問題第4編』［1936］196頁以下）が、自由競争であれば悪意の第三者でもよいが、第1買主を害するつもりであれば、信義誠実の原則・権利濫用法理による第三者保護の否定の可能性を示唆していた。その後、その影響を受けて、昭和13年（1938年）に舟橋教授により信義則に反する悪意の第三者＝背信的悪意者の排除という一般原理が提案され（舟橋諄一『不動産登記法1』［1938］75頁）、これが戦後に物権法の体系書でも展開され（舟橋182頁）、その後、判例に採用されると共に急速に通説化する（鈴木155頁以下、滝沢・理論257頁以下、船越118頁、松尾108頁など）。判例も8-12の判決により、登記の欠缺を主張することが信義に反する者＝背信的悪意者は、177条の「第三者」たる登記の欠缺を主張するについて「正当な利益」を有する者に該当しないものと認めている。

8-10 (b) **背信性を要求する理由** 177条の第三者につき悪意でもよいという根拠づけが自由競争であるとすると、自由競争を支配する信義則というルールに従う必要があり、これに違反した者は保護されないことになる。また、所有権の移転時期を契約時からずらす考えでは、単なる悪意を問題にすると悪意の事実認定に難があり、諸般の事情を知って購入したことが反倫理的と判定される場合に限って「第三者」から排除するという背信的悪意者排除説が最も妥当な解決であるといわれている（鈴木禄弥「不動産二重譲渡の法的構成」『財産法学の新展開』〔1993〕179～180頁）。

学説には、すでに第1譲受人が占有しているのを知っていれば背信的悪意と認めるなど、判例よりもその適用を緩和する提案もされている。しかし、登記だけで形式的・画一的に対抗問題を解決しようとした趣旨からは、例外は安易に認めるべきではなく、基本的に判例を承認してよい。緩和を広げていくと、基準が限りなく不明確になる恐れがある。

8-11 (c) **背信的悪意者排除説の要件論における位置づけ** 本書は、背信的悪意の問題は主観的事情を考慮した抗弁事由として位置づけ、親子会社などの関係がある場合は客観的要件の問題として除外した上で、背信的悪意者排除説に賛成したい。177条は物権変動の抵触を登記で形式的・画一的に解決した規定であるが（☞ 8-5）、悪意の第三者はその反射として保護を受けるにすぎず、信義則に反する状況で登記を取得した第三者まで保護するべきではない。判例は、177条の「第三者」を①「登記欠缺を主張する正当な利益を有する者」と定義し、②「登記の欠缺を主張することが信義に反する」場合に正当な利益を有しないものと説明し、要件の整理が明確ではない。しかし、下記のように2つの異なる要件として分けるべきである（7-3の表も参照）。

① 「登記欠缺を主張する正当な利益を有する」こと（177条の「第三者」の要件）
② 「登記の欠缺を主張することが信義に反する」事情の存在（抗弁事由）

①は、背信的悪意者排除論の登場前から判例が採用する基準であり、賃借人が排除された現在、94条2項などと同じ新たな独立した利害関係の取得

の意味で理解してよい。②は、判例では、客観的事情と主観的事情を総合判断して「信義に反するか」どうかを判断するため、客観的要件とされ、①②が混乱されつつ要件が一元化されているが（☞ 8-13）、背信的悪意をここに位置づけ、主観的要件としてまた抗弁事由と位置づけるべきである。

8-12

◆判例における背信的悪意者排除説の定着まで

すでに、最判昭31・4・24民集10巻4号417頁が、滞納処分による差押えの関係においても、177条の適用があるとし、第三者の定義にはめ込んで「国が登記の欠缺を主張するにつき正当の利益を有する第三者に当るかどうかが問題となるが、ここに、第三者が登記の欠缺を主張するにつき正当な利益を有しない場合とは、当該第三者に、不動産登記法4条、5条により登記の欠缺を主張することの許されない事由がある場合、その他これに類するような、登記の欠缺を主張することが信義に反すると認められる事由がある場合に限る」という一般論を述べた（しかし適用は否定）。その後、AがBから山林を買い受けてその引渡しを受けてから30数年後に、CがBとの別の紛争の復讐をするために、事情を知りながらAから懇願して低廉な価格でその山林を買い受け移転登記をした事例で、いまだ背信的悪意者排除論が確立していなかった時代であったため、90条違反によりAC間の売買契約を無効とした判決がある（最判昭36・4・27民集15巻4号901頁）。そして、最判昭40・12・21民集19巻9号2221頁も、「177条にいう第三者については、一般的にはその善意・悪意を問わないものであるが、不動産登記法4条または5条のような明文に該当する事由がなくても、少なくともこれに類する程度の背信的悪意者は民法177条の第三者から除外さるべきである」と一般論を述べたが、結論はその適用を否定したものであった。

最判昭43・8・2民集22巻8号1571頁が、実際に背信的悪意者排除を適用した最初の判決である。山林を買った者が23年以上登記をせずに植林をしているのを奇貨として、これに高く買い取らせる目的で、山林を登記名義人のままになっている者から買い受けた事例で、「実体上物権変動があつた事実を知る者において右物権変動についての登記の欠缺を主張することが信義に反するものと認められる事情がある場合には、かかる背信的悪意者は、登記の欠缺を主張するについて正当な利益を有しないものであって、民法177条にいう第三者に当らない」と宣言し、実際に二重買主たる原告の主張を排斥した。すでに23年も経過しており、もはや二重譲渡の自由競争が当てはまる事例ではなかった。

8-13 (2) 第三者の要件における背信的悪意者排除の位置づけ

177条の「第三者」については、判例は、①登記欠缺を主張する正当な利益を有する者という客観的要件で絞りをかけた上で、②主観的要件として、背信的悪意者を除くのではなく、「正当な利益」の内容に、背信的悪意ではないことも組み込んで、「第三者」性の要件に一元化して運用している。

しかし、8-11 に述べたように、対抗関係に立つことは第三者の客観的要件とし、これを登記を基礎とした取引に基づいて新たな独立した利害関係を取得したものと、94 条２項などの第三者とパラレルに構成し、それとは別に背信的悪意を抗弁事由として整理すべきである。

判例は、登記の欠缺を主張することが信義に反する悪意者＝背信的悪意者＝登記の欠缺を主張するについて正当な利益を有しない者という構図であったのが、背信性だけで「正当の利益」を否定するようになる（最判平 10・2・13 ☞ 8-16）。時効援用権者の「正当な利益」（145 条）は客観的に判断され、他方で、個別的事情によって援用権の濫用が問題とされるのとは異なり、「正当な利益」の判断により具体的事案における背信性が判断されている。

8-14

◆登記欠缺を主張する正当な利益が客観的に否定される者――当事者に準ずる者

譲渡人の親子、夫婦（内縁も含む）、法人とその代表者などといった関係が、譲渡人と第２譲受人との間にある場合には、当事者に準じて扱われ、登記欠缺を主張する正当な利益が否定される。例えば、根抵当権が放棄され消滅したがその抹消登記がされないうちに、債務者（会社）の代表者Ｙが、その放棄について債権者と交渉にあたり放棄を受けた後に、債権をこの放棄された根抵当権と共に譲り受けた事例（不動産は債務者からＸに売却されている）で、背信的悪意者とされ、ＸはＹに対して登記なくしてその根抵当権の消滅を主張しうる――根抵当権設定登記の抹消登記請求ができる――ものとされている（最判昭 44・1・16 民集 23 巻 1 号 18 頁）。Ｙは「譲受けの動機、経緯等において特段の事情がないかぎり」、「根抵当権の消滅についての登記の欠缺を主張する正当の利益を有」しないものとされた。しかし、この類型は、そもそも「第三者」性が否定されるべきである。そのため、これを「準当事者型」と名づけ、主観的要件以前に当事者に準ずるために第三者性が否定され、177 条が適用にならないものと構成された、また、背信的悪意という定式化より信義則違反という定式化の方が裁判例の実態に即しているといわれる。本書の立場では、主観的要件以前の「第三者」性の客観的要件の問題として位置づけ、第三者性を否定する。

8-15

◆背信的「悪意者」と認められた事例

①まず、Ｂが山林を買い受け 23 年余りも占有しているが、移転登記をしていないのを奇貨として、Ｂに高く売り付けて金を巻き上げようとしてＣがＡと共

謀してAから取得した事例も、背信的悪意者とされている（前掲最判昭43・8・2）。②第三者が第1譲渡についての紛争に関与し、立会人として関与しかつ和解書面に立会人として署名捺印をした事例（最判昭43・11・15民集22巻12号2671頁）、贈与者と受贈者との間に争いがあり、贈与者が受贈者のなした仮処分の執行を欺罔を使って取り消させたことに協力した者（贈与者・受贈者と長年交際のある者）が、その後に目的不動産を譲り受けた事例（最判昭44・4・25民集23巻4号904頁）などで、背信的悪意者と認定されている。③また、AがXに贈与した土地建物について、Xが処分禁止の仮処分をしているのを、不動産業者でこの建物を賃借しているYが、Xを欺罔して仮処分執行を取り消させた上で、本件土地建物を譲り受けた事例で、Yは背信的悪意者とされている（最判昭44・4・25前掲）。

学説には背信性を緩和する主張もあり、第1譲受人がすでに不動産の占有を開始している場合には、その事実を知っていれば背信的悪意者になるといわれる（田山85頁）。悪意というよりも背信的という点にウェイトがあるとか、背信的悪意者排除論の根底には権利濫用的な考え方があって、登記を得た者の態度が非難すべきものであるときには不利益が生じてもやむをえないという処理ができると反論がされている（川井健［発言］『不動産物権変動の法理』［1983］51頁）。不動産取引をめぐる物権変動の抵触を登記により形式的・画一的に解決するという177条の趣旨を没却しない限度で、その悪意を争うことが許されるべきであると社会通念により判断される程の信義則違反——消費者契約法10条のような使われ方——が必要になると考えるべきである。

8-16

◆未登記地役権について悪意や信義則を問題としない判例

最判平10・2・13民集52巻1号65頁は、「通行地役権（通行を目的とする地役権）の承役地が譲渡された場合において、譲渡の時に、右承役地が要役地の所有者によって継続的に通路として使用されていることがその位置、形状、構造等の物理的状況から客観的に明らかであり、かつ、譲受人がそのことを認識していたか又は認識することが可能であったときは、譲受人は、通行地役権が設定されていることを知らなかったとしても、特段の事情がない限り、地役権設定登記の欠缺を主張するについて正当な利益を有する第三者に当たらない」と判示する。その理由として、「譲受人は、要役地の所有者が承役地について通行地役権その他の何らかの通行権を有していることを容易に推認することができ、また、要役地の所有者に照会するなどして通行権の有無、内容を容易に調査することができる。したがって、右の譲受人は、通行地役権が設定されていることを知らないで承役地を譲り受けた場合であっても、何らかの通行権の負担のあるものとしてこれを譲り受けたものというべきであ」る、と説明がされている。例外が非常に制限されている[37]。これは通行地役権の特殊性によるものであり、177条の第三者性の議論の中で一般化ができるものではない。その後、最判平10・12・18

民集52巻9号1975頁は、承役地の転得者に対する未登記地役権者による登記手続請求を認容している。

この結果、「客観的に明らか」な通行地役権は、登記がなくても対抗できるに等しいことになる。むしろ、地役権設定に177条の適用を否定し、明確な通行地役権は登記なくして第三者に対抗できると考えるべきである。判決も、背信的悪意が理由ではなく、信義に反することも理由にはせず、登記欠缺を主張する正当な利益がないというだけの説明により、第三者性を否定したのである。

§Ⅱ 善意転得者の保護

1 問題点——無権利者からの取得者か？

8-17 **(a) 背信的悪意者は全くの無権利者か** Aはその所有の土地をBに売却したが、Bが所有権移転登記手続を未了であることに目を付けたCは、Bが購入したのを知りながらBの登記申請を妨害した上で、この土地をAからさらに購入して所有権移転登記を受け、その後、Cはこの土地をDに転売し、Dへの所有権移転登記がされたとしよう。Cは、不動産登記法5条の適用がある背信的悪意者である。そうすると、Cは所有権を取得しておらず、登記があっても無権利者であり登記に公信力がないため、Cからの譲受人Dは、たとえ善意無過失であっても所有権を取得できないのであろうか。

8-18 **(b) 転得者を「第三者」に含めるかという問題** 同様の問題は、94条2項や96条3項でも生じ、これらの条文では転得者も「第三者」と認められている。AB間で不動産の仮装売買があり、Bがその不動産を悪意のCに売却し、善意のDがCからさらにこの不動産を譲り受けた場合には、Dは94条2項の第三者として保護される（☞民法総則6-100）。悪意のCも「第三者」の客観的要件を満たしているが、主観的要件を満たさないがため

37) **＊通行地役権について例外的に第三者が保護される場合** 本文の判決は、例外として、「ただし、例えば、承役地の譲受人が通路としての使用は無権原でされているものと認識しており、かつ、そのように認識するについては地役権者の言動がその原因の一半を成しているといった特段の事情がある場合には、地役権設定登記の欠缺を主張することが信義に反するものということはできない」という。この例外が認められるハードルはかなり高いといわざるをえない。

に94条2項の保護を受けないにすぎない（96条3項でも同様）。そのため、転得者は、全くの無権利者から購入したのではなく、「第三者」の要件を満たす者から購入しているから、その地位を承継し、転得者が善意であれば94条2項により保護されるのである。

177条については、背信的悪意者Cからの転得者Dに無権利の法理を適用し、94条2項の類推適用によりDを保護しようとする学説がある（鈴木重信「民法第177条と背信的悪意者」『不動産登記の諸問題』［1974］509頁）。しかし、177条についても、「第三者」に転得者を含めるべきである（☞8-19）。

2　対抗問題としての処理――転得者は「第三者」として保護される

8-19　177条においても、Cは全くの無権利者――例えば、勝手に所有権移転登記をして売却した者――ではなく、BCが対抗関係にあり、Cは177条の「第三者」の客観的要件を満たしている。ところが、判例は177条について「第三者」の客観的要件と主観的要件を区別せず、登記欠缺を主張する正当な利益という一元的要件により「第三者」性を判断するため、背信的悪意者はそもそも「第三者」性が否定されてしまうことになる。

しかし、対抗関係＝新たな独立した法律上の利害関係の取得を第三者の客観的要件とし、書かれざる主観的要件――抗弁事由――として背信的悪意者排除を位置づければ（☞8-11）、94条2項などとパラレルな扱いをすることができる。判例も、善意転得者の保護を認めている（☞8-20）。177条の適用を人ごとに＝人的ないし相対的に判断するため、**背信的悪意者排除論の相対的適用**といわれる。しかし、いささか誤解を招きやすい表現であり、177条の「第三者」には転得者も含まれると説明すれば十分である。

8-20　**◉最判平8・10・29民集50巻9号2506頁**　「所有者AからBが不動産を買い受け、その登記が未了の間に、Cが当該不動産をAから二重に買い受け、更にCから転得者Dが買い受けて登記を完了した場合に、たといCが背信的悪意者に当たるとしても、Dは、Bに対する関係でD自身が背信的悪意者と評価されるのでない限り、当該不動産の所有権取得をもってBに対抗することができる」。①「Cが背信的悪意者であるがゆえに登記の欠缺を主張する正当な利益を有する第三者に当たらないとされる場合であっても、Bは、Cが登記を経由した権利をBに対抗することができないことの反面として、登記なくして所有権取得をCに対抗することができるというにとどまり、AC間の売買自体の無効を来すものではなく、したがって、Dは無権利者から当該不動産を買受けたことにはならない」、また、②「背信的悪意者が正当な利益を有する第三者に当たらないとして民法177条の『第三者』から排除される所以は、第一譲受人の売買等に遅れて不動産を取得し登記を経由した者が登記を経ていない第一譲受人に対してその登記の欠缺を主張することがその取得の経緯等に照らし信義則に反して許されないということにあるのであって、登記を経由した者がこの法理によって『第三者』から排除されるかどうかは、その者と第一譲受人との間で相対的に判断されるべき事柄であるからである」。

§Ⅲ
転得者のみが背信的悪意者である場合

8-21 **(1) 問題点**

善意転得者保護の問題について（☞ 8-17以下）、94条2項や177条の「第三者」に転得者も含まれると説明されているのに対して、177条については背信的悪意者排除論の相対的適用と呼び、Bとの関係で、CDそれぞれ第三者かどうかは「相対的に判断されるべき」であると説明されている（☞ 8-20）。そのため、逆のケース、すなわちCが善意でDが背信的悪意の場合にも、BはCには対抗できないがDには対抗できることにならないか、という疑問を生じる。判例はないが、通説はこれを否定する。

AがBに不動産を売却後に、その不動産をCに売却し、CからAまたはAの設立した子会社Dが買い取った場合には、BにAやDに対する所有権移転登記請求を認めてよい。この事例の扱いも含めて考える必要がある。

8-22 **(2) 相対的構成**

177条につき第三者ごとに背信性を判断することを貫いて、Cが善意だが転得者Dが背信的悪意ならば、BはDには所有権取得を対抗できると考える少数説がある（近江88頁、生熊255頁）。判例としても、東京高判昭57・8・31下民集33巻5～8号968頁が、背信的悪意者排除論は、「登記欠缺者と当該背信的悪意者間の法律関係について相対的に適用されるべきものであり、善意の中間取得者の介在によって、その適用が左右される性質のものではない」と述べ、また、「悪意の遮断を認めると、善意の第三者を介在させることにより背信的悪意者が免責されるという不当な結果を認めることになる」ことを付け加える。

Cとの関係ではA→Bの所有権移転はないが、Dとの関係ではこれがあると、まさに相対的に考えることになる。CD間では他人物売買ではないので、DはCに対して他人物売主の責任追及はできず、Dは二重に代金を取得しているAから不当利得の返還を受けるしかないことになる。

8-23 **(3)　絶対的構成（通説）**

Cが背信的悪意の場合には、いまだ177条が未解決のまま妥当することになり、Dに177条の対抗関係が承継され、Dが背信的悪意でなければDは177条により保護されるが、逆もまたしかりではない。そもそも、背信的悪意ではないCが先に登記を備えたことにより177条の適用は終了したのである。すなわち、BのAに対する履行を求める債権は履行不能となり(412条の2第1項)、もはや履行を求める関係はAB間にはなくなり、C所有に法律関係は確定する。Dは177条の効果として本来取得しえないはずの所有権を取得するのではなく、所有者Cから所有権を承継取得するのである。Dは177条の「第三者」ではなく、Cへの177条の適用を援用するにすぎない。Cの177条による保護は、正当な利益を有する者による援用を認めてよく、Dも正当な利益を有すると考えてよい。

ただし、藁人形ケース（☞7-27）については、DによるCへの177条の適用の援用を認めない解決がされてよい（上記「正当な」利益の否定)。

第5節　登記を要する不動産物権変動

§Ⅰ
無制限説と制限説

9-1　177条は「不動産に関する物権の得喪及び変更」を対象としており、得喪および変更とは要するに一切の物権変動である。このように民法は登記を必要とする物権変動を限定していないため、一切の不動産物権変動は登記しなければ第三者に対抗できないのであろうか。

物権変動にも、次のように種々の類型が考えられる。いかなる事例が、登記を必要とする物権変動であろうか。以下には、この§Ⅰで総論的考察をした後に、§Ⅱ以下において問題となる物権変動をみていきたい。

① 法律行為（譲渡、契約の取消し・解除、遺産分割、相続放棄、遺増、相続させる旨の遺言など）
② 法律行為以外
　ⓐ 建物の新築
　ⓑ 相続
　ⓒ 取得時効

9-2 **(1)　無制限説（判例）および修正無制限説**

判例は、177条の規定通りに一切の物権変動に177条を適用する（**無制限説**［9-4の制限説①を変更☞9-3］）――第三者については制限説（☞7-4）――。第三者の登場する余地のない場合もあり、相続による所有権取得については、そもそも目的物につき利害関係ある第三者の登場が考えられないので、適用するといっても意味はない――戦前は隠居制度があったので177条を適用する意義はあった――。

学説には、無制限説をベースにしながらも、「新しく生じた不動産について原始的に取得した所有権」については、登記なしに対抗できるという限定をする主張もある（我妻・有泉93頁）。その例外として考えられるのは、建物の新築による所有権の取得である（相続には適用する）。これを177条の適用から除外する理由としては、不動産取引またはそれに準ずる物権の得喪変更がないことが挙げられている。

9-3 **◉大連判明41・12・15民録14輯1301頁**　隠居の事案につき、制限説①を変更して、次のように無制限説を採用する。

176条は「動産たると不動産たるとを問わず、物権の設定及び移転は単に意思表示のみに因りて其効力を生じ、他に登記又は引渡等何等の形式を要せざることを規定したるに止まり、又其第177条には不動産に関する物権の得喪及び変更は登記法の定むる所に従い其登記を為すに非ざれば之を以て第三者に対抗することを得ずとありて、不動産に関する物権の得喪及び変更は、其原因の如何を問わず、総て登記法の定むる所に従い其登記を為すに非ざれば、之を以て第三者に対抗するを得ざることを規定したるものにして、右両条は全く別異の関係を規定したるものなり。之を換言せば、前者は物権の設定及び移転に於ける当事者間の関係を規定し、後者は物権の得喪及び変更の事後に於ける当事者と其得喪及び変更に干与せざる第三者との関係を規定したるものなり」。

9-4 **(2)　制限説**

①当初の判例は、177条は176条を受けた規定であり、176条の意思表示による物権変動につき登記をしなければ対抗しえないこと、すなわち、意思表示に基づく物権変動についてのみの規定であると解していた（大判明38・12・11民録11輯1736頁など）。しかし、単に176条は意思主義を、そして、177条は対抗要件主義を別々に宣言した規定であり、176条を177条が制限したという構造になっておらず、そのように制限解釈をしなければならない必然性もない。意思表示に基づく物権変動以外については登記を不要とするのは、公示の原則からして適切ではない。そのため、判例はその後、無制限説に変更される（☞ 9-3）。

②しかし、現在の通説は、判例に反し、「第三者」の生じる余地のない物権変動には177条が適用にならないと考えている。判例の無制限説でも、「第三者」が登場してくる余地がなければ登記しなくても対抗しえない者はいないので、無制限説と制限説②とは結論に差はなく、いずれによるかは実益のない議論である。

9-5 **◆付従性・随伴性による抵当権の消滅・移転——登記なくして対抗できる**

(1)　債権に対する付従性による抵当権の消滅

物権の消滅も1つの物権変動であるから、177条の適用があり登記がなければ対抗できないことになる。例えば、Aの土地につきBのために抵当権または地上権を設定してあって、Bが抵当権または地上権を放棄した場合、その旨の登記（抹消登記）をしなければ第三者に対抗できない。そのため、放棄後に地上権を取得したり転抵当権や地上権に抵当権を設定したCがいれば、AはCに抵当権または地上権の放棄による消滅を対抗できないことになる。抵当権を債権と共に譲り受けた者も同様である。

これに対して、抵当権の消滅でも、被担保債権の弁済による付従性の効果としての消滅については、債権の消滅の効果であり、債権の消滅については対抗要件を必要とすることなく対抗できる。そのため、Aは債権の消滅を対抗できる反射として抵当権の消滅も対抗しうる（舟橋175頁）。したがって、弁済後にBがCに転抵当権を設定しても、Aは抵当権の消滅をCに対抗できることになる。Cは債権の有無については登記ではなく、債務者に問い合わせるなど確認をすることが必要になる。

9-6　**(2)　債権に対する随伴性による物権の移転**

AからBへの被担保債権の譲渡により、抵当権が随伴性により移転したが、AがさらにCのために転抵当権を設定した場合、両者の対抗関係はどのように処理されるべきであろうか。また、債権の二重譲渡によりいずれが抵当権を取得できるかは、付記登記ではなく467条2項により決せられるのであろうか。(1)の論理を持ってくれば、債権の取得について対抗できれば、その効果の主張も当然可能となり、抵当権の随伴性による取得についても対抗できるということになる。Bが467条2項の対抗要件を満たしたが、Cが抵当権につき付記登記をしても、Bが債権だけでなく抵当権の取得をCに対抗できる。債権なしに抵当権だけ取得とするということは、抵当権の付従性からして認められないからである。抵当権の移転については、主たる権利関係たる債権を調べることが必要になる。

§Ⅱ
取消しと登記

1　取消し前の第三者

9-7　**(1)　取消しと第三者をめぐる原則（121条）**

Aがその所有の不動産をBに売却し、BがこれをさらにCに転売した後に、AがAB間の売買契約を取り消した場合を考えてみよう。取消原因としては、制限行為能力、詐欺、強迫および錯誤が考えられる。A→B→Cと有効に所有権が移転していたが、AB間の売買契約の取消しにより、A→Bの所有権移転が初めからなかったものとみなされる（121条）。その結果、Bは無権利者であったことに擬制され、B→Cの所有権移転もなかったことになる。要するに、取消しがされた後は、当初から無効な場合に擬制されるのである。それが「みなす」という効果である。そうすると、Aは所有権に基づいてCから不動産を取り戻せることになる。民法は、取消権者を取引の安全を犠牲にしてでも保護することを原則としていることになる。121条からこのような原則が導かれ、例外を9-8のように個別的に規定するというのが民法の方針である。

9-8 **(2) 第三者保護規定がある場合**

詐欺による取消しについては、「前二項の規定による詐欺による意思表示の取消しは、善意でかつ過失がない第三者に対抗することができない」と規定され（96条3項）、第三者保護が図られている（95条4項も同様）。この規定があるため、詐欺取消しの場合には善意無過失のCは保護されることになるが、96条3項の適用は取消し前のCに限られるのか、取消し後のCも含まれるのかは、条文からは明確ではない。この点は、96条3項が何を制限した規定なのかという理解にかかっている。この点を9-9以下に確認しておきたい。なお、96条3項の「第三者」について、権利保護要件として登記を必要とするかは議論がある。

9-9 **◆ 96条3項の位置づけ**

❶ 無効の遡及効の対抗不能説（通説・判例） 現在の通説・判例（☞9-20）は、96条3項は121条の無効の遡及効の制限規定であり、遡及効を制限することによって救済される取消し前の第三者Cだけが96条3項により保護されると考えている。取消し前にすでに所有権を取得していたCが、取消しにより遡及的に既得権を奪われるのを阻止しただけの規定と考えるわけである。AC間は無権利の法理が遡及的に適用されることになり177条の対抗関係にはないが、96条3項の第三者の権利保護要件として登記を要求することも考えられる（☞民法総則6-294）。通説・判例のように考えると、取消し後にBから本件土地を取得したCは、無権利者からの譲受人であり、登記に公信力がないので保護されないことになりそうである（判例は177条を適用する☞9-20）。

9-10 **❷ 無効（＋無効の遡及効）の対抗不能説** しかし、96条3項は、無効の遡及効を制限しただけであることは明記しておらず、解釈によりそのように制限されているだけである。また、取消しは相対的無効という無効から発展したという経緯もあり、取消し前後で扱いを区別することを起草者が意図していたとは思われない。そのため、本書としては、遡及的に権利を奪う場合か、取消し後に無効による無権利の法理を適用する場面かを問わず、96条3項を、詐欺取消しによる「無効」を第三者に対抗不能とした規定であると考える。96条3項は、94条2項と同様の無効の対抗不能というだけでなく、121条の結果として生じる遡及的無効も対抗不能としたものである。96条3項は、①取消し前の第三者を保護するための取消しによる無効の遡及効の対抗不能だけでなく、②取消し後の第三者を保護するための、取消しにより生じた無効の対抗不能も認める規定である。悪意の対象は、詐欺によってAがBに不動産を売却したことであり、取消し後の第三者についても取消しがされたことまで知っている必要はない。

9-11 **(3)　第三者保護規定がない場合**

(a)　遡及効貫徹説

❶　遡及的無効ということを容認する学説　取消しによる復帰的物権変動を認めず、遡及的無効の擬制を貫徹する立場でも、第三者保護規定のない強迫取消しや制限行為能力取消しについて、第三者保護を認めるか否かは学説は分かれる。

①まず、取消し前のCの保護を否定することがかつては当然視されていたといってよい。②しかし、強迫についても96条3項を類推適用する学説があり（注民(6) 286頁以下［原島］、半田・範囲44頁）、③また、取消権者に被詐欺者や虚偽表示者以上に強い帰責性が認められる場合という非常に制限された範囲であるが、96条3項および94条2項の趣旨を類推適用して、取消し前の第三者の保護の可能性を認める学説もある（鎌田・ノート131～132頁）。

9-12 **❷　本書の立場**　本書は以下のように考えたい。9-18の学説ように、取消し後の第三者に94条2項の類推適用を肯定するならば、次のような不公平が生じる。Aが強迫から免れて直ちに取り消した場合には、その後に買い受けたCには94条2項が類推適用され、Aが強迫から免れながら適切な処置をとらないでいて、Cに売られてしまったので慌てて取り消した場合には、取消し前の第三者になり94条2項は類推適用されないことになる。取消権というものは返還請求のための手段にすぎず、要するにいつでも取り消して返還請求できるのであり、取消しがあったか否かでこのように大きな差が生じるのは適切ではない。

そのため、強迫取消しでも取消しを決めているのに放置したり、制限行為能力取消しでも、法定代理人が知って取消しを決めているのに放置した場合には、96条3項——本書の立場では取消しの前後を問わず適用される（☞9-10）——の類推適用を認めるべきである。

9-13 **(b)　対抗問題説**　A→Bの所有権移転が取消しによりB→Aに実質的には復帰するのだとすれば（☞9-19）、B→Cの物権変動と取消しによるB→Aの復帰的物権変動とは、Bを起点とした二重譲渡にも似た対抗関係となり、177条により規律されることになる（**対抗問題説**）。

しかし、そうすると取消し前の第三者にも同じ構図が当てはまり、Cが先に登記をしてしまっていればAは取り消しても土地を取り戻す余地がなくなってしまい、取消権が無意味になってしまう。また、96条3項をわざわざ詐欺に限定して置いた意味がなくなってしまう。

①そのため、対抗問題説は、取消し後の第三者のみに177条を適用しようとしている（舟橋161頁、稲本143頁）。判例はこの立場とみられる。②しかし、そうすると、速やかに取り消した場合には177条が適用になり、取消しを怠っていて、第三者が登場してから取消しをした場合には177条が適用にならない、という不合理感が残される。この点の解決のため、取消しが可能となった時点以降に前倒しをして、177条を適用する学説が登場する（鈴木146頁、広中130頁）。③他方で、対抗問題説によりつつ、取消し前の第三者について、取り消すことができるのに長期にわたって放置した場合には、94条2項の類推適用を肯定しようという学説もある（我妻・有泉101頁）。③についていえば、復帰的物権変動を肯定しながら、取消し前の第三者につき無権利の法理の修正原理によることは疑問である[38)]。

2　取消し後の第三者

9-14 (1)　問題点

取消し後の第三者については、取消しにより121条通りに無効と擬制されることを認めるのか（**無権利説**）、それとも、復帰的物権変動を認めるか（**対抗問題説**）により学説を大きく2つに分けることができる。なお、同様の問題は契約解除においても生じるが、解除の効果の法的構成が絡んでくるので契約法の説明に譲る（判例だけ紹介しておく☞9-15～16）。また、物権行為の無因性を認めれば、以下に述べる問題は生じないが、今や無因性を認める学説はない。

38)　**＊制限行為能力取消しの場合**　制限行為能力取消しについても、177条を無制限に適用して登記しなければ取消しを対抗できないとするのも1つの解決である。しかし、177条の適用のためには登記できるのに放置したという帰責根拠が必要なので、制限行為能力者が追認のできない状態で取り消した場合には、法定代理人が知っている等の特別事情がない限りは、登記なくして取消しをもって対抗できると考えられている（我妻・有泉101頁）。法定代理人が取り消した場合には、177条を適用してよいことになる（本書の立場では、法定代理人が取り消しうる行為を知った時から相当期間経過した時から、96条3項を類推適用することになる）。

9-15 **◆解除についての判例**

⑴　法定解除の事例

判例は解除の効果について直接効果説を採用し、これを取消しと同様に構成するため、①解除前の第三者は545条1項ただし書により救済し、②解除後の第三者保護については177条を適用している。すなわち、大判昭14・7・7民集18巻748頁は、「不動産を目的とする売買契約に基き買主に対し所有権移転の登記を為したる後に於て、該売買契約が解除せられて不動産所有権か売主に復帰したる場合に於ても、売主が其の所有権取得の登記を為すに非ざれば、該解除後に買主より不動産所有権を取得したる第三者に対し売主は其の所有権の取得を以て対抗することを得ざるものと解するを相当とす。蓋し売買契約の解除に因り所有権が売主に復帰する場合に於ても、所有権の移転存するを以て民法第177条を適用すべきものなれはなり」と判示する（松岡164頁は、解除の前後を問わず対抗問題により処理する）。なお、545条1項ただし書の第三者との関係については対抗関係ではないが、大判大10・5・17民録27輯929頁は、立木の事例で、転得者が伐採して引渡しを受けることを、解除をした売主に対して立木の取得を主張するために必要としている。

9-16 **⑵　合意解除の事例**

Aが土地をBに売却し、Bは所有権移転登記を受ける前にこれをCに転売したが、その後にAB間で売買契約が合意解除されたため、CがABを被告として、Aに対してはBに代位してBへの所有権移転登記、Bに対してはAへの請求が認められることを前提として、所有権移転登記を求めて訴訟を提起した事例がある（合意解除前の第三者）。原判決は、合意解除により第三者の権利を害することはできないとして請求を認容したが、最高裁は次のように判示して原判決を破棄している（最判昭33・6・14民集12巻9号1449頁）。

「遡及効を有する契約の解除が第三者の権利を害することを得ないものであることは民法545条1項但書の明定するところである。合意解約……が契約の時に遡って効力を有する趣旨であるときは右契約解除の場合と別異に考うべき何らの理由もないから、右合意解約についても第三者の権利を害することを得ない」。「しかしながら、右いずれの場合においてもその第三者が本件のように不動産の所有権を取得した場合はその所有権について不動産登記の経由されていることを必要とする」。「けだし右第三者を民法177条にいわゆる第三者の範囲から除外しこれを特に別異に遇すべき何らの理由もないからである」。

本判決は合意解除の事例であり、かつ、解除前の第三者の事例であるが、545条1項ただし書を適用しつつ、177条を適用し第三者の登記を必要とした。

9-17 **⑵　無権利説**

❶　96条3項適用肯定説　①まず、無効の対抗不能説（本書の立場）では（☞ 9-10）、96条3項は取消し前後を問わず第三者に適用されることに

なる。権利保護要件としてCには登記が必要であるというのも（松尾101頁）、同様の立場である。また、第三者保護規定のない強迫や制限行為能力取消しについても、取消権者に帰責事由が認められれば、取消し前でも96条3項の類推適用が可能であり（☞9-12）、また、取消し後も当然に96条3項が類推適用できるのではなく、帰責事由が必要になり放置が必要になる（96条3項類推適用説［錯誤は95条4項による］）。

②他方、無効の遡及効制限説でも、取消し後か取消し前かという第三者の係わり知らない偶然の事実により、第三者の保護についての結論に差が生じてしまうのは不合理であると考え、96条3項を取消し後にも類推適用する学説がある。これも、ⓐ詐欺のみに限定する学説と（川島武宜『民法総則』［1965］301頁）、ⓑ強迫にも取消しの前後を問わず類推適用する学説（注民(6) 287頁［原島］）とに分かれる。

9-18 **❷　96条3項適用否定説**　他方で、無効ということを貫徹して、無権利の法理を修正する94条2項の類推適用により解決をする学説もある（**94条2項類推適用説**）。ただ、94条2項の類推適用をいつの時点から認めるかにより、この学説の内部で対立がある。ⓐまず、取消し時から直ちに94条2項を類推適用する考えが提案された（半田・範囲44頁、四宮和夫『民法総則［第4版］』［1986］173頁）。ⓑまた、取消権は単なる返還請求の手段であり、取消しができるということは、直ちに取り消して「返還請求ができる」ということであるから、取消し可能になった時から、すなわち取消し前の第三者にも94条2項を類推適用する学説が提案される（幾代・変動と登記41頁、加藤129頁）。しかし、取消しするかどうかを自由としたのに、これを放置と評価するかは理解が分かれる。ⓒ他方で、取り消すか否かの熟慮期間を認めたのであり、取消しを決断してこれをするのと、取り消したのに登記を取り戻さないこととを同一視することは不合理であるとした上で（石田喜久夫『物権法拾遺』［1986］43頁以下、半田・研究87頁）、さらに取消しがあったからといって直ちに自ら虚偽の外観を作出したに等しい重大な帰責事由を認めることを否定する学説もある。この学説は、取消し後でありかつ登記をそれなりの期間放置したことを94条2項の類推適用のために必要と考えている。

9-19 **(3)　対抗問題説（復帰的物権変動説）**

判例は取消しに177条を適用しており（☞9-20）、これを支持する学説も少なくない（末川122頁、我妻・有泉100〜101頁、柚木118〜119頁、鈴木146頁以下）。この説の根拠としては、まず、①取消しによりBからAへの復帰的物権変動があり、取消し後にBからCへの売却があれば、ACは二重譲渡類似の対抗関係となるという理論的根拠がある。また、②登記なしにいつまでも対抗できるというのは、公示の要請に反するということもある。

対抗問題説の最大の問題点は、121条の無効の遡及という法の擬制に反する点にある。この遡及効という論理を貫徹すれば無権利説になるはずだからである。9-20の判決の当時（昭和17年）は、94条2項の類推適用という判例法理がいまだ存在せず、無権利という処理をすると第三者が保護されないという事情があった。しかし、94条2項の類推適用が判例として確立され、本説をとりまく周辺状況は大きく変わっている。

121条と抵触するという批判に対しては、121条は取消権者とその相手方との関係を律する規定であり、第三者との関係では、無効の擬制は177条によって制限されてしかるべきであると反論されている（広中131頁）。

9-20

◉大判昭17・9・30民集21巻911頁　「民法第96条第3項に於て詐欺に因る意思表示の取消は之を以て善意の第三者に対抗することを得ざる旨規定せるは、取消に因り其の行為が初より無効なりしものと看做さるる効果、即ち取消の遡及効を制限する趣旨なれば、茲に所謂第三者とは取消の遡及効に因り影響を受くべき第三者、即ち取消前より既に其の行為の効力に付利害関係を有せる第三者に限定して解すべく、取消以後に於て始めて利害関係を有するに至りたる第三者は仮令其の利害関係発生当時詐欺及取消の事実を知らざりしとするも、右条項の適用を受けざること洵に原判示の如くなりと雖、右条項の適用なきの故を以て直に斯かる第三者に対しては取消の結果を無条件に対抗し得るものと為すを得ず。今之を本件に付て観るに本件売買が原判決説示の如く其の要素に錯誤あるものにあらずして、詐欺に因り取消し得べきものなりとせば、本件売買の取消に依り土地所有権はX先代に復帰し初よりAに移転ざりしものと為るも、此の物権変動は民法第177条に依り登記を為すに非ざれば、之を以て第三者に対抗することを得ざるを本則と為す」。

9-21

◆94条2項類推適用説と対抗問題説との要件上の差異

94条2項類推適用説と対抗問題説との要件上の差を以下にまとめておこう。本書は96条3項適用説（錯誤は95条4項、強迫と制限能力については96条3項類推適用）であるが、①〜③についてはほぼ94条2項類推適用説について述べたところが当てはまる。

①まず、第三者の登記の要否であるが、対抗問題説では、C は先に登記しなければならず、A が先に登記を取り戻したら所有権取得を主張できない。これに対して、94 条 2 項類推適用説では、条文上は登記は要求されておらず、不要説と権利保護要件として要求する必要説とに分かれる。

②次に、第三者の主観的要件であるが、94 条 2 項類推適用説では、C には善意が必要である（放置型ということを考えれば無過失も必要）。これに対し、対抗問題説では、背信的悪意者でなければよいことになる（悪意者排除説では善意が必要）。この点、取消しの事実を知っている者を原則として背信的悪意者として扱う処理が提案されている（広中 129 頁）。

③いつの段階の第三者が保護されるかについては、取消し後の第三者につき一切適用を認めるのが 177 条適用説であるが（さらには学説によっては取消し前から）、94 条 2 項類推適用説では、取消し後直ちに適用するか、それともその後に放置があった後の第三者に限定するかは対立がある（さらには学説によっては取消し前から適用）。94 条 2 項類推適用ではその適用を根拠づけるほどの重大な帰責事由が必要であるが、177 条では登記しうるのにしなかったといった程度の帰責事由で足りる。

§Ⅲ
相続と登記

1　相続による所有権取得の対抗

9-22 (1)　単独相続の場合

制限説では相続には 177 条が適用されない。また、無制限説でも、現在では生前相続（隠居）は廃止され死亡相続だけしかないので、相続後に、被相続人から所有権を取得する、または制限物権の設定を受ける「第三者」が現われることはありえない。したがって、不法行為者や不法占有者等につき「第三者」性を否定する限り、「第三者」に該当する者は考えられない。ところが、相続不動産が賃貸中である場合に、無制限説＋賃借人への対抗につき賃借人を「第三者」とする処理を適用すると、177 条を適用する余地があったが、改正によって 177 条の適用は否定された（☞ 9-23）。

9-23

◆賃貸中の相続不動産と相続人による賃料請求

①制限説では相続自体に177条を適用しないため、賃貸人につき相続があっても、相続による所有権移転登記なしに、相続人は賃借人に賃貸人たる地位の相続を主張できることになる。②無制限説によりつつも、ⓐ賃借人を177条の第三者と認めなければ、同様になる（舟橋165頁）。ⓑ他方で、無制限説でかつ賃借人を第三者と認める判例の立場では、相続人は移転登記をしないと、賃借人に賃貸人たる地位の取得を対抗できないことになるはずである。しかし、賃借人が支払おうとしても、もはや被相続人は存在せずそれへの支払の効力を認めることはできない。また、問題は賃貸人たる地位という契約上の地位の移転であり、債権「譲渡」についての467条は相続には適用にならないことを考えれば、判例でも相続では登記不要という解決は可能である（末川127頁）。しかし、登記を要求する学説もある（田山110頁）。改正法は、177条から離れて605条の2第3項に規定し、同規定は譲渡の事例にその適用が制限されている。

9-24

◆被相続人からの譲受人との関係

⑴　相続人との関係（対抗関係にならない）

例えば、Aがその所有の土地をBに売却したが所有権移転登記をしない間に死亡して、CがAを相続したとする。この場合、A→BとA→Cという相反する物権変動があり二重譲渡と同じ関係になってCが登記を先に備えると所有者となれるのであろうか。そのように考える学説は皆無である。相続とは一切の被相続人の法的地位を承継するものであるから、CはAの売主たる地位を承継し、Bとの関係ではA＝Cということになるので、BとCは物権変動の当事者（Cは「第三者」ではない）ということになる。そして、Aの売主としての売買契約上の義務を承継しているので、CはAからBへの所有権移転登記義務を承継することになる。ただし、すでに相続登記をしている場合には、便宜上、CからBへの移転登記も許される。

9-25

⑵　相続人からの譲受人との関係（対抗関係になる）

上の例に追加して、Cがこの土地をDに売却してしまったら、BとDとの法律関係はどうなるのであろうか。

①当初の判例は、Cは無権利になったAから相続により所有権を取得できないのであり、Cが所有権を相続したとしてDに譲渡したとしても、Dは無権利者からの譲受人であり所有権を取得しうるはずはなく、Dの登記は登記の原因を欠く不正なものであると判示していた（大判大10・6・29民録27輯1291頁）。

②その後、大判大15・2・1民集5巻44頁はこれを変更し、登記をしない限りBは第三者に対抗できないために、「被相続人は、譲渡の登記あらざる結果、Bに対する譲渡に因りて全く不動産の所有権を失ひたる者に非ずして、Dに対する関係に於ては依然所有者にして、所謂関係的所有権を有するものなりと謂うを

得べし。……相続人は此の関係的所有権を承継するものと謂うべく、従てDが此の相続人より同一不動産の譲渡を受け其の登記を経由したるときは、Bは被相続人より取得したる該不動産の所有権を以て之に対抗することを得ずして、Dは完全なる所有権を取得するものと謂はざるを得ず」と判示した（同旨として、最判昭 33・10・14 民集 12 巻 14 号 3111 頁がある）。

BとDを対抗関係に立たせる説明としては、①判例のように、Aに不完全な所有権が残っており、これがCに相続されるという説明、および、②この場合には、Aの地位を相続によりCは承継するため、A＝Cということになり、A＝CがBとDとに二重譲渡したのと同じ関係に立つという説明とが考えられる。

9-26

◆「相続させる」旨の遺言と 177 条（相続法改正による判例の変更）

最判平 14・6・10 集民 206 号 445 頁は、Aがある不動産をXに「相続させる」旨の遺言を残して死亡したが、共同相続人であるBの債権者YがBに代位して本件不動産について相続登記をした上で、これを差し押さえた事例で、Xの第三者異議を認容している。その理由は以下のようである。

「特定の遺産を特定の相続人に『相続させる』趣旨の遺言は、特段の事情のない限り、何らの行為を要せずに、被相続人の死亡の時に直ちに当該遺産が当該相続人に相続により承継される」。「このように、『相続させる』趣旨の遺言による権利の移転は、法定相続分又は指定相続分の相続の場合と本質において異なるところはない。そして、法定相続分又は指定相続分の相続による不動産の権利の取得については、登記なくしてその権利を第三者に対抗することができる」。

2018 年相続法改正は、899 条の 2 第 1 項に「相続による権利の承継は、遺産の分割によるものかどうかにかかわらず、次条及び第 901 条の規定により算定した相続分を超える部分については、登記、登録その他の対抗要件を備えなければ、第三者に対抗することができない」と規定した（動産についても 178 条が適用される）。そのため、「相続させる」旨の遺言により、Xが取得した不動産につき、法定相続分については登記なくしてYに対抗できるが、それを超える分の取得は登記なくしてYに対抗できず、YのしたBの持分の差押えは有効であることになる。

9-27

◆相続分の指定と 177 条（相続法改正による判例の変更）

例えば、ABが法定相続分平等で相続したが、被相続人が遺言により甲地につき A3 対 B1 の相続分の指定を行った場合に、相続後にBの債権者Cが甲地のBの持分を 2 分の 1 として相続登記をした上で、Bの持分を差し押さえたとする。この場合、AはBの持分は 4 分の 1 であることをCに対抗できるであろうか。

ABの遺産分割により 2 分の 1 ずつの持分が 3 対 1 に変更されたのであれば、

相続人間に物権変動があるが（☞9-33）、この事例は、初めから相続により３対１の相続分で相続したのであり、相続それ自体の対抗しか問題にならないのである。そのため、最判平５・７・19集民169号243頁は、上の例でいうと、Ｂの持分の登記は４分の１を超える部分は無効であり、登記に公信力がないので、Ｃは４分の１しか持分を取得できないとした。しかし、この点も、899条の２第１項により変更され、Ａは相続分の指定により２分の１を超える部分を取得したことは、登記なくしてＣに対抗できなくなった。

9-28 **(2)　共同相続の場合**

(a)　**問題点**　Ａが死亡し、その所有の土地をＢとＣとが共同相続した後（相続分平等）、Ｃが遺産分割書を偽造して本件土地につき勝手に単独の所有権移転登記をした上で、本件土地をＤに売却しＤが所有権移転登記を受けたとする。Ｂは、本件土地につき持分２分の１を相続により取得していることを、登記なくしてＤに対抗できるのであろうか。BDを対抗関係と考え、共同相続に177条を適用するか否かは、共有ないし共有持分の理解にかかっている。

9-29 (b)　**無権利説（登記不要説）――通説・判例**　通説・判例は、共有の法的性質につき、１つの所有権を複数の者に量的に分割されて帰属するものと考えるため（☞21-12）、あくまでも、Ｃは２分の１の所有権部分しか有せず、登記に公信力がない以上、ＤはＣの持分の部分しか取得しえないことになる。このようにＢの持分部分については無権利の法理を貫くのが判例であり（最判昭38・2・22民集17巻1号235頁）、「Ａの登記はＣの持分に関する限り無権利の登記であり、登記に公信力なき結果ＢもＣの持分に関する限りその権利を取得するに由ないからである」と述べている[39]。

この説は、共有についての理論的根拠のほかに、結果の妥当性からも相続人保護を優先すべきことを根拠づける。すなわち、相続における相続人の生活保障、実質共有財産の清算といった点を根拠に、取引の安全よりも相続人保護を優先させるべきである考えている。ただし、この説も取引の安全の保護を一切しないわけではなく、このような無効の登記がされているのを知り

39）　**＊無権利説における事後処理**　この説による場合、Ｄの単独所有の登記は、Ｃから取得した持分部分については実体に符合し有効であるので、実体に一部符合しないだけであり、ＢはＣからＤへの移転登記の抹消は請求できず、単に自分との共有登記への更正登記を請求しうるのみである（☞21-32）。そして、Ｄは売主Ｃに責任を追及することになる。

ながら、他の共同相続人がその登記を放置していた場合には、94条2項の類推適用により第三者の保護は可能となる（加藤141頁）[40]。

9-30 **◆対抗問題説（登記必要説）——少数説**

共有の性質について複数所有権説（☞21-13）を採用する学説は、登記必要説を主張している。BCの共有はBもCも所有権を有するのであり、それぞれ相互にほかにも所有者がいるため完全な所有権になれないという制限を受けていると考え、ほかに共有者がいることは制限物権を持つ者がいるのと同様であると考えるのである。制限物権は登記しなければ第三者に対抗しえないのと同様に、Bはその持分を登記しなければCの所有権がBの所有権により制限を受けていることを対抗できず、その結果、Dが取得した所有権に自分の所有権による制限を対抗できず、Dは無制限の所有権を取得することになる（舟橋167～168頁、我妻・有泉111頁）。結果の妥当性からも、①BC間の身内の不始末により生じた争いであり、身内の者が第三者を犠牲にしてまで保護されるべきではないこと、②一方でBは相続という無償取得であるのに対して、他方でDは売買という有償取得であることから、取引の安全保護を優先させるべきであると考えるのである。しかし、前提たる複数所有権説には批判が強く、異説にとどまっている。

2　遺産分割と相続放棄

9-31 (1)　遺産分割と相続放棄の効果と第三者保護に関する民法の規定

(a)　遺産分割——遡及効あり（第三者保護規定あり）　例えば、Aが死亡しその所有の土地をBCが共同相続し、BC間の協議によりこの土地はCが取得することになったとする。ところが、Cが相続を原因とした所有権移転登記をする前に、Bの債権者Dが、Bに代位してBCの相続登記をした上で、Bの持分を差し押さえたとして、Cは遺産分割をDに対抗できないのであろうか。

遺産分割があると、「遺産の分割は、相続開始の時にさかのぼってその効力を生ずる」（909条本文）ことになり、分割により取得した財産については、Aから直接土地所有権が移転したものと擬制され、他方、Bはその土地については一切相続により権利（持分）を取得しなかったものと擬制される

40)　**＊無権利説における第三者保護**　無権利説によりながら第三者を保護する方法としては、94条2項の類推適用以外にも、共同相続人全員の合意で1人の相続人が管理していることもあろうから、110条の類推適用という解決法も提案されている（鎌田薫「相続と登記」『判例に学ぶ民法』［1994］59頁）。戸籍上知りえない相続人については、784条ただし書の類推適用も主張されている（広中147頁）。

（**宣言主義**という）。121条に匹敵する遡及効による擬制であり、96条3項に匹敵する制限規定として、「ただし、第三者の権利を害することはできない」と規定されている（909条ただし書）。ここでは分割前の第三者のみが対象になっていることは明らかである。

9-32　(b)　**相続放棄――遡及効あり（第三者保護規定なし）**　民法は、相続放棄につき、「相続の放棄をした者は、その相続に関しては、初めから相続人とならなかったものとみなす」（939条）と規定し、遺産分割と同様の擬制がなされている。しかし、相続放棄には、第三者保護規定はない。したがって、Dが上記の差押えをしていたとしても、その後に、Bは相続放棄をしてDの差押えを無効にでき、Cが第三者異議によりDの差押えを排除することができる。第三者の保護よりも、相続人の放棄の自由を尊重したのである。なお、B自らが相続登記をして持分をDに譲渡した場合には、法定単純承認となるため（921条1号）、その後に相続放棄はできない。

以上のように、遺産分割、相続放棄のいずれについても被相続人からの直接の取得という擬制がされ、Bは初めから無権利者と擬制される。いずれのケースでも、Dは無権利者Bの持分を差し押さえたにすぎないことになる。しかし、それ以前の第三者保護について民法は差を設けている。遺産分割や相続放棄後の第三者についてどう考えるべきであろうか。

9-33　**(2)　遺産分割と相続放棄についての判例・学説**

(a)　**遺産分割**　判例は、遺産分割については177条の適用を肯定し、相続放棄についてはこれを否定する。まず、遺産分割については、「遺産の分割は、相続開始の時にさかのぼってその効力を生ずるものではあるが、第三者に対する関係においては、相続人が相続によりいったん取得した権利につき分割時に新たな変更を生ずるのと実質上異ならないものであるから、不動産に対する相続人の共有持分の遺産分割による得喪変更については、民法177条の適用があり、分割により相続分と異なる権利を取得した相続人は、その旨の登記を経なければ、分割後に当該不動産につき権利を取得した第三者に対し、自己の権利の取得を対抗することができない」と説明する（最判昭46・1・26民集25巻1号90頁）。

9-34　(b)　**相続放棄**　他方、相続放棄は「その相続に関しては、初めから相続人とならなかった」ことになるため（939条）、相続放棄により、「相続人は相続開始時に遡ぼって相続開始がなかったと同じ地位におかれることとなり、この効力は絶対的で、何人に対しても、登記等なくしてその効力を生ずる」ものと、登記不要であることを説明している（最判昭42・1・20民集21巻1号16頁）。

通説も同様である（広中153頁など）。相続放棄はそもそもBは相続人にならなかったことになるのである。これに対して、遺産分割は、Bは相続人であることに変わりなく、相続税などとの関係で、遺産分割による財産取得者が被相続人から直接に取得したものと扱うだけであり、第三者との関係では持分の移転があると考えてよい。相続放棄は単独行為であるのに対し、遺産分割は相続人間の持分の譲渡の実質を持つ合意であり、また、相続放棄の有無は、家庭裁判所で確かめることができるといった差もある。なお、899条の2第1項は、相続放棄は対象としていない。Cは100％の相続分を有し、相続分通りの取得になるからである。

9-35 **◆遺贈と登記**

例えば、Aがその所有の土地をBに遺贈（単独行為であり、贈与のような契約ではない）し死亡したが、Aの相続人Cの債権者DがCに代位して相続登記をした上でこれを差し押さえたとする。遺贈の事実をその後知ったBは、登記なくしてDに対抗できるであろうか。

遺贈も意思表示による物権変動の一種であり、177条の適用を受け登記を要する物権変動であると考えるのが通説（舟橋160頁、末川121頁など）・判例である（最判昭39・3・6民集18巻3号437頁）。AとCを「法律上同一の地位にある」として、同一人につき譲渡があったがその移転登記前に債権者により差押えがなされたのと同視することになる。しかし、受遺者は遺贈があったことを早期には知りえないことが多いので、登記を要求するのは実際上酷なことから、登記を不要とする考えもある。なお、包括遺贈では、受遺者は相続人と同一の権利義務を有するので（990条）、相続と同じ規律を受け登記不要となる。

§Ⅳ
取得時効と登記

1　判例の採用する5つの原則

9-36 不動産の取得時効にも177条が適用され、これを登記しなければ、第三者に取得時効を対抗できないのであろうか。判例は、取得時効と登記の問題およびこれに関連した問題について、以下の5つの原則を採用している。判例は、**有効二重譲渡型**とそれ以外の事例——無効や無権代理による譲渡に基づいて不動産の占有を開始した**譲渡無効型**、Aの山林の一部を、隣接する山林を購入したBは自分の購入した山林の一部と勘違いして占有を開始した**越境型**など——とを区別せず一律に同じ規律に服せしめている。

なお、取得時効は原始取得であるが、実質的には旧所有者から時効取得者への所有権の移転であり、旧登記の廃止・新たな所有権保存登記ではなく、時効を原因とした所有権移転登記を行う。そのため、共同申請であり、旧所有者が協力をしなければ判決による登記によらざるをえない。

原則①　所有者に対しては登記なくして時効取得を対抗しうる
原則②　時効完成前の第三者には、登記なくして時効取得を対抗しうる
原則③　時効完成後の第三者には、登記なしには時効取得を対抗しえない
原則④　時効の起算点は自由に選択できない
原則⑤　原則③が適用されても、新たに時効が完成すれば、新たな時効について原則①が適用される

9-37 **(1)　原則①——所有者は物権変動の当事者**

まず、原則①について、Aの土地をBが所有の意思を持って占有し取得時効が完成した場合を例に説明する。この場合、Bは登記なしに所有権取得をAに対抗でき、所有権移転登記手続をとることを請求できる（大判大7・3・2民録24輯423頁等）。

Bは占有開始時に遡ってAの土地の所有権を取得することになり（144条）、取得時効は原始取得ではあるが、実質的にはAからBへの所有権移転であり（☞9-36）、占有開始時において、AからBへの実質所有権移転があったことになる。最判昭42・7・21民集21巻6号1653頁は、「本件土地所有権の得喪のいわば当事者の立場に立つ」と明言する。

9-38 **◆抵当権付き不動産の取得時効**

ところで、問題の土地に、Bによる占有開始前にAによりCのために抵当権

が設定されていたら――占有開始後の抵当権設定は原則②の問題――、Bは新たな所有権を原始取得するので、抵当権の負担のない新たな所有権を取得することになるのであろうか。それとも、占有時に遡ってAからBは実質的に所有権の移転を受けるのであれば、その当時にすでに抵当権が設定されていたので、抵当権付きの所有権を原始取得するにすぎないのであろうか。

この点、占有者Bが、抵当権を容認していたか否かによって結論が異なるものと考えられている（☞民法総則9-213）。①抵当権付きの土地を、Aを装う者または無権代理人からBが購入した場合には、抵当権を容認していたのでこれを承継し、②Bが越境してAの土地の一部を占有していた越境型の場合には、抵当権を容認しておらず抵当権なしの所有権の原始取得を主張できる。②の場合には、時効取得者は、所有者には分筆・所有権移転登記、抵当権者には分筆部分の抵当権抹消登記手続を請求できることになる。

9-39 **(2) 原則②**
――時効完成前の第三者には、登記なくして時効取得を対抗しうる

次に原則②であるが、Bの占有開始後時効完成前にAからCに土地が譲渡され、Cが所有権移転登記をした後に時効が完成しても、BはCに対して時効取得を登記なくして対抗できる（大判大13・10・29新聞2331号21頁、大判昭6・4・7新聞3262号12頁）。

まず、時効完成前にAから不動産を譲り受けたCは、時効完成によりCからBへの実質的物権変動が生じるため[41)]、BCが物権変動の当事者となるかのようである。そのような説明をした判決もある[42)]。しかし、時効は起算点に遡るので（144条）、AからBへの物権変動であり、また、Cが抵当権者の場合にはこの説明は当てはまらない。判例は「第三者のなした登記後に時効が完成した場合においては、その第三者に対しては、登記を経由しなくと

41) Bの時効取得は、解除条件説では時効完成時に、停止条件説では援用時に認められる。いずれもその時点の所有者CからBへの実質所有権の移転かのようであるが、時効の効力は起算点に遡及するため（144条）、AからBへの実質所有権移転を、Aからの譲受人Cに対抗することになるのである。

42) ところが、後述の二重譲渡型については、A→Xの譲渡後、A→B→C→Yと譲渡がされ（Yが登記取得）、Xの占有時から時効を起算し、Yが所有者の時に時効完成した事例で、時効完成により所有権がYからXに移転しXYは物権変動の当事者となるという説明をする。すなわち、最判昭46・11・5（☞9-59）は、「時効完成当時の本件不動産の所有者であるYは物権変動の当事者であるから、XはYに対しその登記なくして本件不動産の時効取得を対抗することができる」という。時効完成時に所有権移転を認めるのは、取消しによる無効の遡及効につき、取消しにより所有権が復帰しそれが遡及するだけと構成する対抗関係説と親和性がある。AからBへの所有権移転ではなく、CからBへの所有権移転でそれが遡及するだけと理解することになろう。

も時効取得をもってこれに対抗しうる」と結論を述べるだけである（最判昭36・7・20民集15巻7号1903頁等多数）。

登記ができるのに登記しないために177条の対抗不能という不利益が課せられるのであり、登記できるのにしていないことが177条適用の必須の前提である。そうすると、起算点に遡って認められるA→Bの所有権の実質的移転は、時効完成前まではBは登記ができないので177条を適用する前提が欠けている。そのため、時効完成前の第三者については、所有権取得者に限らず、抵当権者などすべての第三者に原則②を適用し、この結論は177条の適用の制限によって説明がされるべきである。

9-40 **(3)　原則③**

——時効完成後の第三者には、登記なしには時効取得を対抗しえない

取得時効により実質的にAからBへの所有権の移転があるということ、そして、取得時効にも177条が適用になることから、Bは時効完成以降の第三者に対しては時効取得を登記なくして対抗しえないことになる（大判大14・7・8民集4巻412頁、最判昭33・8・28民集12巻12号1936頁、最判昭57・2・18判時1036号68頁など）[43)]。これが原則③である。取得時効により占有時に遡ってAからBへの実質的物権変動が生じ、時効完成前後を問わずAからCに譲渡や抵当権設定等がなされると、BCは対抗関係に立つが、時効完成前と違うのは、完成後はBは登記ができる点である。時効完成後は、177条の適用を制限する必要はない。

ただし、この点は、指折り数えて時効完成を心待ちにしている者はこれでよいが、善意の占有者については、自己の土地と信じているのであり登記を事実上期待できないという点は疑問が残される。そのため、判例を修正し、時効完成後、占有者が時効を認識可能になった時点を177条の適用時点と

43)　なお、賃借権の越境型の取得時効については問題がある。例えば、甲地を賃借したAが、隣地のB所有の乙地まで越境して占有をした場合にも、乙地の占有部分について賃借権の取得時効の余地があるが、時効完成後にBから乙地を取得したCに対して対抗要件を具備しないと取得時効を対抗できないが、建物の所有権保存登記による借地権の対抗力は乙地にも及ぶのであろうか。この点について直截に判断した判決はないが、乙所有の土地（乙地）を借り受け、同土地上に保存登記をした建物を所有する者が、甲所有の隣接土地（甲地）を庭として使用するため借り受けた場合においては、「賃借権の対抗力は甲地に及ばない」（甲に変更）とされており（最判昭44・10・28民集23巻10号1854頁）、この趣旨を及ぼせば、乙地には借地権の対抗力は及ばないことになる。

する学説もある（☞ 9-54）。

9-41
◆時効における停止条件説との関係

解除条件説であれば、取得時効により援用を要することなく、当然に占有者が所有権を取得する。すなわち時効完成時が物権変動の時期になる。ところが、現在では、判例は停止条件説を採用しているものと考えられており（☞民法総則9-27）、時効完成により占有者に時効援用権が成立するにすぎず、時効の援用があって初めて所有権を取得することになる。そうすると、時効完成時に物権変動を認めて、その後の第三者に、すでに生じた物権変動（所有権取得）を対抗できないという判例の図式が崩れそうである。時効完成時ではなく、援用時が基準時になりそうだからである。

ところが、そうすると、時効援用ができるのにしないで、第三者が登場してから慌てて援用しても、取得時効前の第三者になり登記なくして対抗できてしまう。かといって、占有が長くなればなるほどより保護に値するという疑問もある。そのため、時効完成を認識し援用を期待できるようになった時点（またはそれからさらに放置が認められる時点）を基準としたり、この時点から94条2項を類推適用する学説が登場することになる（☞ 9-55）。本書としては、解除条件説に依拠するが（☞民法総則9-23）、次のように考えたい。時効の効力は起算点に遡り（144条）、占有開始時のA→Bの実質所有権移転を完成前か後かを問わずCに対抗することになるのである。Cとは完成前後を問わず対抗関係であり、完成前には177条の適用が制限され、完成後は177条の適用が可能になるという差があるのである。こう考えれば、判例が解除条件説から停止条件説に変わっても、原則②③を変更する必要がなかったことを説明できる。

9-42
◆取得時効と背信的悪意者排除論

取得時効と登記の問題においても背信的悪意者排除論が適用されるが、悪意の対象が取得時効なので、悪意を正確には語りにくい。いつから占有を開始しているのか、また、占有開始時に善意無過失か否かにより10年と20年と時効期間が異なり、売買契約がされたかどうかとは異なり、容易に取得時効の完成を知ったかどうかの認定はできない。そのため、8-4に述べたように、最判平18・1・17民集60巻1号27頁は、「乙が、当該不動産の譲渡を受けた時点において、①甲が多年にわたり当該不動産を占有している事実を認識しており、②甲の登記の欠缺を主張することが信義に反するものと認められる事情が存在するときは、乙は背信的悪意者に当たる」としたのである。

①「多年にわたり当該不動産を占有している事実」の認識と、②「登記の欠缺を主張することが信義に反するものと認められる事情」が存在することを要件とし、①で悪意の点を緩和したにすぎない。これに加えて信義に反する事情が必要になるが、時効の場合にはどのような事情が問題になるのかは不明である。原審

判決は、「困惑させる目的」がなくても、生活に支障が生じることを知っていただけでも信義に反すると認定した。最高裁は原判決を破棄するが、悪意の認定の点を問題視しただけである。この点の背景は、自己の土地のために通路として使用している土地部分の取得時効が問題になった事例であるという特殊性がある。通行地役権については、悪意さえ問題にせず、その取得時効の対抗を認めるのであり（☞ 8-16）、それとのバランス論を図る考慮があったものと考えられる。

9-43 **(4)　原則④――時効の起算点を自由に選択できない**

以上のように、時効完成前の第三者か完成後の第三者かで、原則②によるか原則③によるか全く取扱いが異なってくるため、もし時効援用権者が自由に時効の起算点を選べるとなると、時効完成前の第三者となる起算点が選ばれてしまい、原則③による第三者保護は事実上無きに等しいことになる。それを避けるため、原則④が要求され、起算点は実際に占有を開始した時点に固定されこれを動かせないことになる（大判昭14・7・19民集18巻856頁、最判昭35・7・27民集14巻10号1871頁など）。時効完成により登記手続を求めることができるようになることが、原則②と原則③を分ける根拠であることからも、これは妥当な解決である。

例えば、前掲最判昭35・7・27は、「第三者に対する関係も同時に考慮しなければならぬのであって、……結局取得時効完成の時期を定めるにあたっては、取得時効の基礎たる事実が法律に定めた時効期間以上に継続した場合においても、必らず時効の基礎たる事実の開始した時を起算点として時効完成の時期を決定すべきものであって、取得時効を援用する者において任意にその起算点を選択し、時効完成の時期を或いは早め或いは遅らせることはできない」と判示してる。

9-44 **◆時効期間の選択ができるか**

時効の起算点如何により時効完成前の第三者か完成後の第三者かが変わってくるので、起算点は客観的に確定されるべきであるが、時効期間を選択することによっても、時効完成前か後かが変わってくる可能性がある。時効期間は選択可能なのであろうか。

①まず、前主の占有を併合主張するか否かの選択ができ、これにより第三者が時効完成前か後かが変わってくる。例えば、Aが悪意で7年占有の後に、Bが目的不動産の譲渡を受け善意無過失で10年以上占有をした場合に、Bの占有から11年後に不動産が第三者Cに売却されたとする。Bの10年の取得時効（162条2項）では時効完成後の第三者になるので、あえてAの占有をあわせて主張しA

の占有から20年の取得時効を援用し、Cを時効完成前の第三者とすることが許されるのであろうか。

②次に、善意無過失で占有を開始し、占有開始から15年後にAからCに不動産が譲渡され、さらに5年占有をした場合、20年の取得時効を選択できるのであろうか。162条1項の20年の取得時効が原則で、同条2項の10年は特則であり、これによるかどうか自由なのであろうか。例えば、Aが善意無過失で占有を開始したが、19年後に第三者Bに目的不動産が譲渡されたとして、Aはさらに1年占有して、10年の取得時効ではなく、20年の取得時効を援用してBを時効完成前の第三者と扱うことを選択できるのであろうか。占有者としては10年の取得時効を問題にすると善意無過失を証明しなければならないので、この立証問題を回避するためにあえて20年の取得時効を選択したのに、第三者側から善意無過失を主張できるのかという問題でもある。問題提起にとどめる。

9-45
(5) 原則⑤
——原則③の適用後、新たに時効が完成すれば原則①が適用される

原則③により、取得時効完成後に第三者Cが所有権移転登記をして、Bがすでに完成した取得時効をCに対抗できなくなっても、Cの登記の時からBがさらに10年間占有を継続すれば、新たにC所有の土地の占有を起算点とする取得時効が完成する。この新たな取得時効につき原則①が適用され、Bはこの新たな時効取得を登記なくしてCに対抗できる。

最判昭36・7・20民集15巻7号1903頁は、本件山林は、A部落の所有であったが、B神社は10年間これを所有の意思を持って平穏、公然、善意、無過失に占有を継続し取得時効が完成した後、CがA部落より本件山林の寄附を受けてその旨の登記を経由した事例で、B神社はさらにCの登記の日より10年間引き続き所有の意思を持って平穏、公然、善意、無過失に占有を継続したことから、「B神社は右時効による所有権の取得をその旨の登記を経由することなくてもCに対抗することができる」と判示した。下線部の時効は、C所有の下での新たな取得時効だと考えられる。

再度の時効の期間については、Bが依然として善意無過失と認定され10年（162条2項）としている。この点、取引に基づかない取得時効については10年の善意無過失の継続を要求する私見からは（☞民法総則9-212）、原則⑤についてはBは10年間の善意無過失の継続が必要になる。

9-46
◆原則⑤と第三者が抵当権者の場合

Aの土地をBの時効取得後に、CがAから当該土地に抵当権の設定を受けその

旨の登記をし、それからさらにBが取得時効に必要な期間の占有を続けた事例について、結論の異なる2つの判決がある。

①BがAに一度取得時効を援用して、Cの抵当権付きのままAから所有権移転登記を受けていた事例では、「起算点を後の時点にずらせて、再度、取得時効の完成を主張し、これを援用することはできない」という理由で、援用自体が否定された（最判平15・10・31判時1846号7頁）。

②他方で、Cの抵当権設定後さらに時効に必要な期間を経過してから初めて取得時効を援用した事例では、BがCの「抵当権の存在を容認していたなど抵当権の消滅を妨げる特段の事情がない限り」、Bは「不動産を時効取得し」、その結果、Cの「抵当権は消滅する」ものとされている（最判平24・3・16☞9-47）。

この点、自己の物の取得時効を認める以上は、①の事例でも取得時効を認めるべきであるが、②の事例とは異なり新たな取得時効につき抵当権を容認していたので、抵当権付きの取得時効しか認められなかったと考えるべきである。

不動産を抵当権付きのまま譲り受けたが、所有権移転登記をしないまま占有を続けた場合、売買契約に基づいて所有権移転登記を受ければ抵当権付きの所有権移転登記しか受けられないが、取得時効を援用すると抵当権を消せるというのはどうみても不合理である。この場合には、抵当不動産の第三取得者と同視して、抵当権の負担を受ける時効取得者には、396条の適用はなく、Cには、167条2項の20年による抵当権の消滅時効の援用が認められるべきである[44]。

9-47

◉最判平24・3・16民集66巻5号2321頁　Aは昭和45年3月Xに甲土地を売却し、Xは同年3月31日には甲土地にサトウキビを植栽して占有を開始したが、所有権移転登記手続をしていなかった。Aは昭和47年に死亡し、Aを相続したBは、昭和57年1月13日に、本件土地について所有権移転登記をした上で昭和59年4月19日にYのために抵当権を設定・登記した。Xはこれらの事情について善意無過失であった。平成18年9月29日、Yが本件土地につき抵当権の実行として競売開始決定を受けたが、平成20年7月14日、XはYに第三者異議の訴えを提起し、競売停止を申し立てた。他方、別訴で同年8月9日、XはBに対

44）不動産賃借権が対抗要件を満たす前に、目的不動産に抵当権が設定されその旨の登記がされたが、その後も賃借人が賃料を支払って占有をし続けた事例で、抵当権設定後に賃借権の取得時効の要件を満たしたものとしても、「競売又は公売により当該不動産を買受けた者に対し、賃借権を時効により取得したと主張して、これを対抗することはできない」ものとされている（最判平23・1・21判タ1342号96頁）。「抵当権の目的不動産につき賃借権を有する者は、当該抵当権の設定登記に先立って対抗要件を具備しなければ、当該抵当権を消滅させる競売や公売により目的不動産を買い受けた者に対し、賃借権を対抗することができないのが原則である。このことは、抵当権の設定登記後にその目的不動産について賃借権を時効により取得した者があったとしても、異なるところはない」というのが理由である。

し、本件土地につき所有権移転登記手続請求の訴えを提起し、取得時効を援用した。第1審、第2審共にXの請求を認容し、最高裁もYの上告を棄却した。

①「不動産の取得時効の完成後、所有権移転登記がされることのないまま、第三者が原所有者から抵当権の設定を受けて抵当権設定登記を了した場合において、上記不動産の時効取得者である占有者が、その後引き続き時効取得に必要な期間占有を継続したときは、上記占有者が上記**抵当権の存在を容認していたなど抵当権の消滅を妨げる特段の事情がない限り**、上記占有者は、上記不動産を時効取得し、その結果、上記抵当権は消滅する」。②Xは本件抵当権の設定・登記を知らずに甲土地の占有を継続し、本件抵当権の存在を容認していた等の特段の事情はうかがわれないから、「Xは、本件抵当権の設定登記の日を起算点として、[甲土地]を時効取得し、その結果、本件抵当権は消滅した」。

2　判例に対する2つの学説および中間的学説

9-48 (1)　占有尊重説——取得時効の要請を重視

(a)　**占有尊重説の主張**　学説には、大きくは2つの立場から、判例とは異なる主張がされている。まず、不動産であったとしても占有のみが取得時効の要件であるから、判例の原則③に反対し、判例よりも取得時効者を保護する修正をする一連の学説があり、これを**占有尊重説**という。この学説は、不動産であっても占有だけで取得時効を認め登記を要件としていないのに、登記を取得時効の第三者への対抗要件として要求するのは、制度として一貫しないと批判する。

取得時効には、取引と異なり、物権変動が生じたならば直ちに登記をすることを求めることが適切ではない特殊性がある。占有者が善意の場合には、自分の所有であると信じているので、取得時効が完成しても登記を期待できないのである。占有尊重説は、判例の原則①や②は当然であり、原則③は取得時効制度の趣旨と矛盾すると批判することになる。

9-49　(b)　**占有尊重説の諸説**　占有尊重説は、どのような構成により判例の原則③を排除するかにより、以下のように分けられる。

①まず、取得時効には177条の適用はなく、登記なくして第三者に対抗できるという**177条適用否定説**がある（於保110～111頁、注民(6)308頁以下［原

島])。公示を犠牲にしてでも、取得時効制度を優先させる占有尊重説を徹底する学説である。②また、起算点の操作により実際に常に時効取得者の保護を優先する学説があり、これも2つに分かれる。ⓐまず、取得時効についても177条を適用しながらも、時効の起算点を現時点から逆算して考える**逆算説**がある(川島武宜『民法総則』[1965] 572頁)。ともかく時効完成に必要な要件を満たしているかだけが確認できればよいと主張する。ⓑまた、取得時効に必要な期間が経過していることさえ証明されればよく、それ以上経過していることはより長い占有はより厚い保護にこそ値すれ保護される資格がなくなる必要はないので、取得時効を主張する者は起算点を自由に選択できるという**起算点自由選択説**もある(柚木127頁)。

9-50 **(2)　登記尊重説——公示の要請を重視**

(a)　登記尊重説の主張　これに対して、一切の物権変動が登記により公示されるべきであるとして、公示の要請を重視する一連の学説があり、これを**登記尊重説**という。この立場では、原則③は当然のことになる。占有尊重説とは逆に、取引の安全保護を取得時効に優先させ、次のような主張をする。

判例の原則①は、不動産の取得時効でも占有だけを要件としている以上やむをえないとしても、原則②は取引の安全を害する不当な結論であると批判する。なぜかというと、不動産の権利関係は登記で確認するしかないが、土地について時効が進行しているということは登記を調べてもわからないからである。そのため、登記尊重説は、公示の要請から、原則②を批判しこれを修正することを試みる(☞ 9-51)。

登記尊重説に対しては、時効の完成を指折り数えていた悪意の占有者は別にして、善意の占有者は自分の土地だと信じているため取得時効の完成を知らず、占有者には時効が完成したら登記を直ちにすべきで、登記をしない以上は不利益を受けても仕方がないという177条を適用する基礎が欠けているのではないか、という疑問が提起されている。

9-51 **(b)　登記尊重説の諸説**

❶　登記時効中断説　登記尊重説にも諸説がある。まず、147条の時効中断事由(改正前)は制限列挙ではなく、これ以外に時効の中断事由を認めないものではないとして、中断事由にふさわしい事由を解釈上時効中断事由——改正法では164条の中断事由の類推適用になろうか——として認める

登記時効中断説が主張されている（末川125頁、我妻・有泉118頁［越境型については、逆算説を妥当としており、二重譲渡型についての議論］）。時効完成前のCが移転登記を受ければ、この土地の所有者はCであるという公示をしたのであり、登記によりBの時効は中断されるべきであると考えるものである。

9-52　**❷ 登記保護機能説（第三者の登記時から時効を起算）**　さらには、Bの時効完成前のCについては、Cが登記した時からBの取得時効を起算するという考えがある。その1つに、登記には登記された権利の喪失を防止する機能ないし保全効があり、この登記の保護機能から——時効の中断事由と構成するのではない——、Cが登記をするとCは取得した所有権を取得時効から保護される効果を受けるものと考え、登記からさらに時効に必要な期間Bは占有しなければ取得時効できないという考えもある（良永和隆「登記時効中断論の再構成」私法51号148頁以下）。

9-53 **(3)　中間的解決を指向する学説**

❶ 判例支持説　他方で、占有尊重説、登記尊重説いずれの主張も極端であると考え、その中間での解決を模索する学説があり、これも諸説に分かれる。まず、判例がむしろ両極端な学説の間にあって最も中庸を探る適切な解決であるという評価も可能ではある。この立場でも、現地検分主義と177条における背信的悪意者排除説を結び付けて、判例の原則③によるCの保護を否定する可能性が考えられている（広中157頁、鈴木142頁、船越95頁）。また、判例を支持した上で、第三者の善意無過失を必要とする主張もある（松岡177頁以下）。

9-54　**❷ 基準時点を変更する学説（登記尊重説ベース）**　善意の占有者には登記を放置したという177条の基礎にある帰責事由が妥当するとはいえず、他方で、占有尊重説のようにいつまでも登記しないで対抗できるというのも、あまりにも公示制度を無視することになる。そこで、時効完成後の一定の時点から177条を適用する学説が提案されている。これも、①援用時を基準とする**援用時基準説**（半田・研究56頁以下、同・範囲63頁以下、滝沢・理論Ⅱ268頁）、②占有者がいつ援用するかにより基準時が決められるのは不合理なので、時効完成を認識した時を基準とする**時効認識時基準説**、③さらには、時効により取得した所有権はいまだ占有と結び付いたゲヴェーレ的所有権であり、確定判決により観念的所有権に転化し、確定判決以後は登記しなければならないという**確定判決時基準説**もある（舟橋172頁）。本書としては、時効完成＋帰責事由を要件と考えて、時効取得の認識可能性時（＝援用期待可能時）から177条を適用することを提案したい。時効完成時を基準とすることが原則であり、これを争う時効取得者に認識可能性がなかったことの証明責任が負わされる。

9-55　**❸　94条2項類推適用説（占有尊重説ベース）**　他方で、占有尊重説をベースにして、中間的解決を図る学説もある。①177条不適用説によりつつ、Bは時効の完成を認識したのにAの登記を放置した場合に94条2項の類推適用により、登記を信頼したCの保護を優先させようという学説（加藤137頁、清水91頁）、②逆算説を支持しながら、時効取得者が登記をしうることをはっきりと認識しながら他人名義の登記を放置した場合には、94条2項の類推適用により第三者を保護する学説がある（加藤一郎『民法ノート(上)』［1984］92～93頁）。

3　有効二重譲渡ケース

9-56　(1)　問題点

Aはその所有の土地をBに贈与し、Bは直ちにその引渡しを受けて占有を始めたが、所有権移転登記はされておらず、Bが占有を開始してから9年後に、Aがこの土地をCに売却しCに所有権移転登記がされたとする。BCはかなり時間差があるが二重譲渡の対抗関係であり、Cが先に登記を取得しているので、二重譲渡の優劣についてはCが優先する。

①Bは自己の土地を占有していたのであり、Cが所有権移転登記をした時からBは他人の＝C所有の土地を占有することになり、善意無過失の占有者として10年の占有により取得時効が完成する――新たな取引をしていないので、10年間の善意無過失の継続が必要とすることも考えられる――のであろうか。②それとも、長く続いた占有をそのまま尊重すべきであり、Bの当初の占有から取得時効を起算すべきであろうか。

①では、Cが所有者として10年間権利行使を怠って初めて取得時効が完成する。他方で、②では、Bは本来の譲渡についての対抗関係ではCに負けたはずなのに、もう1年占有継続をすれば、取得時効を援用して勝敗を覆えすことができることになる。確かに取得時効については完成までは登記

ができないが、Bは譲渡についての所有権移転登記ができたといった、二重譲渡事例の特殊性が認められる。

9-57
◆取得時効と登記をめぐる類型論

取得時効と登記をめぐっては、これまでの判例においても種々の事例が問題とされてきた。①有効未登記型（有効な法律行為に基づいて占有を開始したが未登記の場合）、②原因無効型（権利取得原因が無効な場合）、③原因不存在型（権利取得原因が証明されていない場合）、④譲渡占有型（権利が移転したが引き続き占有している場合）、⑤古来型（古くから占有をしている場合）、⑥境界紛争型、に分けられる（星野英一「取得時効と登記」『民法論集第４巻』［1980］326頁）。以上までの議論は②〜⑥について当てはまるものであり、①の二重譲渡型もこれらと同じ規律でよいのかが問題とされている。また、②〜⑥も全て同じ規律でよいのかは議論されており、例えば、⑥の境界紛争型（越境型）については、占有者が善意無過失であっても20年の取得時効のみを認めるべきであるといわれる（星野・前掲論文338頁）。

9-58
(2) 判例――当初の占有開始から起算

①最判昭42・7・21民集21巻6号1643頁は、「所有権に基づいて不動産を占有する者についても、民法162条の適用がある」と述べ、その理由を、「取得時効は、当該物件を永続して占有するという事実状態を、一定の場合に、権利関係にまで高めようとする制度であるから、所有権に基づいて不動産を永く占有する者であっても、その登記を経由していない等のために所有権取得の立証が困難であったり、または所有権の取得を第三者に対抗することができない等の場合において、取得時効による権利取得を主張できると解することが制度本来の趣旨に合致する」と説明する。また、162条が「他人の物」としたのは、「通常の場合において、自己の物について取得時効を援用することは無意味であるからにほかならないのであって、同条は、自己の物について取得時効の援用を許さない趣旨ではない」ともいう。

②また、最判昭46・11・5民集25巻8号1087頁（☞9-59）は、第2買主が先に登記をした場合、「第1の買主は当初から全く所有権を取得しなかったことになる」と説明する。自己の物の取得時効というのではなく、対抗できない第三者Cとの関係では、他人A所有の不動産を占有していたことになる、という説明によるようである。

判例に従うならば、占有から9年後にCに譲渡され所有権移転登記がされた場合には時効完成前の第三者のケースとなり、Bはあと1年占有を続けることで取得時効が完成し、判例の原則②が適用され登記なくして時効取得をCに対抗できることになる。判例は10年の取得時効を認めている。

9-59

◉最判昭46・11・5民集25巻8号1087頁

⑴ **事案および原審判決**　Xは昭和27年1月26日Aの代理人Bから本件各土地を買い受け、同年2月6日その引渡しを受け占有してきたが、所有権移転登記をしていなかった。Cは、Aの死亡後に相続人であるDEから昭和33年12月17日その本件各土地を買い受け、同月27日その旨の所有権移転登記をした。Cは、昭和34年6月頃Fに対し買掛代金債務の代物弁済としてその所有権を譲渡し、Yは同月9日Fから本件各土地を買い受け、中間省略により同月10日Cから直接その所有権移転登記を受けた。Xは本件各土地の所有権を時効取得したと主張して、Yに対して土地所有権確認と所有権移転登記抹消登記を請求した。原審判決は、「第一の買主の取得時効の起算点は、自己の占有権取得のときではなく、第二の買主の所有権取得登記のとき」とし、その理由として、「第一の買主も第二の買主も、ともに所有権移転登記を経由しない間は、不動産を占有する第一の買主は自己の物を占有するものであって、取得時効の問題を生ずる余地がな」いことを挙げる。結論として、Cの昭和33年12月27日の所有権移転登記から時効を起算し、時効未完成とした（請求棄却）。

9-60

⑵ **最高裁判旨**　最高裁は原審判決を破棄差し戻す。「不動産の売買がなされた場合、特段の意思表示がないかぎり、不動産の所有権は当事者間においてはただちに買主に移転するが、その登記がなされない間は、登記の欠缺を主張するにつき正当の利益を有する第三者に対する関係においては、売主は所有権を失うものではなく、反面、買主も所有権を取得するものではない。当該不動産が売主から第二の買主に二重に売却され、第二の買主に対し所有権移転登記がなされたときは……、登記の時に第二の買主において完全に所有権を取得するわけであるが、その所有権は、売主から第二の買主に直接移転するのであり、売主から一旦第一の買主に移転し、第一の買主から第二の買主に移転するものではなく、第一の買主は当初から全く所有権を取得しなかったことになるのである。したがって、第一の買主がその買受後不動産の占有を取得し、その時から民法162条に定める時効期間を経過したときは、同法条により当該不動産を時効によって取得しうる」とした。Xはその占有を始めた昭和27年2月6日から10年の経過をもって本件各土地の所有権を時効によって取得したとし、「時効完成当時の本件不動産の所有者であるYは物権変動の当事者であるから、XはYに対しその登記なくして本件不動産の時効取得を対抗することができる」という。

9-61 ### (3) 起算点を第三者の移転登記時とする学説

(a) **起算点**　BC間は二重譲渡の関係であり、本来177条の対抗関係である以上、その土俵で勝負を決すべきである。そこではCが先に登記をして勝っているわけである。占有から9年後の譲渡事例では、あと1年占有を続けたならば、二重譲渡の対抗関係で負けたBが取得時効によって土地の所有権を取得できるのは、結果の妥当性に疑問が残される（稲本155頁）。そのため、Cの移転登記まではBは自己の物を占有していたのであり、この期間は取得時効の要件を満たしていないと考える学説がある。「自己の物であることが証明される限り取得時効は進行しない」といわれる（鎌田・ノート165頁）。本書もこの立場を支持する。

9-62 (b) **時効期間**　起算点だけでなく、Bの取得時効の時効期間についても疑問が残される。①Bは悪意ではなく自分の土地と信じているのであるから、10年の取得時効を認める考えもある（判例も162条2項を適用☞9-59）。②しかし、10年の短期取得時効の趣旨からは、取引により他人物の占有が始められた場合に162条2項の適用は制限されるべきである。ただし、善意無過失の占有者保護との調和を考えるならば、取引に基づかない場合には、10年間の善意無過失の継続を必要として、162条2項の適用を認めてよい（☞民法総則9-212）。二重譲渡事例では、当初の占有が取引に基づいて始まっていることを考えると、Cに善意無過失の継続は不要と考えてよいかもしれない。

9-63 **◆その他の不動産物権変動**

①抵当権の放棄、②不動産の共有における分割禁止の合意、③永小作権の譲渡禁止は（地上権につき☞23-13）、登記なくして対抗できない物権変動であると考えてよい（①については☞9-5）。これに対して、混同による制限物権（例えば、地上権者Aが土地を取得した場合）の消滅について問題はある。所有権移転登記を受ける前に、例えば地上建物をAの債権者が差し押さえ、地上権付きで競売し、Bが建物と地上権を買い受けたとする。Aは地上権の消滅をBに対抗できるのであろうか。対抗できないと考えるべきである。

譲渡担保権の被担保債権の弁済による消滅については、譲渡担保権を担保権として構成すれば、抵当権の弁済による消滅は登記なくして対抗できるのと同様になりそうであるが、所有権の復帰という形になる。判例は、実質的に担保権的構成と異ならない運用をしており、「被担保債務の弁済等により譲渡担保権が消滅した」といいつつも所有権の復帰という形式を重視して、登記をしなければ対抗できないものとしている（最判昭62・11・12判時1261号71頁）。

第4章
不動産登記

第1節　登記の申請と有効要件

§Ⅰ
登記の申請

1　登記の申請手続

10-1 **(1)　共同申請主義**

(a)　共同申請主義の導入　例えば、Aの土地をBが購入した場合、AからBへの所有権移転登記の申請は誰がどのように行うのであろうか。この点につき、不動産登記法（以下、「不登」で引用）16条1項は「登記は、法令に別段の定めがある場合を除き、当事者の申請又は官庁若しくは公署の嘱託[45]がなければ、することができない」と規定している。そして、「当事者の申請」について、同法60条は、「権利に関する登記の申請は、法令に別段の定めがある場合を除き、登記権利者及び登記義務者が共同して[46]しなければならない」と規定する。これを**共同申請主義**という。「当事者」（上記の例ではAとB）の共同申請が必要なので、当事者の一方だけの申請では足りないことになる。

10-2 **(b)　共同申請主義が導入された理由**　フランスやドイツのように、契約段階で公証人の関与を必要とし、かつ、登記申請手続を公証人がそのまま行う制度になっていれば、不実登記を事前に防ぐことが可能である。ところが、日本では公証人や司法書士による登記申請を義務づけず、私人が自由に登記申請をできることにしたので、不実登記を予防するための制度が必要にな

45）　**＊嘱託による登記**　官庁・公署の嘱託による登記として、①不動産の強制競売または不動産担保権実行による競売の開始決定に係る差押え（民執48条・188条、不登16条）、②公売処分（不登115条）、③官庁・公署が登記権利者または登記義務者となる場合（不登116条）、④破産手続開始の決定（破産258条）などがある。

46）　**＊登記権利者・登記義務者**　登記権利者とは、「権利に関する登記をすることにより、登記上、直接に利益を受ける者をいい、間接に利益を受ける者を除く」（不登2条12号）、登記義務者とは、「権利に関する登記をすることにより、登記上、直接に不利益を受ける登記名義人をいい、間接に不利益を受ける登記名義人を除く」（同条13号）。必ずしも明らかな定義ではないが、売買契約でいうと、売主が登記権利者であり、買主が登記義務者である。

る。そこで導入されたのが共同申請主義である。もし、買主Bが単独で登記申請をできるとしたならば、売買契約が締結されてもいないのに売買契約書を偽造して登記申請ができてしまう。それを、ABの共同申請を要求すれば、通謀虚偽表示でない限り虚偽の登記の申請を防げることになる。

10-3　(c)　**登記識別情報による虚偽の登記の予防**　しかし、実際にABが登記所に出向いて登記申請する必要はないので、司法書士に虚偽の契約書、当事者の必要書類を交付して登記を依頼することができ、容易に虚偽の登記ができてしまう。かつては権利証を手に入れて、本人確認、代理権の確認などがクリアされれば、共同申請というハードルは容易に越えられてしまっていた。このように共同申請主義は効果が期待できないため、現行不動産登記法では、登記識別情報というパスワードのような12桁の英数字からなる文字列による情報（暗号）が登記をした権利者に交付され――登記後には登記完了証が交付されるが、登記申請に必要ではない――、それがなければ登記申請ができないことにして、虚偽の登記が権利者の知らないうちにされることを防止しようとしている。ただし、登記識別情報が何らかの形で第三者に知られれば、共同申請主義だけでは、虚偽の登記を予防できないことに変わりはない。

10-4　(2)　共同申請主義の例外

(a)　**相続登記**　不動産登記法上、表示の登記（☞5-11）については、同法28条で、「表示に関する登記は、登記官が、職権ですることができる」ことになっている。権利の登記（☞5-14）については、当事者の共同申請によることが必要である。虚偽の登記の抹消登記にも、虚偽登記の名義人との共同申請が必要である。

ところが、相続の場合は、所有権の移転元が死亡しているので共同申請がそもそもできない。そのため、「相続又は法人の合併による権利の移転の登記は、登記権利者が単独で申請することができる」ことになっている（不登63条2項）。死亡していないのに虚偽の相続登記がされるのを予防するために、添付書面として相続を証明する書面（登記原因証明情報）が必要とされる（同61条）。所有権保存登記（同74条）、所有権登記の抹消登記（同77条）なども、単独での申請が可能である。

10-5　(b)　**判決による登記および仮登記**　共同申請が必要な登記であっても、

「これらの規定により申請を共同してしなければならない者の一方に登記手続をすべきことを命ずる確定判決による登記は、当該申請を共同してしなければならない者の他方が単独で申請することができる」（不登 63 条１項）。この場合、手続上単独で登記申請ができるので共同申請の例外であるが、相手方の申請を裁判所の判決に代えているので、形式上は両当事者の申請があることになる。

また、仮登記については、「仮登記は、仮登記の登記義務者の承諾があるとき及び次条に規定する仮登記を命ずる処分があるときは、第 60 条の規定にかかわらず、当該仮登記の登記権利者が単独で申請することができる」（不登 107 条１項）。仮登記について仮登記権利者だけで申請することができるが、そのためには、仮登記義務者の承諾書または仮処分命令の正本を添付しなければならないので、仮登記義務者の協力が必要なことには変わりない。

2　登記申請の形式的要件および登記官の審査権

10-6 (1)　登記申請の形式的要件（受理要件）

(a)　形式的要件（登記申請の手続上の要件）

(ア)　オンラインによる登記申請が可能　登記申請が受け付けられるためには、当事者が共同で申請し、申請のための法定の要件を満たしかつ申請のための必要書類が添付されていること[47)]が必要である[48)]。登記の申請は、「不動産を識別するために必要な事項、申請人の氏名又は名称、登記の目的その他の登記の申請に必要な事項として政令で定める情報」（**登記申請情報**という）を登記所に提供してしなければならないが、その方法は２つである（不登 18 条）。①「電子情報処理組織」を利用したインターネットによる**電子申請**（同条１号）、および、②「申請情報を記載した書面」を提出する旧来の**書面による申請**（同条２号）である。電子化されている登記簿については、申請

47)　申請書が形式的に必要な記載内容を満たしていればよいから、その内容が正しいとは限らない。登記官には形式的審査権しかないので、真実性を担保するための情報の添付を要求して、形式的審査だけで可能な限り虚偽の登記を予防しようとしている。要求される情報も、①当事者の確認のための添付情報、②不動産の確認のための添付情報、および、③登記原因の確認のための添付情報とに分かれる。

48)　申請のために必要な形式的要件を欠いた登記申請は、登記官が理由を付した決定によって申請を却下することになっている。却下事由は不登 25 条１号から 12 号までの事由と、13 号のその他登記すべきものではないとして政令で定める事由である（不登令 20 条１号～８号により定められている）。

人は、登記識別情報を提供しなければならない（不登22条）。

10-7　(イ)　**登記原因証明情報の提供が必須**　「権利に関する登記を申請する場合には、申請人は、法令に別段の定めがある場合を除き、その申請情報と併せて登記原因を証する情報を提供しなければならない」（不登61条）。この**登記原因証明情報**は、登記をする原因が存在することを証明する情報（例えば、売買契約書）である。これを要求することにより、登記申請内容に誤りがないことを確保しようとしたのである。

登記原因としては、売買契約、贈与契約、代物弁済、抵当権設定契約、地役権設定契約等、抵当権設定契約の合意解除などが考えられ、これらの成立を証する情報（普通は契約書）を提出することが必要である。所有権の移転については、相続、売買契約、交換契約、贈与契約などだけでなく、譲渡担保も通達により登記原因として認められている。登記原因証明情報の提供が必須になったため、中間省略登記ができなくなったことは、10-18に述べる。

10-8　(b)　**手続的要件に瑕疵のある申請に基づく登記の効力**

登記申請は、管轄違い、登記できる内容（登記事項）ではないなどの事由がある場合には、登記官は申請を却下しなければならない（不登25条）。もし誤って受理され登記されたならば、登記の効力はどう考えるべきであろうか。これは、事由によって扱いが異なる。

①不動産登記法25条1号から3号と13号（不登令20条1号～8号）については、職権による抹消の対象になり、その前提として登記は無効と考えられる。②これに対して、その他の却下事由があっても、例えば登録免許税を納付していないのに登記がされたとしても登記は有効である。③同法25条4号の申請権限がなかった場合、例えば、代金が未払いであり売主の所有権移転登記の協力が得られないため、買主が売主の委任状を勝手に偽造して登記を申請したような場合には、疑問が残される。学説は分かれる。

10-9　❶　**主観説**　まず、登記義務者の登記申請意思が存在していれば、申請内容と実体関係とが符合している限り、その登記は申請書類に不備があっても有効と考える**主観説**がある。逆にいうと、登記義務者の知らないうちに偽造文書によって登記権利者がした所有権移転登記は、権利関係に合致はしていても無効とされる。ただし、この立場でも、正当な事由がある場合に限り登記の無効を主張して抹消を請求できるといわれる（舟橋116頁）。当事者の利益の調整、中間省略登記の効力の議論との整合性からして、この考えが適切であり賛成したい。

10-10　❷ **客観説**　他方で、登記義務者の意思に基づかない登記であろうと、手続的に不備のある申請による登記も、それが実体関係に符合さえしていれば有効と考える**客観説**もある（柚木138頁、金山204頁、半田・研究125頁[49)]）。その根拠は、登記は現在の権利関係の公示を中心的目的とするのであるから、それに合致している以上無効とする必要はないこと、無効とすると、抹消して改めて同じ登記をすることになり無駄であること、偽造文書による登記申請については、民事・刑事（もっぱら刑事か）の責任を問えばよいことなどである。しかし、自力救済を認めることになる、同時履行の関係を無視することになる等の批判が可能である。

10-11　**◆偽造文書による登記**

偽造文書による登記の効力について、判例の立場は変遷している。①当初は、抵当権の設定に表見代理（109条）の成立が認められた事案につき（したがって実体関係はある）、登記原因証書と委任状とが偽造されて抵当権設定登記がされたが、これを有効としては、「法律が登記に付き形式上の要件を設定し登記申請者をして之を遵守せしむる所以の公益上の目的は、之を貫徹すること能はざるに至る」という理由で、無効とした（大判明45・2・12民録18輯97頁）。しかし、表見代理が成立しているので、抹消登記をしても、再度抵当権設定登記を求められたら所有者はこれを拒めない。

②次に、本人の意思に基づくが、印鑑証明書の日付が偽造されて登記申請がなされた事例につき、「印鑑証明は、文書に押して印影が本人のものであること、従って、その文書の作成者が本人に相違ないことを証明するものに外ならず、右の如く変造されたものであっても、本件登記申請が……の意思に基くものであることに変りはないのである。されば、その瑕疵は比較的軽微な方式に違反する場合として、よってなされた登記の効力を妨げない」として、登記が有効とされた（最判昭34・7・14民集13巻7号1005頁）。

③さらには、無権代理人による根抵当権設定につき表見代理が成立し（110

49）　我妻・有泉129頁もこの立場であるが、利益がある場合には「債権的な意味で」抹消請求をなしうるという。結局は、偽造書面により登記された売主も、同時履行の抗弁権を保持する必要がある場合には、債権的な抹消登記請求権が認められることになる。舟橋教授も、正当な事由がある限り、自己の意思に基づかないで登記がなされた当事者につき、相手方に対して登記の無効を主張して抹消を請求できるという（舟橋116頁）。折衷説と分類することもできるであろう。

条）、委任状を偽造して登記申請をして根抵当権が設定された事例で、「偽造文書による登記申請が受理されて登記を経由した場合に、その登記の記載が実体的法律関係に符合し、かつ、登記義務者においてその登記を拒みうる特段の事情がなく、登記権利者において当該登記申請が適法であると信ずるにつき正当の事由があるときは、登記義務者は右登記の無効を主張することができない」という判決が出されている（最判昭 41・11・18 民集 20 巻 9 号 1827 頁）。下線の要件を満たす場合には（折衷説の一種）無効だが、登記義務者が無効を主張できないという処理をしたものであり、①を変更したものと考えられる。

10-12 (2) 登記官の審査権

登記申請の受理は**登記官**――「登記所に勤務する法務事務官のうちから、法務局又は地方法務局の長が指定する者」（不登 9 条）――が行うが、登記官の登記申請に対する審査権限は、2 つに分けることができる。

①まず、登記申請の書面に必要な記載がなされているか、申請に必要な書面が添付されているか、といった申請の手続的要件の具備の有無の審査を**形式的審査権**というが、これが、登記官に認められるのは当然である。②次に、その申請された登記内容が真実なのか、内容についての真実性の審査権が、**実質的審査権**である。例えば、A から B への売買契約を原因とするある土地の所有権移転登記の申請がされた場合に、本当にその売買契約がされているのかを、調査する権限である。登記官に実質的審査権を与えると、登記が手間のかかるものとなり、迅速にはできないことになる。不動産登記法は、表示の登記については、登記官に実質的審査権を認めたが（不登 29 条）、権利の登記については、申請を却下できる理由として同法 25 条に 13 の事由を列挙し、実質的審査権を認めていない。したがって、登記官は、不動産についての権利関係の登記申請については、形式的（ないし手続的）要件が満たされている限り、その内容が真実か否かを審査できずこれを受理しなければならないことになる。

ドイツでは、登記に公信力が認められ、登記官には登記申請に対して実質的審査権が認められているが、それは物権行為（アウフラッスング）についての審査権にすぎない。したがって、原因行為である売買契約等については登記官による審査の対象になってはいないが、公正証書の作成を要求しているため、公証人が関与している以上、虚偽の公正証書は考えにくい。そのため、不真正な登記の出現はほとんどみられない（石川・小西 142 頁）。

§Ⅱ 登記の有効要件（実体的要件）

10-13 **(1)　現在の実体関係と一致しない場合（不実登記）**

(a)　実体関係が全く存在しない場合　登記が有効になるためには、その公示された目的物また権利（また、その原因である物権変動）が実際に存在しなければならない（**実体的要件**）。実体関係が全く存在しなければ、登記は無効である。

①目的物自体の齟齬として、例えば、建物が建築されていないのに建物の表示登記および所有権保存登記がされても無効であり、建物が存在しているのに、滅失を理由に抹消登記がされても無効である。

②また、権利関係についても、売買契約がないのにこれがあるものとして所有権移転登記がされても無効であり、また、抵当権が消滅していないのに抹消登記がされても無効であり、いずれも無効な登記の抹消を求めることができる。ただし、その後に実体が備われば、例えば無効な売買契約が事後に所有者により追認されれば、その時から所有権移転登記は有効になる[50)]。

10-14 **◆登記の効力と対抗力**

売買契約が有効なのに無効な抹消登記がされた場合、抹消登記は無効であり買主の所有権移転登記による対抗力は失われない。ただし、虚偽の抹消登記に買主が関与していれば、抹消登記により所有者としての名義を回復した売主からの買主などの第三者は、94条２項の類推適用により保護されるべきである。

また、借地人が建物の保存登記を便宜上妻や子の名義で登記した場合、その登記は実体に合致せず無効であるが、借地権についての対抗力が認められるかどうかは議論がある（☞債権各論Ⅰ 9-10以下）。判例は登記の効力が否定される場合には、対抗力も否定しているが、学説には対抗力は認める考えが有力である。借地借家法による対抗力の拡大は現地検分主義に支えられており、特別の考慮が許されるからである。

50)　仮装売買により不動産の移転登記を受けた者が後日交渉して実際にその不動産を買い入れた場合には、その時点から移転登記は有効となる（最判昭29・1・28民集8巻1号276頁）。傍論的であるが、不動産の代物弁済の予約を完結してその所有権を取得する前になされた移転登記であっても、結局は実体関係と一致することになるので、それで有効になるとした判例として、最判昭23・7・20民集2巻9号205頁がある。

10-15　(b)　**実体関係と内容が一致しない場合**　登記された目的物や権利の内容が正しくない場合、その登記は無効であろうか。軽微な食い違いについては、例えば、建物の表示登記で実際の建物と食い違うがそれが些細な場合、その建物についてされた所有権保存登記を有効とし、更正登記により訂正することを認めてよい。登記を有効として更正登記によることができるかの判断基準は、同一性が認められるかどうかに求められている（舟橋 106 頁）。すなわち、その建物の公示とみられれば有効、その建物の公示とみられない場合については無効ということになる。権利の登記についても同様であり、例えば、甲地の抵当権なのに乙地に抵当権設定登記をしたり、賃借権なのに地上権として登記したように齟齬の著しい場合には、更正登記は許されず登記を無効として、抹消登記をしてから再度設定登記をするしかない。

10-16　(2)　物権変動の態様が一致しない場合

例えば、A から B に土地の贈与がされたのに、売買契約を原因として A から B への所有権移転登記がされた場合、この登記は無効であろうか。確かに、このような行為は推奨されるものではない。しかし、現在の権利関係の公示という登記の最も重要な機能の点では、現在の所有者が B であるという公示に誤りはない。そのため、大判大 9・7・23 民録 26 輯 1171 頁はこの登記を有効としている。

判例は、そのほかに、未登記建物の譲受人がした所有権保存登記（大判大 5・2・2 民録 22 輯 74 頁）、被相続人から譲り受けた者に対して、相続人から譲り受けたものとしてなされた所有権移転登記（大判大 15・4・30 民集 5 巻 344 頁）、虚偽表示による所有権移転登記を回復するためになされた所有権移転登記（大判大 8・9・1 民録 25 輯 1548 頁）、贈与による移転を売買による移転としてした所有権移転登記（大判大 5・12・13 民録 22 輯 2411 頁）など、いずれも登記を有効としている。なお、例えば、A から B への所有権移転登記が無効であるが、A が登記を回復する前に同土地を C に譲渡したが、便宜上 B から C にされた所有権移転登記も有効である。

10-17　(3)　物権変動の過程と一致しない場合（中間省略登記）

(a)　中間省略登記の意義と問題点

(ア)　**申請書副本による中間省略登記**　例えば、A → B → C と売買契約がされ所有権が移転しているのに、AC 間の売買契約書が作成され、それに基づいてAからCへの所有権移転登記がされたとしよう。これを**中間省略登記**といい、現在のC所有という権利関係の公示には合致しているが、AB・BCという売買契約なのに、ACという虚偽の売買契約が登記原因として表示されている。

2005年の不動産登記法改正前は、AC間の売買契約を偽装するのではなく、「申請書副本」（登記申請書の写し）により中間省略登記がされていた。旧法でも「登記原因を証する書面」の添付が要求されていたが、これに代えて「申請書副本」を登記義務者A、登記権利者Cと記載された添付書面で登記申請が行われ受理されていた。つまり司法書士が中間省略登記であることを知りつつ、上記のような便法が行われていたのである。

10-18　**(イ)　改正後の中間省略登記**　ところが、不動産登記法の改正により「登記原因証明情報」の提供が必須となり、上記の「申請書副本」による便法は使えなくなった。ACで虚偽の売買契約書を作成して、これを登記原因証明情報としてAからCへの移転登記申請をするしかなくなったのである。この点、日司連によって「司法書士が中間省略登記であることを認識しつつ、AC間に直接物権変動が存在するがごとき登記証明情報を作成すること及びその旨の登記を申請することは、司法書士の職責並びに倫理に反し、厳に避けなければならない」（平成17・3・9日司連発1467号通知）という通知が出されている。

この結果、ACで通謀してAC間の虚偽の売買契約書を作成して、司法書士に所有権移転登記の申請を依頼し、登記申請をしてもらうのでなければ（これは上記の通知に違反）、中間省略登記はできなくなった。しかし、このような中間省略登記がされたとしても、現在の権利関係には合致しているので、公示という観点からは無効とする必要はない。問題になるのは、中間者に無断でなされた場合の中間者Bの私的利益の保護である――Cから代金を受けておらず同時履行の抗弁権がある場合――。

10-19

◆中間省略登記に代わる制度

不動産業界からは、中間者が同意している以上、登録免許税や不動産取得税を節税でき、最終買主の購入価格に税金分のしわ寄せがされないので消費者にも利益になり不動産流通市場も活性化するという理由から、中間者の同意がある限り中間省略登記手続を認めるべきであるという主張がされた。そのため、内閣府規制改革・民間開放推進会議は、2006年12月21日の規制改革・民間開放推進会議住宅・土地ワーキンググループ主査により、法務省民事局民事第二課長宛てに、①第三者のためにする契約および②買主の地位の譲渡により有効なAからCへの所有権移転登記の申請が可能であるか照会がされ、平成19・1・12法務省民二第52号民事局民事第二課長通知でいずれも可能なことの回答がなされている。

第三者のためにする契約方式は、AB間の売買で、「買主の指定する者に所有権を移転する旨」の特約を付け、また、AからBへの所有権移転を阻止するために、所有権の移転時期について「買主への移転は自らを指定する明示の意思表示があった時」に移転するという特約もあわせて付けておくものである。BC間の売買契約では、Cの了解を前提として、売主Bの指定した者Aから民法の「第三者の弁済」として買主Cに所有権を移転するという方式で、AからCへの直接の所有権移転（売買契約はAB、BCであるが）と構成する。物権変動はAからCに移転することになるので、中間省略登記ではなく所有権の移転の実体に合致した登記である。BからCへの買主たる地位の譲渡も（Aの承諾必要〔539条の2〕）、AB間の売買契約をAC間の売買契約にして、AからCへの所有権移転に変更するものである。一旦AからBへの所有権移転の効果が生じていたのが、契約譲渡により、AからCへの所有権移転に変更されるのであろうか。

10-20

◆冒頭省略登記および相続登記の省略

①中間省略登記に類似したものとして、**冒頭省略登記**がある。例えば、Aが建物を建ててその所有者となったが、所有権保存登記をしないで、この建物をAがBに売却して、B名義で所有権保存登記をする場合である。建物の所有権については、Aが原始的に取得して、AからBに移転しているところ、登記上はBが原始的に取得したことになっているが、現在の権利関係を公示している。そのため、中間省略登記と同様にその登記は有効と考えられている（大判大8・2・6民録25輯68頁）。

②また、例えば、Aが死亡し、Aの不動産をBが相続し、その後Bがこの不動産をCに売却したがAからCに売買を原因として移転登記がされる場合も、これに似たものである。Aが生前にCに譲渡していたのであれば、BはAからCへの所有権移転登記義務を相続するだけである。しかしAB・BCと相続・譲渡による移転があり、物権変動の過程を正確に公示していないものの、現在の権利関係は正確に公示しているのである。判例も、Cがその不動産の賃借人に賃料を請求した事例で、賃借人がCの登記を無効と主張し賃料の支払を拒絶することはできないものとした（最判昭29・12・24民集8巻12号2292頁）。

10-21　**(b)　判例（制限的に無効の主張を認める）**

(ア)　当初は無効　古い判例は中間省略登記を無効とした（大判明44・5・4民録17輯260頁、大判大5・2・2民録22輯74頁）。177条は「物権の得喪及び変更」（物権変動）を登記することを要求しており、現在に至るまでの過去の取引過程に何か無効や取消原因がないか調査できるよう、過去の物権変動がすべて公示される必要があるからである。しかし、登記の中心的な機能は現在の権利関係の公示であり、中間省略登記も現在の権利関係の公示については誤りがない。

10-22　**(イ)　中間者の同意があれば有効**　そのため、判例はその後、第三者の同意がある中間省略登記は、現在の権利関係を公示しており登記の公示の目的は達せられているとして有効とした（大判大5・9・12民録22輯1702頁）。他方で、②中間者の同意がなければ無効であるという考えが提案され（末川136～137頁）、判例もその後、中間者の同意がない中間省略登記につき、中間者からの抹消登記請求を認めている（大判昭8・3・15民集12巻366頁）。

中間者の同意があれば中間省略登記を有効とする以上、無効とされる原因は、実体関係を公示していないこと以外に求められる。それは、中間者の私的利益保護である。そうであれば、登記は有効とした上で、中間者の利益を害する場合に中間者に抹消登記請求を認めれば足り、登記を無効とする必要はない。例えば、不動産賃借人に対してCが賃料を請求できないとか（605条の2第3項）、Aがその後さらに土地をDに売却したら、Dに対抗できないと考えるべきではない。判例も、中間者の同意を欠く中間省略登記でも、中間者でない者がその無効を主張して抹消を請求することを認めない（最判昭44・5・2民集23巻6号951頁）。

10-23　**(ウ)　中間者に登記の無効を主張する利益がなければ有効**　さらには、中間者がすでに代金の支払を受けており無効を主張する必要がない場合には、中間者に抹消請求権を認めなくてよい。判例も、中間者の同意がない場合でも、中間者の利益を害しない限り、中間者による抹消請求は認められないと判示する（最判昭35・4・21民集14巻6号946頁）。

学説には、中間者の同意がなくかつ抹消請求をする利益がある場合でも、Cがこの土地をさらに第三者Dに売却して所有権移転登記がされた場合には、もはや中間者はDに対して抹消登記請求はできないという主張がされている（舟橋112頁）。この点を判断した判例はない。

10-24 **(c)　有効説**　中間者の同意の有無を問わず、すでにされた中間省略登記は有効であり、誰からも抹消請求ができないと解する学説も有力である（於保90頁、我妻・有泉134～135頁、加藤154頁以下）。その根拠は以下のようである。

①中間省略登記も、登記の目的である現在の権利関係の公示には問題がない。②公示の理念は放棄して、中間者の個人的利益のためにその者に無効の主張を認めるか否かが問題の核心となっているが、Bはそのような保護には値しない。その理由は以下のようである。

ⓐBは自ら登記を得た後にCに転売すればよかったのだから、自ら招いた不利益である。ⓑまた、Bの保護のためには、Cとの売買契約の解除という手段が残されている――ただし、Cが転売していると545条1項ただし書により土地は取り戻せない――。ⓒBの利益は契約上のものである以上、契約の相手方Cに対する救済で満足するのが本来的な姿である。

10-25 **(d)　本書の立場（有効説）**　本書としては、中間省略登記も有効と考え、中間者の利益を害する事例についても、中間省略登記を無効と考えることには反対である。現在の権利関係を公示しているのであるから、無効として対抗力を否定すべきではない。中間者の私的利益の保護を考えればよく、ただその方法を10-24の有効説のように契約解除に限定せず、登記を有効とした上で抹消登記請求権を認めることを模索すべきである。そこで、不法行為の現実賠償としてまたは詐害行為取消しの転用により、中間者に抹消登記請求権を認めたい。424条を転用する利点としては、善意転得者がいる場合に抹消登記請求を否定することができる点がある（424条1項ただし書）。

10-26 **(4)　無効な登記の流用**

(a)　表示登記の流用　例えば、AはBの土地を建物所有のために賃借して、建物を建築し建物の表示登記・所有権保存登記をしたが、この建物が建築して1週間後に火災で焼失してしまったため、Aは同じ建物を再度建築してもらい、焼失した建物の表示登記・所有権保存登記をそのままにして、この建物のために利用（流用）したとする。その後に、①この土地がCに売却された場合に、Aは登記した建物を有すると主張してCに借地権を対抗できるであろうか、また、②この建物をAがD、ついでEに借地権付きで二重に売却し、旧建物の登記につきDに移転登記をした場合、Dは対抗要件を満たしたものと考えてよいであろうか。判例は効力を否定し（☞ 10-27）、学説も、流用の効力を認めない（舟橋 110 頁）。

事例①では、判例は借地権を対抗するためには有効な登記であることを必要とするので（☞債権各論Ⅱ 9-9 以下）、A は C に借地権を対抗できないことになる。学説には、登記が無効でも借地権の対抗力を認める考えがあり、これを事例①にも応用して、借地権の対抗力を認める考えがある（半田・研究 134 頁）。事例②では、D は対抗力を取得できず、いずれか先に新建物について所有権保存登記を受けた者が、建物所有権取得を対抗しうることになる。

10-27

◉最判昭 40・5・4 民集 19 巻 4 号 797 頁（流用登記を無効とする判例）

⑴　**事案および原審判決**　本件建物は、訴外 A が昭和 33 年 6 月中旬頃その敷地上にあった同人所有の従前の建物を取り壊し、同年 7 月末頃その跡地に建築した新建物であるのに、A は取り壊した旧建物について滅失登記をせずに、旧建物の同人所有名義の登記をそのまま新築した本件建物に流用して（表示登記を新建物に併せて変更）、X のため昭和 34 年 11 月 7 日停止条件付代物弁済契約に基づく所有権移転請求権保全の仮登記ならびに昭和 35 年 3 月 22 日代物弁済を原因とする仮登記に基づく本登記をなした事例である。仮登記後に Y が本件建物登記に抵当権設定登記を経由していたため、X が仮登記の効力を根拠として、Y に対して抵当権設定登記の抹消を求めた。第一審判決はこれを認容したが、原審判決は、流用登記であるから X の登記は無効であり、Y に対して所有権取得を対抗できないとして、X の所有権取得を前提とする本訴請求は爾余の判断をするまでもなく失当として、請求を棄却した。最高裁はこれを容認し、X の上告を棄却する。

10-28

⑵　**最高裁判旨**　「建物が滅失した後、その跡地に同様の建物が新築された場合には、旧建物の登記簿は滅失登記により閉鎖され、新建物についてその所有者から新たな所有権保存登記がなさるべきものであって、旧建物の既存の登記を新建物の右保存登記に流用することは許されず、かかる流用された登記は、新建物の登記としては無効と解するを相当とする。けだし、旧建物が滅失した以上、その後の登記は真実に符合しないだけでなく、新建物についてその後新たな保存登記がなされて、1 個の不動産に二重の登記が存在するに至るとか、その他登記簿上の権利関係の錯雑・不明確をきたす等不動産登記の公示性をみだすおそれがあり、制度の本質に反するからである」という。また、あてはめとして、「このような登記は、新建物に関する登記としてはいずれも無効であり、また、右旧登記の流用の際、表示の変更登記により登記簿の表題部が新築建物の構造・坪数と合

致するように変更されたとしても、かかる登記の効力は認めがたいとした所論原審の判断は正当である」と述べる。

10-29 **(b)　権利の登記の流用——一度消滅した抵当権についての登記の流用**

(ア)　抵当権の流用　例えば、Aはその所有の甲地にBに対する債務（α債務）の担保として抵当権（α抵当権）を設定し、その旨の登記をした。その後、債務を弁済しα抵当権が消滅したが、抵当権登記の抹消登記をしていなかった。この事例で、以下の問題を検討していきたい。ただし、現在では根抵当権の設定ができるので、実際に問題になることはなくなっている。

① Bがその後にAに対して同一内容の融資をし、新たなBによる貸付（β債務）について上記抵当権（α抵当権）を復活させ流用する合意がAB間でなされた場合、この合意は有効か。
② Bがその後にAに対して同一内容の融資をし、新たなBによる貸付（β債務）のために新たに設定した抵当権（β抵当権）につき、α抵当権の登記を流用する合意がAB間でなされた場合、
　ⓐ Aの弁済後、②の合意までの間に、Aが甲地にCのために第2順位の抵当権を設定していた場合に、BC間の抵当権の優劣はどうなるか。
　ⓑ ②の合意後に、Aが甲地にCのために抵当権を設定した場合、BC間の抵当権の優劣はどうなるか。

抵当権設定登記は、債務が弁済されれば付従性により抵当権も当然に消滅し、したがってその時点から公示されている実体が欠けることになり、無効となる。ABの合意で、①のように一旦弁済により消滅したα抵当権を復活させ、β債務のための抵当権として用いることができるのであろうか。これは**抵当権の流用**の問題である。古くは、このような合意を問題としてこれを有効とする学説があった（石田文次郎『担保物権法論上巻』〔1935〕115頁など）。しかし、α抵当権が存続していることを合意できるとなると、後順位抵当権者が一旦取得した順位上昇の利益が奪われてしまう。第三者を害する合意として無効と考えるべきである。ただし、その合意は、新たな抵当権の設定として無効行為の転換による効力を認めることができる（②の場合と同様に扱われ

る)。

10-30　**◆予定していた債務が成立しなかった場合の他の債務の抵当権としての流用**

「一の債務に付［き］設定登記したる抵当権を、債権者債務者の合意上、**他の同種類同金額の債務**に対し設定登記したるものとなすことは固より其自由にして、両債務の成立及び弁済の時期其他抵当登記に付登記すべき事項が同一なるに於ては敢て妨げざる所なり。而して斯る合意は自ら彼債務に対する抵当権設定証書を以て此債務に対する抵当権設定証書と為すの合意を包含し、従て右等の事項をも同一に帰せしむるの理なれば、其合意を以て無効となすべきの理由なし。原判決の確定する所に依れば、本件係争の抵当権は、元と被上告人等間に成立すべき金三百円の消費貸借に付設定登記されたるも、其消費貸借成立に至らざりしを以て、被上告人等の合意上他の頼母子講に基く貸金の内三百円の債務の為め設定したる者としたるの事実にして、全く前掲の場合に適合し、前抵当債務の成立したると否とは合意の効力に何等の差異を生せざるを以て、既に其合意の成立したる以上は、係争抵当権は頼母子講に基く貸金三百円に対する抵当権として有効なり」(大判明40・10・12新聞458号9頁)。

この事例は、貸金債権（α債権）のために予め抵当権（α抵当権）を設定しその旨の登記をしたが、貸付がなされなかったので、いわば無効行為の転換的に抵当権設定を同額の別の債権（β債権）のためのものとして流用することを認めるものであり、抵当権自体の流用の事例である。

10-31　**(イ)　抵当権設定登記の流用**

❶　無効説　では、ケース②の**抵当権設定登記の流用**の効力はどう考えるべきであろうか。β債務のために新たにβ抵当権を設定する合意は有効であるが、有効に成立したβ抵当権のためにα抵当権の設定登記を有効とし、β抵当権は177条の対抗要件を備えたものと評価してよいのであろうか。

α抵当権の登記はα抵当権を公示するものであり、β抵当権と実体が食い違うため、流用の合意をしても有効にはならない。実体的要件を満たさないのであるから、対抗要件流用の合意によって一度無効になったα抵当権の登記にβ抵当権の登記としての効力を認めることはできないと考える学説がある（浦野雄幸『判例不動産登記法ノート(1)』［1988］229頁以下、小川勝久『新・不動産登記法のみちしるべ』［2006］188頁など）。ⓐⓑいずれのケースも、BはCに抵当権を対抗できないことになる。

10-32　**❷　有効説・制限的有効説**　無効説の修正説として、流用の事実を知り、かつ、これを前提として取引がされている場合には、例外的に対抗を認めるという制限的有効説もある（舟橋110頁、半田・研究137頁）。

他方で、α抵当権が消滅してその登記が無効となった後に、流用合意により、β抵当権の登記として登記がその時から有効になり、それ以降の第三者には対抗力を認めてよいという有効説もある（星野47頁、加藤157頁など）。ケースⓐのＣには対抗できないが、ケースⓑのＣには対抗できることになる。しかし、実体的要件を満たさず、流用が１つの物権変動であるのにその旨の公示ができないので、本書としては無効説を支持したい。判例は、実体的要件を満たさないことから登記の流用の効力を否定するが（☞10-33〜35）、代物弁済契約の事例では、流用後の第三者（ケースⓑ）は「登記の無効を主張する正当な利益を有しない」とした（☞10-36）。

10-33
◆抵当権設定登記の流用についての判例

⑴　無効とする判例

大判昭３・７・４新聞2876号７頁は、「不動産に関する物権の得喪変更を第三者に対抗するが為には、其の事実に吻合する登記あること即当該得喪変更の事実か特に登記せられたることを必要とし、偶々已に之と酷似する事項の登記ある場合と雖、其は単に内容に於て相類似せる他の事実の登記たるに過ぎざるものなるを以て、此の登記を流用して彼の得喪変更を登記したるものと做し得可きものに非ず。蓋若此の如き流用を許すに於ては不動産物権の変動を第三者に対抗し得可き順位を紊り登記の目的を没却するの結果を招致すべきを以てなり。故に類似せる已存の登記を流用し、新に設定せられたる抵当権の登記に代へたる本件登記が**事実に吻合せざる**ことは多言を俟たず」という。また、大判昭６・８・７民集10巻875頁も、「登記は真正の事実に合することを要するが故に……本件抵当権の基本たる債権が弁済により消滅した」ため、「抵当権は同時に消滅に帰したるものなれば、……右債権の消滅後偶々同一金額の債権が右当事者間に発生したればとて、既に消滅したる前記抵当権の登記を利用し其の効力を維持すべきことと為し改めて同一目的物件に同額の債権担保の為に抵当権の設定ありたりとする契約の無効なるは言を俟たず」とした。

10-34
⑵　有効とする余地を認める判例

(a)　弁済後に抵当権と共にする債権譲渡の付記登記がされた事例　「Ａは第一順位の抵当権を有し、Ｘは第二順位の抵当権を有し居りたるところ」、Ａに対して設定者Ｂは「債務完済したるも其の抵当権の抹消登記は未だ之を為さざる間に、訴外Ｃより金1200円を借り受け之が担保を供与するが為曩に前記Ａより返還を受けたる借用証書を利用し、右Ａに於て其の債権及抵当権をＣに譲渡したる形式を用ゐて抵当権譲渡の**附記登記を為す**に至りしものとす。此の事実に依れば、ＢはＣに対する債務の為本件不動産上に抵当権を設定したるも其の登記を為すに当り設定登記を為すに代へ便宜右の如き抵当権譲渡の附記登記を為したるに外ならず。所謂隠匿行為なるが故に固より第一順位の抵当権は之を有するに由無きも、第二順位の抵当権は之を有するを妨げず」という（大判昭8・11・7民集12巻2691頁）。

10-35　**(b)　弁済による消滅後の当事者間の流用の事例（当事者間では有効という判決）**「Xは、昭和28年4月13日、Yの亡夫DのためX所有の本件不動産について、X主張の債権額500万円の債務のため抵当権を設定し、翌14日右抵当権について……抵当権設定登記を経由したところ、Xは、昭和28年7月9日Dに右500万円の元利金全額を返済したので、右債務並びに抵当権は消滅に帰したわけではあるが、Xは、その直ぐ翌日である昭和28年7月10日、右と同額の金員を、弁済期を同年10月10日とするほか前と同じ約定で借受け、前と同じ不動産に抵当権を設定することを約したため、旧債務のためになされていた抵当権設定登記を、そのまま後の債務のために流用することにした」というのであり、「いわば、旧抵当権付債務の借替えをしたというだけの事案とみられるのであって、しかも抵当権も、それを設定する目的不動産も、旧債務の場合と結局同じに帰するものであったため、手続の煩を省いて、前の設定登記をそのまま後の抵当権のために流用したというに過ぎない」。「このようないきさつ及び内容をもつ事案にあっては、たとえ不動産物権変動の過程を如実に反映しなくても、登記が現実の状態に吻合するかぎり、それを後の抵当権のために流用したからといつて、第三者に対する関係はしばらく措き、当事者間においては、当事者みずからその無効を主張するにつき正当の利益を有しないものと解するのが相当である」とされている（最判昭37・3・15集民59号243頁）。

抵当権設定登記流用の合意を無効としてXの抵当権不存在確認請求を認容した原判決を破棄し、抵当権の設定を有効としただけで、登記の効力については判断していない。

10-36　**(c)　仮登記担保が弁済後に第三者への債権に流用された事例**　Aは、Bに対する約500万円の債務の担保のため、その所有にかかる本件土地にBのため昭和33年2月5日売買予約を原因とする所有権移転請求権保全仮登記をしたが、同年7月に債務全額を完済した。その後、Cに対する補償金債務のうち500万円を担保するため、Cとの間にAがこの債務の支払をしないときは、代物弁済として本件土地を含む5筆の土地の所有権をCに移転する旨を約し、前記債務を弁済した際Bから交付を受けていた前記仮登記の抹消登記に必要な権利証、印鑑証明書、白紙委任状を利用して、本件土地につき同年7月7日BからCへの権利譲渡を原因とする仮登記移転の附記登記をした。「旧仮登記を権利移転の附記登記により新仮登記として流用したという事案であるとみられるのであり、しかも、Cにおいて500万円の補償金債権とその担保としての代物弁済の予約又は停止条件付代物弁済契約上の権利を有する目的不動産は本件土地であるから、Cを権利者とする本件仮登記移転附記登記は現在の実体上の権利関係と一致する」。「このような経緯及び内容をもった事案にあっては、たとえ不動産物権変動の過程を如実に反映していなくとも、仮登記移転の附記登記が現実の状態に符合するかぎり、当事者間における当事者はもちろん、右附記登記後にその不動産上に利害関係を取得した第三者は、特別の事情のないかぎり、右附記登記の無効を主張するにつき正当な利益を有しない」とされた（最判昭49・12・24民集28巻10号2117頁）。登記は無効であり、「第三者」性を否定するものである。

第２節　登記請求権

§Ⅰ
登記請求権の意義と発生原因

1　登記請求権の意義

11-1　登記は共同申請が必要なので（☞10-1）、一方が協力しないと申請することができない。そのため、解釈上、物権変動の当事者の一方が、相手方に対して登記手続に協力するよう求める権利が認められており、この権利を**登記請求権**という（判決後は☞10-5）。登記請求権は、①登記権利者から登記義務者に対して、例えば買主から売主に対してだけでなく、②登記義務者から登記権利者に対して、例えば売主から買主に対しても認められる。

②については、特に**登記引取請求権**といわれる。これを一種の妨害排除請求権として位置づける提案もあるが（幾代通『登記請求権』24頁以下）、債権者の受領義務として位置づけるべきである。売買契約が所有権移転登記後に解除され、買主が原状回復義務として売主に対して所有権移転登記の抹消登記義務を負う場合に、買主から売主に対しても抹消登記請求が認められる（最判昭36・11・24民集15巻10号2573頁）。最判昭36・11・24は、「真実の権利関係に合致しない登記があるときは、その登記の当事者の一方は他の当事者に対し、いずれも登記をして真実に合致せしめることを内容とする登記請求権を有するとともに、他の当事者は右登記請求に応じて登記を真実に合致せしめることに協力する義務を負う」という一般論を述べている。

2　登記請求権の発生原因

11-2 (1)　契約に基づく登記請求権（債権的登記請求権）

まず、当事者の合意に基づく登記請求権が考えられる（560条）。この登記請求権は**債権的登記請求権**といわれ、債権なので消滅時効にかかる（166条1項）。これも売買契約における買主の売主に対する移転登記請求権のように（560条）、売買契約上の中心的な債権として成立する場合だけでなく、売主にも買主に対して受領義務の履行を求める請求権として登記請求権が認められる。また、売買契約などの契約関係がなくても、抵当権設定契約や地上権設定契約に基づいて、抵当権や地上権に基づく物権的登記請求権とは別に契約上の債権的登記請求権を認めてよい。中間省略登記の合意に基づく中間省略登記請求権も認められている（☞ 11-16）。無効な登記について、当事者間の合意（和解など）により抹消登記を約束することも可能である。他方、不動産賃貸借契約では当然には賃借人には登記請求権は認められず、特約が必要になる（大判大10・7・11民録27輯1378頁）。

11-3 **◆取壊し目的の建物売買における所有権移転登記請求権**

売買契約をしながら移転登記をしない特約を結ぶことは、公示の理念と抵触するので、原則として公序良俗に反し無効である（大判昭15・8・20新聞4617号12頁）。しかし、買主ではなく転得者への中間省略登記の合意がある場合には有効と考えてよい（石田穣191頁）。実際に問題になるのが、取壊し予定の建物についてである。土地と建物との売買契約がされたが、建物は老朽化しているので建て替えるということが当事者間で合意されていた場合、移転登記をしないという合意を有効と認めてよい。問題は、そのような明示的合意のない事例である。

判例（大判昭5・2・4民集9巻137頁）は、「当事者が取毀を以て契約の内容と為したる場合に於ては、通常売主は買主をして建物を取毀たむると共に取毀後に生ずべき材料の所有権を移転することを約したるものと解するを相当とすべく、従て之を不動産の売買なりとし売主に当然所有権移転の登記義務ありと断ずることを得ざるなり」として、登記義務の不履行を理由とする解除を認めた原判決を破棄している。売主が取り壊し更地にする特約の場合には、そもそも建物は売買契約の対象ではないし、上記のような取壊し後に利用可能な材料を引き渡す合意も、将来動産の売買にすぎないと考えられる。

11-4 **(2)　契約に基づかない登記請求権（法定の登記請求権）**

(a)　物権変動がないのに登記がされている場合

(ア)　登記を失った所有者らの物権的登記請求権　例えば、AからBに土地の売買契約もされていないのに、Bが虚偽の売買契約書を作成してBへの所有権移転登記をした場合、AはBに対して所有権移転登記の抹消登記を求めることができる。これは、所有権に基づく物権的請求権である（**物権的登記請求権**といわれる）。制限物権の登記が勝手に抹消されたような場合も、同様である。物権的請求権であるので、消滅時効にはかからない。

11-5 **(イ)　勝手に登記名義人にさせられた者による妨害排除請求権としての登記請求権**　登記請求権は、必ずしも所有権その他の物権に基づく必要はない。物権的登記請求権のほかに、不動産についての権利関係を正確に公示するという登記法の理念から認められる法定の請求権が別個に認められる。例えば、土地所有者AによりBに無断でBへの所有権移転登記がされた場合、Bから所有者Aに対する抹消登記請求権が認められる。不法行為に対する原状回復請求権であるが、登記法の理念から許容される。また、AからB、BからCへの所有権移転登記がされているがいずれも無効な場合、Bは所有権を有しないが、Cに対する抹消登記請求権を有する（最判昭36・4・28民集15巻4号1230頁）。AからCに対して、2つの抹消登記に代えて、真正な登記名義の回復を原因とする所有権移転登記請求権も認められる（☞11-14）。

11-6 **(b)　物権変動があるのにその登記がない場合（物権変動的登記請求権）**

契約に基づく物権変動の場合には、債権的登記請求権が認められるが、契約に基づかない物権変動については、その物権変動の公示を求める登記請求権が認められてよい。ただ、通常は、例えば取得時効でいえば、時効によって取得した所有権に基づいて物権的登記請求権としての所有権移転登記請求権が認められるので、それとは別に登記請求権を認める必要性はない。そのような必要性があるのは、時効取得した者が、すでに不動産を第三者に譲渡している場合である。この場合でも、譲渡人（時効取得者）が例えば代金の支払を同時履行の抗弁権により確保するためには、自分が所有権移転登記を受ける必要性がある。

これは、物権変動を公示すべきであるという登記法の理念から導かれる登記請求権であり、**物権変動的登記請求権**といわれる。物権的登記請求権も物権変動的登記請求権も、実体と登記の齟齬がある限り不断に登記請求権が発生し続け、消滅時効は考えられない。なお、登記請求権の根拠を統一的に説明するべきかが議論されているが、議論の意義はないので省略する。

11-7 **(3)　債権的登記請求権と物権的登記請求権との関係**

(a)　問題点　物権的請求権と契約上の引渡請求権との関係（☞ 2-34）と同様の問題は、物権的登記請求権と契約上の債権的登記請求権についても生じうる。例えば、ＡはＢにその所有の土地を売却したが、移転登記をせずに５年が経過したとする（166 条１項１号）。この段階において、ＢがＡに対して移転登記を請求してきたら認められるであろうか。代金が既払いか未払いか、また、引渡しがされているか否かで、事例を分けて考える必要がある。Ａが引渡しをしていないとしても、Ａは売却後は他主占有なので取得時効は成立せず、逆にＢが引渡しを受けていれば、自己物の取得時効を認める限り、取得時効を理由にして所有権に基づく物権的登記請求権も問題になる。

11-8 **(b)　代金既払いの場合**

❶　併存説（請求権競合説）　Ｂに、契約上の債権である移転登記請求権と、移転した所有権に基づく物権的登記請求権とが併存的に成立し、Ｂはいずれを行使してもよいという考えがある（**併存説**）。これは、２つの要件を満たす以上、２つの請求権が認められるのは当然とする請求権競合論の立場による。この立場を前提として認めつつ、物権的登記請求権を選択した場合にも、契約上の規律（例えば同時履行の抗弁権）を及ぼす修正競合説ないし作用的競合説のような規律が考えられる。この修正説を支持したい。

11-9 **❷　法条競合説**　これに対して、契約関係を必ずしも要件としない物権的請求権に対して、契約上の債権が特別関係に立つから優先的にその規律が適用されるべきであり、契約上の登記請求権がある限りはそれが優先的に適用され、物権的登記請求権の行使は認められないという考えも可能である（広中 295 頁）。この考えでも、債権的登記請求権が時効により消滅したならば、物権的登記請求権の行使が認められることになるが、売主が代金を取得している場合には、それでも不都合はない。

11-10 **(c)　代金未払いの場合**

(ア)　土地の引渡しもされていない場合

❶　所有権移転を契約時より後らせる考え　まず、代金支払、移転登記ま

たは引渡しの時に所有権が移転するという考えでは、いまだ所有権が移転していないので、買主には債権的登記請求権しか認められない。売主は代金支払との同時履行の抗弁権を主張でき、また、消滅時効を援用することができる。ただし、抗弁権の永久性を認めれば、移転登記をしていない以上は代金支払請求をしても（代金債務の時効が債務承認により完成していない事例）、移転登記との同時履行の抗弁権の対抗を受ける。この立場でも、引渡しがされていれば所有権の移転が認められ、❷と同じ問題に直面する。

11-11　**❷　契約と同時に所有権移転を認める考え**　これに対して、売買契約と同時に所有権が移転するという考えに依拠するならば（判例）、Bの所有権に基づく登記請求権が認められる余地がある。しかし、これでは物権的請求権の一種であって時効にはかからず、BはAの代金債権の時効を援用しながら自分からは所有権に基づく移転登記を請求できることになるが、それは不合理である。そこで、Bの物権的登記請求権をAB間の売買契約の規律に服せしめるならば、Aは代金債権の消滅時効が完成した後も、所有権に基づく移転登記請求権に対しても代金支払との同時履行の抗弁権を対抗できることになる。本書はこの修正競合説を採用したい。

なお、両者が債務を履行しないのにはそれなりの事情があるであろうから、まず黙示的に契約の廃止（合意解除といってよいか）があったと認められないか、また、当事者の合意がなくても契約の失効というものが考えられないか、なども検討すべきである。

11-12　**(イ)　土地の引渡しがされている場合**　Bがすでに占有している場合には、さらに厄介な問題が生じる。代金が未払いであっても引渡しをしている以上、Bに所有権は移転しており、さらに厄介なことには、Bに自己の物の取得時効を認める余地があるということである。Bに自己の物の取得時効を認めれば、時効により取得した所有権に基づく所有権移転登記請求権が認められ、代金支払との同時履行の抗弁権が認められなくなってしまいそうである。

本書としては、自己の物についての取得時効は否定して、この場合も**11-11**と同じ問題として処理をしたい。Aは、代金債権が時効にかかっても、同時履行の抗弁権を抗弁権の永久性の理論により援用することはできるが――移転登記請求についてのみ――、積極的にその支払を求めたり、支払われない場合に契約を解除して土地を取り戻すことはできない。

§Ⅱ 登記請求権の内容

1 実体に合致した内容であること

11-13 法定の登記請求権については、物権変動そしてその態様、また、物権の所在など真実の物権関係そしてその過程を公示するものでなければならないのが原則である。したがって、売買契約が取り消された場合に、所有権移転登記の抹消登記請求に代えて所有権移転登記請求をすることはできない。

問題は、合意による債権的登記請求権である。中間省略登記請求権については後述する（☞ 11-15 以下）。例えば、A から B への無効な所有権移転登記がされている不動産を、所有者 A から購入した買主 C は、登記名義人 B との合意により抹消登記ではなく所有権移転登記をすることを約束した場合に、これは有効であろうか。これを認める学説がある（舟橋 133 頁）。判例は、抹消登記に代えて所有権移転登記の請求をすることを認めている（☞ 11-14）。ただし、現在では所有権移転の登記原因証書が必要なので、登記申請は認められない。

11-14 **◆抹消登記請求に代わる所有権移転登記請求権（真正な登記名義の回復）**

①虚偽表示に基づいて所有権移転登記がされた場合につき、「真正なる所有者が其所有名義を回復するには必ずしも其所有権登記の抹消登記手続を為すことを要せず、更に所有権移転の登記手続を為すに依りても之を為すことを得るものとす」とされている（大判大 10・6・13 民録 27 輯 1155 頁。無効が登記原因）。また、②無権利者が勝手に行った建物の所有権保存登記につき、真正の権利者は抹消登記ではなく所有権移転登記を請求しうる（最判昭 32・5・30 民集 11 巻 5 号 843 頁）。③借地上の未登記建物の所有者 Y がこれを妾 X に贈与し引渡しをし、Y が返還請求をできない反射的効果として建物が X の所有となったのに、Y が建物の所有権保存登記をした事例でも、「本件不動産の権利関係を実体に符合させるため、X が右保存登記の抹消を得たうえ、改めて自己の名で保存登記手続をすることに代え、Y に対し所有権移転登記手続を求める本件反訴請求は、正当として認容すべき」であるとされている（最大判昭 45・10・21 民集 24 巻 11 号 1560 頁）。

相続が絡む場合にも問題になる。例えば、A がその所有の土地を B に売却したが、その所有権移転登記がされないうちにAが死亡してCが相続をしたとする。この場合、AからBへの売買契約によってAからBに所有権は移転しているのであって、AからCに相続で移転し、それからBに移転するのではないので、CはAからBへの移転登記義務を相続することになり、BもCに対してAからBへの所有権移転登記を請求しうる（大判明41・2・14民録14輯87頁など）。Cがすでに相続登記をしている場合には、それを抹消してAからBへの所有権移転登記をするよう請求できるが（大決大3・8・3民録20輯641頁）、CからBへの所有権移転登記がされた場合にこれは有効とされており、登記請求権としても、買主Bは相続人Cに対してCからBへの所有権移転登記請求を認めている（大判大15・4・30民集5巻344頁）。

2　中間省略登記請求権[51]

11-15 (1)　債権的中間省略登記請求権

(a)　中間者の同意がない場合　Aがその所有の甲地をBに売却したが、Bへの所有権移転登記がされる前にBはさらに甲地をCに転売した場合に、AC間でAからCに直接に所有権移転登記をすることを合意したならば、この合意は有効であり、CはAに対して中間省略登記をするよう求めることができるであろうか。

大判大11・3・25民集1巻130頁は、中間者Bの同意を得ずに、登記名義人Aと転得者Cとの間でなされた中間省略登記をする旨の契約は、Bの権利を害するので、中間者「Bの同意を得ずして為したるAC間の所有権移転登記の契約は無効なり」とした。条文根拠は示していないが、第三者を害する契約は許されないことが理由とされているため、公序良俗（90条）違反による無効を認めたものといってよい。公示の理念から無効としているわけではなく、無効の根拠は中間者の私的保護に尽きる。そうすると、すでになされた中間省略登記と同様に、①中間者の同意がある場合だけでなく、②中間者に移転登記を受ける利益がない場合にも、AC間の中間省略登記の合意を有効と認める余地がある。

51）当事者の合意によるか法定のものかを問わず、中間者の同意のある中間省略登記請求権を認めても、何度もいうように登記実務上はABの売買契約書とBCの売買契約書とによりAからCへの所有権移転登記申請をしても、これは認められない。履行不能な登記の請求権を認めることができるのか、判決まで得れば判決に基づく登記として中間省略登記が正式に可能になるが、それが適切なのか疑問がある。

11-16 **(b)　中間者の同意がある場合**

❶　有効説　①中間省略登記も現在の真の権利関係を公示するものであり、また、②一切の物権変動の過程を真実あますところなく公示するという理念は放棄されており、③問題となるのは中間者の私的利益だけであるから、中間者の同意を要件とすれば、中間省略登記の合意も有効と考えてよいというのが通説である（我妻・有泉141頁、末川136頁、柚木・高木198頁）。

最判昭40・9・21民集19巻6号1560頁は、「ABCと順次に所有権が移転したのに登記名義は依然としてAにあるような場合に、現に所有権を有するCは、Aに対し直接自己に移転登記すべき旨を請求することは許されないというべきである。ただし、中間省略登記をするについて登記名義人および中間者の同意ある場合は別である」としている――中間者の同意がないとして請求が棄却されており傍論――。この場合、転得者CはAに対する勝訴判決を得て、登記原因を明示しない判例謄本を添付して登記申請をすることができる（民事局長通達・回答がある）。なお、ABC3者で中間省略登記の合意が成立した場合であっても、中間者の登記名義人に対する所有権移転登記請求権は当然には失われない（最判昭46・11・30民集25巻8号1422頁）。

11-17 **❷　無効説（本書の立場）**　これに対しては、すでにされた中間省略登記とは異なり、これからされる登記については、理念を貫いて中間省略登記の請求権は一切認めるべきではないという少数説もある。すなわち、そのような合意は中間者の承諾があっても、公示制度という公益に関わる問題であるため、90条に違反して無効といわざるをえないという（於保89頁、石田・変動論172頁、加藤160頁）。

中間者の同意を得てAC間の中間省略登記の合意がされても、それは、中間者の同意書を添付し、AB、BCの売買契約書を登記原因証書として中間省略登記を申請しても受け付けられない履行不能な合意である。また、AC間で虚偽の売買契約書を作って所有権移転登記手続をするという合意は、不法な合意であり無効である。本書も無効説を支持したい。

11-18 **(2)　合意によらない中間省略登記請求権**

❶　否定説　①債権的中間省略登記請求権を一切認めない立場では（☞11-17）、法定の中間省略登記請求権が認められる余地はない。②中間者の同意がある場合には、債権的中間省略登記請求権を認めるとしても、契約も

ない以上は、公示の理念を貫徹してよく、物権変動の過程に対応した登記しか請求できないという処理は可能である[52]。

判例は、A→B、B→Cと山林が譲渡された事例で、登記は「事実に適合することを要する」として、CからAへの所有権移転登記請求を、AC間には「直接所有権移転の行為存在せざる」のであり、「事実に適合せざる登記請求」であり「到底之を許容することを得ざるもの」と判示する（大判明44・12・22民録17輯877頁）。近時も、AからBに贈与され、BからCへの相続があった事例で、CからAへの真正な登記名義の回復を登記原因とする所有権移転登記の請求が退けられている（最判平22・12・16民集64巻8号2050頁☞11-21）。

理由が中間者の保護ではなく、「物権変動の過程を忠実に登記記録に反映させようとする不動産登記法の原則」に求められており、判例は、中間者の同意や利益を問わず、法定の中間省略登記請求権は、これを一切認めない立場であると解することができる。

11-19　❷ **制限的肯定説**　①中間者Bの同意があれば、AC間での合意がなくても中間省略登記請求権を認めてもよいという学説がある（遠藤浩「中間省略の登記」『判例と学説2民法Ⅰ』［1977］193～194頁）。②物権変動過程の公示という理念を放棄するのならば、中間者に不利益を与えない限度で、なるべく速やかに現在の権利関係を公示することが望ましく、中間者Bが代金の支払をすでに受けており、自分に登記をする利益がない場合には、Cに中間省略登記請求権を認めてよいという考えもある（柳川俊一「特約によらない中間省略の登記請求権」判タ180号56頁以下、幾代通『登記請求権』［1979］54頁以下、広中302頁）。

11-20　❸ **無制限肯定説**　最も徹底した考えとして無制限に法定の中間省略登記請求権を認める考えがある（杉之原舜一『新版不動産登記法』［1958］142頁以下、半田・研究142頁以下）。①登記の理念は放棄されている。②Aの利益は（AがB

52）　**＊債権者代位権によるCの保護**　判例では、AC間の合意がありかつ中間者Bの同意がない限り、中間省略登記請求権は認められないことになる。この結果、CはBに対してしか登記請求権を持たないことになるが、BがAから移転登記を得てくれない限り、CのBに対する登記請求権は実効性のないものになってしまう。そのため、判例・学説は、債権者代位権（423条）を転用して、CがBのAに対する移転登記請求権を行使することを認めている（423条の7に明文化された）。Aの協力があれば、CはBに代位して、Aとの共同申請で、登記の代位申請をすることができる（不登59条7号）。

から代金の支払をいまだ受けていない場合)、Bに対する同時履行の抗弁権をCにも対抗することを認めることにより保護されるべきである。③さらに、中間者の利益保護については、中間者は自分に移転登記をしてから転売できたのに、それをしないで転売したのであるから、自ら招いた危険である、自分の利益を守りたいならばAからそれよりも早く移転登記を受けるべきである、とも主張される。

動産であれば、転売されたら転得者からの直接の引渡請求を認めてよいが、登記に記録が残される不動産については、これからされるべき登記については原則通り理念を貫くべきであり、中間者の同意また不利益の有無を問わず、無効説（☞ 11-17）でよく、法定の中間省略登記請求権も一切否定すべきではないかと思われる。

11-21

◆「真正な登記名義の回復」を登記原因とする所有権移転登記請求権

BからCに贈与を原因として所有権移転登記がされているが、実はBからAへの贈与である場合、また、AからB、BからCの所有権移転登記がいずれも無効である場合には、Aは所有権に基づいてCに対して、**真正な登記名義の回復**を登記原因として自己への所有権移転登記を求めることができる（☞ 11-14）。ただし、学説は批判的である（松岡 111 頁）。

他方、11-18 の最判平 22・12・16 は、A→Bの贈与、B→Cの相続という共有持分の移転があったが、CがAに対して「真正な登記名義の回復」を登記原因とするA→Cの直接の所有権移転登記を請求した事例で、これを認容した原審判決を破棄したものである。ただし、「真正な登記名義の回復」を登記原因とするA→Cの直接の移転登記請求には、予備的にA→Bの贈与を原因とした移転登記請求の趣旨が含まれていると解する余地があるとして、差戻しをして審理のやり直しを命じている。この判決は、「真正な登記名義の回復」を登記原因とする中間省略登記を実現する便法も否定する趣旨であり、今後は、「真正な登記名義の回復」を登記原因とする所有権移転登記の請求は、物権変動の過程・態様を忠実に反映した登記を経由することが不可能な特段の事情がない限り、認められなくなったと評されている（七戸 102 頁）。

第5章
動産、立木および未分離果実の物権変動

第1節　動産物権変動と第三者──占有の移転の説明を兼ねて

1　178条の対抗要件主義

12-1　(a)　**動産の「譲渡」についての対抗要件主義の採用**　例えば、Aがその所有し占有している骨董品の壺をBに売却し、壺はAがBに宅配便で配達することが約束されたとする。この場合、176条の意思主義を適用すれば、売買契約と同時にAからBに所有権が移転し、Bが所有者となる。ところが、いまだBへの引渡しはされておらず、動産では所有権の公示は占有であるため、権利と公示との間に齟齬が生じることになる。

この場合、公信制度のない不動産とは異なり、動産については即時取得制度が用意されているので、対抗可能性の原則（☞ 3-7）に対する第三者の取引安全保護は、即時取得によることで十分である。

ところが、民法は、不動産とパラレルに、動産についても対抗要件主義を採用し、「動産に関する物権の譲渡は、その動産の引渡しがなければ、第三者に対抗することができない」と規定した（178条）。即時取得（192条）では、物権取得者のみが保護されるのに対して、「第三者」が広く保護され（差押債権者も保護される）、また、善意無過失も不要である。

12-2　**◆ 178条の対象となるのは「動産に関する物権の譲渡」のみ**

178条は、「動産に関する物権」の「譲渡」だけを適用対象としている。質権設定は、引渡しが成立要件であるため（344条）、178条の適用の余地はない──譲渡でも他人物であり即時取得が問題となる事例は同様──。動産には用益物権の設定は考えられない。譲渡担保は「譲渡」という形式をとるために、178条が適用される。所有権「留保」は所有権の移転時期の合意にすぎないので、やはり178条は適用にならない。取消しや解除については12-6に述べる。

動産の持分の譲渡に178条を適用すべきであろうか。ABの共有動産につき、Aが持分をCに譲渡したとする。共有物をAが所持している場合とBが所持している場合──いずれも権原の性質上ABの共同占有になる（一部他主占有ないし代理占有）──とが考えられる。Aが共有物をCに引き渡す、または、Bに持分をCに譲渡したので以後はCとの共有物として占有するよう指示する（一種の指図による占有移転）ことが必要になるのであろうか。

178条を適用すると、Aが所持をしている場合に、Aから持分をさらに譲渡を受けた者だけでなく、192条により保護されないAの持分の差押債権者も保護されることになる。また、178条では第三者の善意無過失は要件にならない。しかし、文字通りに178条はABが共同して——またはAが単独で（即時取得が問題になる）——「物」を譲渡した場合にのみ適用し、持分譲渡には適用せず、対抗可能性の原則通りに当然に対抗できると考えるべきである。第三者の保護については、持分の即時取得によることが考えられる。共有物を占有する共有者の1人が単独所有と称して売却した場合は、即時取得の適用が可能である。また、共有物の占有者が、共有者と称して持分を譲渡し物の引渡しをした場合、共有者と信じることにつき無過失であれば、即時取得を認める余地がある。899条の2は動産にも適用されるが、上記のように考えれば、登録動産にのみ適用すべきである。

12-3　**(b)　登録動産の登録、特例法による動産登記**

他方で、自動車、船舶、飛行機等の登録制度が用意されている動産があり、登録済動産では登録が対抗要件となり178条の適用は排除される。また、証券に表象される商品については、例えば倉庫証券については、寄託物の処分は倉庫証券によることが必要とされ（商605条）、また、倉庫証券の引渡しに寄託物の引渡しの効力が認められている（商607条）。さらに、1998年（平成10年）の「債権譲渡の対抗要件に関する民法の特例等に関する法律」——その後の改正で動産も追加され「動産及び債権の譲渡の対抗要件に関する民法の特例等に関する法律」＝**動産債権譲渡特例法**（以下、**特例法**と略称する）となる——により、法人による動産の譲渡には、動産譲渡登記による公示＝対抗力の取得が可能となった（☞12-4）。ただし、登記・登録がされている動産は特例法の対象外とされる。また、登記後も178条の適用は排除されない。したがって、一度譲渡登記された動産も、その後の転売については、登記ではなく178条の対抗要件によることができる。動物の愛護及び管理に関する法律（同法39条の2第1項）により、犬猫等販売業者は、犬や猫にマイクロチップを装着することを義務づけられ、獣医師より「装着証明書」が発行されて（同法39条の3）登録がされ「登録証明書」が交付される（39条の5第4項）。登録された犬や猫の譲渡は登録証明書と共にしなければならないが（同条9項）、この登録証明書の交付は対抗要件ではないため、犬や猫の販売は178条により規律される。銃刀法の登録も同様である（☞注61）。

12-4

◆特例法による動産譲渡登記ファイルへの登記

特例法は、「法人がする」動産の譲渡について適用されるにすぎず、法人以外については動産譲渡登記制度を利用することはできない——譲受人は法人でなくてもよい——。動産の譲渡登記が必要とされるのは、ほとんどが譲渡担保であり、そのヘビーユーザーに限定しておけば実務上の要請はほとんどすくい上げられ、他方で、一般個人にまで拡大したのでは登記所の負担が過重になるからである。動産譲渡登記の効力は、178条の「引渡しがあったものとみなす」というものであり（特例法３条１項）、それ以上の効力はない。登記がされた以上は即時取得を阻止する効力を認めるべきかどうか、立法に際して議論されたが、動産自体には何らの表示もなく、将来、動産登記が普及した際に過失判断で考慮すればよいとして見送られた。動産譲渡登記制度のシステムは、法務局等の所管に属し（特例法５条１項）、磁気ディスクをもって調製する動産譲渡登記ファイルの記録によって行われる（特例法７条１項）。実際には、東京法務局１ヶ所が登記所として指定され、全国からオンラインによる申請を受け付けている。物的編成主義ではなく、同一動産について譲渡登記が重複してなされることも考えられ、登記の先後により優劣が決められる。

12-5

◆従物の対抗要件

例えば、Ａはその所有の土地建物をＢに売却したが、所有権移転登記がされる前に、①Ａが庭の高価な敷石、庭石、石灯ろう、五重の塔だけをＣに売却した事例、または、②Ａが土地建物をさらにＤに売却した事例において、その後、Ｂが移転登記を受ける前に、Ｄが土地建物したがって庭石等の引渡しを受けた場合、庭石等をめぐる権利関係をどう考えるべきであろうか。①では動産部分だけの二重譲渡であるが、②では土地建物全体の二重譲渡である。

ケース①では、Ｃの対抗要件は178条によるが、Ｂの対抗要件が問題である。ⓐ動産の対抗関係ということなので、必ず178条によるべきで、Ｃが引渡しを受ける前にＢが占有を開始しなければならないのか、ⓑそれとも不動産の従物なので、不動産の登記による公示にカバーされるものとして、必ず登記によるべきなのか、さらには、ⓒＢはいずれかを備えればよいのであろうか。従物は主物である不動産の公示にカバーされており[53]、引渡しがなくても所有権移転登記がされればＢに対抗力を認めてよい（金山327頁）。また、Ｃとの関係では、Ｂの引渡しによる庭石等についての対抗力を否定する必要はなく、ⓒ説が適切である。

53）抵当権の事例で、「根抵当権は本件宅地に対する根抵当権設定登記をもって、その構成部分たる右物件についてはもちろん、抵当権の効力から除外する等特段の事情のないかぎり、民法370条により従物たる右物件についても対抗力を有する」ものとされている（最判昭44・3・28民集23巻3号699頁）。抵当権については占有を取得しえないので、不動産の登記によって従物に抵当権の効力が及ぶことの公示を認める必要性がある。

他方、ケース②では、不動産部分は177条により対抗関係が規律されるが、動産部分の二重譲渡について独立して178条が適用になり、先に引渡しを受けた者が、不動産についての取得の有無にかかわらずその所有権取得を対抗できると考えるべきであろうか。この点、従物は主物と運命を共にし、その帰属は分かれるべきではないという87条2項の趣旨からいえば、やはり、従物は主物である不動産につき対抗要件を具備した者に帰属させるべきである。従物についてのみ占有を取得したということで独立して対抗力を認めるのは適切ではない。従物の運命は、主物たる土地の177条による優劣決定に従うべきである。

12-6 **◆取消し・解除と178条**

例えば、Aがその所有の甲画をBに販売したが、その後に、Aが詐欺、錯誤または強迫を理由に売買契約を取り消したり、または、Bの代金不払いを理由に売買契約を解除したとする。この場合に第三者C（Bからの甲画の買主）との関係が問題となることは、不動産についてと同じである。

不動産についてと同様に考えると、取消し・解除前の第三者は、95条4項・96条3項、また、545条1項ただし書により保護され、強迫の場合には第三者Cは保護されないことになる。契約当時Bは所有者であり、192条の適用はないからである。無効の遡及効の制限により保護される第三者であることは、動産であっても変わらないことになる。

では、取消し・解除後の第三者はどう考えるべきであろうか。不動産と決定的に異なるのは、公信の原則が192条により認められているという点である。無権利説によっても、動産では、取消し・解除後の第三者は192条により保護され、善意無過失が必要また占有改定では保護されないということになる。他方で、実質的には取消し・解除による復帰的物権変動があるので、「譲渡」についての178条を類推適用することも考えられる。この考えでは、第三者は背信的悪意でなければよく、また、占有改定でもよいことになる。動産については即時取得（192条）による解決が最優先されるべきであり、取消し・解除後の第三者の保護についても、192条によるべきである。

2　対抗要件としての「引渡し」――「占有権」の移転

12-7 (1)　178条と4つの占有権移転についての規定

178条は、動産に関する「物権の譲渡」について「動産の引渡し」を対抗要件としているが、「引渡し」を定義した規定はない。「引渡し」という用語は、182条1項に用いられており、「占有権の譲渡は、占有物の引渡しによってする」と規定されている。この「引渡し」は現実の引渡し（☞12-8）を意味するものと考えられており、物の所持を移転させることである。

そうすると、178条の「動産の引渡し」も、182条1項の「物の引渡し」＝現実の引渡しを想定しているかのようである。異例な対抗要件主義によったので、そのような解決もありうる。しかし、一度現実の引渡しをさせて、すぐさま預けても、そのような手続は公示として無意味であると批判される。そのため、通説・判例は、178条の「引渡し」には、次の4つが含まれると考えている。②〜④は意思表示（合意）による引渡しの擬制である。

① **現実の引渡し**＝「物の引渡し」（182条1項）
② **簡易の引渡し**＝すでに現実の占有（所持）を有している場合の「意思表示」による「占有権の譲渡」（同条2項）
③ **占有改定**＝現実の占有者が他人のために占有する「意思を表示」することによる本人（譲受人）による「占有権」の「取得」（183条）
④ **指図による占有移転**＝他人が本人に代わって占有している場合に、本人が譲受人に譲渡したので以後譲受人のために占有するよう命じ、占有者がこれを受諾することによる譲受人の「占有権」の「取得」（184条）

178条の引渡しを広く認める背景としては、対抗要件を広く認めても、第三者の取引の安全保護は即時取得により図ることができるので不都合がないことがある。以下では、占有の規定であり不動産にも関わる規定であるが、①〜④について、便宜上ここで説明をしておこう。

12-8 (2) 譲受人が直接占有（所持）を取得するまたは取得している場合

(a) 現実の引渡し——譲受人への所持の移転

(ア) 売買など自主占有を移転させる場合　民法は、「占有権」という概念を認め（物権編第2章）、「占有権の取得」（第1節）という表題の下に、「所持」による現実の占有（180条）によるだけでなく、寄託や賃貸等、自身に代わり他人に占有させ、所持による現実の占有はその他人（代理人と称している）にさせることによる、「占有権」の取得を認めている。このために、占有権、占有また引渡しという概念の理解が面倒になっていることは否めない。

まず、最も簡単な方法として、物の所持（現実の占有）を移転する方法により「占有」また「占有権」を移転することができ（182条1項）、これを**現**

実の引渡しという。判例は、182条１項にいう「物の引渡とは、当事者の一方が其所持即ち実力的支配に係る物を他の一方の実力的支配に移属せしむること」と定義している（大判大９・12・27民録26輯2087頁）。

現実の引渡しが178条の「引渡し」に該当することは疑いない。譲受人が動産の占有という公示を取得しているからである。なお、引渡しといっても、動産と不動産とは同列には扱えない（☞ 12-10）。

12-9　**(イ)　自主占有を移転させる場合以外**　現実の占有の移転（現実の引渡し）＝所持の移転は、売買の場合だけでなく、賃貸や寄託でも認められ、その場合には所有権移転はないが「占有権の譲渡」はある。この場合には、賃貸人が賃借人に代理占有させることにより、間接占有（自主占有がこれにより維持される）を取得する。所持を有する直接占有者である賃借人につき、代理占有（他主占有である）が新たに成立することになる。また、賃借人が目的物を賃貸人に返還する場合も、物の現実の引渡しがされているが、代理占有を消滅させ、賃貸人の間接占有が直接占有に変更される――自主占有の移転はない――。こうして現実の引渡しは様々な事例をカバーするが、178条が問題となるのは、譲渡に関わる場合である。

12-10　**◆不動産の現実の引渡し**

動産では、その動産を移転させることにより現実の引渡しがされる。これに対して、不動産では現実の引渡しはどうされるべきであろうか。これは不動産における「所持」の理解にかかり（☞ 16-6）、社会通念上、ある者の支配にあるとみられる状態が作られればよい。判例は、「不動産は所在確定して移転を許さざるものなるのみならず、之が引渡を為すに何等特別の手段方法を要せざる……故に、双方共に目的物を熟知し実地に臨むの必要なきときの如きは、単に之を一方より他の一方の実力的支配に移属せしむることの合意を為すに依りて引渡を完了すること、法律上毫も妨げなし」と説明している（大判大９・12・27民録26輯2087頁［山林の事例］）。学説上も、不動産にあっては、その利用・管理を相手方に任せることで足り、事実上はその旨の合意のみで引渡しがあったとすべき場合もあると評されている（柚木303頁）。建物であれば、内部の荷物を持ち出して鍵を渡すことで現実の引渡しが認められてよいが、山林などの土地では塀で囲んでいなくても管理をしている者の支配が認められるべきであり、引渡しの合意だけでよい。土地については擬制に等しい認定をせざるをえない。

12-11　**(b)　簡易の引渡し――すでに譲受人が所持を有している場合**　例えば、ベビー用品のレンタル会社ＡからＢがチャイルドシートを借りてすでに所持

（直接占有）しているが、このチャイルドシートをAから買い取り代金を振り込んだとする。この場合、「譲受人又はその代理人が現に占有物を所持する場合には、占有権の譲渡は、当事者の意思表示のみによってすることができる」（182条2項）。これを**簡易の引渡し**という。

「占有権の譲渡……の意思表示」により、AからBへの自主占有の占有権の譲渡がされたものと構成するのである。Aは間接占有（自主占有）を失うことになる。法的には、Bは賃借物を返還し、Aは売却物を引き渡したことを、当事者の合意で擬制するに等しい。それぞれの義務の履行が認められ、また、567条1項の引渡しにもなる。

Bは賃貸借契約の終了によりAに物を返還して、売買によりAから再度引渡しを受けるというのは迂遠であり、また、譲受人が現実の占有をしているため、現在の所有者の公示として欠けるところはない。そのため、簡易の引渡しを178条の引渡しと認めてよい。

12-12 (3) 譲受人が間接占有（占有代理人による占有）を取得する場合

(a) 占有改定――譲受人が間接占有を取得する場合① **占有改定**とは、「代理人が自己の占有物を以後本人のために占有する意思を表示したときは、本人は、これによって占有権を取得する」ことである（183条）[54]。例えば、AからBが子牛1頭を購入し、BがそのままAにその牛を育ててもらい、出荷時期になったら売却してもらうという約束がされた場合がこれに該当する。占有改定の意思表示（合意）により、AからBへの引渡し、そしてBからAへの引渡しがなされたものと擬制をすることになる。自主占有はAからBに移転し、BはAを占有代理人とする間接占有を取得する[55]。AはBに引渡義務を履行したことになり（567条1項も適用される）、BはAに寄託物を預け、Aはこれを受領したことになる。このように、Aは直接占有（＝所持）をしたままであり、その占有が自主占有から他主占有に変

54） **＊占有改定の原因行為が無効であってもよい**　Aを売主、Bを買主とする売買契約がされたが、AがBから目的物を賃借することにし占有改定がされた場合、AB間の売買契約が無効であっても、BがAの占有――Aは他主占有――を通じて自主占有していることは否定されない。したがって、売主が無効を買主に対して主張し、所有の意思あることを表示して185条により自主占有とし代理占有関係を終了させなければ（204条1項）、Bの取得時効を阻止できない。判例としては、会社が取締役に物件を譲渡したが、取締役から会社に当該物件が賃貸された事例で、その譲渡行為が無効であっても占有改定の成立に変わりないとする下級審判決がある（大阪地判昭29・8・10下民集5巻8号1303頁）。

わるためには、寄託などの他主占有権原が必要になる。

譲受人が現実の占有を取得する場合でなければ178条の引渡しとして認められないとすると、一度AからBに引渡しをしてから、BからAに飼育を依頼して預けるという手順を踏むことになるが、それは無益である。また、取引の安全は即時取得で図ることができる。そのため、通説・判例ともに占有改定を178条の「引渡し」として認めている。

12-13　**(b)　指図による占有移転――譲受人が間接占有を取得する場合②**　「代理人によって占有をする場合において、本人がその代理人に対して以後第三者のためにその物を占有することを命じ、その第三者がこれを承諾したときは、その第三者は、占有権を取得する」(184条)。これを**指図による占有移転**という。例えば、AがCに貸しているまたは寄託している物をAがBに譲渡した場合、AがCに対してBに譲渡したから今後はBのために保管するよう指図をし、Cがこれを承諾すれば、Bは「占有権を取得する」。この場合も、AB間の合意で、AからBに引渡しがあったものと擬制し（民法のいう「占有権の譲渡」)、売主は引渡義務を履行したことになる（567条1項も適用される)。条文では第三者の承諾が必要とされている。これは、契約譲渡に当たるために相手方の承諾が必要になるが（539条の2)、法令や特約により承諾が不要な場合には（例えば、605条の3)、指図だけで足りる。

間接占有の場合、所有者の公示は、間接占有者への照会とその返答によってされる仕組みである。だとすれば、CにAからBへの譲渡の情報がインプットされれば、Cへの照会・返答を通じてBに所有者が変わったという

55)　**＊占有機関となる場合また間接占有と占有改定**　譲渡人が占有代理人になるのではなく、譲受人の占有機関として占有をする場合には――従業員が会社の机に自分で買ってきたスタンドを設置し、その後、会社に買い取ってもらいそのまま使用させる――、譲受人は代理占有ではなく直接占有（自己占有）を取得するので、占有改定ではなく現実の引渡しを認めるのが判例である。すなわち、「若し夫れ甲権利の譲渡人が乙権利の伝来取得を為さず甲権利の為めにする譲受人の占有に付き単純の所持人と為るに過ぎざるときは、譲渡人は譲受人の占有機関なるを以て譲受人は甲権利の為めにする直接占有者となるべく之に付ては第181条の規定を以て足り」、占有改定ではないとされている（大判大4・9・29民録21輯1532頁)。占有改定は、譲渡人が目的物を間接占有をしている場合にも考えられる（最決平29・5・10民集71巻5号789頁)。AがBに賃貸または寄託中の動産をCに譲渡し、賃貸または寄託契約がAB間からCB間に承継されるのであれば、指図による引渡しである。ところが、AがBに一時寄託中の子牛をCに売却し、CがBとの寄託契約関係を承継するのではなく、売主Aに子牛の飼育を委託する場合、AC間に寄託が成立し、AB間は再寄託のような関係になる。ここでは、AB間に他主占有原因があり、これによりCがAを占有代理人（Cに復代理占有をさせている）とする間接占有たる自主占有を取得することになる。

ことがわかるようになる（債権譲渡に類似）。Ｃが一旦Ａに返還し、Ａから Ｂに引渡しをし、ＢからＣに預けさせるのは無意味である。指図による占有移転も178条の「引渡し」に含めてよい。

12-14

◆動産における対抗要件主義の評価

引渡しは、占有訴権の保護、占有を要件とする取得時効の適用を認めるかどうかという観点から検討されるべきであり、第三者への公示としての対抗要件をめぐってまで同じ議論を持ち込むのは、ただでさえ混乱している占有論をさらに混乱させることになる。立法論としては、不動産とは異なって、動産では対抗可能性の原則に対する第三者の取引安全保護のためには即時取得制度があるので、対抗要件制度は余計であり、廃止して構わない。フランスでは、2016年改正により、所有権移転行為が競合する場合につき、動産では占有（現実の占有）の取得を優劣の決定基準とした上で、第２譲受人は善意で先に占有をすることを必要とする規定が置かれた（同法1198条１項）。この立法の方が適切である。

解釈論としては、通説・判例のように以上の４つ全てを178条の対抗要件として容認したい。12-15に述べるように、占有改定の認定を緩和すれば、178条の対抗不要が適用される事例はほぼなくなり、192条により規律される。

12-15

◆特定物売買で引渡しを後日にするのは占有改定か

例えば、古物商Ａが、店に陳列してある骨董品の掛け軸を店に来たＢに売却し、Ｂから翌日の配達を頼まれた、または、翌日ＢがＡの店に取りに来ることにしたとする。この場合に占有改定が認められるのであろうか。

占有改定が認められるのは、買主が売主に目的物を賃貸したり、飼育等の管理を依頼して預けるといった売買契約とは別個の契約――売主の占有を他主占有へと変更する他主占有原因――がある場合に限られるのであろうか（契約がなくても400条により売主は保存義務を負う）。上記のような短期間引渡しを先延ばしにしたというだけの場合には、占有改定は認められないのであろうか。このような場合、そのように厳格に運用する必要はなく、買主に占有訴権を認め、また、買主の取得時効の起算を認めてよい。さらには、引渡しまでの保管を無償でしてもらうのも、黙示の寄託契約を認めて占有改定を認めてよい。そうすると、よほどの事例でない限り占有改定が認められることになる。そうだとしても、Ａがその後に第三者に売却しても、即時取得で保護されるので不都合はない。この結果、特定物売買では、引渡しが後日とされれば常に占有改定が認められ、その後は、即時取得により規律されることになる。

567条１項の引渡しには占有改定を含めまた占有改定の認定を緩和するとしても、現物を保管場所から取り寄せるなど、売主側の事情により引渡しが先にされている場合にまで、売買契約により直ちに危険の移転を認めるのは適切ではない。この場合には、占有改定を否定するか、占有改定では危険は移転しないと考えるべきである。

3　引渡しがなければ対抗できない「第三者」——賃借人および受寄者

12-16　(a)　**問題となる者**　178 条の適用により、「引渡し」がなければ「動産に関する物権の譲渡」を対抗できない「第三者」については、ほとんど議論がないが、177 条の「第三者」と同様と考えればよいというのが通説的理解といえようか。そうすると、「第三者」は「引渡し」の欠缺を主張する正当な利益を有する者ないし引渡しの欠缺を主張することが信義に反しない者となり、この 1 つの要件で背信的悪意者排除も運用されることになる。

ただ、賃借人への対抗と共に、寄託してある動産の受寄者に譲受人が返還請求する場合に、受寄者自身が 178 条の第三者に該当し、譲渡人が指図をして受寄者が承諾しない限り対抗できないのかは、問題とされている。

12-17　(b)　**判例**　判例は、①賃借人については、「係争物件の引渡なかりしことを主張するに付き正当なる法律上の利害関係を有する者」であるとして、賃借人に対する指図による占有移転がない限り譲受人は所有権取得を対抗しえないとしたが（大判大 4・4・27 民録 21 輯 590 頁）、②受寄者については、所有者の請求があり次第返還をしなければならない者であることから（662 条）、正当な利害関係を有せず 178 条の第三者に該当しないとした（大判明 36・3・5 民録 9 輯 234 頁、大判昭 13・7・9 民集 17 巻 1409 頁、最判昭 29・8・31 民集 8 巻 8 号 1567 頁）。不動産については 605 条の 3 が設けられたが、動産については規定はなく、依然として解釈に任されている。

12-18　(c)　**学説**　他方、学説には、①賃借人を「第三者」として肯定するだけでなく（柚木 264 ～ 265 頁、松坂 94 頁）、受寄者についても「第三者」と認め、また、引渡しは対抗要件ではなく、不動産の場合と同様に権利保護要件として要求する学説がある（鈴木 195 頁以下）。②その一方で、177 条において賃借人の第三者性を否定する学説は、ここでも賃借人や受寄者を第三者とは認めない（舟橋 227 ～ 228 頁、金山 332 ～ 333 頁、近江 149 頁）。賃借人や受寄者の保護については、権利確認に必要な調査をするために支払や返還が遅れても履行遅滞の責任を負うことなく、譲渡人に支払ったり返還しても 478 条の保護を認めている。本書としては、契約上の地位（賃貸人、寄託者）の譲渡を対抗する場面であることを考慮して、467条1項を類推適用し、譲渡人による譲渡通知を必要と考える。

受寄者については、660条2項・3項がこの問題にどう影響を及ぼすかは疑問が残されるが、同項は受寄者に拒絶権を認めるものではなく、受寄者にも467条1項の類推適用を認めるべきである（松岡久和「寄託中の動産の所有権移転」『現代市民社会における法の役割』［2020］457頁以下は、対抗要件不要説）。

12-19

◆178条と差押債権者

差押債権者は94条2項・95条4項・96条3項だけでなく、177条の対抗不能制度においても第三者性が肯定されているが、「行為」、「取引行為」を要求する32条1項後段や192条では保護されることはない。178条についても177条同様に、差押債権者も第三者に該当すると考えられている。占有改定の場合、売主の債権者が目的物を差し押さえたとしても、178条を適用すれば差押債権者が保護されるが、192条が適用されるので差押債権者は保護されないことになる。

判例には、Aが所有権留保で機械をBに売却・引渡しをした後に、Bの債権者Cがこの動産を差し押さえた事例で、Aから所有権留保の実行として目的物の譲渡を受けたDが、差押えに対して第三者異議を主張したのが認められている（最判昭33・3・14民集12巻3号570頁）。178条の第三者に差押債権者を含めることを前提とし、所有者Aからの譲渡であり、Aの債権者が差し押さえたならば対抗できないが、Bの債権者による差押えであり、本件機械は差押えの当時もAの所有であって、Cの「差押もその目的をあやまったものであった」ため、「Cは、AとD間の本件物件の所有権の移転につき、その引渡の欠缺を主張する正当の利益を有しない」ことが理由である。

12-20

◆178条と主観的要件

178条も、177条同様に第三者の善意を要件とはしていない。そのため、178条においても、第三者は悪意であってもよいと考えられている。ただし、判例はないものの、178条においても、背信的悪意者排除論は妥当するものと考えられている（広中172頁、新基コメ38頁［横山美夏］）。177条の第三者について善意無過失を要求する学説は、178条についても善意無過失を要求し、178条とのバランス論もあり、192条につき占有改定による即時取得を認めている（松岡222頁）。

動産については、不動産と異なり公信の原則を認める制度として即時取得が用意されている。不動産とのこの点の差は見過ごせない。もし買主が占有改定を受けていれば、第三者の保護は即時取得によることになり、善意無過失が必要になる——通説・判例では192条には差押債権者は含まれないという差もある

――。占有改定がされていなければ、178条を適用して、第三者は悪意でもよくまた占有改定でもよいというのは、いささかバランス論として座りが悪い。この差を解消するためには、①占有改定を広く認めて、178条の適用を狭めるか、または、② 178条の第三者については、即時取得の趣旨を組み込んで、善意無過失を必要とし、また、占有改定では足りない――第1買主が売主から引渡しを受けられない状態を作る必要がある――と考えるかいずれかが必要になる。

動産取引は流通の確保がとりわけ必要であるので、公信制度があり、善意無過失が必要になる。なぜ178条はそれを緩和しなければならないのか、対抗関係と構成するとどうして第三者の要件が緩和されるのか、疑問である。不動産のように登記で形式的・画一的に解決するという趣旨は、引渡しを現実の引渡しに限定しないので当てはまるのか疑問である。また、物権変動がない（売却等していない）ということへの信頼は、占有＝所有者という信頼とは異なるという形式論で、その差の合理性の説明がつくのであろうか。本書は、①を支持するが（☞ 12-15）、②の解決も可能なのではないかと考えている。

第2節　明認方法――立木・未分離果実についての物権変動

§Ⅰ
立木・未分離果実についての所有権

1　独立した所有権の成否および公示

13-1　(1)　立木・未分離果実の所有権の承認

民法上「物」は、性質により、①動産、および、②不動産に分けられ、土地の定着物は土地の一部、すなわち不動産の構成部分となる（86条1項）。ところが、伐採に適した立木、収穫に適した果実――リンゴ、柿等だけでなく、稲穂、白菜、キャベツ等も――については、土地とは独立した経済的価値があり、かつ、分離・収穫され動産として処分されることが予定されている。そのため、分離（伐採・収穫）前に取引され、かつ、分離前の買主による所有権取得そしてその対抗要件具備が認められている。177条・178条のような規定がないため、対抗可能性の原則（☞ 3-6）が適用されそうであるが、明認方法の具備が対抗要件として要求されている（☞ 13-4、13-7）。

こうして、86条の動産、不動産という物の性質決定に従えば、未分離果実や立木は、土地の一部であるから性質は不動産であるが、収穫直前の果実等は動産として取引され、準動産とでもいうべきものであり、準動産にふさわしい規律がされるべきである。ただし、立木と未分離果実とでもかなり異なるので分けて説明しよう。

13-2
◆「地上物は土地に属する」？――立木・未分離果実についての日本の慣習法

わが国の初期の学説は、未分離果実は元物の一部にすぎないとして、独立の所有権の客体として未分離のまま譲渡することを否定し、分離後の果実の売買の予約（将来動産の売買）にすぎないと考えていた（梅謙次郎『民法要義巻之一』［1911］187頁、富井政章『民法原論一巻』［1919］295頁）。しかし、客体としての独立性がすでに備わっている点で、山から石を切り出して売る場合とはやはり異なっている――切り出して岩になるまでは独立性なし――。

その後、法社会学的な研究が進められ、土地の定着物は土地の一部であり土地所有権とは別個の物また別個に所有権の成立を認めないのは、「わが国の慣習を全く無視した観念的な議論である。わが国の慣習的規範はむしろ『地上物は土地に属さない』のであり、『土地は土地、毛上は毛上』というのがわが国の慣習的事実である」といわれている（中尾英俊「立木・農産物と附合」山中康雄教授還暦記念『近代法と現代法』［1973］198頁）。ただし、独立して譲渡できるというだけなのか、譲渡前から独立した物として独立した所有権の成立を認めるべきかは（上記の考え。**独立説**といわれる）、学説上議論があり判例も明確ではない（☞ 13-8）。

13-3 (2) 立木の場合

(a) 立木の所有権の移転が可能　かつて林業は日本において重要な産業であった。そのため、立木法[56)]といった林業を支援する立法がなされ、立木をめぐる判例も数多く積み重ねられている。山奥の二束三文の土地そのものではなく、そこに植えられている立木が価値の認められる財産である。そし

56)　**＊立木法**　立木法（りゅうぼくほう）、正確には「立木ニ関スル法律（明治42年法律22号）」は、「立木」――立木法の適用のある立木を読み方で区別をして、「りゅうぼく」と読む慣わしである――を「一筆の土地又は一筆の土地の一部分に生立する樹木の集団にして其の所有者が本法に依り所有権保存の登記を受けたるもの」と定義し（同法1条1項）、「立木は之を不動産と看做す」（同法2条1項）、「立木の所有者は土地と分離して立木を譲渡し又は之を以て抵当権の目的と為すことを得」（同条2項）、「土地所有権又は地上権の処分の効力は立木に及ばず」（同条3項）と規定する。「立木を目的とする抵当権は、前条の規定に依る採取の場合を除くの外、其の樹木が土地より分離したる後と雖、其の樹木に付之を行ふことを得」（同法4条1項）と規定しつつ、他方で、「第1項の規定は、民法第192条乃至第194条の規定の適用を妨げず」（同条5項）とされている（以上、原文カタカナ）。抵当権につき登記で対抗要件が具備された場合には、伐採されその場所から分離されても対抗力はなくならず、取引安全保護は即時取得によることになる。抵当権を消すための即時取得類型である。

て、立木を伐採前に買い取り、その対抗問題が論じられていた。

大判大5・2・22民録22輯165頁は、「立木を売買の目的として其所有権を移転し得ることは、我国古来の慣習法則として是認すべきものなるのみならず、其売買あるときは買主は所有権を取得する」といい、大判大12・7・26民集2巻565頁は、「立木は土地の構成部分に非らざる独立の物なり、而して土地に定着せるものなるを以て建物と同様一個の独立なる不動産に属す」という（同旨の判例はその後多い）。

13-4　(b)　**立木の所有権移転の対抗要件**　こうして、立木の所有権が移転できるとなると（意思表示だけでよいかは☞13-8）、その対抗要件が問題となる。①特別法（立木法）に基づき登記によって公示できるが、②従来から慣行として行われている明認方法による公示も認められる[57)]。その方法としては、ⓐ立木の皮を一部削って所有者の名を墨書するほか、ⓑ山林内に薪炭製造設備を設置して製炭事業に従事するのでもよく、ⓒさらには山林入口に公示札を掲げかつ入り口付近に山小屋があり、集積された原木の多数に所有者を示す刻印が押されている場合でも明認方法にならないわけではないといわれている。単に伐採に着手するだけでは足りないと考えられている。

13-5　**◆明認方法により公示できる物権また明認方法が問題となる事例**

明認方法により公示ができる物権は所有権に限られる。物権法定主義もあり、担保物権の設定をすることは、相当に複雑な物権関係を公示するのには明認方法は適していないため認められない（舟橋262頁）。しかし、立木の譲渡担保は、所有権移転という形式によるものであるため、明認方法によることが可能である。抵当権の設定は立木登記によるしかない。明認方法による公示は、土地とは独立した慣習法上の物権、特に湯口権についても認められている（☞1-31）。

また、立木・未分離果実について明認方法による物権変動の公示が問題となる事例は、①立木や未分離果実を土地とは別に、その部分の所有権だけ移転し、その対抗要件として問題となる事例、および、②借地権者らが、権原に基づいて立木や農作物を植栽したが、権原である借地権について対抗要件を満たしていない

57)　**＊明認方法の代わりに地上権または賃借権の登記でもよい**　このほかに、判例は立木につき、「他人の所有地に生立する立木を買受けたる者が、其の立木を所有するが為に其の土地の上に地上権を設定し、之を登記したるときは、之に依りて地上権の取得が公示せらるるの結果、第三者をして立木の所有者たることを知らしむべきを以て」、「其の登記を以て立木の所有権取得を明認せしむるに足る公示方法なり」と、利用権の公示でもよいとしている（大判大9・7・20民録26輯1077頁）。242条ただし書があるので、権原たる利用権を公示すれば、付合していない立木の所有についての公示になると認めるのである。

ため、土地の譲受人らに立木等についてその所有権を保持していることの対抗が問題となる事例などがある。

13-6 **(3)　未分離果実の場合**

(a)　未分離果実の所有権の移転が可能　立木と並んで問題とされてきたのが、未分離の果実その他の農作物であるが、判例上問題になっているのは、みかん、稲立毛、桑葉などである。農作物は、収穫してから動産として取引されるだけでなく、その分離前に、物権取引の対象にすることができる。未分離であるがすでに果実が独立した経済的価値を有しまた目的物として特定可能な状態になっており（制限種類債権では足りない）、山の岩を切り出して売るようにいまだ目的物が特定されず債権取引の段階にとどまる事例とは異なっている。なお、立木が不動産に準ずるべきものであるのに対して、未分離果実は動産に準ずべき存在であるといわれている（柚木 34 頁）。

13-7 **(b)　未分離果実の所有権移転の対抗要件**　未分離果実の所有権取得の第三者への対抗は、後述のように、①分離＝収穫して動産として占有を取得するか（178 条）、また、②土地に定着したまま土地に看板など明認方法を施すことによる（178 条の類推適用または慣習法）。明認方法の具備による未分離果実の所有権取得の第三者への対抗を認める判例として、みかんにつき、大判大 5・9・20 民録 22 輯 1440 頁、桑葉につき、大判大 9・5・5 民録 26 輯 622 頁、稲立毛につき、大判昭 17・2・24 民集 21 巻 151 頁がある。上記大判大 5・9・20 は、「果実は、土地又は草木に定着して之と一体を成すも、土地の構成部分たる地盤又は草木の主要部分たる材幹以外に存在する一種の有体物にして、之と異なりたる」ものであり、「契約当事者が産出せられたる果実の所有権を土地又は草木に定着せる侭、買主に移転し之を其完全なる自由処分に委するの意思を有するときは、其意思表示は法律上其効力を生じ、買主をして其果実上に所有権を取得せしむる」ことを認めている（大判大 5・9・20 前掲）。学説にも反対はない（柚木 268 頁など）。

明認方法としては、例えば稲立毛については、田んぼに縄をめぐらして立て札を立てるといったやり方が認められている。特に慣習として確立していることは必要ではなく、譲渡の事実を示す公示を土地に施せばよい。

2　独立した所有権が認められるための要件

13-8 **(1)　問題点**

立木などが独立して譲渡できるためには、物理的な独立性と、独立して取引されるべき経済的価値のあることが必要である。契約農園である甲リンゴ園で今年の秋に収穫されるリンゴの売買は単純な将来物の取引であり、将来の物について、所有権取得の期待権を明認方法で公示しているにすぎない（金山346～347頁）。この場合、果実が成熟して特定すれば、特に意思表示を要せずに買主の所有となり、また対抗要件の具備が認められる。

土地とその上の立木・未分離果実の所有者が同じなら、建物とは異なり、分離前に独立した所有権を認める必要はない。問題になるのは、①土地使用権者が立木・未分離果実を所有する場合である。また、②土地所有者が立木・未分離果実だけを譲渡する場合には、いつどのように立木などの所有権が独立するのかが問題になる。

①の場合には、未成熟であろうと242条ただし書により当然に独立した所有権が認められ、第三者との関係ではその権原の対抗が問題になるだけである（☞20-28）。問題は②の事例であり、ⓐ同一所有者のままですでに経済的に独立した価値が認められる状態になっていれば、未分離のままで当然に独立した所有権が成立しているのか（独立説）、ⓑそれともその部分だけ譲渡する意思表示により独立し同時に移転するのか、また、ⓑだとしても、明認方法は対抗要件にすぎないのか、それとも、明認方法が伴って初めて所有権の独立が認められるのであろうか――明認方法は成立要件になる――。

13-9 **(2)　判例・学説の状況**

❶　成立要件説　まず、立木・未分離果実の所有権が独立するためには明認方法が必要であると考える**必要説（成立要件説）**では、明認方法は所有権が独立して成立するための要件であり、かつその存続要件であることになる（鈴木206頁、新田敏「立木および未分離果実の独立性と『明認方法』の目的」法研45巻9号46頁）。立木の売買契約をして、たとえ代金を支払ったとしても、いまだ土地の一部として立木は売主の所有のままであり、立木の所有権が独立していないので買主への移転もないことになる。明認方法が施されて、初めて立木や未分離果実が独立した「物」となり、所有権が独立し買主に移転することに

なる（鈴木206頁）。それが慣習だと考えることになる。

13-10　**❷　対抗要件説①**　これに対し、経済的に独立した価値が認められれば立木・未分離果実に当然に独立した所有権を認めて、明認方法は成立要件ではなく対抗要件にすぎないと考える**不要説**も主張されている。立木取引につき買主により明認方法が施されるのは稀であり、13-9の必要説は立木取引の実態を無視したものと評されている（中尾英俊「批判」『民法の判例［第3版］』［1979］75頁）。判例は対抗要件説といってよいが、必ずしも❷と❸のいずれか明確ではない。

13-11　**❸　対抗要件説②**　土地所有者が立木・未分離果実を所有する場合には、そのままで当然に立木につき独立した所有権を認める必要はない──独立した財産価値はあるが──。分離または譲渡の意思表示により初めて独立した所有権が成立し、また、明認方法は成立要件ではなく、独立した所有権の成立また譲渡の対抗要件と考えるべきである。ただ、ヨーロッパとは異なり、建物だけでなく立木・未分離果実などを土地とは別の物とするのが日本の慣習であるとするならば（独立説☞ 13-2）、13-10の❷説を認める可能性もある。慣習の解明が必要になる。

13-12

◆同一所有者に属する場合には、登記の公示に包含される

土地所有者が土地上の立木・未分離果実も所有している場合、定着物は土地の一部であるため、立木等の所有者であることは土地の登記簿による土地の所有権の公示により尽くされている。したがって、土地と立木等をあわせて売却した場合、土地の所有権移転登記をすれば、立木等についての所有権移転の公示も満たされることになる（立木を留保して土地だけ売却した場合につき☞ 13-24）。

判例は同一人に帰属する限り独立した所有権が成立しないという考えであり、上記のような解決がされる。すなわち、「土地の上に立木が生立する場合に於て、其の地盤と立木と同一人の所有に属するときは、地盤と立木とは一箇の土地所有権の目的たるものにして、地盤と立木とに付各別に所有権存在するものにあらず。故に、右土地所有権の移転ありたる場合に於て、其の移転を登記したるときは、之に依り地盤のみならず、立木に関しても所有権の移転ありたることを第三者に対抗し得」ることを認めている（大判大9・1・20民録26輯4頁）。BがAからその土地の上の立木を購入して明認方法を施さなかったが、その後にさらに土地もBがAから購入してその移転登記をした場合については、「該登記に依り右樹木の所有権取得を第三者に対抗する公示方法も同時に尽された」と認められている（大判昭12・10・30民集16巻1565頁）。たとえ同一人に帰属する場合でも、やはり別々の所有権が成立すると考える学説でも、土地とその上の物は同一人に帰属するのが通常であり、完全に独立した動産である従物でも土地登記の公示の衣に包まれるため、立木・未分離果実も同様に扱うことになる。

§Ⅱ
立木・未分離果実の譲渡の対抗要件

1　明認方法による対抗力の取得

13-13　**(a)　明文規定はないが対抗要件主義が適用される**　立木や未分離果実を土地から分離する前に、その部分の所有権を独立させ譲渡することができるとすると、対抗可能性の原則（☞ 3-7）を排除する177条や178条といった例外規定がないので、所有権の分離・移転を当然に第三者に対抗することができるのであろうか。明認方法は物また所有権を独立させる成立要件と構成すれば（☞ 13-9）、問題自体が生じない。

この点、日本では不動産・動産問わずに対抗要件主義が採用されており（公示の原則）、規定はないが、立木などについても、公示を伴わない限り第三者に対抗できないと考えるのが通説・判例である。分離（伐採・収穫）し動産として占有することにより、178条の対抗要件を満たすことができ（☞ 13-15）、これが通常の形態であると思われるが、分離前にも対抗要件具備が可能と考えられている。

13-14　**(b)　明認方法に対抗力が付与される法的根拠**　明認方法による第三者対抗力の解釈学的な根拠としては、法令に規定のない事項についての慣習法（通則3条）と説明されている（柚木249頁、広中205頁）。しかし、明認方法については慣習として確立している必要はない。判例も「登記に代わるものとして第三者が容易に所有権を認識しうる手段」であることを要求するだけである（最判昭36・5・4民集15巻5号1253頁［立木］）。その意味で、むしろ根拠は178条の類推適用に求めるべきである。慣習法が根拠ではないと考えれば、例えば廃業するので、土地に設置されたガスタンクを分離前に同業者に譲渡し、工作物等に買い取った旨の表示を施せば、178条の類推適用により対抗力を認めることも考えられる。

対抗関係は抵当権との関係でも問題になる。立木についていえば、土地の抵当権設定登記と立木売買についての明認方法の具備または伐採の先後で、抵当権の効力が及ぶかどうかが決められることになる。

177条の判例を応用すれば、ここでの第三者は明認方法の欠缺を主張する正当な利益を有する者で、背信的悪意でなければ悪意でもよいことになる。しかし、悪意でよいのかは疑問である。

13-15

◆明認方法を施さないで伐採した場合—— 178条が適用される

例えば、AからBとCが立木を買い取ったがいずれも明認方法をしないうちに、Bが伐採したとする。判例は、①「立木が一度伐採せられたるときは、其の所有者は伐採せられたる木材に付て動産としての所有権を原始的に取得するに至るものなるが故に、立木の所有権を取得し之が引渡を受けたる者は、たとえ明認方法を施したることなしとするも、既に之を伐採し動産として占有し居る事実ある以上は、爾後動産の所有権を以て第三者に対抗し得る」とした（大判昭16・12・23法学11巻721頁）。譲渡後に譲渡人が伐採をして動産として引渡しがされれば、178条の適用が肯定されることになる。②その後に、「立木当時既に明認方法の欠缺を主張する正当な利益を有していた第三者に対する関係においては、……伐木等の所有権を以て対抗し得ない」とした判例があり、譲渡人が自ら伐採し、伐木に自己所有の刻印をしても対抗力が否定されている（最判昭33・7・29民集12巻12号1879頁）。動産としての引渡しを受けていないし、立木当時に明認方法がない以上、伐木にしてこれに刻印しても対抗力を取得しえないというのである。立木への明認方法が伐採の前か後かで法的効果が異なることになるが、動産売買で引渡しをせずに目的物に「売約済」等の明認方法を施しても対抗力が認められないことを考えるとやむをえない。

13-16

◆明認方法の存在は対抗力の存続の要件

不動産の登記でいえば、例えば建物登記が登記官により誤って抹消登記されても登記の対抗力は消滅せず、また、動産でいえば、引渡しを受けた後に占有を失っても対抗力は失わない。例外としては、動産質では占有を成立要件とすると共に（344条）、占有の継続が質権の対抗要件とされている（352条）。これは、他人の所有権を制限するという状態を対抗するという制限物権の特殊性による。では、立木・未分離果実についてはどうであろうか。例えば、Aからその果樹園のリンゴをBが木になったまま買い取り、その旨を立て札に公示していたが、Aがこの立て札を取り払って、Cに売却して収穫しCに引き渡してしたとしよう。

①明認方法を独立した所有権成立のための要件と解するならば（成立要件説）、明認方法がなくなれば物の独立性を失い、再び土地の一部として土地所有権に吸収されることになる。再び付合して土地所有権に服し、土地所有者と立木譲受人との間の債権関係のみが存在する状態が復活するといわれる（鈴木206頁）。

②しかし、明認方法を対抗要件にすぎないと考えれば、対抗力が消滅するか否かが問題とされる。本来土地の所有権がその地上物についても及ぶのを制限して、地上物だけの所有権を移転するというのであり、制限物権ではないが土地所有権の及ぶ範囲を制限するものである。やはり土地所有権の範囲を制限することの公示の継続が対抗力の継続のためには必要というべきであろう（通説・判例）。最判昭36・5・4民集15巻5号1253頁は、「明認方法は、……第三者が利害関係を取得する当時にもそれだけの効果をもつて存在するものでなければならず、従つて、たとい権利の変動の際一旦明認方法が行われたとしても問題の生じた当時消失その他の事由で右にいう公示として働きをなさなくなつているとすれば明認方法ありとして当該第三者に対抗できない」と明言する。したがって、明認方法が認められる間の第三者に対しては、その後に明認方法が消えても一度生じた対抗力は存続すると考えるべきであるが、明認方法がなくなってからの第三者には、立木等の所有権の分離・譲渡を対抗できないことになる。

2　土地の登記と明認方法の対抗力との優劣

13-17 (1)　一方で土地全体、他方で立木だけが譲渡された場合

(a)　**問題点の整理**　土地と共にその土地上の立木や農作物を譲渡した場合には、土地の登記により権利関係が公示できるので、立木等の譲渡も含めて登記により対抗力を取得できる。では、一方で土地が立木と共に譲渡され（以下、立木のみを例にする）、他方で立木だけが譲渡され、立木についてのみ二重譲渡があった場合には、立木部分の対抗関係はどう規律されるのであろうか。例えば、Aが、一方で立木だけをBに売却し、他方で、立木を山林ごとCに売却したとする。

立木だけ取得したBに要求される対抗要件が、動産として占有するかまたは明認方法であることは疑いないが、Cについてはどう考えるべきであろうか。Cが伐採した場合は伐採した立木につき所有権取得の対抗を認めてよいが、所有権移転登記と明認方法とが問題になる。次の2つの事例について検討してみよう。

① Cが先に土地の所有権移転登記をし、その後に、Bが明認方法具備ないし伐採をした。
② Cが立木の明認方法を施したが、所有権移転登記をする前に、Bが伐採をした。

13-18　**(b)　土地の登記で立木取得も公示できる**　①立木が土地の一部であれば、土地の所有権が立木にも及び、土地について移転登記をして土地所有権の取得につき対抗力を取得すれば、当然立木の取得についても対抗力を取得しうることになる。②これに対して、土地と立木は伐採前から別の物であるとすれば、土地と建物のように、土地の所有権取得についての対抗力の取得と、立木の所有権取得の対抗要件とは別に考える余地がある。

この点、本書は①の立場であるが、たとえ②の立場でも、不動産の従物については、不動産の登記による公示に包含されており（☞ 12-5）、立木についても同様に扱われるはずである。なお、Cの移転登記後にBが明認方法を施し、これをCが知りながら放置した場合には、94条2項の類推適用によりBからさらに立木を譲り受けた者が保護される余地はある（広中215頁）。

13-19　**(c)　土地の登記によらず明認方法でもよいか**　13-18のように、①立木の譲受人Bの対抗要件は、ⓐ明認方法またはⓑ伐採して動産としての占有を取得する、ということになる。他方で、②山林全体の譲受人Cの対抗要件は、ⓐ土地の所有権移転登記、ⓑ伐採して動産としての占有取得のほかに、ⓒさらに明認方法により立木取得につき対抗力の取得が認められるのであろうか。

この点、ケース②については、登記で公示ができるので、必ず登記によるべきであるという考えもあり（柚木255頁）、否定説を採用したとみられる判例があるが（大判昭9・12・28民集13巻2427頁以下）、傍論と評価されている。明認方法が対抗要件として認められる以上は、土地と立木を共に譲り受けた場合であっても、明認方法を施せば、立木だけについての対抗関係に立つ第三者に対しては対抗力を認めてよい（通説といえる）。ただ、Cにつき立木に独立した所有権が認められないのに、この部分だけの対抗を考えることができるのかという理論的疑問は残される。

13-20　**(2)　土地と立木が共に売却されたが、立木に明認方法がされた場合**

(a)　明認方法により立木だけ対抗できるのか　では、立木を含めて土地がBCに二重に譲渡された場合にはどう考えるべきであろうか。先にBにより伐採がされて、その後にCに土地の所有権移転登記がされた場合、CはBに対して立木の引渡しや売却代金の不当利得返還を請求できるのであろうか。この点、登記の対抗力は遡及しないので、対抗力を取得する前に動産化し、その所有権をBが取得したことを覆しえない。

問題は明認方法である。例えば、先にBが明認方法を施したが、その後Cが所有権移転登記を受けた場合、立木についてだけBは所有権取得を対抗できるのであろうか。山林の主たる価値は立木にあることを考えると、これでは土地所有権の対抗要件を満たしたCにあまりに不利益である。

13-21　**(b)　土地の対抗関係の優劣に立木も従うべき**　そのため、判例は、「土地と分離して立木のみを取引の目的と為したる場合は格別、立木の生立する土地を売買したる場合に於ては、立木は土地の一部なるを以て、土地に付ての所有権取得登記を為すに非ざれば、其の土地上の立木の所有権を第三者に対抗し得ざるものなり」と、Bによる明認方法による立木所有権取得の対抗要件具備を否定している（前掲大判昭9・12・28）。明認方法を、立木だけを買った場合の例外的公示方法と位置づければ、本来あるべき土地所有権の登記による公示ができる以上はそれによるべきことになる。ただし、立木だけを買った者に対しては、明認方法による対抗を認めてよい（☞ 13-19）。

13-22　**(c)　別々に考え明認方法を認める学説**　これに対して、土地と立木は、立木だけ譲渡して初めて立木につき独立した所有権を認めるのではなく、建物同様に初めから立木について別の所有権の成立を認める独立説では、立木についてはBに対抗力を認めようとしている（末川169頁以下、柚木252頁以下、舟橋263頁）。主物・従物の関係であれば、主物の土地に従うという処理によるべきであるが、土地と立木とでは、立木に財産価値があり中心たる財産である。建物とは異なり伐採されるので、全く別々に考えることも可能であるが、土地の取得につき優劣が決められるべき事例では、立木もその優劣に服すべきではないかと思われる（本書は(b)説に賛成）。

13-23　**◆山林の二重譲渡のケースで第1買主が購入後に樹木を植栽した事例**

Bが山林を取得後に立木を植栽したが、その後に、Cが所有権移転登記を受けた場合には、立木の所有権についてはどう考えるべきであろうか[58]。付合が問題

58）　**＊無効な利用権に基づく植林の事例**　土地の使用権限があると誤信して立木を植栽し管理してきた者は、土地は他主占有なので時効取得できないが、20年山林を管理したことにより立木の所有権を時効取得できる——付合して立木の所有権を失うはずということが前提になっている——と考えられている（最判昭38・12・13民集17巻12号1696頁）。その後の判例で、不動産賃借権の取得時効が認められているので（最判昭43・10・8民集22巻10号2145頁）、賃借権の取得時効を認め、権原による付合の例外（242条ただし書）それ自体を認めることが可能になっている。

となるが、判例をここで紹介しておく。

最判昭35・3・1民集14巻3号307頁の事例は、以下の通りである。Aが山林をYに売却したが所有権移転登記はされないまま、Yがこの山林に杉苗を植栽し、この山林がY所有であることを、立て札を立てて公示した。その後、Aはこの山林をBに売却し、Bはさらにこの山林をXに売却し、所有権移転登記はAからB、BからXにされたが、Xへの売却当時Yの立て札はなくなっていた（Bへの売却時にはあった）。原判決は、公示がなければYは立木の所有権を第三者に対抗できず、本事例ではXが土地を取得した時には公示方法がなかったことから、Yは立木所有権をXに対抗できないとした。最高裁は次のように判示して原審判決を支持し、上告を棄却する。

「本件立木はYが権原に基づいて植栽したものであるから、民法242条但書を類推すれば、この場合、B・Xの地盤所有権に対する関係では、本件立木の地盤への附合は遡って否定せられ、立木はYの独立の所有権の客体となりえたわけである。しかしかかる立木所有権の地盤所有権からの分離は、立木が地盤に附合したまま移転する本来の物権変動の効果を立木について制限することになるのであるから、その物権的効果を第三者に対抗するためには、少なくとも立木所有権を公示する対抗要件を必要とすると解せられるところ、……Xの山林取得当時にはYの施した立木の明認方法は既に消滅してしまっていたというのであるから、Yの本件立木所有権は結局Xに対抗しえない」。

本判決は、稲の事例についての先例（大判昭17・2・24民集21巻151頁☞20-29）との整合性について、「所論引用の大審院判例の事案は、未登記の田地所有権に基づき耕作して得た立稲および束稲の所有権の差押債権者への対抗力に関するものであるが、稲は、植栽から収穫まで僅々数ヶ月を出でず、その間耕作者の不断の管理を必要として占有の帰属するところが比較的明らかである点で、成育に数十年を予想し、占有状態も右の意味では通常明白でない山林の立木とは、おのずから事情を異にする」と説明している。

13-24 (3) 立木を留保して土地を売却した場合

(a) 土地と立木を別の物と考える独立説——無権利説　例えば、Aがその所有の山林につき、立木は伐採する予定であるので、立木を除いて土地だけをBに売却し、Bは移転登記を受けたとする。その後、Bは、Aが立木を伐採する前にCに土地を立木と共に売却してしまい、所有権移転登記がされたとする。Cは立木まで取得できるであろうか[59]。

土地所有者の下でも、建物と同じように立木につき独立した所有権を認める独立説では、それぞれの所有権の移転が考えられる。土地を売却したが、立木を売却していなければ、買主は立木については所有権を取得していないことになる。Bについて、立木については無権利の法理が当てはまり、Cは立木について外観法理による保護が認められない限り、立木の所有権を取得しえないことになる。AC間には対抗関係は存在せず、Aが立木の所有権をCに対抗するには対抗要件は不要となる（広中216頁、稲本193頁）。

この立場でも、Cの保護の余地はある。Aが明認方法を施さなかったことにより、立木についても登記によってBの所有であるかのような外観を放置したことになる。そのため、この立場では、Cを94条2項の類推適用により保護しようとしている（広中216～217頁）。

13-25　**(b)　土地から立木の所有権を独立させる物権行為を認める立場**

❶　対抗問題説　立木は土地の一部であるが、立木だけ譲渡または立木を留保して土地を譲渡するなど、立木の所有権を土地から独立させることができると考える立場では、土地から立木の所有権を独立させることが1つの物権変動となる。そうすると、その物権変動についての公示が必要となる。これが判例の立場である（最判昭34・8・7民集13巻10号1223頁）。「立木は本来土地の一部として一個の土地所有権の内容をなすものであるが、土地の所有権を移転するに当り、特に当事者間の合意によって立木の所有権を留保した場合は、立木は土地と独立して所有権の目的となるものであるが、留保もまた物権変動の一場合と解すべきであるから、この場合には立木につき立木法による登記をするかまたは該留保を公示するに足る明認方法を講じない以上、第三者は全然立木についての所有権留保の事実を知るに由ないものであるから、右登記または明認方法を施さない限り、立木所有権の留保をもってその地盤である土地の権利を取得した第三者に対抗し得ない」と判示されている。この立場を本書も支持したい[60]。

13-26　**❷　成立要件説**　さらには、土地の一部である立木に土地から独立した所有権が成立するためには、明認方法を施すことが必要であると考えれば（☞

59）　**＊従物ではどうなるか**　例えばAが土地建物をBに売却したが、庭石や石灯ろうは除外する特約をしており、Aが庭木や石灯ろうなどを搬出する前にBがこの土地建物をCに売却した場合にはどう考えるべきであろうか。本来、土地の所有権の一部であるはずの立木について、その所有権を独立させることを1つの物権変動とすれば、その対抗不能を考えることができるが、従物にはそのことが当てはまらない。ただし、従物だけの即時取得を認めれば、Cが従物を取得する可能性がある（立木と異なり、動産なので192条の適用がある）。

13-9)、そもそもAは明認方法を施していないため立木の所有権を留保できておらず、立木は土地と共にBさらにCに移転することになる（新田・前掲論文50頁、鈴木207頁、北川91頁、安永132頁）。明認方法が施されていない限り、立木所有権を独立させ留保することは、当事者間の債権的効力を有するにすぎないことになる。この説では、AがBに販売後に明認方法を施すと、一旦Bに立木を含めて所有権が移転してしまったのに、立木につき独立した所有権が成立し移転していなかったことになるのであろうか。

第3節　即時取得

§Ⅰ
即時取得の意義

14-1　(a)　**即時取得とは**　所有権のない者から物を購入しても、所有権を承継取得できない（無権利の法理☞3-14）。動産では、もし無権利の法理を貫くならば、所有者かどうかを確認できるまで取引は避けられてしまい、動産取引は停滞する。巨視的にみて、経済発展の足かせになる。むしろ、所有者の保護をある程度犠牲にしてでも、安心して動産取引ができるようにすることが、政策としては望まれる。そこで無権利の法理を修正し、動産取引の安全を保護するために認められた制度が、**即時取得**（ないし**善意取得**）である。

すなわち、民法は、「取引行為によって、平穏に、かつ、公然と動産の占有を始めた者は、善意であり、かつ、過失がないときは、即時にその動産について行使する権利を取得する」という規定を置いた（192条）。この規定のおかげで、例えば、A所有の高級時計を、Aから修理の依頼を受けて占有しているBが、自己の経営する中古品の販売店に商品として陳列し、客とし

60）　わが国では、他人の土地に造林するのに、賃貸借類似の借地契約をすることが多く、地上権等の登記も、立木登記も、また、明認方法も施されることはほとんどないといわれる。それなのに、判例のように考えてしまうと、安心して造林することができず、森林経営の安全が著しく害されると批判されている（中尾・前掲書278頁以下、同「批判」『民法の判例［第2版］』［1979］5頁）。本ケースとは異なるが、参考となるであろう。

て訪れたCにこれを売却した場合、Cが善意無過失ならば時計の所有権を取得できることになる。

14-2　(b)　**ゲルマン法に由来**　ローマ法では無権利の法理の修正は、短期の取得時効により担われていた。即時取得制度は、沿革的には、占有（ゲヴェーレ）と所有とが分離していないゲルマン法に由来するものである。占有を伴わない所有権は認められず、よって、占有のない所有権に基づく返還請求は認められず、ただ寄託や賃貸借などの契約上の債権的な返還請求権のみが契約の相手方に認められていた（ゲルマン法の「Hand wahre Hand」)。この制度が近代法において取引安全保護制度に転用され、2004年の改正により、取引行為が要件として192条に明記され、ようやく取引安全保護制度への転換が条文上も実現された。

192条は即時時効を修正したことから（☞14-3)、「即時取得」と表題が付されているが、より取引安全保証を徹底している証券化された権利では、「善意取得」と称されている（520条の5・520条の15)。民法でも善意取得という表題による方がふさわしいと評されている（松岡205頁)。

14-3　**◆旧民法では取得時効（即時時効）として規定されていた**

フランス民法では、2008年の改正前は、占有と取得時効という章の中で、不動産の取得時効に続けて動産の取得時効という表題の下に、即時取得に対応する規定が置かれていた。日本でも、①1885年（明治18年）の民事期満効規則草案では、30年という取得時効の原則（同14条）に対する例外として、正権原（＝取引）かつ善意――フランス民法や旧民法には無過失は要件として規定されていない――による占有取得の場合には、不動産については15年（同15条)、動産については3年の時効に短縮されていた（同16条)。正権原（＝取引）に基づかない占有では、善意でも原則通り30年の取得時効になる。占有の取得だけでは足りず、3年の占有の継続が必要とされていたのである。②旧民法では、動産の善意占有者について、3年の短期取得時効が即時の時効に修正され、③さらには、現行民法では、期間の経過を要しないのに時効というのは不合理であるとして、この規定が時効規定から物権法の占有の効力規定に移された（192条以下)。

この沿革からして、192条は、取得時効とは異なる制度とされたが、短期取得時効と連続性を有する取引安全保護制度として位置づけられていることがわかる。動産・不動産のいずれにおいても、善意占有者についての例外が認められるためには善意＋正権原（売買などの取引）＋占有（不動産では＋一定期間の継続）を必要とするという構成になっているのである。現行法制定に際し、162条2項・192条のいずれにおいても正権原という要件が消えてしまったが、192条については、解釈により取引に基づくこと（＝正権原）が必要とされ、2004年改正により「取引行為によって」という要件が明記された。同改正は、他方において、162条2項について、取引に基づかない場合も含むことを前提として、動産を含めるために、当初規定は「不動産」に限定していたのを「物」に広く拡大した。

§Ⅱ
即時取得の成立要件

① 前主が無権利であること（抵当権の負担付きの所有者は？）
② 動産であること
③ 占有者との有効な取引の存在
④ 占有取得者が善意かつ無過失であること
⑤ 平穏かつ公然に占有を取得すること

1　前主が無権利であること――所有者との取引にも適用できるか？

14-4　**(a)　前主が所有者ではない場合に限られるか**　前主が所有者であれば、有効に所有権の移転等ができるため即時取得を持ち出すまでもない――なお、取消しや解除により遡及的に無権利者になる場合は、遡及効を制限する第三者保護規定により保護すべきであり、即時取得は適用にならない（安永118頁）――。本来、192条が念頭に置いているのは、所有者でない者が他人の物を処分する場合である。では、所有者であるが担保物権によりその所有権が制限されている者が、担保物権がないものとしてその物を売却した場合、譲受人は即時取得により担保物権の制限のない所有権を原始取得できるであろうか。動産質は占有の継続が対抗要件なので（352条）、悪意の譲受人に対しても占有を失うと質権を対抗できない。そのため、問題とされているのは、抵当権の効力が従物に及ぶ場合である（立木につき☞14-11）。

14-5　**(b)　前主が所有権を有するが抵当権の負担付きの場合**

(ア)　工場抵当法5条2項　①工場抵当法では、動産質とは異なり占有を失っても、登記による抵当権の対抗力が分離物に維持されるため、第三者保護のために即時取得規定を適用する（同法5条2項）。所有者から譲渡を受けたため、即時取得によらなくても所有権を承継取得できるが、承継取得するのは抵当権の負担の付いた所有権になる。そのため、抵当権の負担のない所有権の原始取得を可能としたのである。これは占有を失っても抵当権の対抗力が失われないため、第三者保護を図るための苦肉の策である。しかし、民法上の抵当権についても同様に考える学説が多い（舟橋238頁、鈴木・研究264頁など通説）。そのため、即時取得の適用場面の説明として、処分者が「無権利者」という表現は不正確であり、処分者に「処分権限がなかった」というべきであると評されている（松岡212頁）。

14-6　**(イ)　民法上の抵当権**　しかし、民法上の抵当権については、分離物について、①抵当権の効力を消滅させることも考えられるが、②公示を失うので対抗力を否定することができる。工場抵当法が即時取得によるのは、対抗不能によることができないための特例であり、対抗不能という法制度を認めるわが国の民法では、対抗不能――動産だが177条の類推適用ないし177条の趣旨の類推というべきか――による解決によるべきである（☞担保物権法2-54）。本書としては、工場抵当法のような明文規定がない限りは、対抗力を否定すれば足りると考える。ただし、民法上の抵当権についての判例はないものの、工場財団の場合には（同法8条）、同法5条2項に対応する規定はないが、192条の適用が認められている（最判昭36・9・15民集15巻8号2172頁）。

14-7

◆前主が動産を占有していること

条文には明記されていないが、前主の占有という権利外観を信頼してされた取引を保護する制度であるため、即時取得の要件として、前主が当該動産を占有していること――またそれを信頼して取引行為がされたこと――が必要と考えられている（安永116頁）。そうすると、インターネットで目的動産の写真を掲載して、例えば、中古品甲著『○○』として書籍をメルカリなどで販売し、引渡しのために該当書籍を書店で盗んできて発送しても――ネット取引だけでなく、対面でも写真だけ見せて取引をするのも同様――、即時取得は成立しないことになる。475条・476条により規律されることになるが、売主が目的動産を実際に引き渡しているため、192条の適用を認めてもよいと考えられる（☞ 4-14）。

別の例を考えてみよう。Aがその占有する動産甲（所有者はD）をBに販売したが、引渡しはしておらず、Bが直ちに甲をCに転売し、Bの指図によりAがCに甲を郵送ないし宅配便で引き渡した場合、Bは占有を有していなかったことになる。また、Bは占有を取得していないので即時取得をしていない。直接にCに引き渡されたことにより、Bに即時取得が成立することについては後述するが（☞ 14-29）、Bの占有はBC間の売買契約（取引行為）時には成立していなかった。この点、AによるCへの引渡しによって、Bが権利者であるとの事情に根拠が与えられていることを理由に、即時取得の成立を認めてよいと考えられている（安永117頁）。前々主Aが占有していて、BがそのAから購入したことを信じているため、直截にAの占有への信頼を問題にして、Cの即時取得を認めることができ、その結論に賛成したい。ただし、Cの占有取得によりBの即時取得を認めれば、CはBの即時取得を援用すれば足りることになる。

2　動産であること――登録動産について

14-8　(1)　登録動産の占有への信頼は保護されない

192条は「動産」だけがその対象になっている。不動産では、登記を調査して誰が所有者かを調べることができ、占有者を所有者とする信頼を保護する必要がないからである。即時取得は、占有以外に所有者が誰か調べようがない動産に特有の制度である。そのため、登録制度がありかつ登録がされている動産は、192条の適用対象から除外されることになる[61]（通説・判例［最判昭62・4・24判時1243号24頁[62]など］）。すなわち、192条の「動産」から登録済動産を除外すべきである。ただし、抵当権の設定を可能とするために登記が用意されているにすぎない農業用動産、建築機械については、即時取得が認められると考えられている（安永115頁）。なお、登録動産自体の即時取得

61）　**＊銃刀法により登録された刀剣**　銃刀法（正式には「銃砲刀剣類所持等取締法」）により登録された刀剣につき即時取得が問題とされた事例があり、即時取得を肯定した判決（広島地判昭51・11・30判時855号101頁）、登録動産という形式で即時取得の適用を排除するのではなく、無過失を否定して即時取得を認めなかった判決があり（東京地判平23・3・17判時2121号88頁）、銃刀法の登録動産については、登録動産という理由で192条の適用を当然に否定するという姿勢はみられない。登録された犬や猫（☞ 12-3）も即時取得が可能である。

62）　本判決は、「道路運送車両法による登録を受けている自動車については、登録が所有権の得喪並びに抵当権の得喪及び変更の公示方法とされているのであるから（同法5条1項、自動車抵当法5条1項）、民法192条の適用はない」と明言する。登録が第三者の対抗要件とされており、引渡しでは対抗力を取得しない。

ができないので、その従物（タイヤなど）も占有を取得したからといって即時取得できない。これに対し、従物だけ他人物であった場合は、登録動産の占有取得によって従物の即時取得を認めてよい。

証券化された債権については、動産以上の流通性を保障する必要があるため、善意無重過失に要件が軽減されている（手形16条2項、小切手21条、民520条の5・520条の15）。金銭については、証券化された債権以上の流通性の保障が必要である（☞ 19-15 以下）。

14-9 **(2)　登録動産の占有のみならず登録名義まで持つ場合**

❶　192条類推適用説　ただし、占有者が登録名義まで有する場合には議論がある――登録自動車のプレートを除去して、未登録として売却した場合は、未登録動産として即時取得が認められる――。所有者との通謀による場合には94条2項の適用または類推適用が認められるが、そうではない場合が問題である。確かに登録に公信力はないが、占有と登録とが共にある場合には、あくまでも動産であり、不動産で登記と占有がある場合とはパラレルに扱えない。

まず、占有者が登録まで有する場合には、その者が所有者である蓋然性は高くなり、取得者の信頼は正当とみられることになる。また、登録がされても動産であるという性質（不動産ほど重要ではない）が変わることはないため、192条の類推適用を認める学説がある（我妻・有泉216頁、石田喜134頁、内田470頁、鈴木211頁）。現実の引渡しのほかに、さらに譲受人が登録名義まで取得する必要があると要件を加重した上で、この説を支持したい。

14-10 **❷　94条2項類推適用説**　しかし、登録動産についてはたとえ占有と登録を有していようと、192条の適用はないというのが判例・通説といえる（例えば、船越58頁）。ただし、他人名義の登録がされているのにこれを放置したことをもって、94条2項の類推適用は認められる（広中183頁）。これによれば、❶説と異なって所有者に放置という帰責事由が必要になり、他方で、所有者は193条・194条の保護は受けられないことになる。なお、❶説も、94条2項の類推適用の可能性を否定するものではない。

14-11 **◆立木や未分離果実の取引と192条**

Aの所有する甲果樹園の管理をAから委託されているBが、甲果樹園のリンゴを自己の果樹園のものであると称して、大手スーパーCのバイヤーとしてリンゴの買付けに来たDと、甲果樹園のリンゴの売買契約をして、Cの手配した運送業者にリンゴ100箱を引き渡したとする。Dは、Bが日頃から甲果樹園の管理をしているので、Bの果樹園であると考えていたとする。この場合に、Cは引き渡されたリンゴの所有権を取得できるであろうか。

Bが Aの代理人として売却したり、または、Aと詐称して売却した場合には、表見代理ないしその類推適用が問題になるが、Bが自分の果樹園であり自己所有のリンゴとして売却しているのである。そして、Bが管理しているため占有者らしい外観を有しているともいえる。

①まず、果実は分離される前から土地とは別個の物で独立した所有権が成立するのだとすれば、未分離果実の所有者であることが農園の表示や明認方法で公示されている場合には、それへの信頼を占有に準じて保護することも考えられる（192条の類推適用）。②しかし、立木や未分離果実は不動産の一部であり、土地の登記による公示にカバーされており、占有への信頼の保護は問題とはならないとして、192条の適用を否定するのが通説である（舟橋233頁、我妻・有泉215頁、金山360頁、鈴木210頁、田山132頁）。本書もこれに賛成であるが、Bが利用権者らしい外観を有している場合には（無権代理によるが賃貸借契約書があるなど）、242条ただし書の適用を信頼してした取引の保護を、192条の類推適用により図ることは認めてよいように思われる。

実際に192条の適用を肯定した判決はないが、192条の適用の可能性は否定しない。稲立毛について傍論であるが、「未だ土地より分離せられざるも既に成熟期に達せし稲毛の如きは一種の動産として取扱われ取引の目的たり得べきものなること当院判例の趣旨とするところなるが故に（……）、此の範囲に於て本来は不動産の一部をなす分離前の果実に付ても亦民法第192条の適用あり」と判示している（大判昭3・8・8新聞2907号9頁）。原審判決が、192条の主張がされたのにこの点の判断をしなかったのは不当であるという上告に対して、これを受け入れ破棄差戻しを命じたものである。他方で、立木については、「立木の所有権が何人に属するやに関し一般的公示の方法を欠くと雖も、特別の場合にあらざる限り立木の所有権は其地盤の所有者に属するを普通とするを以て、地盤の所有者が何人なるやを認知することに依り一応立木の所有権の何人に属するやを知り得べく、而して地盤の所有権は既登記の場合に在りては登記簿を調査することに依り容易に之を知り得ると同時に、之が調査を為すを以て取引上必要なる注意と謂わざるべからずを以て、之が調査を怠りたる場合には立木の所有権が地盤の所有者以外の者に属するものなりと信じたりとするも其善意なることに付き過失ある」というべきであるとされている（大判大10・2・17民録27輯329頁）。立木については、192条の適用の可能性を否定しないものの、土地登記を確認することが義務づけられ、特段の事情がない限り——明認方法が存在すればよいのか？

——192条の適用は否定される。

14-12 **◆立木や未分離果実の取引後の分離・引渡しへの192条の適用可能性**

14-11で、売買契約自体には192条が適用にならないとしても、その履行として、Bが分離した上で、Cに動産として引渡しをした点を捉え192条を適用できないであろうか。種類物売買において、目的物の引渡し段階で初めて売主の物の引渡しという信頼が問題となり、占有を信頼して取引をしたわけではないが、引渡しのレベルで192条を適用するのであれば、ここでも動産たるリンゴの履行としての引渡しにつき192条を適用する余地がある。

立木が、A→B→C→Xと譲渡された後に、Aの兄が本件立木をDに売却しさらにDからYに売却され、Yが立木を伐採し材木としたため、Xが立木の所有権を主張し返還を請求した事例がある。原審判決はYの即時取得を認めたが、大判明35・10・14刑録8輯9巻54頁はこれを破棄し、「民法第192条は、占有物が占有の当初より動産たりし場合の規定なるが故に、占有物にして其当初不動産たりし場合に在ては同条の規定を適用すべきものにあらず」として、即時取得を否定し、Yの返還義務を認めている。その後の判例においても、即時取得が否定されている（大判大4・5・20民録21輯730頁、大判昭3・7・4新聞2901号9頁、大判昭7・5・18民集11巻1963頁）。一度Bがリンゴを分離し動産にして引き渡したからといって、Bの果樹園のリンゴという以上の新たな動産の占有への信頼が成立するわけではないので、192条の適用を否定すべきである。

3　占有者との有効な「取引行為」の存在

14-13 (1)　占有者との取引の存在

(a)　**取引行為の存在**　2004年改正前の192条は、平穏、公然かつ善意無過失で動産の占有を取得すれば、その動産の所有権を取得できるかのように規定していた。しかし、起草過程をみる限り、「正権原」（＝取引）による占有取得が当然視されていたのであり（旧民法は明記）、162条2項と共に取引安全保護のための制度であった（☞14-3）。そのため、192条では、解釈により取引による占有取得が要件とされ、「取引行為」という要件が明記されたのである[63]。したがって、自分の傘と信じて間違えて他人の傘を持ち帰ったり、自己の土地と勘違いして松茸を取ったり、相続財産だと信じて親が他人から借りている絵画の占有を開始した場合には、占有者は善意無過失であっても、その動産の所有権を取得することはない。ただし、山林を占有していれば、善意占有者の果実取得権が認められる（189条1項☞18-5）。取引行為は競売でもよい[64]。

なお、即時取得は、占有者を所有者と信じて取引をした場合にのみ適用されるのか、それ以外にも拡大が許されるのかは問題になる（☞ 14-14）。

14-14 **◆種類物売買の場合**

占有と所有を不可分とするゲヴェーレ的制度であれば、その適用は特定物の取引に限られない。しかし、即時取得は、占有者＝所有者という外観を信じてされた取引を保護する取引安全保護制度である。そうすると、その適用は特定物売買の事例に限定されるかのようである。では、例えば、AがBにトウモロコシ100kgを販売する契約をし（種類物売買）、履行として、AがCから預かり保管しているトウモロコシ100kgをBに引き渡した場合、192条が適用されるのであろうか。占有者を所有者と信じて、「履行として引渡しを受けた」にすぎない。

実は民法はこの問題に関連する規定を別に用意している。475条および476条である。他人の物を弁済として渡した場合については476条が規定しており、債権者が善意で消費または処分して初めて弁済が有効になると規定している。これは反対解釈をすると、善意で受け取ったとしても、それだけでは無効であることになる。種類物売買の場合には、引渡しをしてその所有権を移転するという意思表示があるので、この物権行為を192条の「取引行為」として192条の適用を認めることはできないのであろうか。

この場合にも192条を類推適用すべきであり、476条はここではあえて無視するほかない。金銭の事例であるが、横領した他人の金銭による弁済につき、金銭所有権の移転がなく弁済は無効であるが、192条により金銭所有権を債権者が取得したならば弁済が有効になるとして、弁済した債務者に対する不当利得返還請求を認めた判決がある（大判大9・11・24民録26輯1862頁）。ただし、金銭については、その後、占有あるところ所有ありと変更されている（☞ 19-15 以下）。

14-15 (b) **占有者との取引行為であること**　即時取得制度が前主の占有に対する

63） **＊「取引行為」には贈与も含まれるか**　「取引行為」というと、その語感からして無償の贈与は含まないであろう。贈与についても192条が適用になることについては当然視されてきたが（加藤200頁等通説）、これについては否定説も主張されていた（近江152頁、石田穣268頁、松岡210頁）。この議論はそのまま「取引行為」というこれまで民法にない概念を導入したことにより解決されることなく、解釈に持ち越されたままである。私見は否定説に賛成し、受贈者は目的物の返還を義務づけられることになる。

64） 192条は任意の譲渡だけでなく競売にも適用される。判例も、「執行債務者の所有に属さない動産が強制競売に付された場合であっても、競落人は、民法192条の要件を具備するときは、同条によって右動産の所有権を取得できる」とする（最判昭42・5・30民集21巻4号1011頁）。この場合、債務者が占有している他人の動産を差し押さえて競売する場合、執行官の占有そのものを信頼するのではなく、債務者の占有している物を差し押さえたので債務者の物として執行官は競売できるはずであるという、債務者の占有への間接的な信頼を保護することになる。

信頼保護制度であるとすると、売主が目的物を占有していることが必要になる（☞14-7）。直接占有している場合だけでなく、自分が占有せず第三者に間接占有させている場合でもよい。占有者でなければならないので、例えば、Aの駐輪場にとめてあるAの自転車を、Bがあの自転車は自分の所有であると説明してCに売却し、Cが駐輪場からその自転車を持ち出して占有を取得しても即時取得は成立しない。また、インターネットでの取引は、画像を確認できるだけで占有の有無は不明であり、占有を確認して、その占有を信頼して取引をしたものとはいえないが、ネット取引でも、目的物が送られてくれば、その時点で即時取得の成立を認めてよい。

14-16 **(2)　取引行為が有効であること**

(a)　取引行為が有効であることが必要　他人物売買は、所有権を移転する物権行為としては原則として無効であるが、債権契約としては有効である。この物権行為の部分の効力が192条により補完されるにすぎない。債権契約としての売買契約が有効でなければ、保護されるべき契約が存在しないので、「取引行為」が有効であることは192条適用の当然の前提である。したがって、公序良俗に反する取引の対価として他人の動産を引き渡したとしても、即時取得は成立せず、所有者はその返還を求めることができる。所有者は不法原因給付者ではないので708条の制限を受けない。

14-17 **(b)　無権代理には適用されない**　即時取得は、無権利の法理を修正する制度、換言すれば、前主の無権利を治癒し物権的に無効な部分の効力を補完することにより取引の安全を図る制度である。したがって、他人の物の占有者が、占有物を自分の物として売るのではなく、無権代理により本人（所有者）を代理して第三者に売却した場合には、代理権への信頼保護が問題となるにすぎず、192条は適用にならない（通説）。Aの所有物をBが占有しており、CがBを無権代理してこれをDに売却しても、Dは即時取得が認められない。

では、甲画がA所有であることは蒐集家の間では周知の事実であり、甲画を占有するBがAと詐称して売却した場合には、192条が適用になるのであろうか。占有者がAであるという人の同一性に関わる信頼の問題である。本人を詐称した場合には110条の類推適用が認められる（☞民法総則7-218）。そうすると、基本代理権が必要になる点、192条とは要件が異なることになる。しかし、登記に公信力のない不動産とは異なり、動産では192条を適用し、193条・194条の適用を認めるべきである。

14-18 **◆取消しと即時取得**

Aはその所有の壺をBの強迫を受けてBに売ってしまったが、①その後、強迫を理由として売買契約を取り消したが、Bが取消し後にこの壺をCに売却してしまった場合、および、②Bがこの壺をCに売却した後に、Aが売買契約を取り消した場合につき、即時取得の適用はどう考えられるべきであろうか。

まず、②の事例は、取消しによる無効の遡及効の制限の問題であり、96条3項の反対解釈として、強迫取消しの場合には第三者にも遡及効が及ぶと考えられている。遡及的に無効になり即時取得が遡及的に適用されるわけではない。その時点では有効に所有権を取得し、それを遡及的に奪われないようにする規定が必要な事例である。

次に、①の事例は、不動産では177条によるか（対抗問題説）、94条2項の類推適用によるか（無権利説）が争われているところである（☞9-14以下）。これを動産に応用すれば、178条によるか、192条によるかの対立が導かれることになる。この点、動産には不動産とは異なり192条による保護が可能なので、192条による解決を認めるべきである。

4　占有取得者の善意無過失

14-19 (1)　善意無過失の基準時

(a)　取引時か現実の占有取得時か　192条では、占有者と取引をした相手方につき、善意および無過失が要求されている[65)]。善意無過失の対象は、

65）**＊善意無過失要件の必要性および法人の善意無過失**　ドイツ民法では譲受人の善意のみが要件であり、重過失を悪意とみなすというだけである（同法932条1項・2項）。また、占有取得時が善意の基準時である。フランスでも、2276条1項の解釈として譲受人の善意が要件とされ、善意は推定される。また、判例は占有の効力という位置づけから、善意の基準時を占有の取得時としている。日本民法が無過失まで要求しているのは、比較法的にみて異例に属する。動産取引の安全という観点から、過失の前提となる注意義務、確認義務は、目的動産の重要性などを総合判断して決めるべきであり、特段の事情がない限りは確認義務まで負わないものと考え、解釈上幾ばくか評価を譲受人側に有利に変更すべきである。

法人の善意無過失については、他の外観法理におけると変わることはない。判例は、「民法192条における善意無過失の有無は、法人については、第1次的にはその代表機関について決すべきであるが、その代表機関が代理人により取引をしたときは、その代理人について判断すべきことは同法101条の趣旨から明らかである」とし、具体的に実質上取引をしたのが誰かを決定する必要があるのに、代表取締役が関与したこととその善意無過失を認定したのみで、即時取得を認めたのは「審理不尽、理由不備の違法があ」ると判示している（最判昭47・11・21民集26巻9号1657頁）。代表取締役が善意無過失であっても、具体的には従業員が代理して行った場合には、その従業員（代理人）に悪意または過失があれば即時取得は認められないことになる。

「前主が無権利者であること」である（最判昭26・11・27民集5巻13号775頁）。94条2項のように、前主が所有権を取得する原因行為の無効を対象とするものではない。抵当権の効力の及ぶ従物の取引についても192条を適用する考えでは、抵当権の効力が及んでいないことまたは抵当権者が処分を認めたことが善意無過失の対象となる。

善意無過失の判断時期については、現実の占有の取得を必要とすることから、「取引行為」の時点と現実の引渡しの時点が異なる場合に、取引行為の時点でよいのか、それとも現実の引渡し時まで善意無過失であることが必要なのかが問題になる。この問題は、占有取得という要件の位置づけの理解に関わる問題である（☞ 14-20）。種類物についての即時取得については（☞ 14-14）、引渡し時を問題にするしかない。

14-20　(b)　**現実の占有取得の要件としての位置づけにかかる**　①まず、現実の占有取得を即時取得の成立要件として考えると、即時取得の成立時である現実の引渡し時の善意無過失が必要となる（舟越193頁、新版注民(7)184頁［好美］）。現実の占有取得により即時取得が成立するため、占有取得時まで善意無過失でなければならないことになる。②他方で、取引安全保護法理であるため、取引行為と占有改定があれば即時取得が成立し、その後の現実の占有取得は権利保護要件にすぎないと考えれば、取引時に善意無過失であればよいことになる（石田穣270頁。本書もこの立場）。取引により不完全に即時取得が成立し、現実の占有取得により完全になると考える立場でも同様である。詳しくは14-28に述べる。

14-21　(2)　善意無過失の証明責任

(a)　**善意の推定規定しかない**　善意無過失が即時取得の成立要件なので、即時取得の成立を主張する占有取得者は自分の善意無過失を証明しなければならない。186条1項は占有者の善意を推定しているため、問題は無過失である。古い学説は、186条1項が善意しか推定していないためその反対解釈として無過失の推定を否定していた（末弘266頁等）。判例も同様であった（大判明41・9・1民録14輯876頁など）。しかし現在では、善意無過失を推定する結論で判例・学説は一致している。問題は、それをどう条文上説明するかである。

14-22　(b)　**186条1項を無過失に拡大する考え**　「いやしくも善意が推定される

かぎり、無過失もまた、推定される」と、186条1項を根拠に占有者の無過失を推定する学説もある（舟橋298頁）。旧民法では善意だけが要件とされ――フランス民法も旧民法も取引安全保護につき善意しか要件にしない――また正権原が要件となっていたので、善意の推定で十分であった。ところが、現行法は善意ではなく善意無過失に要件を修正しながら、186条1項では善意の推定のままにとどめた。これを立法過誤と考えれば、上記の学説は、立法過誤を解釈で是正する適切な提案であるといえる。

14-23　(c)　**188条を根拠とする考え**　他方、戦後に、我妻博士が、無過失推定否定説を改め、188条により「処分権があると称して取引をする占有者は、その処分権があるものと推定される。したがって、これと取引をする者は、そう信じても過失がないといわねばならない」と提案した（現在では、我妻・有泉221頁）。我妻博士の改説後は、堰を切ったように、学説では188条根拠説が浸透していく（末川138頁、柚木347頁、広中194～195頁）。判例も、その後大審院時代の判例を変更して、188条により無過失の推定を認めている[66]。近時は、善意と無過失共に188により推定を基礎づける学説もみられる（内田473頁）。

しかし、188条によるまでもなく、経験則により動産では占有者＝所有者という事実上の推定が認められ、それを揺るがす特段の事情が証明されない限り無過失と認定されると考えれば十分である（登記の推定力と同じ）。

14-24　**◆判例による過失の判断**

①無過失推定否定説の時代の判決であるが、下記のような判決がある。Aが染色加工を依頼された物を売却した事例で買主Yにつき、「当時YがAの紺屋業者なることを了知し居りたる事実、及び、凡そ紺屋業者は唯注文者の提供する材料に就き染色加工するに過ぎ」ないことから、過失が認められている（大判大7・11・8民録24輯2138頁）。また、ある山林の立木の購入につき、「立木の所有権は其地盤の所有者に属するを普通とするを以て、地盤の所有者が何人なるやを認知することに依り一応立木の所有権の何人に属するやを知り得べく、而して地盤の所有権は既登記の場合に在りては登記簿を調査することに依り容易に之を知り得

66）　**＊最判昭41・6・9民集20巻5号1011頁**　「およそ占有者が占有物の上に行使する権利はこれを適法に有するものと推定される以上（民法188条）、譲受人たる占有取得者が右のように信ずるについては過失のないものと推定され、占有取得者自身において過失のないことを立証することを要しない」とし、大判明41・9・1（☞14-21）「は改むべきものである」と宣言した。

……之が調査を為すを以て取引上必要なる注意と謂わざるべからず」として、過失が認められている（大判大10・2・17民録27輯329頁）。「自動車販売者がタクシー業者又は運転手業者等に自動車を販売する場合は一定の期間賃貸借を為し代金を賃貸期間中の賃料に割当て之を完納したるときに於て始めて所有権を移転する販売方法に依ること多き」こと、買主が「運転手業に従事する」Yでありこのような「消息に通じ居る」ことから過失が認められている（大判昭10・7・9判決全集1輯20号13頁）。

②無過失推定肯定説の時代の判決として下記のような判決がある。「①高知市附近では土木建設請負業者が土木建設機械をその販売業者から買受けるについては、通常代金は割賦支払とし、代金完済のとき始めて所有権の移転を受けるいわゆる所有権留保の割賦販売の方法によることが多く、②Yは、……右のような消息に通じているものであるなどの事実に徴すれば、Yが本件物件を買い受けるに当っては、売主がいかなる事情で③新品である土木建設の用に供する本件物件を処分するのか、また、その所有権を有しているのかどうかについて、疑念をはさみ、売主についてその調査をすべきであり、少し調査をすると、Aが本件物件を処分しようとした経緯、本件物件に対する所有権の有無を容易に知りえた」として、買主に過失が認められている（最判昭42・4・27判時492号55頁）。「①質屋営業および金融業を営むYは、②自動車についてはいわゆる所有権留保の割賦販売が広く行なわれていることを熟知しているはずであるから、③面識のないAから④一見新車と認めうる本件軽自動車を金融のため買受けるにあたっては、同人がこれを処分しようとする事情および処分権限の有無について疑いを抱きこれを調査すべきであり、かつ、⑤その確認は決して困難ではなかった」として、過失が認められている（最判昭44・11・21判時581号34頁）。

以上のように、占有者であるが非所有者であることを疑わせる特段の事情がある場合には、確認義務を尽くしてから取引をすべきであり、これを怠った場合には、無過失の推定が覆され過失が認められることになる。特段の事情は即時取得を争う所有者側が証明責任を負う[67]。

67）　**＊建築機械の特殊性（譲渡証明書制度）**　高価な建築機械については、ほとんど割賦販売とされ、代金完済まで売主に所有権が留保されているため、代金完済前に目的物が売却される際に、代金が完済されているか否か容易に調査できるように、1971年（昭和46年）6月1日より、建設機械のメーカーによって組織された「社団法人日本産業機械工業会」によって、**譲渡証明書**の制度が創設された。代金が完済され買主に所有権が移転した段階で、メーカーないしディーラー（売主）によって買主に交付される証明書であり、交付後は、転売に際して、その所有権の帰属を証明するものとして機械と共に転得者に引き渡されることになる。買主は占有者が譲渡証明書を有していることを確認して、安心して購入ができることになる。

5　平穏かつ公然な「占有」の取得

14-25 (1)　占有改定による即時取得の可否

民法は、ゲルマン法のゲヴェーレに由来するという沿革から即時取得を買主の取得した「占有の効力」として位置づけ、占有の取得を即時取得の成立要件としている。しかし、むしろ売主の有する占有に対する買主の信頼を保護する取引安全保護制度であり、買主を保護するために占有の取得を要求するのは、ゲヴェーレ的沿革に由来する誤った立法だと考えられたことがある。占有取得という要件は立法論として余計であり——沿革的には取得時効として設計された（☞ 14-3）——、占有改定も含めてよいと考えられた。しかし、現在では、所有権を失う所有者の保護との調整という観点から（利益衡量論）、占有の取得を要求することには合理的な根拠があると考えて、現実の占有の取得が必要と考えられるようになっている。以下、占有改定による即時取得の成否について説明したい。

なお、占有が「平穏」かつ「公然」なものであることが必要になるが、即時「時効」と取得時効として位置づけられていた名残りであり（☞ 14-3）、この要件が問題とされることはない。

14-26　❶　**肯定説（旧通説）**　かつての通説は、占有改定による即時取得の確定的な成立を認めていた（近時では石田穣 274 頁以下）。その根拠は次のようである。①まず、即時取得は相手の占有への信頼を保護する取引安全保護制度であり、譲渡人を所有者と善意無過失で信頼して「取引行為」をすれば十分である。占有の取得を要求するのはゲヴェーレ的制度の歴史的名残りにすぎないため、解釈論としてこの要件は緩やかに運用してよい。② 192 条は、「占有を始めた」というのみであり、間接占有も占有とみるのが民法の立場であるから、占有改定でも占有を取得することには変わりがない。即時取得者が対抗要件を具備し第三者に対抗できるようになって初めて、この制度の保護を受ける資格が認められるという説明もされている（柚木 348 頁）。また、占有改定で即時取得が成立するが、いまだ確定的ではないという、肯定説の修正説もあるが、これについては 14-28 で説明する。

14-27　❷　**否定説（通説・判例）**　しかし、占有者が目的物を占有しているままで、所有者がいまだ占有者から返還を受けられる可能性が奪われたわけでもない状態で、即時取得を認め、所有者が所有権を失うというのは、所有者の保護をあまりにも軽んじることになる。肯定説では、所有者が目的物を取り戻したにもかかわらず、即時取得が成立しているために、買主からの所有権に基づく引渡請求が認められることになる。権利を失う所有者と権利を取得する買主との利益考量からいって、買主が先に現実の引渡しを受けることを必要と解するのが現在の通説である。すなわち、192条の「占有」の取得には占有改定は含まないと制限解釈をする。判例も、「譲受人が民法192条によりその所有権を取得しうるためには、一般外観上従来の占有状態に変更を生ずるがごとき占有を取得することを要し、かかる状態に一般外観上変更を来たさないいわゆる占有改定の方法による取得をもつては足らない」と、否定説を採用する（最判昭35・2・11民集14巻2号168頁、それ以前に大判大5・5・16民録22輯961頁）。なぜ「一般外観上従来の占有状態に変更」を来すことが必要なのか、理由の説明はない。善意の判断時期については明らかではない。

14-28

◆現実の占有取得の要件としての位置づけ――善意無過失の基準時に関連して

現実の占有の取得という要件の位置づけについては理解が分かれ、その理解によって、善意無過失の判断の基準時が変わってくる（☞ 14-19）。ドイツ民法は現実の引渡しを必要とし、かつ引渡し時の善意を必要とすることを明記する（同933条）。①引渡しを成立要件と考える占有改定否定説では、現実に引渡しを受けた時点で即時取得が成立するため（舟橋245頁以下、船越193頁以下、山川184頁）、善意無過失は現実の引渡し時を基準として判断されることになる。

②他方で、肯定説をベースとし即時取得は取引の時点で成立することを認めつつ、その効果は現実の引渡しまでは確定的ではなく、現実の引渡しを受けて初めて確定するという主張がある（我妻・有泉223頁、鈴木213頁、星野75頁、加藤197頁）。この学説は折衷説と分類されることもある（生熊289頁）。この学説（折衷説）では、善意無過失は取引時点で判断されることになる。折衷説では、現実の引渡しまでは、二重譲渡の不完全物権変動と同様の権利関係になる。

③本書としては折衷説を発展させ、取引行為と占有改定により即時取得の成立を認めたい。占有の取得は権利保護要件として位置づけ、善意無過失は取引時を基準として判断すべきであると考える。寄託物が受寄者により売却されたケースを考えると、譲受人が所有権を取得し寄託者が所有権を失うのは、譲受人が現実の占有を取得した時点においてであり（177条の法定取得・失権説と同じ）、それまでは寄託者が所有者であり、第三者が盗取したり、滅失させたならば、物権的請求権や損害賠償請求権を取得するのは寄託者だけである。

14-29

◆指図による転得者への直接の交付

例えば、A所有の甲画を預かって占有するBが、これをCに売却し、Cが直ちに甲画をDに転売して、CがBに転売の事実を伝えてDに直接引き渡すように求め、Bがこれに応じて甲画をDに引き渡したとする。この場合に、Dは現実の引渡しを受けているので、Cが悪意でもDが善意無過失であれば即時取得が成立することになる。もしCは善意無過失であるが、Dは悪意であったとしたらどう考えるべきであろうか。Cについて即時取得が成立すれば、DはCからの所有権の承継取得ができることになる。

BはCに、CはDに対してそれぞれ引渡義務を負っており、占有改定（引渡しの意思表示）により引渡義務が履行されたことになるのと同様に、CのBに対する指図に基づいてBがDに甲画を引き渡すことにより、BのCに対する引渡義務、そして、CのDに対する引渡義務が履行されたことになる。一旦Cに引渡しをしてDに引渡しがされたのと同じ法的効果が認められることになる。AがもはやBから取戻しができない状態になっており、Cについても即時取得を認めてよく、基準時を引渡し時とすれば、BがDに甲画を引き渡した時にCが善意無過失であればCの即時取得が成立することになる。Dは、悪意であっても、Cの即時取得を援用してCからの承継取得を主張することができる。

14-30

◆指図による占有移転

⑴　無権利者が第三者に占有をさせている場合

例えば、A所有の甲画をBが修理を依頼されて引渡しを受け、これをCに寄託しているが、Bが甲画を自己の所有と説明して、Dに販売し、BがCに対して甲画をDに販売したのでDに引き渡すよう指図した場合、Dの即時取得は認められるであろうか。

判例は、事例判決であり一般論は述べていないが、指図による占有移転を192条の引渡しと認め、これによる即時取得の成立を認めている（最判昭57・9・7民集36巻8号1527頁など）。通説も同様であるが（舟橋247頁など）、反対説もある（基コメ64頁［吉原節夫］）。ドイツ民法は明文で肯定している（同934条）。他人物を寄託して、第三者に譲渡し指図による占有移転がされれば、受寄者は譲受人に返還すべきことになるので（660条2項・3項参照）、即時取得を認めてよい。

14-31

⑵　二重譲渡と指図による占有移転

なお、AがBに寄託中のE所有の物を、CDに二重譲渡した場合についてはこう考えるべきである。①Cが指図による占有移転を受ける前にAがDにも譲渡した場合には、CDは対抗関係になり先に指図による占有移転を受けた者が所有者になる。②これに対して、Cが指図による占有移転を受けた後に、Aがこれを Dに譲渡した場合に、DがBから現実の引渡しを受ければDに即時取得が成立するが、指図による占有移転でも即時取得の成立を認めるべきであろうか。そもそも、AがCへの譲渡についての指図による占有移転をした後に、Cではなく、再度Aが指図による占有移転をDの譲渡について行っても、それは無効であり指図による占有移転の効力が生じないと考えるべきである。

14-32

(3)　占有改定による譲受人が指図による占有移転をした場合

Aがその所有の甲画をBに預けたが、Bがこれを自己の所有と説明してCに販売し、寄託契約をして占有改定がされたとする（Bが受寄者、Cが寄託者になる）。Cには即時取得はいまだ成立していない。CはA所有の甲画を間接占有していることになる。では、Cが、甲画をDに売却して、Bに甲画をDに販売したのでDに引き渡すように指図した場合、指図による占有移転により、Dは即時取得すると考えるべきであろうか。この場合は、(1)の事例とは異なり、Aが預けた寄託契約の受寄者Bが依然として現実の占有をしており、AはBから返還を受けられるのである（☞ 14-27）——判例の表現では、一般外観上従来の占有状態に変更がないが、(1)と(3)の差をこの基準で説明できるのかは疑問——。即時取得は成立しないと考えるべきである（学説も否定説［生熊294頁等］）。

14-33

◆特例法による動産譲渡登記

特例法による動産譲渡登記を受けることに、192条の占有取得という要件を拡大適用（対抗力は取得するが占有は取得しない）してよいのかは問題になる。占有改定肯定説では、せいぜい対抗要件具備を要件とするにすぎないので、動産登記でもよいことになるかもしれない。本書の立場でも、取引行為だけでは即時取得は成立せず、占有改定が必要であるが、特例法の登記で成立を認め、この時点を善意無過失の基準時と考える。そして、占有改定同様、所有者が取り戻す可能性が残されているので、その後に現実の占有を取得して効果が確定することになる。依然として権利保護要件として、現実の占有取得が必要である。占有改定否定説でも、特例法による登記具備による即時取得の成立を認める考えがある（松岡212頁）。しかし、制度が異なるためこれには反対が強く、否定説が通説である（内田477頁、安永122頁）。

14-34

◆不動産売買と従物の即時取得

(1)　従物ではない動産の場合

例えば、中古建物を個人が販売する場合、内覧に際して建物内のピアノを買主が気に入り、売主が実は娘所有のピアノであるにもかかわらず、建物とは別の料金で販売した場合（娘の同意を得ていないとする）、建物の売買とは別にその動産であるピアノの売買がある。その売買の即時取得による保護を考えれば足りる。建物と共にピアノが引き渡されるか、または、建物の引渡し前にピアノだけ搬出され引き渡されれば、即時取得が成立する。

これに対して、従物の場合には主物の売買契約しかない。しかし、従物も売買の対象になっている。例えば、登録動産である自動車に他人所有のタイヤが設置されて、中古車が販売された場合である。これに対して、不動産の構成部分になる場合には、他人が権原に基づいて付合させた場合のみ、その付合物の所有権が維持される（242条ただし書）。その場合、賃借人に占有させたまま賃貸人が建物を付属設備もその所有と説明して第三者に売却しても——指図による占有移転にも192条は適用になるとはいえ——、賃借人が設置した設備の所有権は取得しえない。権原を譲受人に対抗できるからである。これに対して、建物にプロパンガス業者が建築業者の承諾を得てガス供給設備を設置させれば、権原がないので建物の一部となりその所有権は失われ、建物買主の即時取得を問題にするまでもない——合意で特約を認め、これを買主が了解して承継することが可能なのかは問題になる——。

14-35 **⑵　従物の場合**

ⓐ　**主物も他人物の場合**　従物では、まず、不動産も従物も全部他人Aの所有であり、従物だけ売却した場合に、ⓐ占有者Bが、従物を取り外して持ち出してCに販売した場合だけでなく、Cが買い取って従物を運び出し、購入した建物とは別の場所で使用している場合も、即時取得の適用を認めてよい。ⓑこれに対して、不動産全部を販売し引渡しがされても、不動産を買主が取得できない以上、従物もこれに従うべきであり、従物だけ別個に即時取得を認めるべきではない。もし94条2項またその類推適用により不動産を第三者が取得できる場合には、その保護を従物に及ぼせば足り、不動産は94条2項ないしその類推適用、動産は即時取得とばらばらに考えるべきではない。非登録動産では、主物と従物が別々の所有者の所有であっても、全体として即時取得による原始取得が認められる。

14-36 ⓑ　**従物だけ他人物の場合**　次に、不動産は売主Bの所有であるが、従物がA所有という場合を考えてみよう。①この場合も、従物だけ、売主が分離搬出して売るか、そのまま占有下で売り買主が搬出したのであれば、即時取得の適用を認めてよい。②問題は、不動産と共に売却され、引渡しがされた場合である。不動産所有権の信頼ではなく、不動産の占有下に従物があるので占有している不動産売主の所有であろうという信頼の保護の問題である。疑問は残るが即時取得の適用を肯定したい（佐久間148頁も肯定）。この場合、所有者が占有者から取り戻す可能性を保障するために、不動産の引渡しが必要であり（占有改定では足りない）、所有権移転登記に引渡しに代わる効力を認めるべきではない。

14-37 **⑵　譲渡担保と即時取得**

譲渡担保と即時取得について、問題となる事例は次の２つである。

① 他人物の譲渡担保ケース

② 二重譲渡担保ケース（所有権留保物の譲渡担保ケース）

これらの場合にどのような処理がされるべきかは、譲渡担保の法的構成に大きく関わるため、判例の採用する担保に必要な限度で所有権移転を認める所有権的構成（☞担保物権法 4-8）を前提に簡単に言及するにとどめたい。

ケース①について、判例では、即時取得の成立には現実の引渡しが必要なので、譲渡担保が実行され譲渡担保権者が現実の占有を取得するまでは、即時取得は成立しないことになる。この場合の善意無過失の判断時期であるが、取引行為時を基準時とする本書の立場でも、完全な所有権の移転を受ける実行時を問題にすることも考えられる。しかし、94 条 2 項により譲渡担保権者が第三者として保護される場合同様に、保護された譲渡担保権の実行時であり、善意無過失は譲渡担保権設定時が基準とされるべきである。

ケース②では、2 番目の譲渡担保は善意無過失であっても、譲渡担保契約による占有改定だけでは即時取得はいまだ成立していない（本書の立場では権利保護要件を満たしていない）。ただし、集合動産譲渡担保についての傍論であるが、判例は後順位譲渡担保権の成立を認めるため（最判平 18・7・20 民集 60 巻 6 号 2499 頁）、たとえ悪意であっても、後順位譲渡担保権が有効に成立する。この場合、後順位譲渡担保権者が善意無過失であり、実行により現実の占有を取得すれば、その時点で即時取得が認められ完全な所有権を取得する。先順位譲渡担保権は、その反射として消滅することになる。所有権留保物の譲渡担保も同様に考える余地があるが、判例は劣後する譲渡担保の成立を認めない（最判平 30・12・7 民集 72 巻 6 号 1044 頁）。

§Ⅲ
即時取得の効果

1　動産についての権利の取得

14-38　**(a)　所有権と質権**　192 条の効果は、「即時にその動産について行使する権利を取得する」ことである。「即時に」という表記は、即時時効という沿革からの名残りにすぎない。問題となる「権利」は、所有権（共有持分の売却にも、178条と同様に［☞12-2］適用を認めてよい）と質権である。権利取得の態様は、所有権を無権利の売主から承継取得するのではなく、192条の法定の効果として所有権を原始取得し、その反射として所有者の所有権が消滅することになる。すなわち、買主の下でその動産の新たな所有権が発生し、その反射として所有者の所有権が消滅するのであり、法定取得・失権という構造になる。

即時取得の規定は、一部の動産先取特権の規定に準用されている（319条）――占有を移さない抵当権の従物への192条の類推適用は無理――。そこでは善意無過失の判定時期が問題になり（313条では対象が契約時の動産に限定されていない）、また、債権者による占有取得という要件は無視するしかない。

14-39　(b)　**留置権**　留置権については、目的物を債務者の物に限定していないので、債務者以外の他人の物についても留置権の成立が認められている。債務者の所有物であることについて知っていてもよい。ただし、債務者の所有物であることを必要とし、第三者所有物の場合には、留置権の即時取得を問題にする学説もある（☞担保物権法5-7）。商事留置権は債務者の所有物に限定されているので、即時取得の適用が問題になるが、判例は、「商法521条所定の留置権は、法律上当然に発生し、当事者間の取引により取得される権利ではないから、民法192条にいう動産の上に行使する権利には当たらない」と、192条の適用を否定している（最判昭62・4・24判時1243号24頁）。

14-40

◆非所有者により所有権留保付きで売買がされた場合の権利関係

例えば、A所有の絵画を預かっているBが、これをCに代金完済まで所有権留保特約を付けて売却し、引渡しをしたとする。ABC間の権利関係はどう考えるべきであろうか。

所有権的構成では、所有権の移転時期の合意ということになるので、Cが代金完済まで即時取得による所有権の取得も認められないことになる。即時取得は成立しているが、その効果がいまだ発生していないことになる。したがって、いまだAは所有権を失っていないことになる。しかし、所有権的構成といえど、実質的に担保として理解するならば、担保の部分を留保して所有権を移転させていることになり、実質的には担保権を「留保」する物権行為に等しい。そうすると、Bは所有者ではないので自分に担保としての所有権部分を留保できないのではないか―― Aに残るというのは付従性に反する――という疑問が生じる。ただし、「留保」という形式に拘泥せずに、所有権を移転させ担保に必要な部分以外をCに移転するのだとすれば（譲渡担保と変わらなくなる）、Cは担保に必要な限度での所有権を即時取得できることになる（本書の立場）。所有権留保の負担の付いた物権的期待権の取得を認める考えがある（新基コメ62頁［横山］）

②他方、担保権的構成では、担保権の設定の構成が問題になる。ⓐあくまでも「留保」を問題にすると、Bが担保権を「留保」して所有権をCに移転することになり、所有権を持っていないBが担保権を有効に留保できないという疑問を避けられない。ⓑしかし、「留保」に拘泥せず、一度Cに所有権が移転してからCからBに担保権が設定されるとすると（所有権留保を譲渡担保と構成する学説もある）、Cが有効に即時取得による所有権を原始取得し、CからBが有効に担保権の設定を受けられることになる（悪意転得者の問題が残る）。

14-41

◆不当利得の成否

例えば、A所有の動産の占有者Bが、これをCに売却しCに即時取得が認められた場合、所有権を失ったAは、Bに対して不当利得返還請求権を取得するのは当然であるが、Cに対して不当利得返還請求権が認められるであろうか。これを認めると、Cを保護した意味がなくなってしまう。代金未払いであっても、AはBのCに対する代金債権につき、不当利得返還請求権による自分への移転請求、また、代位行使を認めれば足りる。CはBとの売買契約を原因として所有権を取得したのであり、法律上の原因を有している。また、Cは代金を支払っていれば利得がない。そのため、問題は、無償取得の場合である。

贈与にも192条を適用する立場でのみ問題になるが（本書は否定☞注63）、不当利得を肯定する学説がある（我妻・有泉228頁、松坂106頁、鈴木216頁）。取得が無償行為の場合には、善意取得者が利得をしたことは明らかで、しかも譲渡人との間に存する原因は、これをもって原権利者に対抗することはできない、というのがその理由である。しかし、無償でも不当利得を否定する学説もある（富井702頁、舟橋249頁）。否定説では、Bも代金を取得しないので、Aは誰に対しても不当利得返還請求はできず、Bに故意または過失がある場合に、不法行為を理由に損害賠償請求ができるにすぎないことになる。

14-42

◆即時取得の効果を放棄できないか――譲受人の即時取得の第三者による援用

第三者の取引安全保護規定でも、94条2項の対抗不能では、第三者から無効の対抗を認めることはできる。177条でも「第三者」から物権変動の対抗を認めることは許される。これは対抗不能という規定の構成によるものであろうか。しかし、外観法理において「利益といえども強制しえない」ということは共通の原則であると考えてよく、ここでも即時取得の成立を主張するかどうかは任意と考えるべきである。そこでその構成であるが、取得時効のように、時効完成により援用権が成立し、その行使を任意として援用により権利を取得するという構成は、即時取得では善意無過失が要件になっている性質上適切ではない（478条も同様☞債権総論10-36）。192条の効果を放棄できるという説明によるべきである。

例えば、A所有の絵画をBが預かり占有していて、これをCに売却して引渡しをしたとする。Cが善意無過失であり即時取得が成立したとしても、Cはその保護を否定して、甲画をAに返還し、Bに対して他人物売買の売主の責任を追及することが許される。Bから、Cの即時取得を援用することは、無権代理人の責任追及に対して、無権代理人が表見代理の成立を援用するようなものであり、Cが即時取得の効果を援用していないのに、Bがこれを Cに強制することはできない。正当な利益がある限り第三者もCの即時取得を援用できるが、例えばCの債権者Dが即時取得を援用してCの所有物として甲画の差押えができるが、やはりCの意思決定が優先されるべきである。Cは甲画を返還することができてよく、Dは、Cが無資力の場合に、Cの放棄の詐害行為取消しが認められるにすぎないと考えるべきである。

2　盗品・遺失物の特則

14-43 (1)　所有者の回復請求権・代価弁償義務

(a)　2年間は回復請求できる　A所有の壺をBが盗み出し、Bがこの壺を古物商Cのところに持っていき、自分の家に古くから伝わる由緒ある壺だと称して売却し、買い取ったCはこの壺を店に陳列し、訪れた客Dがこれを購入して持ち帰ったとする。

民法は、192条に続けて、①「前条の場合において、占有物が盗品又は遺失物であるときは、被害者又は遺失者は、盗難又は遺失の時から2年間、占有者に対してその物の回復を請求することができる」と規定する（193条）[68]。AはDに対して（占有者は転得者も含む）、盗難から2年間は本件壺の「回復を請求することができる」のである。民法はさらに続けて、②「占有者が、盗品又は遺失物を、競売若しくは公の市場において、又はその

68）　回復請求権者については、「被害者又は遺失者」としか書かれていないため、所有者だけでなく、賃借人や受寄者も「被害者」として回復請求ができる（舟橋252頁、石田穣287頁等）。また、この期間は、「時効」と明示されておらず、除斥期間と考えられる。14-48の原所有者帰属説では、所有者以外については法定の管理権限が193条により付与されていることになり、14-49の占有者帰属説では、賃貸人などの元所有者に所有権を復帰させる形成権が付与されていることになる（本書はこちらの立場）。なお、買主が悪意または有過失で192条が適用にならない場合には、193条によるまでもなく、所有者たる賃貸人らから代理権付与を受けて、賃貸人らの所有権に基づく返還請求権を行使すれば足りる。

物と同種の物を販売する商人から、善意で[69]買い受けたときは、被害者又は遺失者は、占有者が支払った代価を弁償しなければ、その物を回復することができない」と規定している（194 条）。A は D に対して 2 年間に限り本件壺の「回復」請求ができるが、D が C に支払った代金を弁償することが必要である（古物商や質屋については例外がある☞ 14-54）。

14-44　(b)　**制度の合理性——例外を認めない立法もある**　193 条・194 条もゲルマン法的な沿革に由来するといわれているが、やはり現代においても合理的に根拠づけることが可能である。すなわち、取引の安全は常に真の権利者の犠牲の上に成り立っているのであり、原権利者の保護とのバランス（利益衡量）を図った規定として説明ができる。盗品、遺失物の場合には、自ら他人を信頼して引き渡してしまった者よりも厚い保護が必要であり、合理的な規定である（舟橋 250 頁）。ただし、イタリア民法のように、取引の安全を徹底してこのような例外を認めない立法もある。日本法でも、証券化された債権については善意無重過失へと要件を緩和するだけでなく、盗品・遺失物の例外を認めていない（520 条の 5・520 条の 15）。

14-45　**◆「盗難又は遺失」以外への拡大**

193 条・194 条の「盗難又は遺失」は、詐欺、横領、恐喝を含まないが、例えば、店員が店の商品を持ち出したような場合（すなわち、横領）などに拡大適用を認めるべきかは争いがある。

①まず、193 条の合理性に疑問を持つ立場では、193 条のような規定は取引の安全保護を後退させるものであり、その適用は厳格に運用される必要があり、みだりに拡大されるべきではないことになる（我妻・有泉 230 頁など）。また、横領事例まで拡大したら、寄託や賃貸など全て契約に基づく場合まで 193 条が適用されてしまい、制限がなきに等しくなる（本書は拡大に反対）。②これに対し、193 条も真の権利者と取引の安全との利益衡量からいって現在においても妥当な制度だと評価すれば、その適用は厳格に掲げられた場合に限定される必要はなく、必要ならば拡大が許されることになる（広中 198 頁）。また、限定的に拡大をする考えとして、強迫でも、「意思が抑圧され権利者側の意思によらないとみら

69）194 条は「善意で買い受けたときは」と規定しており、192 条の即時取得が成立しなくても、所有者の返還請求に対して代価弁償請求ができるかのようであるが、194 条は 193 条をさらに制限した規定であり、193 条が 192 条を前提としている以上必然的に 194 条も即時取得の成立を前提としていると考えるべきである。即時取得が成立しない以上、買主は売主に対する契約上の責任追及だけで満足すべきである。

れる場合」には、「盗難又は遺失」に当たる——類推適用ではなく——という学説もある（安永124頁）。取引が譲渡人の意思無能力により無効な場合にも、193条・194条を類推適用する学説もある（新版注民(7)205～206頁［好美］、石田穣283頁）。

14-46

◆支払った代価

194条では、「支払った代価」の弁償と規定されており、例えばA所有の機械を、占有者（盗取者）BからCが500万円で購入し、2年近くの使用により消耗しており現在の評価額が100万円になっているとしても、Aは500万円支払ってCから100万円の価格の機械を取り戻すことができるにすぎない。その場合には、Aは物の回復を求めるのは得策ではないので、回復を諦め盗んだBに対して500万円の損害賠償を請求することを選ぶであろう。または、500万円支払って取り戻して、500万円をBに賠償請求することも考えられる。

この点、194条で占有者に代価の提供があるまで使用権限を認めることとのバランスからして（☞14-52）、使用により減価する消耗財については、回復時の評価額によるのが公平であるという主張がある（松尾124頁）。占有者（買主）が、返還までの使用利益を得ていながら、全額の価格の返還を受けられるのは、二重の利得になる。確かにそのような問題はある。しかし、画一的に支払った金額を弁償することによって、返還時の価格とする場合に生じうる価格をめぐる争いを避ける趣旨が認められ、条文通りでよい。BがAに対して500万円を賠償しても、708条の趣旨からして、BはCに使用利益の返還は請求しえない。

14-47

(2)　「被害者又は遺失者」の回復請求権・代価弁償義務

(a)　**2年間の所有関係**　「被害者又は遺失者」（以下、単に「被害者」という）は、193条により盗難・遺失から2年間だけ占有者（即時取得者）に対して物の返還を求めることができるが、その間の所有権の帰属、また、果実・使用利益、費用償還請求などの問題はどう解決されるべきであろうか。被害者が返還請求できる根拠をどう考えるのか、即時取得の成立による所有権喪失の効果は、盗品などについては193条の停止条件付きと考えるべきであろうか。

14-48

❶　停止条件説（原所有者帰属説）　まず、2年経過するまでは、所有者Aはいまだ所有権を失っておらず、2年を過ぎて初めて即時取得による所有権取得という効果が発生し、その効果が即時取得成立時に遡及するという構成が考えられる。192条の占有者Cによる権利取得は、193条の法定の停止条件付きということになり、**停止条件説（原所有者帰属説）**と呼ばれる。

この理解だと、被害者Aは所有権に基づいて返還請求ができることになる。これが判例であり（大判大10・7・8民録27輯1373頁など）、学説上も有力である（富井708頁、田島132頁、石田文342頁、石田穣286頁）。占有者Cは所有権はなくても、善意占有者として（189条1項）、果実（使用利益）を取得できることになるが、通常の必要費はその負担となる（196条1項ただし書）。

14-49　**❷　解除条件説（占有者帰属説）**　他方、192条により直ちに即時取得者Cが所有権を取得するが、193条の法定の解除条件付きと考える**解除条件説（占有者帰属説）**も主張されている（末弘272頁以下、舟橋254頁、末川242頁、加藤204頁）。192条が原則であり、193条はその例外として回復請求権を認めたものと解するものであり、条文の形式に忠実な理解であり、本書もこれを支持する。被害者Aは所有権を失っているが、193条により「回復」請求権（形成権である）が付与されていると考えるべきである。遡及的に所有権取得が否定されるが、使用利益の返還は必要ではない（☞14-52）。なお、所有権移転時期を決定する必要はないと考える学説は（☞4-15）、2年経過するまでの所有権の所在を問うことは無意味であると主張する（鈴木217頁）。

14-50　**(b)　代価弁償の位置づけ**

❶　抗弁権説（旧判例）　194条は、被害者は「占有者が支払った代価を弁償しなければ、その物を回復することができない」と規定し、代価弁済は物の回復のための要件とされている。古い判例は、代価弁償は「回復」のための要件であり、占有者が任意に返還した場合には、それにより有効に「回復」され、その後に、占有者から被害者への代価の弁償を請求できないものと解した（大判昭4・12・11民集8巻923頁）。いわば、返還請求に対する単なる抗弁権にすぎないと考えていたのである。

14-51　**❷　請求権説**　しかし、学説は、占有者保護のために代価弁償の請求権を与えたものであり、返還後であっても代価弁償を請求でき、代価弁償をしないならば現物を返還するよう請求できると解している（舟橋256頁）。その後、判例も変更され、「Yは、本件バックホーの返還後においても、なお民法194条に基づきXに対して代価の弁償を請求することができ」、大判昭4・12・11民集8巻923頁は、「右と抵触する限度で変更すべきものである」と宣言された（最判平12・6・27☞14-32）。

14-52

◆返還までの使用利益の帰属など

被害者が回復請求をしたならば、解除条件説でも占有者は所有権を失いまた同時に悪意になり、停止条件説でも被害者の所有物の占有について悪意になる。しかし、返還請求がされ占有者が悪意になっても、194条が適用になる場合には、即時取得者は代価の弁償があるまで返還を拒むことができる。

代価弁償まで所有権の復帰を認めない考えを採用しない限り、占有者は返還を拒絶し占有できるというだけでは、使用収益権限はないので返還請求後も占有者が使用を継続したならば不当利得になりそうである。悪意の占有者になっているため、189条は適用にならないことになる。返還請求を受けて悪意の他人物占有者になった以上、占有者は善管注意義務をもって占有すべきであるだけでなく、使用することもできないはずである。

しかし、判例は、194条が代価の弁償（の提供）があるまで――占有権原を越えて――目的物の使用権限を認めた規定であると考え、即時取得者の返還請求を受けた後の使用利益の返還義務を否定した。その理由は、①194条は、被害者と占有者との「保護の均衡」を図った規定であること、②被害者には返還請求するか否かの選択ができるが、占有者は返還して代価の弁償を請求するか否かの選択はないこと、③弁償される代価には受領時からの利息は付けられないことであり、要するに公平が根拠である。解除条件説により、代価の弁償または提供まで所有権の復帰という効果が生じないとすれば、問題は解決できる（本書はこの立場）。判例は停止条件説であり、被害者が所有者のままと構成するため、上記のような歯切れの悪い説明をせざるをえないのである。

なお、被害者が返還を請求した場合、占有者の同意なしには撤回はできないと思われる。また、代価弁済義務は、期限の定めのない債務であり412条3項により請求を受けてから遅滞に陥る。

14-53

◉最判平12・6・27民集54巻5号1737頁　Z所有のバックホー（建設機械の一種）が何者かに盗取され、Yは、無店舗で中古土木機械の販売業を営むAから本件バックホーを300万円で買い受け、代金を支払って引渡しを受けた（善意無過失）。その後、Zから本件バックホーを取得したXがYに対し、本件バックホーおよびその使用利益の返還を請求した。これに対し、Yは代価（300万円）の弁償を請求した。

⑴　**原審判決**　原審判決は、Yは、Zから本件バックホーを取得したXの本件バックホーの引渡請求に対して、194条に基づき代価の弁償がない限りこれを引き渡さない旨の主張をすることができるだけであり、占有者は、189条2項により本権の訴え提起の時から悪意の占有者とみなされ、190条1項に基づき果実（使用利益）を返還しなければならないとした。しかし、最高裁は、これを以下のように破棄する。

(2)　**最高裁判決**　「占有者が民法194条に基づき支払った代価の弁償があるまで盗品等の引渡しを拒むことができる場合には、占有者は、右弁償の提供があるまで盗品等の**使用収益を行う権限**を有すると解するのが相当である。けだし、民法194条は、……占有者と被害者等との保護の均衡を図った規定であるところ、被害者等の回復請求に対し占有者が民法194条に基づき盗品等の引渡しを拒む場合には、被害者等は、代価を弁償して盗品等を回復するか、盗品等の回復をあきらめるかを選択することができるのに対し、占有者は、被害者等が盗品等の回復をあきらめた場合には盗品等の所有者として占有取得後の使用利益を享受し得ると解されるのに、被害者等が代価の弁償を選択した場合には代価弁償以前の使用利益を喪失するというのでは、占有者の地位が不安定になること甚だしく、両者の保護の均衡を図った同条の趣旨に反する結果となるからである。また、**弁償される代価には利息は含まれない**と解されるところ、それとの均衡上占有者の使用収益を認めることが両者の公平に適うというべきである」。「Yは、民法194条に基づき代価の弁償があるまで本件バックホーを占有することができ、これを使用収益する権限を有していた」。

14-54
◆古物営業者および質屋営業者についての例外

古物営業者および質屋営業者が、即時取得をして動産を占有していて、被害者がこれらの者に返還請求をする場合については、特別法に特則が規定されている。193条の2年間は返還請求できるという点はそのまま適用され、古物商だからといって2年以上経過しても返還請求できるという例外はない。例外は194条に関してであり、古物営業法20条は、「古物商が買い受け、又は交換した古物（指図証券、記名式所持人払証券……及び無記名証券であるものを除く。）のうちに盗品又は遺失物があった場合においては、その古物商が当該盗品又は遺失物を公の市場において又は同種の物を取り扱う営業者から善意で譲り受けた場合においても、被害者又は遺失主は、古物商に対し、これを無償で回復することを求めることができる。ただし、盗難又は遺失の時から1年を経過した後においては、この限りでない」と規定している。このように1年に限り無償での返還請求を認めており、1年を過ぎると返還請求はできるが、194条の適用があり支払った代価の返還が必要になる。質屋営業者につき、質屋営業法22条が同様の規定を置いている。

第6章
物権の消滅

§Ⅰ
目的物の滅失

15-1　物権は物に対する権利であるから、客体である物がなくなれば消滅する。A所有の絵画が焼失してこの世からなくなれば、その絵画の上の所有権は消滅する。物の焼失がBの過失による場合には、Aは所有権を失うものの、その価値を填補する損害賠償請求権を取得する（709条）。この場合、所有権と所有権の塡補賠償請求権とは、経済的には同一性が認められるが、別個の権利である。

目的物の消滅と共に物権は消滅するという原則に対して、抵当権などの担保物権について**物上代位**という例外が認められている（☞担保物権法1-17以下）。抵当権等は、目的物の交換価値を把握しこれから優先的に債権回収をすることができる権利であり（価値権）、目的物がなくなっても、その価値的代位物が残っていれば、それについても抵当権等の効力を及ぼしてよいし、また、及ぼすべきである。これを可能とする制度が物上代位である（304条・372条）――目的物が存続していても、賃料のように付加的代位物への物上代位も可能――。

15-2　**◆海没による土地所有権の消滅――人工的掘削の場合には存続**

海沿いの土地が地震に際して生じた地盤沈下により海没した場合、土地自体は海面下に存続しているが、支配可能性が失われることによって土地所有権が消滅するのであろうか。海面下の土地の私的所有の可能性については、最判昭61・12・16民集40巻7号1236頁は、①支配利用可能性の存続、②他の海面と区別しての認識可能性（特定可能性）を要件として、これを認めている（傍論。事例では一度も埋め立てられて「土地」になっておらず、開発権を取得したにすぎず、埋立て後に海没したものではなく所有権を認めない）。その後、港湾泊地とするため人工的に掘削され、そこに海水を導入した結果、海没した土地となった事例で、この2つの要件を当てはめて、将来港湾計画が変更される可能性もないわけではなく、人による支配利用の可能性があり、また、本件土地の位置は現在の公図上においても再現することが可能であり、また航空写真上に本件土地の位置を示すことも可能であり、さらに、測量等を精密に行うことにより地点と方位による特定も可能であるとして、所有権の存続が認められている（静岡地判平13・9・14判タ1086号143頁）。

§Ⅱ
物権の放棄

15-3　権利は権利者が自由に放棄できるのが原則である。例えば、無主物であるカブト虫を捕まえて所有権を取得したが、後で森に逃がすと所有権が消滅して無主物に戻る。所有権の放棄は、ごみを捨てる場合には事実行為であるが(206条の処分)、無主物先占の裏返しともいうべき法律行為（単独行為）である。制限物権については、相手方ある単独行為であり、その放棄により所有権が完全な姿に復帰する。

ただし、他人に迷惑をかける形での所有権の放棄は許されない。①例えば、産業廃棄物を他人の土地に捨てても所有権放棄の効力は生じない。ペットを捨てるように、動物愛護法7条4項（終生飼養義務）に違反する放棄も認められない。②また、放棄により他人の利益を害することはできず、地上権または永小作権に抵当権を設定した場合には、地上権者または永小作権者は地上権または永小作権を放棄しても、抵当権者には対抗できない(398条。立木法8条も参照)。借地権者が地上の建物に抵当権を設定した後に借地権を放棄した場合につき、398条が類推適用され抵当権者に対抗しえないとされている(大判大11・11・24民集1巻738頁)。

15-4
◆不動産所有権の放棄

無主の不動産は国庫に帰属するため(239条2項)、不要になった不動産を、私人が自由に放棄をして国有の不動産にすることが許されるのであろうか。不要な不動産は、相続しても管理されないまま放置されるのが関の山であり、放棄を認めて国の責任で管理をしてもらったほうがよいと一応はいえる。しかし、自由な不動産所有権の放棄を認めると、相続人は価値のある不動産を保持し、不要な不動産を放棄して国に押し付けることになり、その結論の不当なことはいうまでもない。

不動産の所有者が、その所有権を放棄し、国の所有になったとして国に対して所有権移転登記手続を求めた訴訟がある。広島高松江支判平28・12・21訟月64巻6号863頁は、「不動産について所有権放棄が一般論として認められるとしても、Xによる本件所有権放棄は権利濫用等に当たり無効であり、Yは本件各土地の所有権を取得していないから、Xの請求はいずれも理由がな」いものと判示した。所有権放棄を権利と認めつつ、権利濫用等により無効とするという論理だと、原則は自由ということになる。
　その後、相続土地国庫帰属法が制定されたが（☞15-14以下）、同法の制定後も本判決は維持され、この法律の制定によりなおさら否定という結論の裏づけが強化された（土地については放棄できないのが原則）。

§Ⅲ
混同

1　混同についての原則

15-5　「同一物について所有権及び他の物権が同一人に帰属したときは、当該他の物権は、消滅する」（179条1項本文）。これを物権の**混同**という——債権者と債務者とが同一人に帰属する債権の混同も、債権の消滅原因である（520条）——。例えば、Aはその所有の甲地にBのために地上権を設定し、Bが建物を建てて居住していたが、Bが土地をAから買い取った場合、Bは土地所有権に基づいて土地を利用でき、地上権は不要になり消滅する。
　また、「所有権以外の物権及びこれを目的とする他の権利が同一人に帰属したときは、当該他の権利は、消滅する」（179条2項本文）。例えば、Aの有する地上権についてBのために抵当権を設定したが、Bがその後、地上権を取得した場合、被担保債権の混同はないが、抵当権を実行して自己の地上権を競売しても意味はなく（自由に譲渡できる）、抵当権は消滅する。
　なお、占有権は本権から切り離して保護を与えるものであり、「前二項の規定は、占有権については、適用しない」ものとされる（179条3項）。

2　混同の例外

15-6　(a)　**当該他の物権が第三者の権利の目的である場合**　Aはその所有の甲地にBのために地上権を設定し、Bは地上権にCのために抵当権を設定した後、Bが甲地をAから買い取った場合、地上権は混同により消滅するのであろうか。地上権が消滅してしまうと、地上権を目的とするCの抵当権まで消滅してしまい、抵当権者がいわれのない不利益を受ける。そのため、民法は混同について例外を設け、「ただし、その物又は当該他の物権が第三者の権利の目的であるときは、この限りでない」と規定した（179条1項ただし書）。179条2項にも同ただし書が準用され、先の例では、BがCのために抵当権に転抵当権を設定している場合が考えられる。

15-7　(b)　**物が第三者の権利の目的である場合**　例えば、Aはその所有の甲地にBのために地上権を設定し、Bは建物を建てて住んでいるが、その後、AはCのために甲地に抵当権を設定し、この抵当権設定後にBがAから甲地を買い取ったとする。この場合に、土地の抵当権が実行され、土地をDが買い受けたならば、BD間の法律関係はどうなるのであろうか。

ここではCの抵当権は地上権を目的とするものではない。しかし、179条1項ただし書の規定をよくみると「その物又は当該他の物権が第三者の権利の目的」となっていて、地上権の設定されている土地が抵当権の目的になっている場合にも、混同の例外が認められることになる。Bが土地所有者になり土地利用のために地上権は必要ではないが、抵当権が実行される可能性がある限り、買受人に対抗できる地上権を存続させる必要がある。そのため、Bの地上権は消滅せず、買受人Dに対抗できることになる。

なお、Bが賃借権を有する場合にも、債権の混同では「その債権が第三者の権利の目的であるとき」だけが例外になっているため（520条）、物権に準じて179条1項ただし書の適用を認め、同様の解決がされるべきである。

15-8　**◆抵当権をめぐる特殊事例**

Aに対してBが5000万円を融資して、A所有の甲地（5000万円相当）に抵当権（順位1番の抵当権）を設定しその旨の登記をし、その後、AがCから3000万円の融資を受けて甲地に抵当権（順位2番の抵当権）を設定しその旨の登記を経たとする。その後に、ABが合併すれば債権自体の混同が生じ、債権が「第三者」の権利の目的ではないので、債権の混同の例外は適用にならず（520条）、Bの抵当権は付従性で消滅し、Cの抵当権が第1順位に順位上昇する。

ところが、債権者（抵当権者）BがAから甲地を買い取り代金を支払った（代物弁済にせず、Aが資金獲得）とすれば―― Aが債権譲渡を受けた場合も同様の問題が生じる――、BのAに対する債権は残ったままであるが、Bは自己所有地に抵当権を保持する利益を有する。後順位抵当権が存在するからである。Cの抵当権がなければ混同で消滅させてもよい―― Bが抵当権付きの債権として被担保債権を譲渡するという利益は、Bは抵当権の負担のない甲地を売ればよい――。ところが、後順位抵当権者Cがいる場合には、もしCが抵当権を実行しても、Bが第1順位で配当を受ける利益を保持するため―― BはAに求償できるが混同の例外のほうがより厚い保護になる——、また、その結果、第2順位とするCへの配当の見込みがない場合にCによる実行を否定することもできる。そのため、この場合にも、解釈によりBの抵当権につき——確認までにいうとBのAに対する被担保債権は存続している——混同の例外を認める余地がある。

15-9

◆混同自体の否定による処理

Aはその所有の甲地にBのために地上権を設定し、Bが建物を建てて住んでいる。その後、BはAから甲地を買い取ったが所有権移転登記をする前に、さらにAはこの土地をCに売却し、Cが先に所有権移転登記を受けたとする。BC間の法律関係はどう考えるべきであろうか。

この事例では、混同の例外規定の適用はない。Bは所有権を取得し、地上権は混同により消滅したはずである。では、CはBが混同により地上権を失った後に土地所有権を取得したのだから、地上権の負担のない土地所有権を取得するのであろうか。結論は、BはCに地上権を対抗できる、と考えるべきである。その理由は次の通りである。①Cは地上権の登記がある以上これを覚悟して土地を購入しているはずであり、Bにより地上権の対抗を受けても予期に反しない。②また、Cとの関係ではBの所有権は失権し、AからCに土地所有権が移転しBへの移転はなかったことに擬制されるので、Cとの関係では混同は生じていなかったことになる。判例も賃借権についての判例であるが、「一たん混同によって消滅した右賃借権は、右第三者に対する関係では、同人の所有権取得によって、消滅しなかったものとなる」と説明している（最判昭40・12・21民集19巻9号2221頁。最判昭47・4・20判時668号47頁も同様）。

ただし、問題が残らないわけではない。というのは、AB間で地上権の解除を合意してそれを原因として地上権の抹消登記がされていたならば、上記の説明では対処できないのである。消滅原因は混同ではなくABの合意である。AB間の地上権の放棄の合意は、その前提ないし行為基礎を失うため失効する、ないし、事情変更の原則を適用し解除できるものと考え、Bを保護すべきである。

15-10

◆その他の物権の消滅原因

物権は本文に述べた事由のほか、次のような原因により消滅する。

①まず、所有権以外の物権については、20年行使しないことにより時効により消滅する（166条2項）。占有権は占有という事実を失うと消滅するので、占有権の消滅時効は考えられない。また、留置権も占有が存続のための要件なので、やはり消滅時効の余地はない。また、抵当権は債務者および設定者に対しては、債権と離れて独自に消滅時効は認められない（396条）。②また、公用徴収は、国や公共団体が特定の公益事業の用に供するために、特定の財産権を強制的に取得する制度であり、これにより、国や公共団体は原始的に所有権その他の権利を取

得し、収用物に存在した権利は消滅する。

③さらには、物権が反射的に消滅することがある。A所有の物をBが時効取得や即時取得をすると、その物についての新たな所有権をBが原始取得し、その反射としてAの所有権が消滅する。その意味で、Aの所有権の消滅はあるが、その物に関する限り放棄のように所有権が一切なくなるわけではない。Aの動産がBの不動産ないし動産に付合し、Aの所有権が消滅する場合も同様であり、付合した部分に所有権がなくなるわけではなく、Bの所有権が拡大されることになる。動産の場合に即時取得で反射的に消滅するのは所有権であるのが普通であるが、工場抵当法の対象となる動産の即時取得については、即時取得により抵当権を消滅させるにすぎない（☞14-5）。不動産の取得時効では、時効取得者が抵当権を容認しつつその不動産を取得したような場合には、取得時効により所有権を原始取得するが、抵当権の負担の付いたままの所有権の取得と考えられている。

④また、担保物権は、附従性により消滅する。すなわち、被担保債権が消滅すれば当然に消滅する。担保物権の消滅について177条の適用があるかは、事例による（詳しくは☞9-5）。弁済により消滅した場合には、抵当権設定登記の抹消登記前に債権と共に譲渡されても、債権自体が取得できない。抵当権者が消滅した抵当権を第三者のために転抵当権を設定した場合には、債権が消滅したことによる附従性による消滅であり当然に対抗を認めてよい。これに対して、抵当権の放棄の場合には、債権が存在しており抵当権付きで債権が譲渡された場合も、転抵当権が設定された場合も、抵当権の放棄に177条が適用される（不動産所有者は抵当権が放棄により消滅したことを対抗できない）。

§Ⅳ 空家対策法、所有者不明土地利用円滑化法、相続土地国庫帰属法

1　空家問題――空家対策法

15-11　空家として放置されている建物およびその敷地が、相続人が適切に管理をしないがために、周辺住民らに対して迷惑を及ぼしていることがある。このような空家は増える一方であり、社会問題になっている。そのため、2014年（平成26年）に**「空家等対策の推進に関する特別措置法」**（**空家対策法**）が制定された。本法では、「空家等」は、私人の所有に属する「建築物又はこれに附属する工作物であって居住その他の使用がなされていないことが常態であるもの及びその敷地」と定義されている（同法2条1項）。

空家等の所有者等の責務として、「空家等の所有者又は管理者（以下「所有者等」という。）は、周辺の生活環境に悪影響を及ぼさないよう、空家等の適切な管理に努めるものとする」と規定されている（同法3条）。「市町村長は、特定空家等の所有者等に対し、当該特定空家等に関し、除却、修繕、立木竹の伐採その他周辺の生活環境の保全を図るために必要な措置（……）をとるよう助言又は指導」（同法14条1項）をしても当該特定空家等の状態が改善されない場合には、相当の猶予期限を付けて、上記必要な措置をとることを勧告でき（同条2項）、それでも勧告に係る措置をとらなかった場合、「相当の猶予期限を付けて、その勧告に係る措置をとることを命ずることができる」（同条3項）。このように、助言・指導→勧告→命令と段々に強めの措置へと移行し、最終的には、市町村長は、行政代執行法に従い、「自ら義務者のなすべき行為をし、又は第三者をしてこれをさせることができる」（同条9項）。

2　所有者不明土地利用円滑化法

15-12　(a)　**所有者不明土地を対象**　所有者不明土地が東日本大震災の復旧・復興事業などの妨げとなっていたことを契機に、2018年（平成30年）に「**所有者不明土地の利用の円滑化等に関する特別措置法**」（所有者不明土地円滑化法）が制定され、所有者不明土地を地域のために役立てる制度や、収用手続の迅速化のための制度が創設されている。その利用のさらなる促進を図るため、2022年（令和4年）には、改正法が成立している。

同法は、「所有者不明土地」を、「相当な努力が払われたと認められるものとして政令で定める方法により探索を行ってもなおその所有者の全部又は一部を確知することができない一筆の土地」と定義している（同法2条1項）。その上で、改正法は、「特定所有者不明土地」を、「所有者不明土地のうち、現に建築物（……）が存せず、かつ、業務の用その他の特別の用途に供されていない土地」と定義している（同条2項）。

15-13　(b)　**収用や利用等を容易化**　本法は、特定所有者不明土地につき、①公共事業における収用手続の合理化・円滑化（所有権の取得）――収用委員会に代わり都道府県知事が裁定――（同法27条以下）、②地域福利増進事業制度を創設し、地域福利増進事業を実施する事業者に、地域住民等の福祉・利便の増進に資する事業について、都道府県知事が公益性を確認し、一定期間の公告に付した上で、利用権（上限10年間）を設定することを認め（同法6条以下）、③所有者の探索を合理化する仕組みを設けている（同法43条以下）。2022年改正法では、所有者不明土地利用円滑化等推進法人制度が導入された（同法47条以下）。

また、民法や登記法に関わる規定としては、登記官が、所有権の登記名義人の死亡後長期間にわたり相続登記がされていない土地について、法定相続人等を探索した上で、職権で、長期間相続登記未了である旨等を登記に付記し、法定相続人等に登記手続を直接促すなどの不動産登記法の特例が設けられている（同法44条）。また、地方公共団体の長等に財産管理人の選任申立権を付与する民法の特例も設けられている（同法42条）。その後、2021年民法改正により、所有者不明不動産、管理不全不動産の管理制度が導入されている（☞ 25-1 以下）。

3　相続土地国庫帰属法——所有者不明土地、管理不全土地の予防

15-14 (1)　相続土地国庫帰属法の制定

土地、とりわけ山林が、相続されても相続登記もされずに誰も管理せず長年にわたって放置されている例が多く、社会問題になっていた。その予防・解消が急務になり、2021年に、民法の関連規定の改正また相続登記を義務づける不動産登記法の改正と共に、「**相続等により取得した土地所有権の国庫への帰属に関する法律**」（**相続土地国庫帰属法**）が制定された。相続または遺贈により取得した土地——マンションだけでなく一戸建ても対象外——についてのみ、相続人が国庫に引き取ってもらえる制度を導入した。これにより、管理不全で放置される土地が生じるのを予防しようとしたのである。しかし、価値のない山林などはこの制度の利用は難しい（☞ 15-16）。国庫の負担を危惧して及び腰の立法にとどまっており、実効性は乏しい。真に所有者不明土地対策を考えるのであれば、相続財産に限定せず、また、ハードルを下げ、それなりの税金を投入して運用される制度を実現すべきである。以下、制度の概要を説明するにとどめる。

15-15 (2)　相続土地国庫帰属制度の概要

(a)　**法務大臣の承認が必要**　15-4にみたように、土地所有権を放棄し

て、無主の土地として国庫に帰属させることはできない。相続土地国庫帰属法は、「相続等によりその土地の所有権の全部又は一部を取得した者に限」り、土地の所有者が、「法務大臣に対し、その土地の所有権を国庫に帰属させることについての承認を申請することができる」という制度を導入した（同法２条１項）。共同相続の場合、遺産分割により単独所有にしてからこの手続をとる必要はなく、共有の土地のまま、全員による申請ができる。逆にいうと、全員で申請しなければならず、共有持分のみにつき上記制度を用いることはできない（同条２項）。淡路島の巨大観音像につき、相続人が相続放棄をして無主の不動産として国が取得した事例があるが、老朽化して危険なため８億円以上かけて解体されている。国に押し付けられるのは、このような厄介な土地になる。

15-16　**(b)　国庫帰属承認申請の要件――障害事由がないこと**

(ア)　対象から除外される土地　上記の要件のほか、本申請のための土地についての要件として、以下のような土地ではないことが要件として設定されている（同法２条３項）。この障害事由に該当しなければ、相続人は相続により取得した土地を、価値がある土地か否かは問わず国庫帰属申請ができる。ただし、この要件を満たしても、法務大臣が承認をするかどうかを判断し、承認が義務づけられるための要件が別に規定されているので（同法５条）、その要件を満たさない限りは承認するかどうかは自由である。

① 建物の存する土地（1号）
② 担保権または使用および収益を目的とする権利が設定されている土地（2号）
③ 通路その他の他人による使用が予定される土地として政令で定めるものが含まれる土地（3号）
④ 土壌汚染対策法２条１項に規定する特定有害物質により汚染されている土地（4号）
⑤ 境界が明らかでない土地その他の所有権の存否、帰属または範囲について争いがある土地（5号）

15-17　**(イ)　承認が必須とされる土地**　上記の要件を満たした上で、「法務大臣は、承認申請に係る土地が」下記の①〜⑤「のいずれにも該当しないと認めるときは、その土地の所有権の国庫への帰属についての承認をしなければならない」ことになるが（同法5条1項）、そうでない限り、15-16の要件を満たしていても承認をするかどうかは自由となる。なお、「承認は、土地の一筆ごとに行」われる（同条2項）。

① 崖（勾配、高さその他の事項について政令で定める基準に該当するものに限る）がある土地のうち、その通常の管理にあたり過分の費用または労力を要するもの（1号）
② 土地の通常の管理または処分を阻害する工作物、車両または樹木その他の有体物が地上に存する土地（2号）
③ 除去しなければ土地の通常の管理または処分をすることができない有体物が地下に存する土地（3号）
④ 隣接する土地の所有者その他の者との争訟によらなければ通常の管理または処分をすることができない土地として政令で定めるもの（4号）
⑤ 上記①〜④に掲げる土地のほか、通常の管理または処分をするにあたり過分の費用または労力を要する土地として政令で定めるもの（5号）

15-18　**(ウ)　国庫への帰属時期――負担金の納付時**　法務大臣による国庫帰属の承認がされても、承認によって当然に国庫へと所有権が帰属するわけではない。申請者はただでは国庫帰属を認めてもらえないのである。承認申請者は、上記の承認があったならば、「承認に係る土地につき、国有地の種目ごとにその管理に要する10年分の標準的な費用の額を考慮して政令で定めるところにより算定した額の金銭（以下「負担金」という。）を納付しなければならない」のである（同法10条1項）。法務大臣は、承認の通知の際に、併せて負担金の額を通知することになっている（同条2項）。そして、承認申請者がこの通知を受けた日から30日以内に、負担金を納付しないときは、承認は、その効力を失うことになる（同条3項）。そして、「承認申請者が負担金を納付したときは、その納付の時において、第5条第1項の承認に係る土地の所有権は、国庫に帰属する」ことになる（同法11条1項）。国庫への「帰属」であり、意思表示に基づいて所有権が移転する「譲渡」とはされていない。あくまでも、土地所有権の「放棄」の要件を規定した立法であり、法務大臣の承諾を得た場合に限り有効に土地所有権を放棄でき（私人の所有権の消滅）、これによりその土地は無主の土地となり、国庫に帰属する（国の土地所有権の成立）という構成になっている。

第7章
占有制度

第１節　占有と占有権・占有の要件

§Ⅰ
占有権の意義

16-1　民法は物権編の「総則」（第１章）に引き続き、物権各論の１番目に「占有権」（第２章）を規定しており（180条以下）、占有権を物権の１つとして位置づけている。これはボアソナードによる旧民法に由来する（新注民⑸５頁［金子敬明］）。しかし、所有権その他の物権が、事実上の支配を伴うかどうかに関係なく認めらる「観念的」権利であるのに対して、占有権は占有という事実状態に結び付けられた権利である。占有の移転を「占有権の譲渡」と構成するために設定された便宜的概念にすぎず、それを超えて必要な概念ではない。例えば、取得時効や占有訴権は占有の効力にすぎない。

民法は、「占有権は、自己のためにする意思をもって物を所持することによって取得する」と規定した（180条☞16-5以下）。しかし、占有権という物権を想定することは必要なのであろうか。占有の移転も占有改定や簡易の引渡しがあるので、「占有権の譲渡」という意思表示の効果として構成する必要があるかのようであるが、当事者の合意で引渡しを擬制することを認めれば足りる。「占有権」という物権概念を放棄しても、何ら不便・不都合はない。また、「占有権」の章の規定をみる限り、以下のような占有をめぐる雑多な規定が便宜的にここに集められたにすぎない（稲本204頁参照）。

① 占有の成立についての規定
　ⓐ 自己占有取得の要件（180条）
　ⓑ 代理占有制度の容認（181条）
　ⓒ 他人が占有する物についての合意に基づく占有取得（182条〜184条）
　ⓓ 他主占有から自主占有への変更（185条）
　ⓔ 自主占有の推定（186条１項）
　ⓕ 占有継続の推定（同条２項）

ⓖ 連続した他人の占有の併合主張の容認（187条）
ⓗ 占有の消滅（203条・204条）
② 物権の返還をめぐる法律関係についての規定
ⓐ 果実の取得・返還（189条・190条）
ⓑ 損害賠償（191条）
ⓒ 費用償還（196条）
③ 占有に信頼してなされた取引の保護［即時取得］（192条〜194条）
④ 占有による家畜外動物の取得（195条）
⑤ 占有の適法推定（188条）
⑥ 占有訴権（197条〜202条）

結局、占有を要件とする制度（取得時効、即時取得、無主物先占等）につき、それぞれの「占有」の概念を検討すれば足り、占有「権」といった1つの権利を問題にする必要はない（鈴木77頁以下）。

16-2

◆占有制度の機能からの分析

占有制度の機能は、ⓐ社会秩序維持機能（占有訴権）、ⓑ本権表象的機能（権利適法の推定、即時取得、引渡しによる動産物権変動の対抗）、ⓒ本権取得機能（取得時効、家畜外動物の取得、無主物先占、留置権の発生）、ⓓ本権があるのと同様に扱う機能（善意占有者の果実取得、賠償義務の軽減、費用償還請求）の4つに分析されている（安永245頁）。

本書もこれに賛成するが、制度を関連づけて以下のように整理したい。関連するものもあれば（③〜⑥）、占有が要件になっていること以外に共通性の認められない制度もある。また、占有者が妨害排除の相手方となる。

①占有の要件、占有移転の要件の規定は占有が問題となる諸規定の解釈のための定義規定である。②占有訴権や権利適法の推定規定は、本権が明らかではない状態における推定規定であり、また、占有訴権は、暫定的な簡易迅速な占有として事実状態をそれ自体として救済しておくだけの制度である（後日、本権について通常訴訟でじっくり検討させる予定の制度であった）。

③前主の占有に信頼してされた動産取引を、占有取得を要件（権利保護要件）として保護する即時取得、④前主の登記を信頼してなされた不動産取引を、占有取得またその10年の継続を要件（成立要件）として保護する短期取得時効（取引に基づかない場合には10年間の善意無過失の継続必要）、⑤前記③と④につき、悪意または善意有過失の場合に、20年の占有により成立する長期取得時効、⑥前記③〜⑤につき、善意（無過失不要）の占有者に、取得時効が完成する

前でも、果実取得、費用償還請求権付与という保護が認められる。ここらの規定は連続したものであるが、旧民法（またフランス民法）が善意のみを要件としていたのを、現民法は各所で善意無過失に変更したが、調整が完全であるかは疑問が残される。

⑦無主物先占は、発見だけでは足りず占有取得が要件となっている。⑧家畜外動物の取得は、主観的に無主物と考えて占有を開始した占有者を保護する制度である。⑨留置的効力を要素とする留置権や質権では、占有取得・保持が成立また存続の要件になる。

§Ⅱ
占有権は物権か

16-3　(a)　**占有権の物権性については争いあり**　①通説は、占有権が物権の1つとして規定されていることから、占有権を物権と理解している（**物権性肯定説**）。例えば、「占有権は物を所持することを内容とする権利、即ち直接物を支配する権利の一種である。したがって、物権である」といわれている（末弘222～223頁。石田文236頁、我妻・有泉460頁、柚木・高木326頁等同旨）。②しかし、占有権は、物を支配しうる権利という観念的な権利ではなく、占有権を物権とみることを否定する**物権性否定説**もある（舟橋277～278頁、広中7～8頁、加賀山199頁）。私見もこれに賛成であり、さらには次に述べるように占有権という概念自体さえ必要ないと考えている。

16-4　(b)　**「占有権」という物権を認める意義**　占有権という概念を認める意義として考えられるのは、次の3つである。

① 引渡しがなくても、占有権の譲渡により法的には引渡しを認めること（占有改定など）
② 占有権の相続による移転を認め、相続人が実際に占有を開始する前に占有訴権による保護が受けられ、また、取得時効の占有の中断を阻止できること（☞ 17-36）
③ 占有していない者にも、代理占有制度により、占有代理人を介して占有権の取得を認め、占有訴権の付与や取得時効が可能となること

しかし、いずれも占有権という概念を想定しなければ説明できないものではない。当事者の合意で、現実の引渡しを省略し、引渡しがあったものと擬制できる制度が用意されていると考えれば足りる（☞①)。占有が事実そのものではなく法的評価であるとすれば、現実の管理を開始する前でも社会通念上の支配を相続人に認めることは可能である（☞②）――ただし、観念的占有権の相続を認めてもよいと考えている（☞ 17-36）――。また、間接占有も、本来の「占有」はないが間接「占有」を認めて「占有」概念の拡大により説明することができる（☞③)。本書では、法規定の説明以外では、占有権という用語は使用しないことにする。

§Ⅲ 占有（占有権）の成立要件

1　占有（占有権）の成立要件

16-5　民法は「占有権の取得」と題して、「占有権」の成立要件について、「占有権は、自己のためにする意思をもって物[70]を所持することによって取得する」と規定している（180条)。「占有権」を問題にしているが、取得時効など「占有」を要件とする制度における「占有」の成立を問題にすれば足りる。占有の成立要件は、占有者に次の２つが認められることである。

① 「自己のためにする意思」（主観的要件＝心素）
② 物の「所持」（客観的要件＝体素）

ローマ法は、所有の意思を占有要件とし（心素［animus]）、賃借人や受寄者は占有を有さず、「所持」（体素［corpus]）のみが認められるにすぎず、賃貸人や寄託者を占有者としていた。ところが、日本民法は、賃借人ら

70）　土地につき、占有は上空または地下の空間だけについても成立する。大阪高判昭 38・7・4 高民集 16 巻 6 号 423 頁は、関西電力が「本件土地の上空を、70,000 ボルトの送電線を架設送電することによって平穏かつ公然と占有を継続している」ことを認めている。

にも占有を認め（代理占有）、所有の意思を占有の要件とはしておらず、占有概念がこの結果として大いに混乱させられたことは否めない。賃借人の代理「占有」により、賃貸人もまた間接「占有」を取得するという、二重の占有関係が認められることになったのである。

2　自己のためにする意思（占有意思）

16-6 **(1)　占有意思（主観的要件＝心素）**

(a)　**占有意思は所持の意思では足りない**　取得時効や無主物先占に必要な自主占有は、所持だけでは足りず所有の意思が必要である。自主占有以外の占有には、所有の意思は必要ではなく所持だけでよく、それとは別に主観的要件は不要となる。所持の意思といった主観的要件は無意味である。

ところが、民法は「自己のためにする意思」を**占有意思**として要求した。所持の意思では足りないという考えである。ローマ法では、所有の意思を占有の要件としていた（自主占有のみが占有）のを変更したが、起草者は、賃貸借や使用貸借は自己のため使用するのでよいが、他人のために保管する受寄者には占有を否定するつもりであった（注釈民(5) 19 頁［金子］）。受寄者にも占有訴権を認めるために、197 条後段で「他人のために占有をする者」にも占有訴権を拡大したのは、受寄者は占有者ではないことが前提である。フランス民法は、賃借人、受寄者らは「所持」しか有しないが、所持者にも占有と同様の保護を認めるという解決で対処している（同法 2278 条 2 項）。日本法は、賃借人には占有を認め、占有者と認められない受寄者らに限り、同様の扱いをしたのである。

ところが、197 条後段を「他人のために所持をする者」と規定すれば、占有のない者への拡大の趣旨は理解できたが、「他人のために占有をする者」と規定したので、混乱をさらに増してしまったのである。この「占有」は「所持」の誤記と考えるしかない。

16-7 (b)　**受寄者も含め所持の意思で足り所持に解消される**　規定ごとに要求される「占有」は異なってしかるべきである。①取得時効の要件としての占有には所有の意思が必要であり、また、②果実取得権（189 条）については、所有の意思のほか、使用収益権を有するものとして「自己のために」所持する意思が必要であり、受寄者はこれには含まれない。③占有訴権では、受寄者は占有者ではないとしても、所持は有するので所持者に占有訴権を拡大すれば足りる。

ところが、通説は、「所持による事実上の利益を自分に帰属させようとする意思」（舟橋285頁）として、「自己のためにする意思」を曖昧に定義し、受寄者も180条の一般論として占有者に含めている（新注民(5)19頁［金子］）。この結果、占有意思を所持の意思で足りるというのに等しくなり、そうであれば、所持だけを占有の要件とするのに等しくなる。所持を主観的要件でさらに絞り込むことができないからである。

なお、占有意思は包括的なものであってもよい。例えば、郵便受けに配達された郵便物について包括的に占有の意思が認められる。これに対し、山林にテレビや冷蔵庫が不法投棄された場合、土地の占有が侵害されているだけであり、土地所有者に投棄されたテレビなどの占有の意思は認められない。

16-8 **(2)　占有意思の客観化――「権原」による客観的認定 or 占有意思不要説**

(a)　占有意思を問題にしない立法もある　民法は、**意思主義**――意思を占有の成立要件とする立法主義――を採用し、占有を所持と権原とで客観的に判断するのではなく、占有意思を占有の成立要件とした。しかし、客観的要件のみを問題にする立法もある（**客観主義**）。ドイツ民法は、主観的要件を設定せずに、占有を純粋に客観的な事実的支配状態としている（同法854条）。日本は、180条によりこの立法によらないことを宣言したのであるが、「自己のためにする意思」を広く受寄者らにも認めるため、「所持の意思」に等しくなり、そうならば「所持」だけで足りることになる[71]。

16-9 **(b)　実際には所持に解消される**　①まず、占有意思は占有を生ぜしめた原因から客観的に判断する学説が多い（末川189頁、松坂113頁）。結局、この説によれば所持と権原だけで判断されることになる。②さらには、占有意思を要求するのは歴史的沿革の産物であり、これにとらわれる必要はないとして、占有意思という要件を無視し、この意思は「占有の客観的事実の中に解消し

71）　**＊意思無能力者の占有**　占有意思を要求する説では、占有のためには意思が必要なことから意思無能力者には占有は認められず、法定代理人により占有をしてもらうしかないと考えられている（柚木289頁）。ただし、事実行為である占有のための意思能力は相当緩やかに認めるべきであり、例えば、幼児でも虫を捕まえるなど無主物先占が認められるべきである。客観説では意思の認定・判断さえ不要とされるので、意思無能力者にも占有が認められる（鈴木109頁）。

てしまって」いると説明し、所持のみによって占有を判断する**客観説**と呼ばれる考えもある（川島151頁、舟橋286頁、鈴木108頁）。

受寄者らにも占有意思を認めれば、占有意思は所持の意思で足り、所持に占有の要件は解消され、占有は以下のように単純化される。

> ① 所持だけで占有が認められる。占有意思は所持の意思に尽き、結局、占有は所持だけで足りることになる。
> ② 所持のない占有を認める間接占有は、占有代理人の所持と占有代理関係を基礎に認めれば足りる。

その上で、取得時効との関係で自主占有かどうか、善意無過失かどうか、果実取得権との関係で善意かどうかなどを検討すれば足りることになる。

なお、占有意思は占有取得の要件であって、占有継続の要件ではない（松坂114頁）。「占有権」の消滅についての203条により、所持を失うか占有意思を放棄したときに「占有権」が消滅するものと規定されている。

3　物の「所持」（客観的要件＝体素）

16-10　**(a)　所持は社会通念により客観的に判断される**　物の「所持」とは、社会観念上、ある人がある物についての事実上の支配をしていると認められる客観的な関係であると理解されている（柚木284頁、舟橋279頁、末川188頁など）。180条にいう「所持とは、社会通念上、その物がその人の事実的支配に属すると認められる客観的関係にあること」といわれる（長野地松本支判平25・10・30判時2227号44頁）。要するに、占有を要件とする諸制度との関係において、占有ありと認めるにふさわしいと判断されるような客観的状態があればよい。「所持」（＝占有）とは事実それ自体ではなく、事実に対してされた法的評価であることに注意すべきである（規範的要件）。

では、どのような場合に、社会通念上ある物がある者の支配下にあると認められ、「所持」ありとされるべきであろうか。この点、物理的に把持している必要はなく、マンションの内部は不在であっても占有が認められ、柵や塀で囲まれ外部からの立ち入りができない土地は、本人がそこにいなくても占有が認められる。所有者がたとえ海外にいて数年間帰らなくても、占有は否定されない。山林のように囲いをしていない土地でも、事実上管理をしている者に占有を認めてよいし、また、山林の売買契約における占有移転は売買契約があったという客観的事実だけで認めてよく、かなり緩和して認定されてよい。以下に判例を紹介しよう。

16-11　**(b)　所持が認められた事例**

(ア)　保護主体としての占有者　①居住していた家屋が焼失し、その所有者が一時行方不明になっても、その敷地に対する所持を失わない（大判昭5・5・6新聞3126号16頁）、②「茨城県知事より海岸地域に散在する貝殻払下の許可を受けたる者が、其の所定区域に標杭を設置し且つ監視人を配置したるときは、其の区域内に打上げられたる貝殻に付き当然其の占有を取得するものとす」（大判昭10・9・3民集14巻1640頁）、③「家屋（空家、以下同じ。）の所有者が、これに錠をかけて鍵を所持し、又は標札貼紙等により自己の占有中である事実が第三者にもわかるようにしておかないからといって、必ずしも所有者に家屋の所持がないとはいえ」ず、家屋の所有者が「その家屋の隣家に居住し、常に出入口を監視して容易に他人の侵入を制止できる状況にあるときは、所有者はその家屋を所持するものといえる」ものとされた（最判昭27・2・19民集6巻2号95頁）。

16-12　**(イ)　責任主体としての占有者**　以上は、占有者が占有の利益を受ける場面であったが、占有者は妨害排除請求の相手方や不法行為の責任主体（717条1項など）として問題になる場面もある（17-13も参照）。

建物の占有者は、その敷地に関する物権的返還請求権の被告適格が認められている（最判昭34・4・15訟月5巻6号733頁）。「建物は、その敷地を離れて存在し得ないのであるから、建物を占有使用する者は、おのづからこれを通じてその敷地をも占有するものと解すべきである」として、建物の退去だけでなく敷地の明渡しを命じた原判決は正当なものとされている。建物に夫と同居している妻は、共同占有者ではなく占有補助者にすぎないとされ、占有者としての責任が否定されている（大判昭10・6・10民集14巻1077頁）。戸主制度も廃止され、現在では先例価値に疑問がある。

第２節　占有の種類と取得・消滅

§Ⅰ
占有の種類（分類）

1　自主占有・他主占有

17-1 **(1)　自主占有の意義・認定**

(a)　取得時効の要件としての自主占有　「所有の意思」のある占有を、**自主占有**という。取得時効（162条）、無主物先占（239条１項）等では、自主占有であることが要件になる。取得時効では、自主占有がさらに善意占有・悪意占有とに分けられ――善意も無過失と有過失とに分かれる――、取得時効のために必要な期間が変わってくる（162条参照）。

自主「占有」の「占有」は間接占有でもよく、他人の物を自己の物として賃貸したり寄託した場合には、賃貸人や寄託者が、賃借人や受寄者の占有を介して自主占有を取得することになる――賃貸人や寄託者が取得時効の主体になる――。無主物先占を例にすると、雇われて魚などを採取する漁師は自主占有を取得せず、使用者である会社が無主物先占をすることになる。

17-2 **(b)　所有の意思は権原の客観的性質で判断する**　自主占有か否かは、「所有の意思」のある占有という定義にもかかわらず、占有者の主観ではなく、占有取得の原因（権原）の客観的性質により判断される。185条が「権原の性質上占有者に所有の意思がないものとされる場合……」と規定していることは、所有の意思は「権原の性質」により判断されることを前提としており、また、それが結論としても適切であるからである。本を借りた者が返すつもりはなく心の中では自分の物にする意思であったとしても、使用貸借という権原の客観的性質から、借主は他主占有とされる。貸主は貸しただけだから取得時効が成立しないと信頼しており、時効完成を認めてしまうのは適切ではないからである。そのため、民法は、占有者は所有の意思を持つ者と推定しているが（186条１項）、同規定は、権原が不明ないし権原の性質から客観的に決められない場合に、補充的に適用される規定にすぎないことになる。

17-3　(c)　**自主占有を認めた判例**　農地を転用のために買い受けた場合、農地法5条の都道府県知事の許可（当時）がなくても、買主は代金を支払い農地の引渡しを受けたならば自主占有を取得する（最判平13・10・26民集55巻6号1001頁）。譲渡担保契約成立以後の設定者の占有は、所有の意思を欠く占有であり、譲渡担保権者が自主占有としての間接占有を取得する（名古屋高判昭53・6・12判時913号92頁）。土地の売買契約において、代金の不払いが解除条件とされていたため売買契約が効力を失った場合に、「解除条件が成就して当該売買契約が失効しても、それだけでは、右の占有が……所有の意思をもってする占有でなくなるというものではない」と、買主の自主占有の継続が認められている（最判昭60・3・28判時1168号56頁）。

17-4　(2)　他主占有

(a)　**所有の意思のない占有も認められる**　先にみたように、日本民法は占有意思を「自己のためにする意思」に拡大し、自主占有以外にも占有を認めている。賃借人の占有など、他人の「代理人」としてなす占有を**他主占有**という。他主占有も自主占有同様に占有権原の客観的性質により判断される。

他人の物として占有しつつも「自己のためにする意思」が認められるのは、利用権限に基づいて占有する場合に限られるはずであるが（賃借人、使用借主、地上権者、永小作人）、占有訴権については、「他人のために占有をする者」にも（占有は所持の誤記）、占有訴権を認める例外的処理がされている（197条後段）。しかし、現在の学説は、受寄者など他人のために「所持」をしている者にも占有を認めている（☞ 16-7）。

17-5　(b)　**他主占有も権原で判断される――権原の意義**　ところで、民法上「権原」という言葉は、185条と242条とに登場するが、「権原」とは何かの定義はない。権原とは、広くはある行為を法的に正当化する法律上の「原因」の意味である（英語のtitle）。しかし、占有が事実状態であるため、占有においては、広く占有を取得した「原因」――窃盗、横領、遺失物横領等の事実行為でもよい――を含めて「権原」と呼ばれている（松坂114頁）。そのため売買契約等の正当な場合を特に「**正権原**」（＝取引に基づく場合）といって区別をする。これに対して、242条ただし書の権原は、不動産に物を付加して使用する権限を意味する。

特定物の売却後の売主の占有も、「買主のための占有でありこれが占有は権限（ママ）の性質上自主占有とは解されない」といわれる（鹿児島地鹿屋支判昭48・12・3訟月20巻5号15頁）。

17-6

◆自主占有・他主占有の認定

ある占有が自主占有か他主占有かは、権原の客観的性質によって判断される（☞17-2）。ところが、権原が不明な場合、また、権原の性質によりいずれとも判断できない場合には、権原により形式的画一的に判断できない。その場合、占有者は所有の意思ありと推定され（186条1項）、これを争う者が反証を挙げなければならない（相続は例外☞17-41）。その結果、以下のようになる。

①権原が証明できる場合には、形式的画一的に賃貸借等の権原の証明だけでよいが、②権原が証明できないなどのため上記推定が適用される場合には、所有の意思を争う側が、所有の意思の推定を覆すために、占有者に他人の所有物を前提とした行為をするなどの事情（**他主占有事情**）があることを証明することになる。他方で、占有者側は、所有者ということを前提とした行為をする等の事情（**自主占有事情**）があることを証明し、所有の意思の推定を強化し、これをさらに相手方が争うことになる。その上で、裁判官が総合評価して自主占有か否かの判断をすることになる。判例も以下のような一般論を述べている。

17-7

◉最判平7・12・15民集49巻10号3088頁　「民法186条1項の規定は、占有者は所有の意思で占有するものと推定しており、占有者の占有が自主占有に当たらないことを理由に取得時効の成立を争う者は、右占有が所有の意思のない占有に当たることについての立証責任を負うのであるが、右の所有の意思は、占有者の内心の意思によってではなく、占有取得の原因である権原又は占有に関する事情により外形的客観的に定められるべきものであるから、占有者の内心の意思のいかんを問わず、①占有者がその性質上所有の意思のないものとされる権原に基づき占有を取得した事実が証明されるか、②又は占有者が占有中、真の所有者であれば通常はとらない態度を示し、若しくは所有者であれば当然とるべき行動に出なかったなど、外形的客観的にみて占有者が他人の所有権を排斥して占有する意思を有していなかったものと解される事情（このような事情を以下「**他主占有事情**」という。）が証明されて初めて、その所有の意思を否定することができるものというべきである」（最判昭58・3・24民集37巻2号131頁［**お綱の譲り渡し事件**。占有の開始が贈与かどうかが争われ、贈与とは断定できないとされ、そのため権原の客観的性質から自主占有とは判断できず、自主占有の証明が問題となった］を踏襲した判決であり、その表現もほぼ同様である）。占有者が所有権移転登記手続を求めず、また、固定資産税を負担していなかったということだけでは、他主占有事情として十分ではないとされた。

2　善意占有・悪意占有――過失ある善意占有・過失なき善意占有

17-8　占有訴権については悪意・善意を区別していないが、規定によっては悪意・善意さらには善意の場合に過失があるか否かが区別されている。また、何についての善意・悪意かは、問題とされる規定により異なる。例えば、自主占有では、他人の物であることについての善意・悪意が問題にされる。

ほかに善意・悪意が区別されている占有規定としては、189条・190条の果実取得権についての規定があり、所有権だけでなく、地上権、賃借権といった利用権限についての善意・悪意が問題となる。他方、占有者の占有物の滅失・損傷についての責任も、善意占有か否かで区別されているが、所有者だと信じたからこそ責任が軽減されるのであり、ここでは自己の物ということについての善意・悪意が問題となる。占有者の費用償還請求権について、196条2項ただし書で、悪意占有者が問題とされているが、ここでも自己の物と考えていたかどうかの善意・悪意が問題とされるべきである。

即時取得は占有の効力というよりも、取引安全保護制度であるが、前主（売主ら）が所有者ではないことについての善意・悪意が問題となる。

3　直接占有（自己占有）・間接占有（代理による占有）

17-9 (1)　間接占有（代理占有）制度――所持を有しない占有

既述のように、ローマ法は占有は所有の意思を持った自主占有しか認めず、賃借人、受寄者らは占有を有さず所持のみが認められ、賃貸人や寄託者らが占有者とされていた。他人に物を所持させる形での占有の取得が認められていたのである。この場合、占有が二重に成立することはなく、占有概念の混乱は生じない。フランス民法はローマ法の占有制度を承継し、賃借人らは所持者にすぎず占有者ではない。ところが、日本民法はこれに従わなかった。

①所持をしていない賃貸人や寄託者に占有を認める点は変わらないが――「代理」占有と構成――、②異なるのは、賃借人や受寄者らにも「占有」（ロ

ーマ法にはない他主「占有」）を認める点である（受寄者については☞ 16-7）。①の点につき、「占有権は、代理人によって取得することができる」と規定し（181条）、②の点については、既述のように占有に所有意思を不要としたのである（☞ 16-7）。この結果、占有が二重に認められ、賃借人も賃貸人もいずれも占有者となったのである。ただし、賃貸人の占有は自主占有、賃借人の占有は他主占有ということになる。したがって、自主占有者であることが要件とされる取得時効は、賃貸人にのみ認められる。

このように①②の両者を認める制度を、講学上、**代理占有制度**という（用語につき☞ 17-10）。

17-10

◆直接占有（自己占有）・間接占有（代理による占有）——用語の整理および代理規定の適用

自ら目的物を所持している者の占有を、講学上、**直接占有**または**自己占有**という（自主占有と混乱しないように）。直接占有者は、①間接占有が別に成立しない自主占有の場合と、②その占有を介して間接占有が成立する賃借人らの他主占有（代理占有）の場合とに分かれることになる。

所持を有しない者にも、直接占有者の占有を介して占有の取得が認められていることは上記の通りである。これを**間接占有**といい、例えば、本を他人に貸した使用貸主は、使用借主に代わりに占有させており、使用貸主も占有者（間接占有者）となる。間接占有者のために直接占有をしている者を、代理になぞらえて**占有代理人**といい、その占有を**代理占有**という[72)]。代理占有は必ず他主占有である。

「代理」占有とはいうものの、便宜的な名称にすぎず、代理規定は原則的に適用にならないが、101条の類推適用が認められている。判例は、「代理人に依りて占有を為したる場合に於ては、民法第101条の場合と撰を異にすべき理由なきを以て、同条の規定を類推し占有者が善意なるや悪意なるやは代理人に付之を定むべきものと解釈するを相当とす」とし、不動産の管理を委ねられた占有代理人が悪意であったため、本人が善意であっても悪意の占有者として162条1項の取得時効を適用している（大判大11・10・25民集1巻604頁）。また、101条3項

72）　**＊二重の間接占有（代理占有）——復代理占有**　例えば、Aから美術品を預かっているBが、この美術品をCに寄託したまたは美術展に飾るために運送会社に運送を依頼し渡したとする。この場合、BがCを通じて間接占有を取得するが、AもCの占有を通じて間接占有を取得するのであろうか（復代理のように）。なぜ問題になるかというと、204条1項3号によると、直接占有者が「所持」を失うと間接占有者の間接占有は消滅するとされており、間接占有者が間接占有を保持していても、「所持」を失ったら、代理占有（間接占有）は消滅しそうだからである。この規定は、復代理占有を否定するものではなく、Aの間接占有は存続すると考えるべきである。

類推適用により、賃貸人や管理委託者が悪意で、その場所を賃貸ないし管理を指示したならば、占有代理人（賃借人ら）が善意無過失でも、悪意占有しか取得することはできないことになる。162条２項は本来的には取引安全制度であり、代理人により、物を購入させるなどしてこれに占有させる場合には、取引また占有のいずれについても代理人＝占有代理人を基準に善意また過失の有無を判断すべきである。しかし、占有改定の場合には、買主を基準として善意また過失の有無を判断すべきであり、占有代理人として売主を基準に考えるべきではない。

17-11 **(2) 間接占有（代理による占有）の成立要件**

(a) 占有代理人による所持と占有代理関係　181条からは間接占有が成立するための要件は明確ではないが、間接占有の消滅原因（204条）から、その成立要件を以下のように導くことができる。

① 占有代理人が物を所持すること（204条１項３号）
② 本人が占有代理人に自己の代わりに占有をさせていること＝占有代理関係（同１号）
③ 占有代理人が本人の代わりに占有する意思を有すること（同２号）

①まず、占有代理人が物を所持していなければならない。占有代理人が所持を失うと、間接占有も消滅する（204条１項３号）。②次に、代理における代理権に匹敵する要件として、占有代理人が本人＝間接占有者に代わって占有する権限、すなわち代理占有権限を有することが必要である。代理占有権限は、賃貸借、寄託等の他人物の保管型の契約や後見等の法定の原因によって付与される――受寄者に占有を認める通説の立場で説明する――。一度成立した間接占有は、代理占有権限の消滅、例えば賃貸借契約の解除により当然には消滅しない。「本人が代理人に占有をさせる意思を放棄したこと」が、その消滅のためには必要である（同項１号）。

17-12 **(b) 代理占有意思――占有代理関係に解消される**　さらには、占有代理人が、他人の所有物として本人の代わりに占有する意思（**代理占有意思**）を有することが必要である。そうすると、占有代理人に「占有」が認められるためには「自己のためにする意思」が必要であり、この２つの意思は両立しうることになる。賃借人は、賃借物を自己のために使用しており「自己のためにする意思」があっても、他人の所有物としてその代わりに占有する意思、すなわち代理占有意思も認められる。また、代理占有意思も権原の客観的性質により判断されるべきである。代理占有者が、本人に対して自己のために占有する意思を表示すると自主占有になり間接占有も消滅し、また、第三者のために占有する意思を表示すると、その第三者のためにする代理占有となり当初の間接占有者のための間接占有は消滅する（204条1項2号）。

Aがその所有の不動産をBに賃貸し、BがAの同意を得てCに転貸した場合（寄託では再寄託）、復代理占有関係になる。Aは自主占有たる間接占有、Bは他主占有たる間接占有、Cは他主占有たる直接占有を取得する。

17-13

◆占有機関（占有補助者）

ローマ法では自主占有のみを占有と認め、賃借人らは所持者にとどまるものとされていたことは何度も述べた通りである。日本民法は、賃借人らにも占有を認めたが、学理上**占有機関**（ないし**占有補助者**）という概念も認められている。フランス法でも賃借人らは占有者ではなく所持者とされ、所持は認められている。日本では、その後の解釈により、受寄者らにも占有が認められているため、所持さえ認められない単なる占有についての補助者が、占有機関である。例えば、店の商品の監視をしている店員には所持は認められず、社会通念上、店に所持が認められる。代理占有に準じて、スーパーの従業員といった占有補助関係の存在が必要になり、この点も原因の客観的性質により判断される。

718条の責任が問題となった事例であるが、農作物の収穫のために父親の馬を使用している長男は、父親の占有補助者にすぎないとされている。「事実上物を所持し之を使用する者は、必しも物の占有者にあらず。若しも其者にして、社会観念上他人の機関として其占有を補助するが為め物を所持し之を使用するものと認めらるるときは、其者は占有者にあらずして、占有の補助者に過ぎず、其者を補助者とする他人を以て占有者なりと為さざるべからず」とされている（大判大4・5・1民録21輯630頁）。また、「ただ単に使用人としてその家屋に居住するに過ぎない場合においては、その占有は雇主の占有の範囲内で行われて」おり、「雇主と共同し、独立の占有をなすものと解すべきではない」とされ、使用人に「不法占有を認め、家屋明渡のほかに賃料相当の損害金支払の義務までも認めた原判決は、他人の使用人の占有および不法行為に関する法の解釈を誤ま」ったとして、破棄されている（最判昭35・4・7民集14巻5号751頁）。

いずれも、占有者として責任を負わすか否かが問題とされた事例であり、占有者としての責任を免責させる理由として占有補助者にすぎないと説明されている（建物につき、妻を夫の占有機関として責任を否定した判例がある☞16-12）。しかし、不法行為責任に関しては、幇助の責任は免れない。

17-14

◆法人の占有

占有は、個人だけでなく法人についても問題になる。ただし、法人について占有が問題となる事例も多様であり、事例により分けて考えなければならない。

①特に誰か個人の所持とはいえない場合、例えば会社のビルの占有（さらにはビルの中の動産類）については、所持が事実的概念ではなく、法的な評価概念であるとすれば、会社自体の所持と評価することができる。そして、スーパーの従業員などは、法人自体の占有についての占有補助者になる。

②また、従業員が会社の自動車を運転していたり、会社の商品を持ち歩いている場合、占有機関ではなく、独自の占有を有しており、占有代理人となり会社は間接占有を有することになる。ただし、会社から支給されたパソコンを会社の事務所のデスクに置いて利用しているのは、占有機関というべきであろう。

③代表者による占有について、判例は、代表者自身は占有機関にすぎないとして、法人を占有主体としている。法人の行為能力肯定説が前提とされている——否定説では代表者は占有代理人になる——。例えば、「Yは訴外A会社の代表取締役であって同会社の代表機関として本件土地を占有しているというのである。そうすると、本件土地の占有者はA会社であってYはA会社の機関としてこれを所持するに止まり、したがってこの関係においては本件土地の直接占有者はA会社であ」る（最判昭32・2・15民集11巻2号270頁）、「法人の代表者は法人の機関であり、したがって法人の代表者が法人の業務上なす物の所持は法人そのものの占有、すなわち法人の直接占有と解すべく、またこの場合代表者は所論民法197条後段の代理占有者でもない」として、代表者の占有訴権が否定されている（最判昭32・2・22判時103号19頁）。

これに対し、「代表者が法人の機関として物を所持するにとどまらず、代表者個人のためにもこれを所持するものと認めるべき特別の事情がある場合には、これと異なり、代表者は、その物について個人としての占有をも有することになるから、占有の訴えを提起することができる」とされている（最判平10・3・10集民187号269頁および最判平12・1・31集民196号427頁）。事案は、寺の住職Xが寺から僧籍はく奪処分を受けたが、これを争いその後も寺に居住していた事例において、特別の事情を認め、Xを排除して寺を占有しているYに対するXの占有訴権（200条）が肯定されている。

客観説は、代表者の所持を法人の所持と認めて、法人自体の占有を認めている（舟橋290頁以下、鈴木100頁）。ただし、この場合に、代表者自身にも占有を認めるのかは争いがある。法人の占有の議論は精緻さを欠いており、本格的な法人論を構えた上で検討を加える必要があると指摘されている（新注民(5)22頁［金子］）。

17-15

(3) 間接占有（代理による占有）の効果

間接占有の要件を満たすことにより、所持をしていない間接占有者（賃貸人等）が「占有権」を取得することになる（181条）。転貸した賃借人のように、間接占有者が他主占有の場合も考えられるが（復代理占有の事例）、間接占有を自主占有として取得するのが通常である。その場合、他人物を賃貸したならば、賃貸人が自主占有（間接占有）を取得し所有権を時効取得することになる。賃借人は、賃貸人の所有権の取得時効の援用権を認めることもできるが、判例によれば、賃借人は所有者との関係で賃借権を時効取得することもできる（☞民法総則 9-216）。果実取得権については、賃借人ではなく賃貸人が果実取得権を認められることになる。

占有訴権については、直接占有を有している賃借人に占有訴権が認められるほか、賃貸人にも間接占有に基づく占有訴権が認められる。この場合、間接占有者の占有訴権は、占有代理関係に基づく占有の回復しか請求できず、賃借人への返還を求めることができるにすぎない（鈴木 101 頁）――ただし、自己への返還請求を認める学説もある（広中 356 頁）――。なお、賃貸人（間接占有者）が賃借人（代理占有者）から所持を奪ったり妨害している場合（不動産の場合）には、直接占有者である賃借人に賃貸人に対する占有訴権が認められる。

4　単独占有・共同占有

17-16　**(a)　共同占有の成立**　占有には、複数人による共同占有も認められる。①共同の所持と共同占有の意思が必要になる。②１人が所持していても、共同占有関係が認められれば、部分的な代理占有関係が成立する。

①共同占有も、②も含めて権原の客観的性質により判断される。共同買主の１人が目的物の引渡しを受け所持をすれば、共同買主（＝共有者）全員のための共同占有をしているものと扱われる。したがって、自主占有の共同占有が、単独の自主占有に変更するには 185 条の新権原が必要になる。この点、相続の場合には、17-29 以下の議論が当てはまる。共同相続人の１人が相続後、固有の占有を開始し、それが単独の自主占有と認められるためには、それが客観的に示されていることが必要になる（☞ 17-44）。また、間接占有についての共同占有も考えられ、共有物を賃貸すれば、賃貸人全員が共同間接占有を取得する。

17-17　**(b)　共同占有の効果**　共同占有では、占有に関わる効果が共同占有者全員に認められる。①果実取得権や費用償還請求権もその効果の１つであり、取得した果実は共有となる。②取得時効の援用権も、取得すべき持分に応じて共同占有者が各自―― １つの援用権を準共有するのではなく――取得することになる。③ 178 条の対抗力の取得、192 条の即時取得のための引渡しについても同様であり、共同買主の１人が引渡しを受ければよい。④ 717 条１項の土地工作物の占有者責任や 718 条１項の動物占有者責任は微妙である。１人の管理についての過失により、全員が責任を負うと考えて、後は内部の求償に任せるべきである。⑤占有訴権や物権的請求権も全占有者に認められ、また、⑥共同占有が他人の所有権を侵害するものである場合、所有者には占有者全員に対する物権的請求権が認められる。④と⑥については、所持を有している現実の占有者にのみ責任を負わせることも考えられる。

§Ⅱ
占有（占有権）の取得

1　はじめに

17-18　動産については 178 条で「その動産の引渡し」を問題とし、民法はそれとは別に不動産も含めて「占有権の取得」（180 条またその前のタイトル）を問題とし、「占有物の引渡し」により「占有権の譲渡」（意思表示による移転）がされることを認める（182 条）。

占有代理人に「占有」を認め、「代理」占有の効果として、賃貸人らに「占有権」の帰属を認め、また、「占有権」の譲渡により、現実の引渡しを伴わない占有の移転を認めるのである。すでに、178 条の「引渡し」の説明の箇所で、占有の移転については説明をしたので（☞ 12-7 以下）、以下には必要な限度でまとめるにとどめる。

2　自主占有を取得する場合

17-19 **(1)　原始的に自主占有を取得する場合**

誰の占有にも属しない物の占有を取得する場合として、無主物先占が考えられる。また、すでに占有されている物について、その承継を受けるのではなく、その占有を排して占有を取得する場合として、窃盗の事例が考えられる（平穏ではないので取得時効は認められない）。既存の占有が所持を失い消滅し、窃取者が新たに自主占有を取得することになる。所有者の占有を離れた遺失物についても、拾得により占有を取得することになる。この場合に、所有者に届けるつもりないし交番に届けるつもりであれば、事務管理であり他主占有を取得するが、ネコばばのつもりであれば、自主占有を取得することになる。被相続人が他主占有していた物を、相続人が被相続人の所有と思って現実に占有を始めた場合にも、自主占有を原始取得すると考えられる（☞ 17-42）。

17-20 **(2)　前主から自主占有を取得する場合――４つの類型**

(a)　直接占有を取得する場合（引渡し）　前占有者から、売買などにより目的物の直接占有（所持）を取得する形で自主占有を取得する事例が、現実の「引渡し」であり、現実の引渡しのみが「引渡し」と称されている（182条の表題）。しかし、178条の「引渡し」はこれに限定されないことは先に述べた（☞ 12-7以下）。

①まず、物の「引渡し」により直接占有（所持）を取得する場合が、**現実の引渡し**である（182条1項）。②また、すでに他人の物を占有（所持）していた他主占有者（賃借人など）の占有が、新権原（その物を売ってもらうなど）によりその占有が自主占有に変更する場合に、売主から自主占有の移転を受けたことになる（同条2項）。これを**簡易の引渡し**という。

17-21 **(b)　間接占有を取得する場合**　他方で、買主が目的物の直接占有（所持）を取得しないで、自主占有たる間接占有を取得する類型が考えられている。

①占有者（＝自主占有者）がその物を売却し買主に所有権を移転しながら、賃借したり管理の委託を受けるなどをすれば、売主が直接占有（所持）を保持しながら、それまでの自主占有から他主占有に変更され、他方で、買主が自主占有たる間接占有を取得する（183条）。これを**占有改定**といい、意思表示による占有権の譲渡と構成されている（☞ 12-12）。

②また、間接占有している物を譲渡する場合――例えば賃貸中のアパートの譲渡――、売主から占有代理人に対して譲渡の事実を伝えて以後譲受人のために占有することを命じて、占有代理人がこれを承諾することによって、買主が間接占有を取得する（184条）。これを**指図による占有移転**といい、や

はり意思表示による占有権の譲渡と構成されている（☞12-13）。

3　他主占有を取得する場合

17-22　①賃貸借や寄託契約に基づいて、他人の物としてその占有を取得した者は他主占有を取得する。既述のように、本人（間接占有者）が他人に占有させる意思と、その他人が本人のために占有する意思が必要であるといわれるが、これは権原の性質により客観的に判断される。②また、他主占有の承継取得も考えられ、賃借人が、賃貸人の同意を得て賃借権を譲渡した場合には、新賃借人が旧賃借人から目的物の引渡しを受けて他主占有を承継する。

③さらには、すでに自主占有を有している者が、その物を譲渡し占有改定を行うと、占有状態（所持）はそのままで、法的に自主占有から他主占有へと変更される。譲渡が無効であっても他主占有に変更され、買主が自主占有（間接占有）を取得する効果は認められ、間接占有を介して買主は時効取得が可能になる。

17-23　**◆代理占有から直接占有への変更（187条の適用なし）**

Yの法定代理人Aから土地建物（X所有）の管理を依頼されたBによる占有を介して、Yが、Bが悪意なので占有開始時において悪意の占有を取得したが――101条を類推して間接占有者Yの善意・悪意は占有代理人Bを基準とする（☞17-10）――、その後、Aの代理権が消滅しYが善意無過失で自ら管理するようになった。X所有の本件土地建物のYによる時効取得につき、Yは、187条1項により、Aを基準とした悪意占有を切り離して、自己が開始した善意無過失の占有だけを選択することができるのであろうか。

この点、「元来同一人の一個の占有継続したるものにして、其の間に中断若は承継ありたるに非ざれば、縦令Yが其の際自己の所有物なりと信じ占有を為したりとするも、民法第162条第2項に所謂占有の始善意なりしものと謂ふを得ざるものとす、民法第187条は占有者の承継ありたる場合に関する規定にして、本件の如き代理人に依る占有が直接占有に移りたる場合を規定したるものに非ず。又斯る場合に於ては占有の承継と同一に取扱ふべき理由なきを以て、本件に付同条の規定を適用し若は準用すべしとするYの所論は当を得ず」と、187条1項の適用が否定されている（大判大11・10・25民集1巻604頁）。

Bを占有代理人とするYの間接占有（Bを基準に判断して悪意の占有）がY自ら占有する直接占有に変わっても、それは前後を通じてYの占有でありそれが間接占有から直接占有に態様が変わっただけである。2つの別の主体の占有があるわけではないのである。

§Ⅲ 他主占有から自主占有への変更

1　他主占有が自主占有に変わるための要件

17-24 **(1)　所有者の利益保護の必要性**

(a)　所有者保護の必要性　自主占有か他主占有かは、占有の取得原因（＝権原）の客観的性質により判断される（☞ 17-2）。これは、占有を他人に委ねた者が、取得時効はないと思っている信頼を保護するための法理である。占有の開始だけでなくその後の変更についても同様の考慮がされるべきであり、他主占有が他主占有者の主観だけで当然に自主占有に変更されることを認めるわけにはいかない。そのため、民法は、自主占有か否かは「占有の権原」により客観的に決められることを確認しつつ、他主占有が自主占有に変更されるための特別の要件を下記のように設定しているのである。

17-25 **(b)　他主占有が自主占有に変わるための要件**　「権原の性質上占有者に所有の意思がないものとされる場合には、その占有者が、自己に占有をさせた者に対して所有の意思があることを表示し、又は新たな権原により更に所有の意思をもって占有を始めるのでなければ、占有の性質は、変わらない」（185条）。

したがって、他主占有が自主占有に変わり、取得時効が可能になるためには、①他主占有者による占有をさせた者に対する所有の意思の表示、または、②新権原による占有の開始のいずれかが必要である。なお、取得時効は所有権以外についても可能なので（163条）、185条は所有権以外の財産権の取得時効に類推適用することが認められるべきである[73)]。A所有の土地を、Bが所有者と偽ってCに賃貸した場合、Bが代理占有に基づいて所有権を時効取得できるが、BがCに地上権を設定した場合には、Cが地上権を時効取得できるだけである。

17-26 **◆自主占有から他主占有への変更**

185条とは逆に、例えばAが動産または不動産を自主占有していて、その物の所持の状態はそのままで他主占有に変わるためには何が必要であろうか。185条が自主占有原因として、占有者による所有の意思の表示または新権原を要求しているのとパラレルに、他主占有意思の表示または他主占有権原による占有の継続が必要になる。

①まず、Aが占有している物につき、ただ単にBが自分の所有物であると主張しただけで、Aの占有が他主占有になり、Bに間接占有による自主占有の取得を認めることはありえない。法的根拠を示して、Bから買い取りAに一時使用を認めているだけだと単に主張するだけでも足りない。

②次に、Aが新たな他主占有権原に基づいて占有を継続する場合が問題になる。占有改定の場合の譲渡人の占有がその典型例である。AがBに土地を売却したが、BからAがそのまま使用を認められ占有改定により他主占有になっているならば、他主占有になる。売買が無効な場合にも、Aの占有は他主占有になる。Aの占有は他主占有になるので、第三者Cの所有物である場合だけでなく売買が無効でありA所有であっても、Bは時効取得が可能になる。

17-27　(2)　他主占有が自主占有に変わるための要件

(a)　占有をさせた者に対する所有の意思の表示　例えば、AからBが壺を借りて引渡しを受けたが、Bがその後にAに対してこの壺は、前に自分がAに貸したものであり自分の物であると主張する場合である。占有取得原因の客観的性質は変わらないのに自主占有への変更を認めることについては、立法論的には疑問が提起されている（我妻・有泉472頁）。自分の物とする意思を表示すればよく、その主張を根拠づける理由を示すことは必要ではない。ただし、所有の意思を表示するだけでは足りず、賃料の支払を止めるなど（後掲判例）、客観的に自主占有とみられる占有状態への変更が必要であると考えるべきである。

所有の意思の表示は黙示であってもよい。小作人が、旧自作農創設特別措置法16条による売渡しがされていない土地をこれがされたものと思って、

73）　例えば、賃借人としての占有から、永小作人や地上権者としての占有への変更にも、185条は類推適用される（大判大10・3・16民録27輯541頁、大判大15・10・21新聞2636号9頁）。賃借人が、土地所有者の無権代理人から地上権の設定を受けた場合に、その時からその占有は地上権者としての占有になり、163条の他の要件を満たせば地上権を取得時効することができることになる。ちなみに、大判大10・3・16は、原判決はYが係争地上に賃借権を有することを確定しており、「民法第205条第185条の適用に依りYがXに対し永小作権として土地を使用する意思を表示することなければ、Yの借地権は賃借権たる性質を変ぜざるものとす」と述べ、そして、その意思表示がないので永小作権を否定した原審判決はYの永小作権の時効取得の抗弁を排斥したものであり正当なものと判示したものである。現在では、賃借権の取得時効が認められているので、使用借主が、無効な契約や無権代理により賃貸借契約を締結し賃借人として占有するようになった場合に、185条により賃借人としての準占有が認められ、以後賃借権の取得時効が可能になろう。

地代を支払わず耕作を続けてきた事例で、「本件土地をYの先代Aから小作していたBがいわゆる農地解放後に最初に地代を支払うべき時期であった昭和23年12月末にその支払をせず、これ以降、右AらはBが本件土地につき地代等を一切支払わずに自由に耕作し占有することを容認していたこと」から、「Bが遅くとも昭和24年1月1日には右Aらに対して本件土地につき所有の意思のあることを表示したものとした原審の判断は、正当として是認することができる」として取得時効が認められている（最判平6・9・13判時1513号99頁）。

17-28　**(b)　「新たな権原により更に所有の意思をもって占有を始める」こと**　例えば、AからBが借りて占有している壺を、BがAから買い取ったが売買契約が無効であったり、Aの無権代理人から買い取った場合、売買契約後のBの占有は、他主占有から自主占有に変わることになる。売買契約が無効ないし無権代理であり、契約により所有権を取得しえないが、自主占有に変わったことにより取得時効ができることになる。

判例では、小作人が、地主の無権代理人から農地を買い受けた事例で（終始占有を継続している）、所有権移転許可を得て所有権移転登記をしたため、遅くとも所有権移転登記時に新権原によって所有の意思ある占有が開始されたと認められている（最判昭51・12・2民集30巻11号1021頁）。最判昭52・3・3民集31巻2号157頁は、農地売買の許可を得ないで売買契約がされ引渡しがされた事例で、「農地を賃借していた者が所有者から右農地を買受けその代金を支払ったときは、当時施行の農地調整法4条によつて農地の所有権移転の効力発生要件とされていた都道府県知事の許可又は市町村農地委員会の承認を得るための手続がとられていなかったとしても、買主は、特段の事情のない限り、売買契約を締結し代金を支払った時に民法185条にいう新権原により所有の意思をもって右農地の占有を始めたものというべきである」と判示している。

2　占有の承継と新権原——相続は新権原か

17-29　(1)　占有承継事例における占有の併合主張の可能性

(a)　1つの「占有権」の承継（＝移転）と2つの「占有」

(ア)　占有の併合主張を認める必要性　ここで考察する問題は、もっぱら取得時効についての問題である。例えば、A所有の土地を、Bが勝手に所有権移転登記をして1年間占有した後にCに売却し、Cが所有権移転登記を受けて5年間占有し、さらにその後にCがDにこの土地を売却し5年間占有しているとする。

取得時効は自己の占有部分しか主張できないとすると、占有が別の者に引き継がれるごとに、取得時効が中断することになり（164条）、それは永続した事実関係を権利関係として高めようとする取得時効の趣旨に反する。別々の占有者であろうとも、所有者以外の者が長きにわたって自主占有している事実は変わらず、これらを全部あわせて取得時効を考える必要性がある。

17-30　**(イ)　民法は1つの占有権の承継による存続を認めた**　民法は既述のように181条から184条および187条[74]に占有権という概念を認め、占有権の「譲渡」（182条）、「取得」（183条・184条）という表現を用いている。そのため、1つの占有権が承継され複数人の間に継続しているという理解のようである。そうすると、上の例では、取得時効が問題となる他人物の占有はBのところで始まり（自主占有の占有権成立）、この1つの占有権がCそしてDへと引き継がれていることになる。しかし、それでは占有開始時のBの占有が悪意なので、CDが善意無過失で合計10年占有していても占有の開始時に悪意であった占有が11年続いていることになる。

17-31　**(b)　187条による併合主張の選択権**　しかし、それぞれの「占有」の成立を認め、占有については「連続」性だけを認めて、併合主張をするか否かの選択を認めれば十分である。そのため、民法は、「占有者の承継人は、その選択に従い、自己の占有のみを主張し、又は自己の占有に前の占有者の占有を併せて主張することができる」と規定した（187条1項）。ただし、併合主張する場合には、「前の占有者……の瑕疵をも承継する」と規定している（同条2項）。併合するかどうかの選択権を認めたのである。

74）　**＊187条1項が適用された特別な事例**　最判平元・12・22判時1344号129頁は、「民法187条1項は、いわゆる権利能力なき社団等の占有する不動産を法人格を取得した以後当該法人が引き継いで占有している場合にも適用されるものと解すべきであるから、当該不動産の取得時効について、その法人格取得の日を起算点と選択することができる」とした。事案は、約300年前に設立された寺院が、昭和28年に宗教法人化され、以後本件土地を管理占有してきた事例で、法人格取得から20年を経過した時点で取得時効の成立を認めた原判決を正当としたものである。

例えば、Aの土地を、Bが悪意で占有し、Cにこの土地を売却しCが善意無過失であるとして、①Bが15年間占有し、Cが5年占有した場合には、Cは悪意のBの占有を併合主張して、162条1項の20年の取得時効の完成を主張できる。②他方、Bが5年間占有し、Cが10年占有した場合には、Cは自己の善意無過失の10年の占有だけを選択し、162条2項の10年の取得時効を主張することができる。17-29のケースでは、Dは善意無過失のCの占有だけを併合主張し、10年で162条2項の取得時効が認められる。

17-32 **◆前主が善意無過失で後主が悪意のケース**

例えば、A所有の不動産を、Bが勝手に所有権移転登記をしCに売却し、Cが善意無過失で5年占有後、CからDが悪意でこの土地を譲り受けて5年占有した場合に、DはCとDの占有のみを併合して、162条2項の10年の取得時効を援用できるであろうか。Cの善意無過失の占有とDの悪意の占有とが併合された場合に、1つの占有が途中で悪意になったことになるが、162条2項では占有の開始時の善意無過失が要求されているだけなので、同一人につき途中で悪意になった場合と同様に扱ってよいのかという問題である。

判例はこれを肯定し、162条2項の10年の取得時効を認めた（最判昭53・3・6民集32巻2号135頁）。CがDに譲渡後も、CをDに対する売主の責任から解放する必要性があるとして、判例に賛成する学説もあるが、援用する者自身が取引安全保護を受ける者ではないため判例に反対する学説が有力である（本書も判例に反対☞民法総則9-201）。否定説では、援用する者が取引安全保護を受ける資格があるか否かを判断することになる。そのため、Dがさらに善意無過失のEに譲渡した場合には、Eは162条2項の取得時効を援用できることになる。

17-33 (2)　187条は相続にも適用になるか？

(a)　相続に187条を認めない旧判例　例えば、甲地の所有者Aは、B所有の隣接する乙地の一部を越境して占有し、Aが死亡し相続人Cが占有を開始したとする。ⓐAは越境につき悪意であったが、Cは善意無過失であるとする。ⓑまたは、Aは越境部分をBから使用貸借していたが、CはA所有と思い、相続によりこの部分も自己の所有になったと思って占有を開始したとする。相続の場合には、①1つの「占有権」が承継されるだけなのか（☞17-30）、②被相続人の占有と相続人の独自の占有を認め、後者は「占有者の承継人」といえ、187条を適用できるのであろうか（☞17-31）。

古い判例は、相続人は「前主の占有権を承継するのみにして、自己固有の占有権を取得すべき独立の新権原存在せざるが故に」、「一般継承人は更に新権原に因り新に自己固有の占有を始むるにあらざれば、常に自己の承継したる前主の占有の性質及び瑕疵を離れて主張することを得ざる」ものと、①のように考えていた（大判大4・6・23民録21輯1005頁）。Aの占有権が１つ相続によりそのまま継続しているだけであり（①の理解）、Cは自己の占有のみ主張することは認められないことになる。ケースⓐでは悪意の占有となり20年の取得時効しか主張しえず、ケースⓑでは、他主占有が相続されて続いていることになり、Cはそのままでは取得時効はできないことになる。

17-34　(b)　**相続にも187条を適用するのが現在の判例**　ところが、その後の判例は、187条の適用を相続にも認めている（最判昭37・5・18民集16巻5号1073頁）。17-33の②の相続人固有の占有の選択を認める。しかし、占有の承継はなく、①の１つの占有権の相続と固有の占有取得のいずれの占有を選ぶかという選択を認めたものと解すべきである（187条の問題ではない）。

学説も、相続人が所持を取得して現実に占有を開始すると、一面において被相続人の占有権の延長であるとともに、他面において固有の占有であるから、この場合には自己固有の占有のみを選択することができると考えている（鈴木・研究410頁）。構成はどうあれ、現在では相続人が自己固有の占有のみを選択できることには異論はない。ケースⓐでは、Cは自己の善意無過失の占有だけを選択でき、ケースⓑでも、自己の占有を選択することができ、それが自主占有と認められるための要件が問題になる（☞17-41）。

17-35　(3)　相続と「新権原」

(a)　**問題点**　17-33のケースⓑは、旧判例では（☞17-33）、被相続人と相続人とを人格承継により１人の者が占有を続けているものと同視し、占有権の相続により１つの占有権が続いているだけになる。それでは、相続人Cは被相続人Aの他主占有を承継するだけであり、いつまで自己所有と信じて占有しても取得時効は成立しえないことになる。

相続は権利義務の包括承継であり、185条の新権原ではない。その結果、相続人は相続により被相続人の他主占有を承継するにすぎない。しかし、相続によって自己所有となったと信じて固有の占有を開始した相続人の保護のために、判例は、185条をあえて問題としつつ、相続人の固有の占有を選択することを認め、それが自主占有と認められるための要件を設定している。

相続を新権原とするのでなはく、相続に基づく固有の占有取得を新権原と認めるに等しい。以下には判例・学説を紹介し、検討しよう。

17-36

◆占有権の相続

通説・判例（大判大4・12・28民録21輯2289頁、最判昭28・4・24民集7巻4号414頁など）は、占有権の相続による承継を認めている（占有の相続を明文で規定する立法がある）。その根拠は、占有権も財産権である以上相続の対象になること（896条）、占有意思は占有の継続のための要件ではないことなどである。ただし、占有とは所持という事実を基礎としているため、占有権の相続をどう説明すべきかは議論がある（ローマ法は、占有の相続は認めない。ドイツ民法857条は占有の相続を認める）。

①所持が事実それ自体ではなく、事実に対する法的評価（社会通念上ある者の支配にあるか否か）であるため、社会観念上相続開始の事実により相続人が物の所持を継続するものと評価されるなどといわれる（田島292頁）。しかし、所持自体の相続というのはかなり無理がある。②一度成立した占有権は、その承継が認められるような観念化された物権であり、権利である以上相続が可能となり、所持を要せずして占有権の相続を認めるのが通説である（柚木307頁、星野98頁）。③さらには、直截に所持と離れた観念的占有権という概念を認め、これを相続の対象とすることを明言する学説もある（鈴木・研究405頁以下）。判例は、「相続人に於て物の所持を為すことを必要とせず、何となれば此場合に於て占有権が相続人に移転するは法律が相続開始の事実に対し直接に附したる効力にして、占有物の引渡に因り占有権が相続人に移転するものにあら」ずと、所持を不要とし観念的な占有権の相続を認めている（大判大4・12・28前掲）。

なお、最判昭44・10・30民集23巻10号1881頁は、「被相続人の事実的支配の中にあった物は、原則として、当然に、相続人の支配の中に承継されるとみるべきであるから、その結果として、占有権も承継され、被相続人が死亡して相続が開始するときは、特別の事情のないかぎり、従前その占有に属したものは、当然相続人の占有に移ると解すべきである」という。相続があれば直ちに相続人の占有が認められ、占有が連続していることを認めただけであり、それを占有権の承継と説明した判例である。相続人が現実に独自の占有を開始した場合とは区別すべきである。本書としては、上記③を支持し、観念的占有権の相続、所持の緩和による相続人の占有の承認、現実の占有開始による相続人の占有、これらを相続人が選択できると考える。

17-37

(b)　相続を新権原と認めるか否か

(ア)　相続を新権原と認めない旧判例　相続肯定説では、1つの占有権が相続により継続していることになり、被相続人の占有が他主占有であれば相続人は他主占有を相続により取得しているだけであり、相続人の下で185条の適用が問題となる。この伝統的な議論がそのまま承継され、相続への187条の適用が認められた後も、185条の適用が問題点とされてきた。しかし、187条の占有の承継を認めなくても、相続人の自己固有の占有の成立を認めるだけで問題は解決されるはずである。

この疑問はとりあえずおき、まず、相続が新権原に該当するか否かの議論を確認してみたい。結果の妥当性という観点からは、①自主占有だと信じている相続人の保護と、②被相続人に占有させた所有者の取得時効をされないという信頼保護とをどう調和させるかを考える必要がある。

かつての判例は、「相続に因り占有権を承継する者は、前主の占有権其のものを承継する者なれば、前主の占有が所有の意思なきものなる場合に於ては、相続人の占有も亦所有の意思なきものにして、相続を以て右規定に所謂新権原なりと解すべきに非らざるなり」として、相続への185条の適用を否定していた（大判昭6・8・7民集10巻763頁）。

17-38　**(イ)　相続を新権原と認める新判例・学説**　他方、起草者は185条について相続を新権原と考え（梅31頁）、古い学説には、単純に相続が185条の新権原であるという主張がされていた（石田文261頁）。

判例も従来の否定説を覆して17-39のような限定をした上で肯定説を宣言し、証明問題につき17-40のように説明する。しかし、相続を契機に開始された相続人固有の占有の主張を認め、それが自主占有と認められるための要件を論じているにすぎず、なされている内容は185条の議論ではない。

学説は多様であり、①相続人固有の占有が開始した時点で、被相続人の占有は消滅し、この時点をもって185条・187条の適用が可能になるという学説（前田達明『民法随想』［1989］75頁）、②相続によって客観的権利関係に変更を生じたときには相続も新権原となるという学説（我妻・有泉472頁）、③「権利取得原因として相続が法律行為による取得とならんで評価されるだけの社会的事情の変化のあったことを認めて、相続の場合にも新権原となる可能性を認め、しかし、時効によって権利を失う者の利益保護上、所有の意思が客観的・外形的に認識しうる状態にあることを条件」とする学説（林・交錯335頁）、などがある（☞ 17-42も参照）。

17-39　**◉最判昭46・11・30民集25巻8号1437頁**　Aの土地建物をBが管理を

任され占有していたが、Bが死亡しBの相続人Xらが相続により取得したものと思って占有をしていた事例である。一般論を展開することなく、以下のように判示する。

「Xらは、Bの死亡により、本件土地建物に対する同人の占有を相続により承継したばかりでなく、新たに本件土地建物を事実上支配することによりこれに対する占有を開始したものというべく、したがって、かりにXらに所有の意思があるとみられる場合においては、Xらは、Bの死亡後民法185条にいう『新権原ニ因リ』本件土地建物の自主占有をするに至ったものと解するのを相当とする」（事例への当てはめとしては、Xの一部がY［Aの相続人］に家賃を支払っていたことなどから、所有の意思を有していたとはいえないとして、Xらの取得時効を否定した）。

17-40

◉最判平8・11・12民集50巻10号2591頁　上記最判昭46・11・30を一般論として容認した上で、証明問題について以下のように判示する。

①「相続人が独自の占有に基づく取得時効の成立を主張する場合を除き、一般的には、占有者は所有の意思で占有するものと推定されるから（民法186条1項）、占有者の占有が自主占有に当たらないことを理由に取得時効の成立を争う者は、右占有が他主占有に当たることについての立証責任を負うべき」である。「その立証が尽くされたか否かの判定に際しては、㈠占有者がその性質上所有の意思のないものとされる権原に基づき占有を取得した事実が証明されるか、又は㈡占有者が占有中、真の所有者であれば通常はとらない態度を示し、若しくは所有者であれば当然とるべき行動に出なかったなど、外形的客観的にみて占有者が他人の所有権を排斥して占有する意思を有していなかったものと解される事情（ちなみに、不動産占有者において、登記簿上の所有名義人に対して所有権移転登記手続を求めず、又は右所有名義人に固定資産税が賦課されていることを知りながら自己が負担することを申し出ないといった事実が存在するとしても、これをもって直ちに右事情があるものと断ずることはできない。）が証明されて初めて、その所有の意思を否定することができる」（最判昭58・3・24民集37巻2号131頁、最判平7・12・15民集49巻10号3088頁を参照とする）。

②「これに対し、他主占有者の相続人が独自の占有に基づく取得時効の成立を主張する場合において、右占有が所有の意思に基づくものであるといい得るためには、取得時効の成立を争う相手方ではなく、占有者である当該相続人において、その事実的支配が外形的客観的にみて独自の所有の意思に基づくものと解される事情を自ら証明すべきものと解するのが相当である。けだし、右の場合には、相続人が新たな事実的支配を開始したことによって、従来の占有の

性質が変更されたものであるから、右変更の事実は取得時効の成立を主張する者において立証を要するものと解すべきであり、また、この場合には、相続人の所有の意思の有無を相続という占有取得原因事実によって決することはできないからである」(事例の結論として自主占有肯定)。

17-41　**(c)　相続人固有の占有を問題にする処理**

(ア)　相続そのものではなく相続人の占有取得が問題とされている　判例・学説は従来の185条の新権原を問題とする議論を引き継いでいるが、そこでは、相続人固有の占有についての要件を議論し、17-40の前掲最判平8・11・12は、「他主占有者の相続人が独自の占有に基づく取得時効の成立を主張する場合」を問題としており、相続人固有の占有を認め、その占有について自主占有と認めるための要件(証明責任)を議論しているにすぎない。

相続人固有の占有を認めつつも、これにつき186条1項を適用せず、所有者保護との調和を図っており、185条を持ち出すのは、186条1項の適用を排除するための根拠づけにすぎない。17-39の前掲最判昭46・11・30も、「Xらは、Bの死亡後民法185条にいう『新権原ニ因リ』本件土地建物の自主占有をするに至った」と説明しており、相続により取得した占有が自主占有に「変更」したというのではない。相続人自体が固有の占有を「取得」したこと、それが「権原」に基づくものということを認めたものである。そして、「権原」の性質から客観的に決められないので、前掲最判平8・11・12は「その事実的支配が外形的客観的にみて独自の所有の意思に基づくものと解される事情」の存在を必要としたのである。

17-42　**(イ)　占有の変更ではなく固有の占有の取得である**　学説には、①相続は新権原ではないことを認め、相続人が固有の占有を開始し、それに所有の意思が認められればそれは自主占有と扱ってよいという主張がある(舟橋296頁、松坂115頁、松尾138頁、河上231頁)。②ただし、被相続人に占有させた所有者の取得時効はないという信頼の保護も考えなければならず、185条の本来の新権原(所有者から買い取る等)または所有者への所有意思の表示が自主占有に変更するためには必要である、と主張されている(辻・所有の意思151頁以下、172頁以下、184頁以下)。

17-43　**(ウ)　本書の立場**　本書は、被相続人の占有の承継またその新権原による変更を問題にしない(185条の適用を否定)。引渡しによる承継のない相続には 187 条は適用せず、相続人による「相続を契機とした固有の占有開始」を権原として認める。ただ被相続人が自主占有の場合には、占有の相続を便宜的に認めたい（☞ 17-36）。そして、占有の相続か固有の占有かを選択できてよく、これは 187 条とは別の問題である。その上で、相続人が選択した固有の占有が自主占有と認められる可能性も残しつつ、取得時効はないと信じている所有者の保護との調整のため、186 条１項の所有の意思の推定を認めず、相続人の側で自主占有事情（その内容は判例を承認）を証明しなければならないと考える。相続人の固有の占有につき 186 条１項の適用を排除し、相続人に自主占有事情の証明を要求した判例の結論は適切であるが、それを 185 条に結び付けて議論をする必要はない。まとめると以下のようになる。

① 占有の相続を認めてよいが、相続は新権原ではない。
② 相続後の相続人固有の占有が権原である。
③ 被相続人の他主占有が続いていて、②により自主占有に変わることを問題にする必要はない（①は認めるが、②を選べる）。
④ 相続人は占有の相続ではなく、相続後に開始した固有の占有を選択することができる（①と②の選択）。
⑤ 相続人の開始した固有の占有には、186 条１項の所有の意思の推定を認めるべきではない。
⑥ 相続人の開始した固有の占有が自主占有と認められるためには、「外形的客観的にみて独自の所有の意思に基づくものと解される事情」が必要であり、相続人にその証明責任がある。

17-44

◆共同相続において一部の相続人が単独で占有している場合

共同相続の場合、判例の考えを応用すれば、相続人の１人が占有していても、権原の性質上共同占有と認められ、これが単独占有になるためには、やはり 185 条の適用が必要になりそうである。この点、本書の立場では、相続人固有の占有のみを選択できることになる。そうすると、共同相続では、権原の性質上、共同占有であるので（☞ 17-16）、相続人の固有の占有が単独占有と認められる外形的客観的事情（単独占有事情）――被相続人の占有が他主占有ならば、さらに自主占有事情――が必要であり、単独所有権の時効取得を主張する占有者がその証明責任を負う。

判例もこの問題では185条を問題にせず、共同相続人の1人の占有が単独占有であり、他の共有持分の取得時効が可能かどうかを検討する。①最判昭47・9・8民集26巻7号1348頁は、家督相続制度の相続において、戸主が単独で相続したと思い単独で占有し、他の相続人も単独相続だと思い込み何も異議を述べなかった事案で、「共同相続人の1人が、単独に相続したものと信じて疑わず、相続開始とともに相続財産を現実に占有し、その管理、使用を専行してその収益を独占し、公租公課も自己の名でその負担において納付してきており、これについて他の相続人がなんら関心をもたず、もとより異議を述べた事実もなかったような場合には、前記相続人はその相続のときから自主占有を取得したものと解するが相当である」とする。

②ところが、最判昭54・4・17判時929号67頁は、他に相続人がいるのを知りながら、虚偽の相続放棄の申述をし単独名義の登記をして占有していた事例につき、「数人の共同相続人の共有に属する相続財産たる不動産につきそのうちの1人による単独の自主占有が認められるためには、その1人が他に相続持分権を有する相続人のいることを知らないため単独で相続権を取得したと信じて当該不動産の占有を始めた場合など、その者に単独の所有権があると信ぜられるべき合理的な事由があることを要する」として、自主占有の取得を認めた原判決を破棄する——相続人でないことにつき悪意の者に相続回復請求権適用を否定した最判昭53・12・20民集32巻9号1674頁の直後である——。しかし、単独占有事由があれば、悪意でも取得時効が可能であり、むしろ「平穏」な占有取得という点を否定するか、そうでなければ、取得時効を肯定すべきであった。

§Ⅳ 占有（占有権）の消滅

1　占有一般の消滅原因

17-45　(a)　**占有意思の放棄**　「占有権は、占有者が占有の意思を放棄し、又は占有物の所持を失うことによって消滅する。ただし、占有者が占有回収の訴えを提起したときは、この限りでない」(203条)。自主占有を要件とする取得時効については、「占有者が任意にその占有を中止し、又は他人によってその占有を奪われたときは、中断する」と規定されている（164条）。

まず、占有の意思を放棄することにより占有が消滅する。しかし、意思表示だけで占有権が消滅するというのは想像できない。占有の意思は客観的に判断される以上は、放棄の意思だけでは足りず、客観的な事実状態の変更（ごみ箱に捨てるなど）が必要である。客観説では、所持を失ったという客観的事実に一元化される。いずれの考えでも、次の②だけを認めれば足りることになる――占有代理人については所持の喪失のみを規定（☞ 17-47 ③）――。

17-46　(b)　**所持の喪失**　次に、所持を失うことも占有の消滅事由である。所持の取得が社会通念により判断されるのと同様に、所持の喪失も社会通念により判断されることになる。ただし、占有回収の訴えを提起し占有を取り戻したならば、所持が継続しているものと擬制がされる（203条ただし書）。取得時効の事例を考えた規定である。

取得時効では、時効援用者が時効期間にわたって占有が継続していたことを証明する必要があるが、民法は「前後の両時点において占有をした証拠があるときは、占有は、その間継続したものと推定する」と規定した（186条2項）。ある時点で占有を開始したこと、そして、現在占有していることを証明すれば、その間の占有が推定され、164条の自然中断を主張する者にその証明責任が負わされることになる。

2　間接占有（代理占有）の消滅原因

17-47　(a)　**占有代理人の所持の喪失**　「代理人によって占有をする場合には、占有権は、次に掲げる事由によって消滅する」ものとされ（204条1項）、間接占有の消滅原因は以下の3つである。

① 「本人が代理人に占有をさせる意思を放棄したこと」（1号）
② 「代理人が本人に対して以後自己又は第三者のために占有物を所持する意思を表示したこと」（2号）
③ 「代理人が占有物の所持を失ったこと」（3号）

③は問題ない。占有代理人の占有を基礎として、実際に所持していない「本人」に間接占有を認めるのが間接占有制度であるため、占有代理人が所持を失うと、間接占有も消滅することになる。

17-48　(b)　**占有代理人が所持を失っていない場合**　問題は①と②である。

①の終了原因は、賃貸借契約の解除など、占有代理関係を終了させる意思表示が考えられる。②は、代理占有者が自己の物であると所有の意思を表明した（185条参照）場合が考えられ（前半）、後半は指図による占有移転を考えているのであろうか。

間接占有の成立のためには、占有代理関係が必要であるため、占有代理関係が終了すると、本人の間接占有も消滅しそうであるが、他の規定をみると、204条2項は、「占有権は、代理権の消滅のみによっては、消滅しない」と明確に規定している。代理権を持ち出すのは適切ではなく、合理的に解釈すれば、間接占有を生じさせた原因たる代理占有関係が終了しても、それだけでは間接占有は消滅しないことを規定したものと考えるべきである。したがって、賃貸借契約が解除されたり更新拒絶により契約関係が終了しても、当然には間接占有は消滅しない（①は無視するしかない）。

第3節　占有権の効力

§I 「占有権の効力」規定

18-1　民法は188条以下に、「占有権の効力」と題して種々の規定を置いている。その内容を分類すると次のようになる。

① 権利適法の推定（188条）
② 権原のない占有者の返還をめぐる法律関係（189条～191条・196条）
③ 即時取得（192条～194条）
④ 占有による家畜外動物の取得（195条）
⑤ 占有訴権（197条～202条）

まず、①については、この規定の意義は192条における即時取得者の善意無過失を推定する程度の意義しかない（☞18-3）。次に、②は明らかに

「占有権の効力」といえるものではなく、本権のない占有をめぐる果実（利用利益）、必要費用・有益費用、滅失・損傷をめぐる、不法行為や不当利得に関する特別規定が定められているにすぎない。また、③の即時取得は取得した占有権の効力の問題ではなく、取引安全保護制度であることはすでに述べた（☞ 14-1 以下）。④は無主物先占の要件を満たさなくても、家畜外動物の場合には一定の要件を満たせば所有権の取得を認める規定である。

したがって、「占有権の効力」として位置づける意味があるのは、⑤の占有訴権しかないことになる。ただし、占有訴権は、占有権の効力というより、簡易迅速に暫定的に占有を保護する手続法上の制度にすぎない。

③の即時取得はすでに 14-1 以下に説明しており、また、④は無主物先占のところで説明するので（☞ 20-5）、以下には、①②⑤を説明したい。

§Ⅱ
占有をめぐる推定規定（権利適法の推定）

18-2 (1) 所有の意思、善意、平穏かつ公然の推定

民法は占有に関して２つの推定規定を置いている。便宜上、占有権の効力についての規定以外も説明しておこう。

まず、占有は所有の意思のある、善意、平穏かつ公然の占有であることが推定されている（186 条 1 項）。これは取得時効についての規定であり、旧民法では短期取得時効には正権原と善意とが要求され、無過失は要件として規定されていなかった。ところが、現行法に至って、取得時効の要件に無過失が追加されたものの、186 条 1 項では無過失の推定が追加されず、善意の推定のままとされた。この沿革を尊重して、186 条 1 項は、取得時効の正権原以外の要件を推定する趣旨であり、この規定を拡大して無過失も当然に推定されるという意見もある（☞ 14-22）。

動産につき、192 条をめぐって判例・通説は、188 条の勿論解釈として無過失の推定を認めている（☞ 14-23）。したがって問題は不動産である。越境事例以外で、登記を信頼して取引また相続をした場合には、登記の推定力により事実上無過失とされる。他方、登記の推定力にかかわらない無権代理

の場合は、代理権についての無過失が検討されるべきである。権原不明の場合には、無過失まで推定されず20年の取得時効を適用して構わない。他方、越境して占有している場合は、取引や相続の際における目的物の範囲についての善意無過失が問題となり、無過失は推定されず、無過失を基礎づける特段の事情の証明が必要になると考えるべきである。

18-3 **(2)　適法占有の推定**

他方で、民法は、「占有権の効力」の節に、「占有者が占有物について行使する権利は、適法に有するものと推定する」と規定している（188条）。また、不動産（また登記済動産）は登記の推定効を問題にすればよく、本条の適用は動産に限定すべきである。

本条がどれだけの意味のある規定かは疑問である。漠然とした適法推定にすぎないと考えられており、売買契約などの正権原は、結局は占有者が証明しなければならない（藤原弘道『時効と占有』［1985］209頁以下参照）。判例も、Aの土地上に建物を所有している占有者Bが賃貸借を主張してAの建物収去土地明渡請求を拒絶した事例で、「この場合、Bの前記正権原の主張については、Bに立証責任の存することは明らかであり、Bは占有者の権利推定を定めた民法188条の規定を援用して自己の正権原をAに対抗することはできない」と明言する（最判昭35・3・1民集14巻3号327頁）。

所有権の証明は不可能に近い悪魔の証明（probatio diabolica）といわれ、所有権の推定規定はない。動産では占有、不動産では登記により事実上推定が認められ、また、取得時効や即時取得により解決される。

§Ⅲ
占有物の返還をめぐる法律関係

18-4　占有権原を有しないにもかかわらず他人の所有物を占有している場合、不法行為また不当利得が成立する。不法占有も、次のように類型化できる。

①　初めから不法占有の場合

②　途中から占有権限を失った場合

ⓐ **契約の終了の場合**　賃貸借契約、寄託契約などが終了して返還を義務づけられる場合である。

ⓑ **契約の原状回復の場合**　取消しや解除により契約が清算される場合である。

189条以下の規定が①の場合に適用されることは疑いない。これに対し、②の場合には、解除などにおける原状回復についてのⓑの規定が優先的に適用され、189条以下の規定は補充的に適用されるにすぎない。

1　果実をめぐる法律関係

18-5 (1)　善意占有者の果実取得権

(a)　趣旨と適用のための要件

(ア)　無過失の要否　「善意の占有者は、占有物から生ずる果実を取得する」(189条1項)。「善意の占有者が本権の訴えにおいて敗訴したときは、その訴えの提起の時から悪意の占有者とみな」される(同条2項)。

189条1項も、162条1項・192条同様に、旧民法では正権原と善意とを要件とする規定であった[75)]。現行法ではいずれにおいても正権原が消え、後2者では無過失が追加された。189条1項は無過失まで規定されていないので、過失があってもよいと考えられている。しかし、186条1項同様に単なるぼたんの掛け違いにすぎないのであれば、無過失まで要求する解釈も不可能ではない(無過失必要説として石田穣547頁)。もしそのように考えることが許されるのであれば、善意無過失の占有者は果実取得権、有過失だが善意の占有者は現存利益の返還のみを義務づけられると(703条)、差を認めることができる。

75)　**＊占有者の果実収受権についての旧民法の規定**　旧民法は正権原に基づくか否かで、善意占有者をさらに分けていた。すなわち、①「正権原且善意の占有者は、天然の果実及び産出物に付ては、自身又は代人を以て土地より離したる時に於て之を取得し、法定の果実に付ては用益者に関し規定したる如く日割を以て之を取得す」(財産編194条1項)、②「占有者が正権原を有せずして事実又は法律の錯誤に因りて悪意なきときは、其消費したる果実に付き利益を得ざりし証拠を挙ぐるに於ては、之を返還する責に任ぜず」(同条2項)、と規定していた。正権原＝取引に基づく場合には積極的に果実の取得を認め、取引の安全を保護したが、取引に基づかない場合には、善意の不当利得の一般原則通り、消費して利益が残っていなければ返還しなくてよいとしたにすぎない。

18-6　**(イ)　正権原の要否**　問題は、正権原（取引行為）によることの要否である。取引安全保護の一翼を担う制度として位置づけるかどうかといってもよい。売買契約や賃貸借契約といった使用利益の取得を正当化する正権原が無効・無権代理の場合だけでなく、相続によって自分の所有になったと思って占有を開始したように、正権原に基づかない場合にも適用があるのであろうか。192条では正権原が取引行為という要件の追加により復活したが、162条2項では無視された。では、189条はどう考えるべきであろうか。この点、正権原に基づかない場合にまで、189条1項を適用し果実取得権まで認めるべきではない。正権原によらない善意の占有者には、現存利益の返還にとどめれば足りる（703条）。起草者は旧民法を修正し正権原を不要として占有者の保護を図ったのであるが、制限解釈をしたい。

確かに本条の趣旨は、①長年の返還義務が積み重なってかなりの額を一気に請求されることから占有者を解放すること、また、②占有者に通常の費用償還請求権と果実とを清算させて、現実に相互に清算し合うのを簡易化すること等にあるといわれる。この2つの根拠によれば正権原に基づく事例に限定されない。しかし、上記沿革からは、不動産の無効な取引（正権原）について、公信力を認める一歩手前の保護である短期取得時効の、さらに一歩手前の保護を認める制度と考えるべきである（善意無過失が必要）。

「善意」とは所有権や永小作権、賃借権など果実取得権を伴う本権があるものと信じたことであり、果実取得権を伴わない本権（動産質権、留置権など）の成立を信じた場合や、寄託契約、運送契約の成立を信じた場合には、189条1項は適用にならない。

18-7　**(b)　果実取得権の内容**　189条1項は、不当利得返還義務を免れせしめるにとどまらず、「果実を取得する」と、果実の所有権取得を認めている。したがって、物権取得原因であり一度果実を取得して所有者になれば、その後に悪意になっても返還を要しない。後述のように通常の必要費と果実とを清算することにより（196条1項ただし書）、果実の取得が認められているのである。本条は、使用利益についても類推適用されている（柚木318頁など）。

善意占有者の保護につき、返還不能についての免責にとどめるか、果実取得権まで認めるかは立法により分かれ、日本民法は果実取得権を認める立法を選択したのである。①この条文通り、善意占有者に果実取得権を認め、果実取得後に悪意になっても一度取得した所有権を失わず、これを自由に処分することができるものと考える**返還不要説**が通説である。消費という偶然の事実により差を設けるのは妥当ではないこと、賃料では消費という考えになじまないことなどが理由である（生熊149頁）。②ところが、学説には、少数説として、189条1項を解釈により不当利得返還義務の免責規定と読み換える**返還必要説**もある（末弘256頁、舟橋310頁、石田穣548頁）。

この点、果実取得権を認める189条1項は、正権原による善意無過失の占有者にその適用を制限した上で、①説に賛成したい。正権原によらない善意占有者または有過失占有者には、703条の現存利益の返還にとどめれば足りると考える（☞18-5～18-7）。

18-8
◆189条と不法行為責任

189条1項は占有者の善意のみを問題としており、過失があってもよいことになる（ただし、重過失は悪意と同視される）。そうすると、占有者が善意の場合に不当利得返還義務は免責されても、過失を理由に不法行為責任が認められはしないか、という疑問が生じてくる。

これについては、①189条1項で果実取得を認めているため、果実を法定取得でき、法が所有権取得を認めているので、果実を取得したことを不法行為として賠償義務を負わせるのは、規定の趣旨と矛盾することになる。そのため、不法行為責任も排斥されるという考えがある（於保201頁）、②これに対し、果実の不返還ないし不当利得の返還を免除したものにすぎないと考えれば、積極的に果実取得権、果実の所有権まで認めた規定ではなく、過失がある以上は不法行為責任を免れないことになる（我妻・有泉495頁）。③189条1項の適用を善意無過失の場合に限定すれば、占有者に過失があれば709条責任を免れないのは当然である（石田穣547頁）。189条1項は沿革的には「正権原」が必要とされていた規定の1つであり、他の規定では善意無過失とされたこととの整合性を考えれば、③の解決もありうべき選択肢である。

189条2項の訴え提起の時から悪意と擬制されるのは、あくまでも公平の観点から果実に関する法律関係に限って認めたものにすぎず、不法行為責任にまで類推適用すべきではない。判例も、189条2項により、当然に不法行為責任が負わされることになるものではないとしている（最判昭32・1・31民集11巻1号170頁）。

18-9
(2)　悪意占有者の責任

(a)　悪意占有者の責任を加重　他人の果実を悪意で処分、消費すれば悪意の不当利得（704条）、また、不法行為責任（709条）が問題となるが、民法はさらに責任を強化している。すなわち、「悪意の占有者は、果実を返還し、かつ、既に消費し、過失によって損傷し、又は収取を怠った果実の代価を償還する義務を負う」ものと規定している（190条1項）。暴力もしくは強迫または隠匿の占有者も同じ責任を負う（同条2項）。「収取を怠った果実の代価を償還する義務」まで負わされるところが、責任の強化されているところである。善意占有者が、本権の訴えで敗訴した場合には、提訴の時から悪意とみなされる（189条2項）。

18-10　(b)　**悪意占有者の才覚による利得**　悪意の占有者が、その才覚によって他人物を利用し、賃料や天然果実を取得した場合に、所有者に損害ないし損失がなければ、これらは賠償や返還の対象とすることができない。しかし、190条によりそのような場合でも、すなわち709条や704条の要件である「損害」や「損失」が認められなくても、果実の返還を義務づけた規定として意義が認められることになる。190条は準占有に準用されるので（205条）、無体財産権の悪意による利用に準用して、得た利益を当然に返還させるということが可能になるが、著作権法114条により損害賠償につき立法的解決がされている。

18-11　**◆709条による損害賠償請求**

196条により、悪意占有者が費やした費用については、所有者は返還義務を免れない。したがって、189条とは異なり、190条は709条を排除するものではなく、悪意の占有者に対して709条により損害賠償は請求することは妨げられない（大連判大7・5・18民録24輯976頁）。また、704条の悪意の不当利得者の責任を負う。

占有者に過失があれば709条の責任を負うだけであるが、悪意の場合には704条また709条にもよりうるが、18-9～18-10の点で責任が強化されていることになる。189条2項の悪意擬制が認められるのは、190条1項の責任についてだけである。

18-12　**◆契約の原状回復との関係——不当利得の類型論（給付利得）**

例えば、AがBにリンゴ園を売却し引渡しがされたが、買主Bが1年後の代金支払期日に代金を支払わなかったがために、1年後に売買契約が解除されたとする。Bは原状回復義務を負うが（545条1項）、土地所有権は当然に解除によりAに復帰する。解除についての直接効果説では、遡及的にBはAの土地を占有していたことになり、Bがこの間収受した果実についてはどう考えるべきであろうか。

189条はこのようないわゆる給付利得のケースには適用にならず、Bはそもそも解除や取消しの場合には、解除、取消しがあるまでは自分の物であったとしても、全部の利得を償還すべきものと考えられる（545条1項）。これは、契約がなければあったであろう状態を実現するという原状回復の論理によるものであり、利得を取り戻すという不当利得法とは異なるものである。その反面、代金も受領時から利息を付け、また、物の返還に際しては費用償還が適切にされるべきである。

2　損害賠償責任

18-13　(1)　善意占有者――自己所有物と信じている占有者

(a)　善意占有者の免責規定　他人の物なのに自分の物と信じて占有している場合、すなわち善意の自主占有者については、所有者と信じているのだからこれを消費したり使っていて壊したりすることは当然である。自己の物と信じたことに過失があれば、不法行為責任により損害賠償責任を免れないはずであるが、民法は、「占有物が占有者の責めに帰すべき事由によって滅失し、又は損傷したときは、その回復者に対し、……善意の占有者はその滅失又は損傷によって現に利益を受けている限度において賠償をする義務を負う」として、責任を軽減した（191条本文）。

なお、「損傷」と「滅失」しか規定されていないが、占有物を過失により盗まれて返還不能にした場合にも拡大されるべきである（大判大11・9・19評論全集11巻民法937頁）。

18-14　**(b)　過失があってもよいのか**　過失がなければ不法行為責任を負わないのは当然であり、善意であれば過失の有無を問わず（重過失は悪意と同視してよい）不法行為責任を免責したものと考えられる。「善意」とは所有者と信じている場合であり、賃借権や地上権があると信じている場合には、真実賃借権があったとしても他人の物なので物を過失で壊せば責任を免れないのであり、本条の適用はない。すなわち、「ただし、所有の意思のない占有者は、善意であるときであっても、全部の賠償をしなければならない」と規定されている（同条ただし書）。

しかし、旧民法では善意としか規定されておらず、現行法では無過失までを問題にする規定が導入されたものの、物権規定は調整が十分なされていない（☞18-10）。占有の場合だけ709条の特則を認める理由はない。占有者に過失があれば、709条の責任を認めるべきである。

18-15 (2) 悪意占有者

他人の所有物と知りながら占有している者については、「占有物が占有者の責めに帰すべき事由によって滅失し、又は損傷したときは、その回復者に対し、悪意の占有者はその損害の全部の賠償をする義務を負」うものとされる（191条本文）。規定がなくても、709条の不法行為規定から当然に導かれる内容であり、悪意の部分についての規定は確認的意味しかない。帰責事由は、415条の帰責事由同様に拡大されており——不法行為の場面で帰責事由という概念が使われるのは珍しい——、占有者の家族や従業員の行為についても責任を免れない。

3 費用償還請求権

18-16 (1) はじめに

占有者が他人の所有物について費用を支出した場合といっても、多様な事例が考えられ、その規律も一様ではない。なお、費用を、必要費、有益費および冗費（奢侈（しゃし）費）に分けるのが、ローマ法以来の分類である。

①それが契約に基づく場合には、当事者の合意により規律され、これがない場合について契約法に補充規定が置かれている。例えば賃貸借では、賃借人は必要費については直ちに賃貸人に対して——他人物賃貸借でも相手方は賃貸人——償還請求でき（608条1項）、有益費については、契約終了時に後述196条2項が準用されている（同条2項）。使用貸借については、借主は通常の必要費（清掃費等）を負担し（595条1項）、通常ではない必要費（雨漏りの修理費等）また有益費については、196条が準用されている（同条2項・583条2項）。②契約がなくても事務管理が成立する場合には、必要費については何も規定されておらず、有益費については、本人に償還請求できるが、本人の意思に反する事務管理の場合には、本人が現に利益を受ける限度に制限される（702条3項）。

③以上のいずれにも該当しない場合、すなわち、他人の物を無権原で占有する場合については、不当利得の規定により規律されるはずであるが、民法は占有規定の中に特別規定を置いている（196条）。不当利得についての特別規定であり、18-18以下説明していこう。

18-17 **◆他人物賃貸借の事例**

例えば、A所有のブルドーザーを、Bが自己の所有物と称してCに賃貸したとする（転貸事例では、CからAにつき、613条の類推適用の可能性がある）。この場合、Cがブルドーザーに費やした費用については、BC間では賃貸借契約により規律される。Bは所有者ではないからといって、賃貸人としての費用償還義務を免れない。そして、BがCに費用を支払えば、Bが間接占有者として、占有規定たる196条によりAに費用償還請求ができる―― 196条1項ただし書は、賃料を支払っているCには適用されず、Bに適用される――。

問題は、Cが費用を費やしたがいまだBから費用の償還を受けていない場合である。①Bは費用償還義務を負うので、その支払をしていなくても、Aに対して196条により費用償還請求ができるのか、また、②Cは、Aに対して196条により費用償還請求ができるのかである。②については他主占有者でもよいと考えられているので（新注民(5) 280頁［金子］）、肯定されてよい。転用物訴権のように、Bの無資力は要件ではない。Cに対して、ABが連帯して費用償還義務を負うことになる。

①については、Bは費用を費やしておらず、Cに費用を支払って初めて費用償還請求権を取得するのであろうか。196条は間接占有者にも適用されるといわれるが、このような制限はすべきなのであろうか。また、費用償還請求権者は返還をする占有者であり、Bが返還をする者といえるのか疑問はある。いずれにせよ、Bは賃料を取得している限り、通常の必要費はCに支払義務を負うが、Aには償還請求できないことになる（なお、AからCへの不当利得返還請求については☞債権各論Ⅰ 9-61以下）。

18-18 (2) 占有者の費用償還請求権

(a) 必要費償還請求権　「占有者が占有物を返還する場合には、その物の保存のために支出した金額その他の必要費を回復者から償還させることができる」（196条1項本文）。占有者の善意・悪意は問題とされていない。例えば、野良猫だと思って猫を拾って飼っていた場合、所有者から返還を求められた場合に、そのエサ代、病気の治療費を償還請求できることになる。

「ただし、占有者が果実を取得したときは、通常の必要費は、占有者の負担に帰する」（196条1項ただし書）。例えば、他人の羊が自分の羊の群れに紛れ込んでいて、その毛を刈り取って売却した者は、その羊のエサ代などの費用を請求できない。本規定は使用利益に適用が拡大され、上記の猫を飼う利益を得ていた事例にも適用される。占有者が代理占有の場合については、18-17に述べた。

相手は「回復者」であり、賃借人が賃借物を占有者から取り戻した場合には、賃借人が償還義務を負うことになる。その後に、賃借人と賃貸人の間でさらに清算がされる。なお、必要費を支出した度に費用償還請求権が成立するのであり、返還により初めて費用償還請求権が成立するのではない。

18-19　(b)　**有益費償還請求権**　「占有者が占有物の改良のために支出した金額その他の有益費については、その価格の増加が現存する場合に限り、回復者の選択に従い、その支出した金額又は増価額を償還させることができる」(196条2項本文)。有益費支出後に目的物の譲渡があった場合には、返還を請求する現所有者たる譲受人が「回復者」として償還義務を負うことになる。

回復者にとって不要な改良は、「有益」費には当たらない（松尾48頁)。占有者個人の好みに基づくものであり客観的に物の価値を高めるものとはいえない場合には、例えば、盗んだ車を右翼の街宣車両に改造しても、有益費にはならない。このような費用を冗費（**奢侈費**(しゃし)）という。

また、返還請求を受けたが占有者が返還しない間に不可抗力で増加部分が滅失した場合、所有者には利益はなく有益費償還義務は消滅する（賃貸借についてであるが、最判昭48・7・17民集27巻7号798頁)。しかし、占有者が提供したのに、所有者が受領を遅滞していて増加部分が滅失した場合には、危険の移転を認め滅失時の価格での償還請求権の存続を認めるべきである。196条1項の「返還」には567条2項の趣旨の類推をすべきである。

悪意の占有者にも有益費償還請求権は認められるが、「悪意の占有者に対しては、裁判所は、回復者の請求により、その償還について相当の期限を許与することができる」(196条2項ただし書)。この場合、占有者には目的物について留置権が認められるため、悪意の占有者につき、債権の弁済期未到来→留置権不成立とする趣旨も含まれている。

18-20

◆使用貸借また賃貸借における原状回復義務（総合的なまとめを兼ねて）

(1)　所有者との契約

使用貸借また賃貸借契約が終了した場合、使用借主また賃借人は、目的物につき収去義務また原状に服せしめる義務を負う（599条1項・3項［使用貸借］・621条・622条［賃貸借］)。いずれにおいても、物の返還をめぐる法律関係は、使用貸借また賃貸借の規定により規律されることになる。これと抵触する限度で、物権法の規定は、その適用が排除される。問題となる物権法の規定は、付合の規定（242条)、果実（使用利益）に関わる規定（189条・190条)、損害賠償についての規定

（191条）である。

付合については、242条ただし書の権原による例外が認められ、賃借人らは土地や建物に付合して備え付けた動産の所有権を失うことはない。また、原状回復については自由に当事者で合意をすることができる。242条ただし書の例外が適用にならない場合でも、土地や建物の一部になった設置物を原状回復義務により除去する義務を負うことになる。また、地上建物について買取請求権が認められることもあり（借地借家13条）、借家について造作の買取請求権も認められている（同法33条）。

果実取得権については、使用のほか収益まで認めるのかは、契約内容による。いずれにせよ、使用利益の返還は他人物賃貸借でなければ問題にならない。費用償還請求権については、使用貸借では通常の必要費は償還請求できず、特別の必要費また有益費は、595条2項・583条2項により196条が準用される。賃貸借については、必要費は直ちに償還請求ができ（608条1項）、有益費は196条2項の規定に従い契約終了の時に請求ができるだけである。

18-21 **⑵　他人物の賃貸借など**

他人物賃貸の場合に限定して説明するが（転貸借は除く）、所有者の賃借人に対する明渡請求は、付合の規定に従うことになり、賃借人は賃貸借契約の合意を所有者に対抗できない。242条ただし書の適用を所有者に対抗できない。果実については、収益を内容とする賃貸借であれば、賃借人が他人物につき善意の場合には、善意占有者の果実取得権（189条1項）が認められる。費用償還請求権については、18-17で説明した。

損害賠償については、他人物について賃借人が悪意であれば、所有者・賃借人間に191条を適用することができ、また、189条2項による訴訟提起時からの悪意擬制が認められる。所有者と賃貸人（間接占有者）との間についても191条の適用が可能であり、賃借人の過失を賃貸人の帰責事由と考えることができる。

§Ⅳ
占有の訴え（占有訴権）

1　占有の訴え（占有訴権）の意義および種類

18-22 **⑴　占有の訴えをめぐる民法と訴訟法との不調整**

ⓐ　占有訴権（占有の訴え）制度　民法は、「占有者は、次条から第202条までの規定に従い、占有の訴えを提起することができる。他人のために占有をする者も、同様とする」と規定し（197条）、占有者に次の3つの「占有

の訴え」という特別の訴訟手続が用意され、本権を問題にしないで占有の事実だけで暫定的・応急処理的保護を占有者に与えることを予定している。この占有の訴えを提起できる権利を、講学上、**占有訴権**と呼ぶ。①占有それ自体を本権から切り放して保護し、かつ、②そのための特別の手続を用意している点が、この制度の特徴である。

18-23　(b)　**占有自体を保護法益と認めるのか**　フランス法では占有の訴えのための特別の訴訟手続が用意されていた。その後、民事訴訟法の改正により、一般規定として急速審理手続（レフェレ）が充実されるに及び、2015年の改正により占有訴訟手続が廃止された。ただし、占有保護規定は民法に残され（同法2278条）、それにつき急速審理手続を利用した保護が受けられる――通常訴訟は認められない――。利用すべき手続が変更されただけであり、占有の法的保護が否定されたわけではない（☞ 18-34）。

では、わが国の占有訴権制度は、①占有それ自体を保護法益として認める制度なのか、②そうではなく、とりあえず暫定的に占有秩序を保護する手続法上の制度にすぎないのであろうか。実体法上の権利として**占有保護請求権**を認め、①のように考えるのが通説である（松岡274頁、河上237頁）――本書は②の立場である――。日本では、占有に基づく実体法上の権利が明記されず、他方で、占有訴訟手続を認める規定が訴訟法に置かれなかった。このような不幸な星の下に生まれ落ちた日本の占有訴権規定を、現行法解釈としてどう運用すべきなのであろうか。

18-24　(c)　**本権により終局的な解決を図る前座としての手続**　①占有という事実それ自体が、保護法益になり、その侵害に対して物権的請求権や損害賠償請求権が認められるべきであろうか。占有者には、取得時効の可能性があり、また、善意占有者は果実取得権が認められるものの、ゲヴェーレのように占有それ自体を現代社会において保護法益と考える必要はない。

②保護されるべきは本権であり、本権に基づく訴訟とは別に、社会秩序維持のために、とりあえず本権を問わず「占有」という事実だけで簡易迅速な手続により暫定的解決を図り、その後に本権の訴訟でじっくり本来のあるべき解決を実現してもらうという、手続法上の制度と考えるべきである。次に述べるように、占有に本権による物権的請求権とは異なる特殊な保護を認めてよいが、あくまでも暫定的なものにすぎない。占有訴権によらずに、通常

訴訟により占有侵害を理由として妨害排除や損害賠償を請求することは、本来、想定されていないといわざるをえない（本書は 18-23 ②の立場）。

18-25　(d)　**本権による解決の前座につきない機能もある**　ただ、本権保護の暫定的訴訟制度に尽きない機能が、占有の訴えには付与されている。①その１つが、物権的請求権が認められない本権の侵害の保護を占有訴権で図ることである。それは、対抗力を有しない不動産また動産賃借権、留置権、動産質権である。留置権は占有を失うと消滅し（302 条）、動産質権については、占有訴権でしか占有回復ができないことが明記されている（353 条）。

②もう１つは、起草者は占有者とは考えていなかった受寄者らにも、占有訴権が認められており（197 条）、寄託者の占有訴権を行使するのではなく、固有の占有訴権が認められていることである。受寄者には本権はないから、本権に基づく返還請求権は有しないものの、寄託者に対する返還義務を果たすために、目的物を取り戻す利益ないし必要性がある。

18-26　**(2)　占有の訴えの種類・内容**

(a)　**占有保持の訴え**　民法は「占有の訴え」として、ほぼ物権的請求権の分類に対応する３つの「訴え」を規定している。

まず、**占有保持の訴え**という表題の下に、「占有者がその占有を妨害されたときは、占有保持の訴えにより、その妨害の停止及び損害の賠償を請求することができる」と規定する（198 条）。本規定により、占有者は、占有を有しているが、それが妨害されている場合に、「その妨害の停止」また損害賠償を請求することができる（判例として、大判明 38・4・14 民録 11 輯 595 頁等）。

18-27　(b)　**占有保全の訴え**　また、**占有保全の訴え**という表題の下に、「占有者がその占有を妨害されるおそれがあるときは、占有保全の訴えにより、その妨害の予防又は損害賠償の担保を請求することができる」と規定する（199 条）。本規定により、いまだ占有の妨害はないが、占有者は、占有を妨害されるおそれがある場合に、「妨害の予防」また損害賠償を請求することができる（判例として、大判大 10・1・24 民録 27 輯 221 頁等）。

18-28　(c)　**占有回収の訴え**　さらに、**占有回収の訴え**という表題の下に、「占有者がその占有を奪われたときは、占有回収の訴えにより、その物の返還及び損害の賠償を請求することができる」（200 条１項）。「占有回収の訴えは、占有を侵奪した者の特定承継人に対して提起することができない。ただし、その承継人が侵奪の事実を知っていたときは、この限りでない」と規定する（同条２項）。本規定により、占有者は「その占有を奪われた」ときに、その物の「返還」また損害賠償を請求することができる。

占有の訴えについても費用負担という問題が出てくるが、物権的請求権について述べたところをここにも応用することができる（☞ 2-22 以下）。

18-29

◆占有を「奪われた」とはいえない場合

⑴　返還しないのは「奪われた」には該当しない

占有回収の訴えが認められるためには、占有を侵害したことが必要であり、賃借人が賃貸借契約終了後も目的物を返還しない場合、賃貸人はこの要件を満たしていない。判例も、占有妨害の「状態は其の生じたる当初より已に占有者の意思に基かざる場合に於て占有訴権は存在するものにして、其の始めは占有者の意思に基きて生じたる状態が後日に至り其の意思と相容れざるに至りたる場合に在りては、所謂占有訴権を以て之に臨み得る限りに」ないとしている（大判昭７・４・13新聞3400号14頁）。占有機関が管理している物を持ち出した場合には、占有回収の訴えが認められている（最判昭57・３・30判時1039号61頁）。例えば、会社が社員に貸与して会社での使用を認めているパソコンを社員が無断で持ち出したならば、占有訴権による返還請求が可能である。

18-30

⑵　詐取も「奪われた」には該当しない

また、強迫により渡した場合だけでなく、欺罔による占有移転にも占有回収の訴えは適用されない。例えば、横領の意図を有する他人に欺罔されて、占有している物を他人に引き渡した場合（例えば賃貸や売買をした）、占有を奪われたとはいえないため、占有回収の訴えは認められない（大判大11・11・27民集１巻692頁）。この場合には、所有権に基づく物権的請求権が認められるだけである。

18-31

⑶　違法な強制執行も「奪われた」には該当しない

「占有回収の訴は、物の占有者が他人の私力によって占有を奪われた場合に、その奪った者からその物の返還を請求することを認めた制度であるから、権限のある国家の執行機関によりその執行行為として物の占有を強制的に解かれたような場合には、右執行行為が著しく違法性を帯びてもはや社会的に公認された執行と認めるに堪えない場合、換言すれば、外観上も前記私人の私力の行使と同視しうるような場合を除いては、執行法上の救済を求めまたは実体上の権利に基づく請求をなしうることは格別、占有回収の訴によってその物の返還を請求することは許されない」（最判昭38・１・25民集17巻１号41頁）。部屋の賃貸借が賃料不払いを理由として解除されたものとして、明渡しの強制執行がされたが、真実は賃料不払いの事実はなかった事例である。

18-32

◆占有の訴えにおける損害賠償の内容

占有の訴えにおける「損害」の賠償は、「占有」のみを理由とするものであり、本権の侵害を理由とするものではないため、その内容は不明な点が多い。そのため、ここでの損害賠償は、果実取得権や使用利益の侵害（189条1項。善意占有者に限られる）による損害の賠償であるといわれている（広中323頁、石田穣556頁）。189条1項はすでに消費した場合の返還免除制度にすぎないという考えでは、これを根拠に損害賠償を認めることは疑問となる（末弘厳太郎「判批」法協39巻11号167頁）。たとえ認められる損害があっても、占有の訴えによってのみ行使でき、709条による損害賠償請求を認めるべきではない（大阪地判昭32・9・9下民集8巻9号1691頁参照）。

判例としては、建物を家族と共に居住していた者がその占有を奪われたため、占有の訴えにより占有回収と共に損害賠償を請求した事例で、本件家屋に居住できず他に宿泊しなければならなくなったため、月2円を過分に要することになったとして、返還まで月2円の損害賠償が容認されている。「占有物侵奪の為め被りたる損害の賠償を命ずるには、被害者が現に占有せる物を侵奪したる事実あるを以て足るものにして、必しも其占有が正権原に依るものなるや否の事実を確定するを要するものに非ず」。「占有を侵奪せられたる者は占有物の返還あるまでは占有物を利用することを得べきものなることを通例とするが故に、原判決に於けるが如く其侵奪者に対し之を返還するまで継続的の損害賠償を命ずることは之を不当と謂ふを得ず」と判示されている（大判大4・9・20民録21輯1481頁）。

18-33

◆占有に基づく実体的請求権の認否

(1)　実体法上の占有保護請求権の認否

占有の訴え（占有訴権）を、占有それ自体を法的に保護するものではなく、あくまでも本権が保護されるべきであるが、占有者は本権を有するのが通常であるため、暫定的に簡易迅速な手続により占有の復旧を求める特殊な訴権を認めたにすぎないと考えると（☞18-23②）、占有自体が保護される権利ないし保護法益ではなく、いわば覆面をされた本権を保護するための暫定的な特殊な訴訟手続請求権にすぎないことになる（18-25は例外）。そうすると、実体法上、占有に基づく物権的請求権それ自体は存在せず、占有を害された、例えば占有している物を盗まれた場合には裁判外でその返還を占有に基づいて求めることはできないことになる。あくまでも所有権など本権に基づいて返還請求するしかなく、恐喝で取られた場合と同じことになりバランスを失することはなくなる。受寄者は、盗まれたら取り戻す権限を所有者から付与されていると考えれば足りる。

18-34

(2)　占有秩序保護のため裁判外の請求も認めてよい

通説は、占有訴権の前提として、占有それ自体を保護される権利ないし保護法益と認め、これに基づく実体法上の請求権が成立していて、その訴訟上の行使を占有訴権として考えている。占有に基づく実体法上の請求権の訴訟上の行使について特別の訴訟手続を利用できるようにし、ただ期間制限をしただけと考えれば、裁判外の権利行使も可能になる。カバンを通りすがりに盗まれた場合、所有権に基づくことなく（預かっていたり、会社の商品であってもよい）、占有侵害というだけで占有に基づく返還請求権を行使して返還を求めることができることになる。フランス民法は、2015年の改正で占有訴訟制度を廃止したが、この改正は占有に基づく請求権自体を否定する趣旨ではない。そのため、改正後も「占有は、実体的な根拠があるかどうかを問わず、これに対して行われている侵害ないし侵害の恐れに対して保護される」（同法2278条1項）と、実体法上の権利として再構成された規定が維持されている。日本法でも規定はないが、上記のように、実体法上の権利を占有訴権の前提として認めるのが通説である。

18-35 (3) 占有の訴えの当事者

(a) 請求権者

(ア) 占有者――代理占有者、間接占有者でもよい　占有の訴えが認められるのは、「占有者」である（197条）。197条後段では「他人のために占有をする者も、同様とする」と規定されている。これは、起草者が受寄者、運送人等は占有の要件である「自己のためにする意思」を有せず占有者とは認めるつもりではなかったためである（新注民(5)287頁［金子］）。占有の訴えを寄託者等の占有者ではない所持者――所持はあるので占有機関ではない――にも認めるために、「他人のために占有をする者」にも「占有」の訴えを認めようとしたのである（☞16-7）。ここの「占有」は「所持」の誤記である（☞16-6）。現在では通説は受寄者らにも占有を認めるため、この規定は確認ないし注意規定にすぎないことになる。

この結果、①所有の意思を持って占有している者や、②利用権を行使する意思で占有している者だけでなく、③他人のために保管する意思で物を所持している者にも、占有の訴えが認められることになる。

18-36 **(イ) 占有機関には認められない**　所持さえ認められない占有機関には、占有の訴えは認められない。判例では、法人の代表者は法人の占有機関とされているので、法人を代表して占有の訴えをすることはできるが、個人として占有の訴えをすることはできない（最判昭32・2・22判時103号19頁）。代理占有の場合に、占有代理人（賃借人等）だけでなく、間接占有者（賃貸人等）にも占有訴権が認められる。法人自体の占有が認められる場合、法人に占有の訴えが認められるのは当然である。

18-37　(ウ)　**不法占有でもまたそれを知っていてもよい**　占有訴権は、「占有」という事実のみで認められるため、その占有が本権に基づく適法占有なのか、そうではなく不法占有なのかは問わない。そのため、A所有の動産を盗んだBから、Aがその動産を実力でもって奪い返した場合――占有自力救済として許容される限度内ではない場合――、B（不法占有者たる盗取者）のA（被害者たる所有者）に対する、占有回収の訴えによる物の返還また損害賠償請求が認められる（大判大13・5・22民集3巻224頁［小丸船事件☞18-43］）。しかし、それは「本権」を争いえない特別の訴訟手続であることの帰結である。暫定的に取戻しを認め損害賠償が認められても、別個の本権についての訴訟によってAの所有であることを認めた上で、所有権に基づく物権的請求権による返還請求が認められ、また、所有権侵害による損害賠償請求が認められることになる。占有訴権により受けた賠償金は、不当利得として返還させられるべきである。

18-38　(b)　**相手方**

(ア)　**占有の妨害者等が相手方**　占有の訴えの相手方は、占有を「妨害」している者（占有保持の訴え）、妨害するおそれのある者（占有保全の訴え）、また、占有を奪った者（占有回収の訴え）、である。故意・過失は要件とはされていない。占有回収の訴えにおいて、占有を奪った者が直接占有をしている必要はなく（大判昭5・5・3民集9巻437頁）、土地の占有を奪った後に第三者に土地を賃貸しても、間接占有者でありこれに対する占有回収の訴えが認められる。現在では賃借人だけでなく受寄者にも占有が認められているため、これらの者も被告適格が認められる。

18-39　(イ)　**占有回収の訴えの相手方①――占有代理人、占有機関**　占有訴権ではないが、YがAの出張所主任としてX所有の建物に居住している場合に、「YはXの請求に応じ本件家屋より退去する義務ありと為したるは相当」であるが、「Yは主人たるAの為め該家屋の代理占有を為すものなれば、其不法占拠に因りXの利用を妨げ、因て蒙らしめたる賃料相当の損害は占有者たる本人Aに於て賠償すべきものにして、Yが単に雇人として之に居住せるが為め生じたる損害に非ず」として、Yの賠償義務が否定されている（大判大10・6・22民録27輯1223頁）。

明渡請求については、「Y_1 は Y_2 組合の理事であり本所支部長として建物の一部を支部の事務所に使用しているものであり、Y_3 及び Y_4 は Y_2 組合の使用人として建物の管理をしているので、いずれも、組合とは別に個人として独立の占有を有するものではない」。「原判決は、占有機関であると主張する者に対し明渡を命ずるについて理由を備えない違法があ」るとされている（最判昭 31・12・27 判タ 68 号 81 頁）。

18-40　**(ウ)　占有回収の訴えの相手方②――建物所有者が土地の侵害者**　土地上に無断で小屋が設置された事例では、設置した者がその小屋を譲渡した場合には、現在の小屋の所有者が相手とされる（大判昭 5・8・6 民集 9 巻 772 頁）。①「工作物にして例へば家屋の如く土地と独立して所有権の対象となるものなるときは」、工作物を除去するの義務は、「其の現時の所有者に於て之を負担し」、②「当該工作物は所有権の独立なる対象としては其の存在を失ひ土地と一体を成すに至るときは、右の義務は其の現時の占有者に於て之を負担する」という。②は傍論であるが、付合しても除去義務を認める点は興味深い。建物の譲渡があったが所有権移転登記未了の場合には、2-19 の判例がここにも当てはまる。

18-41　**(エ)　占有回収の訴えの相手方③――特定承継人**　占有回収の訴えは「占有を侵奪した者の特定承継人」に対しては提起ができないが（200 条 2 項本文）、特定承継人が「侵奪の事実を知っていたときは、この限りでない」（同項ただし書）。A 所有の甲画を B が盗み出し、これを C に販売して引き渡した場合、占有を侵害したのは B であり、C に対して占有回収の訴えを提起できるのかは疑問になる。この点を解決したのが上記規定であり、原則として認められないが、特定承継人が侵害について悪意であれば――基準時は占有取得時――これが認められるものとしたのである。したがって、C は過失があれば即時取得ができないが、悪意でない限りは占有回収の訴えの被告適格はないことになる。なお、賃借人や受寄者にも占有が認められ、占有回収の訴えの相手方になるが、200 条 2 項の特定承継人と考えるべきではなく、上記の例で B が C に甲画を預ければ、C が善意でも占有回収の訴えが認められる。善意の買受人 C からの賃借人や受寄者は、C が占有回収の訴えの対象とならないことを援用することができる。

18-42

◆占有の訴えの交錯？（交互侵奪）――占有の自力救済

⑴　占有は自力救済が可能

例えば、所有者Ａがある動産（例えば自転車）をＢによって奪われたが、ＡがＢを追いかけてＢの自宅でこれを発見して奪い返したとする。占有の訴えは本権から離れて判断するので、ＢにＡに対する占有回収の訴えが認められそうである（第三者が奪ったならば認められる）。この点、Ａの自力救済を適法な自力救済と認め、Ｂの占有の訴えを排斥する効力を認めるべきかが議論されている。

ドイツ民法は、自力救済についての原則を**占有の自力救済**については要件を緩和し、緊急性を不要とする特別規定を置き（同法859条２項・３項）、日本の通説もこれに従う（反対する少数説もある）。これによれば、ＢのＡに対する占有訴権は認められない。ただし、これは次にみるように占有攪乱期といえる間に行われる必要があり、侵奪者Ｂの占有が確立した後にＡが取り戻した場合には、占有者Ｂには占有訴権が認められることになる。

18-43

⑵　侵奪者の占有が確立した後の自力救済は認められない

大判大13・5・22民集3巻224頁（**小丸船事件**）は、Ｙ所有の船（小丸船）が、Ａにより盗まれ、Ｂに売却され、ＢがこれをＸに転売しＸが占有していたところ、Ｙが人夫によりこれを取り戻したため、Ｘが占有訴権により返還（Ｙがその後Ｃに売却し不能になる）および使用できないことによる損害賠償を求めた事例である。原審は損害賠償を認めた。Ｘが悪意であればＹによる占有回収の訴えが可能であり（200条２項）、自力救済として認められるのかが問題となったが、大審院はＸの善意・悪意は関係ないとしてＹの上告を退けた。すなわち、200条１項は、「其の占有者の善意悪意は問ふところに非ざるを以て、悪意の占有者と雖尚占有回収の訴を以て占有侵奪者に対し占有の侵奪に因りて生じたる損害の賠償を請求することを得る」と判示した。

他方、東京高判昭31・10・30高民集9巻10号626頁は、「当初の占有侵奪者は……社会の秩序と平和を濫すものであって、その後その占有が相手方に侵奪され、しかも右侵奪が法の許容する自救行為の要件を備えない場合であっても、当初の占有侵奪者（後の被侵奪者）の占有は法の保護に値せず、反って占有奪還者（後の占有侵奪者）の占有を保護することが、社会の平和と秩序を守るゆえんであるから、当初の占有侵奪者（後の占有被侵奪者）は占有訴権を有しない」と判示した。ただし、「占有侵奪者の占有であっても、それが時の経過により攪乱状態が平静に帰し社会一般が侵奪者において占有していることを以て新な社会的秩序であると認めるに至る等の特段の事情ある場合には、占有侵奪者もその時から占有訴権を取得する」という。侵奪者といえどもその占有が確立した後は、占有訴権が認められることになる。

2　占有の訴えの出訴期間

18-44　占有の訴えは、それぞれの占有の訴えごとにその「訴え」が「提起」できる期間が定められている。いずれも消滅時効期間ではなく、いわゆる**出訴期間**であり、時効の完成猶予はなく、また、当事者の援用は必要ではない（新注民(7) 270頁［広中俊雄＝中村哲也］）。訴訟「提起」のための期間なので、この期間内に訴訟が提起されれば、この期間を経過しても請求は認められる。

① 「占有保持の訴えは、妨害の存する間又はその消滅した後1年以内に提起しなければならない。ただし、工事により占有物に損害を生じた場合において、その工事に着手した時から1年を経過し、又はその工事が完成したときは、これを提起することができない」（201条1項）
② 「占有保全の訴えは、妨害の危険の存する間は、提起することができる。この場合において、工事により占有物に損害を生ずるおそれがあるときは、前項ただし書の規定を準用する」（同条2項）
③ 「占有回収の訴えは、占有を奪われた時から1年以内に提起しなければならない」（同条3項）

所有権などの本権を有するならば、本権に基づいて通常訴訟により物権的請求権を行使でき、これには消滅時効はなく、また、不当利得返還請求については166条1項の消滅時効の原則により、不法行為による損害賠償請求は724条により規律されることになる。「占有」のみを理由とした暫定的・簡易迅速な特別の訴訟手続であり、その性質上速やかにされるべきものであるため、出訴期間を設けたのである（1年は長い）。

3　占有の訴えの意義と本権の訴えとの関係

18-45 (1)　占有の訴えの存在意義——本権の訴えのほかに占有の訴えが必要か

(a)　占有という事実状態自体は保護法益か　他人の所有物を不法に占有している占有者は、本権[76]がないのでその占有を侵害されても何も文句が言えないというのは、法秩序を乱すこと甚だしい。占有の自力救済という特別の理論が認められ（☞ 18-42）、不法であっても占有者の「占有」秩序は守られるべきである。その意味で、1つの社会秩序として「占有」自体が保護されてよい。善意占有者であれば果実取得権があるし、悪意でも取得時効の期待があるので、占有者には実体法上の利益を全く想定できないわけではない。占有訴権は、占有を暫定的な実体権として保護するという形をとらざるをえない。

18-46 **(b)　簡易迅速な手続による現状の暫定的保全**　しかし、占有者自体の保護は、無秩序となることからの社会の防衛という公益的観点からの抑止制度の反射的利益に等しい。占有の訴えという制度の真髄は別の所にある。それは本権の審査をひとまず措き、本権者という暫定的推定の下に、占有というだけで簡易迅速な手続によって、とりあえず元あった占有を取り戻すないし現にある占有を維持ないし保持することを可能とすることにある（☞ 18-23 ②）[77]。

「占有」のみを根拠とした簡易迅速な訴訟制度ということからは、善意の占有者に限定されず、相手方は悪意の占有者であるという主張もできない（大判大 13・5・22 民集 3 巻 224 頁［交互侵奪の事例］☞ 18-43）。

18-47 **(2)　本権の訴えとの関係**

(a)　民法の規定——架けたはしごを外された規定

(ア)　本件の訴えは別個に可能　例えば、Aはその所有の盆栽3点をBに無償で貸したが、返還を求めても返さないため、AがBの庭からこれらを持ち帰ったとする。この場合には、Bの占有回収の訴えが認められる。

占有の訴えは「占有」という事実のみで認められる「請求権」であり、AはBの占有回収の訴えに基づく返還請求に対して、占有者の本権を争うこ

76）　**＊本権とは**　本権とは、占有を裏づける法律上の根拠たる「権利」である。所有権はもちろん、賃借権、地上権なども含まれる。占有における「正権原」（☞ 17-5）と類似しているが、「権原」は占有を取得した「原因」のことであり、正権原は占有を正当化するような原因（売買契約など）のことである。売買の場合、それが無効であっても、買主の占有は「正権原」に基づく占有ではあるが、本権に基づく占有ではないことになる。

77）　**＊占有仮処分の根拠としての意義**　通常訴訟手続において本権の存否が確定されるまでの間、暫定的に占有状態を規制しておくための仮の地位を定める仮処分（「占有仮処分」と名づけている）の根拠となるという点で、存在意義が認められている（藤原・時効 269 頁）。占有権に基づく妨害排除・予防を認める規定がなければ、占有仮処分も認められないことになる。暫定的実体権という提案について、長谷部由起子「仮の救済における審理の構造」『民事手続原則の限界』（2016）参照。占有権を被保全権利とする仮処分が認められるべきなのかは議論があり（新注民(5) 317 頁以下［金子］参照）、18-33 のように占有に基づく実体法上の権利を認めることは必須の前提となる。

とはできず、本権については通常訴訟手続で慎重に審理・判断されることになる。この点、民法は「占有の訴えは本権の訴えを妨げず、また、本権の訴えは占有の訴えを妨げない」と（202条1項）、Aが別個に通常訴訟によって本権の訴えを提起することは妨げられないことの確認規定を置いた。

18-48　**(イ)　本権の抗弁の不許可**　そして、「占有の訴えについては、本権に関する理由に基づいて裁判をすることができない」と規定した（同条2項）。占有のみを理由に判断する簡易迅速な審理手続なので、本権の主張が封じられるのは当然である。

こうして、占有は占有訴訟手続、本権は通常訴訟手続と、全く異なる別の訴訟手続によりそれぞれ別個に審理・判断されることが予定されていた。ところが、その前提である占有の訴えのための特別の訴訟手続が実現されていないのである。あるべき土台がないのにそれがあることを前提とした制度を議論することになる。特別手続がない以上、占有の訴えも通常訴訟によるしかなく――ただ、占有仮処分といわれるが（特別規定があるわけではない）、仮処分手続によることが可能（☞注77）――、本権の訴えが反訴として提起できることになる。この場合に、202条2項はどう理解されるべきなのであろうか。

18-49　**(b)　反訴提起はできるが占有の訴えに対しては本権の判断禁止**　202条2項の前提がそもそも欠けるため、判例は、「占有の訴えに対し防御方法として本権の主張をなすことは許されないけれども、これに対し本権に基づく反訴を提起することは、右法条の禁ずるところではない」として、両請求を認容した原審判決を支持している（最判昭40・3・4民集19巻2号197頁）。

その結果、占有の訴えについて本訴原告が勝訴、本権については反訴原告（本訴被告）が勝訴することになる。この場合に、占有の訴えの勝訴判決は、反訴を認容する以上は執行を認めるべきではない。占有の訴えに基づく損害賠償請求も、勝訴判決が出ても、反訴で勝訴した所有者に対して執行を認めるべきではない。本権の反訴または別訴において、本権勝訴の判決が確定したときは、これと内容上、抵触する占有保護請求権は消滅すると解すべきであると主張されている（青山善充「占有の訴と本権の訴との関係」『民法の争点Ⅰ』〔1985〕137頁）。

こう解しても、占有仮処分はとりあえず占有だけで判断され、占有の訴えの代用手続として機能させることができるので、占有に基づく請求権（占有訴訟手続ではなく）を法定した意味がなくなるわけではない。

§Ⅴ 準占有

18-50　**(a)　準占有概念の承認**　民法は、物の事実上の支配に対する「占有」、「占有権」のほかに、**準占有**という概念を認め（第2章「占有権」の第4節の表題）、「この章の規定は、自己のためにする意思をもって財産権の行使をする場合について準用する」と規定した（205条）。163条が「所有権以外の財産権を、自己のためにする意思をもって、平穏に、かつ、公然と行使する者」に、その財産権の取得時効を認めているのを受けて、その要件について明らかにするために置かれた規定である。所有権以外の取得時効に対処するための規定であり、準用される規定は自ずと解釈により制限される。取得時効が問題となる財産権も、占有を伴うものか否かで分けて考えることができる。

18-51　**(b)　準占有が問題となる事例**

(ア)　占有が問題となる事例　まず、占有を伴う財産権については、地上権設定契約がされたといった権原と占有（利用）とが競合する（☞18-54）。賃借権の取得時効について、判例（最判昭43・10・8民集22巻10号2145頁）は、「土地の継続的な用益という外形的事実が存在し」、かつ、「それが賃借の意思に基づくことが客観的に表現されている」ことを要求している。他人物賃貸借の場合には、賃貸人につき目的物の取得時効が成立し、賃借人は賃貸人の取得時効の援用が認められるので、独立して所有者との関係で賃借権の取得時効を援用する必要はない。そもそも賃借権の取得時効を認めるべきかは疑問であり、本書は賃借権の取得時効を否定する（☞民法総則9-215）。占有訴権は準占有に準用される必要はなく、占有代理人にも占有訴権が認められれば十分である。

18-52　**(イ)　占有は問題とならない事例**　これに対して、地役権のように占有それ自体が認められない事例においては、準占有のみを問題にするしかない。例えば、判例は、地役権者につき、問題となっている土地の占有が認められないとしても、本件土地を通路として使用しているのであるから、「通行地役権者として其の権利を行使し居るの状態なること」から、「右通行地役権行使の状態に付自己の為にする意思を有するものと認めらるるに於ては所謂準占有に該当し民法第205条に依り」占有権についての規定の準用があり、占有訴権の規定の準用により妨害排除請求をする余地を認めている（大判昭12・11・26民集16巻1665頁）。

18-53　(ウ)　**知的財産権が問題となる事例**　さらには、判例は傍論として著作物の複製権の取得時効の余地を認めている。「時効取得の要件としての複製権の継続的な行使があるというためには、著作物の全部又は一部につきこれを複製する権利を専有する状態、すなわち外形的に著作権者と同様に複製権を独占的、排他的に行使する状態が継続されていることを要し、そのことについては取得時効の成立を主張する者が立証責任を負う」とされている（最判平9・7・17民集51巻6号2714頁）。

この場合には、複製権を「独占的、排他的に行使する状態」が準占有となり、「物」に関わらない特殊な準占有が認められることになる。複製権の譲渡が無効であり、複製権を取得していないにもかかわらず、長年にわたって複製権者として事実上権利行使がされていたような場合が考えられる。「独占的、排他的」な行使が必要なので、例えば、特許権を侵害する製品を長年にわたって生産してきたというだけでは、準占有の要件は満たさないことになる。

18-54　**◆占有と準占有の多重構造**

例えば、A所有の土地につき、Bが、①Aを装って、または、②勝手にB名義への所有権移転登記手続を経た上で自己の土地として、Cに地上権を設定し、その旨の登記がされたとする。この場合、Cが地上権に基づいて土地を利用し占有している場合、土地の「占有」については、自主占有については間接占有を取得し、地上権については準占有を取得するという二重構造になる。

Cは直接占有をしているが占有代理人であり、間接占有たる自主占有を取得するのは、①では契約当事者とされたAであって、Aを装ったBによる土地の取得時効は考えられない。他方、②の場合には、占有代理関係はBC間に認められ、Bが自主占有たる間接占有を取得することになり、Bによる取得時効が可能になる。

Cについては、2つの可能性がある。①②いずれの場合についても、Cは地上権の行使という準占有による地上権の取得時効（163条）が可能になる。土地の占有ではなく、地上権の行使（準占有）を問題にして、地上権の取得時効が認められる。また、②の事例では、上記のようにBによる土地の取得時効が考えられるが、Cはこれを援用することができ（145条括弧書を取得時効にも拡大適用して、Cに正当な利益を認めるべきである）、Bが土地所有者になればBにより設定されたCの地上権は必然的に有効に設定されたことになる。

取得時効の完成前にAから明渡しが求められた場合、果実取得権が問題になる。Cは、例えば土地を第三者に賃貸して賃料を得ていれば、Cが善意である限りその取得が認められる。

第8章
所有権と共有

第1節　所有権

§Ⅰ
所有権の意義

1　所有権の意義――ゲヴェーレ的所有権から近代的（観念的）所有権へ

19-1 (1)　占有＝所有の原始的所有から観念的な近代的所有へ

「所有者は、法令の制限内において、自由にその所有物の使用、収益及び処分をする権利を有する」(206条)。このように、**所有権**とは、物を「自由に……使用、収益及び処分をする権利」である。

中世ゲルマン法では、現実的支配と結合して初めて成立する**ゲヴェーレ**という物的支配のみが認められていたにすぎない（**ゲヴェーレ的所有権**）。所有権の原初的な姿である。これに対し、ローマ法では、現実的支配と離れた観念的な所有権が認められていた。そして、近代的所有権はこの観念化された所有権理論を承継し、占有という事実的支配を要件とすることなく保護される、使用、収益および処分をしうる権利である（**観念的所有権**）。土地、特に農地については中世においては封建的拘束があったが、**近代的所有権**は、土地も商品として取引の対象とされ、封建的拘束はこの障害となるために撤廃された。自由に処分が許される所有権は、契約自由の原則と共に、近代社会における経済活動の基本をなすことになる。

19-2 (2)　所有権の特性

物権に共通の特性（観念性、絶対性、排他性）については1-14以下に述べたので、以下には所有権の制限物権との比較における特性を指摘する。

① 全面性
② 渾一性
③ 恒久性
④ 弾力性

所有権は、物についての全ての利益（使用、収益、処分）を支配する権利であり、また、封建時代の土地所有のような分割所有は否定される（→①)。所有権は単に諸権能の束ではなく、それらの源泉であり、その種々の権能は源泉たる渾一の支配権能から流出するものと比喩的にいわれている（→②)。所有権と他の物権とが同一人に帰属すると混同の原則によって所有権に一本化されるのは（179条)、渾一性の帰結である。また、制限物権は、所有権を制限するものであるため、その消滅時効が考えられるが、所有権には消滅時効はない（166条2項）（→③)。用益を内容とする制限物権が設定されていると、所有権の権能はそれと矛盾する限りで制限されることになるが（これを**虚有権**という)、制限物権が消滅すれば、所有権は全面的支配権たる元の姿に復帰する（→④)。

19-3

◆所有権と所有権侵害による損害

物また所有者の目的により、所有権のどの機能に着目すべきなのかは変わってくる。このことは所有権侵害による損害の認定・評価において如実に表れる。①製造者や流通業者の所有する商品は、販売による収益財であり、販売代金による収益を目的としている。②買主・注文者の取得した所有物は、ⓐ自己使用のための自己使用財、ⓑ果実取得や工場用機械のように製品生産のための産出型の収益財、ⓒ賃貸マンションのように賃料取得を目的とした賃貸型の収益財などに分けられる。いずれにおいても、慰謝料は所有権の内容というよりは、愛着利益、愛情利益など別の利益侵害になる（ペットの侵害など)。

それぞれの侵害事例で損害内容が異なってくる。①販売による収益財は、販売を遅らせた場合には、適時に販売して得られた販売益を低下させたことが損害になる。また、滅失や盗難の場合には、その購入価格ではなく、転売差益を含めて転売価格での賠償がされるべきである。②ⓐ自己使用財は、使用を妨害した場合には、他の物を借りた費用など、滅失の場合にはその滅失時の客観的価格、代替物を取得するまでの同等の物の賃料、修理で済む場合にも自動車であれば格落損も問題になる。②ⓑ産出型の収益財では、その物の残存使用期間の収益が賠償されるのかというと、そうではなく、滅失当時の価格を賠償すれば足りる。代替物を購入すれば収益が上げられるのであり、代替物の購入価格それ自体ではないのは、新品になるので使用期間が増えるからである。代替の機械取得など商品が生産できない期間の収益について、収益を損害として損害賠償が認められてよい。②ⓒの賃貸型の収益財は、一時的使用が妨げられた場合にはその期間の収益の逸失（賃料を取れなかったこと）が賠償される。損傷を受ければ修理代の賠償を請求できるのは当然である。滅失の場合には、②ⓑ同様に滅失時の価格、代替物取得までの収益についての損害の賠償が認められる。

19-4

◆所有権論と所有権の客体

⑴　フランスにおける支配権説と排他的帰属関係説の議論

フランスにおいては、①使用・収益・処分という具体的権能の束を内容とする観念的「支配権」という所有権の古典的理解に対して、②所有権を人との関係として捉えて、ある物が人に排他的に帰属する関係と考える異説が提唱されている（吉田克己「所有権の法構造」『改正提案』6頁以下）。②の考えによると、物の譲渡では、移転の客体は物であり、帰属関係としての所有権は、譲渡人の下で消滅し、譲受人の下で発生することになる。フランスでは、ドイツ民法が物を有体物に限定したのに対して、無体物も物と認められており、無体物も「財」として、排他的帰属関係が考えられ所有権が認められることになる（吉田・前掲20頁以下は、所有権＝帰属関係説に左袒し、財の帰属関係を「帰属関係の二重構造」として把握する）。

これに関連して思い起こされるのは、わが国でも、債権について所有権を観念すべきかが議論されたことである。債権は請求権であり、それを譲渡できることを説明するためには債権を「処分」する別個の権限を想定しなければならず、すべて譲渡（処分）可能な財産権について、「所有権」を考えなければならないのではないかという疑問が提起された。上記②に親和的な議論である。しかし、我妻博士による否定論以後、肯定説は姿を消した（松岡久和「債権的価値帰属権についての予備的考察」龍谷大学社会科学年報16号70頁以下参照）。所有権の支分権である地上権に、その譲渡を説明するために所有権が成立するというのは不合理である。

19-5

⑵　権利の排他的帰属による理解

債権の内容は請求権であり、債権を譲渡したり質権を設定したり財産権として処分できることを説明するために、物の所有権同様に債権自体とは別に債権を対象とした権利を認める必要がある。しかし、物における所有権の内容である「処分」は事実上の処分を意味すると考えるべきであり（食べる、加工する等）、その財産権が「帰属」する者がその帰属を移転させる――担保権の実行として移転させる権限を付与する、使用収益権のみを移転する（賃貸借は債権関係）――などの法的処分行為を行うことができると考えれば足りる。19-4 ②の排他的帰属関係説は正しいが、物以外も含めてその関係をすべて「所有権」と構成する必要はない。債権その他の財産権の「帰属」主体に、債権等の財産権の処分権が認められることになる。さらにいえば、身体についてもその者に「帰属」し、その者が自分の身体について自己決定をする権利（人格権）――例えばタトゥーを入れる、髪を切る――を持つのである。

「物」について「使用・収益・処分（物理的処分）」をする排他的支配権が所有権であり、所有権が所有者に「帰属」することから――これを「所有権」と区別して「所有」と呼んでもよい（吉田・前掲21頁参照）――その全面的な移転また移転の権限を付与でき（抵当権の設定）、また、用益権限のみの帰属の移転もできることになる。債権などの財産権も同様に考えてよく、帰属の変更は帰属者に認められる所有権とは別の処分権限に由来することになる。所有権も含め自己に帰属する権利・利益の帰属主体による処分権を観念すべきであり、これは人格権も同じである（林滉起「債権の帰属の法的構造に関する試論」早稲田法学会誌 72 巻 2 号〔2022〕89 頁以下参照）。

2　所有権の内容および制限

19-6 (1)　使用、収益および処分権

所有権は、「自由に」目的物の「使用、収益及び処分をする権利」である。「自由に」といっても無制限ではなく、「法令の制限内において」という限定が付されている。

①「使用」とは、目的物を文字通りに使用することであり（建物に居住するなど）、目的物の存続が前提である。②「収益」とは、目的物の果実を収取することや、自ら使用せず賃料や地代を取得することである。使用と果実の収益とは区別されているが、前者の使用は使用利益と呼ばれ、果実についての規定は使用利益に類推適用される。

③「処分」とは、ⓐ目的物の消費等の事実上の処分、放棄（ゴミとして捨てる）のほか、ⓑ譲渡、担保権の設定などの法律上の処分を含むと考えられている。しかし、所有権の内容としての「物」の「処分」としては、ⓐの事実上の処分だけを考えるべきである（☞ 19-5）。財産権を譲渡することや担保に供するといった法的処分は、所有権の内容ではなく、所有権、債権その他の財産権を問わず、その権利の帰属（＝所有）に由来する法的処分権によるものと考えるべきである（共有につき☞ 21-15）。

19-7

◆所有権の外縁①――物についてのプライバシーの権利

物について、財産権（所有権）とは別に人格権（プライバシーの権利）が成立しうる。家庭ゴミはその家のプライバシーの縮図であり――手紙等のように個人情報はないが、何を食べているか等の情報が凝縮されている――、所有権を放棄したからといって、他人が勝手に見てよいものではない。放棄の結果として所有権は侵害されていないとしても、家庭ゴミを開けて中を見る行為につきプライバシー侵害を考えることはできる。手紙等も同様であり、差出人は手紙の所有権を失うがプライバシーの権利は保持しており（手紙の情報について）、その内容を同意なく晒されないという保護が認められるべきである。ただし、警察が捜査の

ために押収するなど違法性が阻却される場合はありうる。

レイディンにより**人格的所有権**という概念が提唱されている（土田和博「人格、財産、市場と法」静岡法学75・76号［1995］19頁）。指輪といっても、夫婦が購入した結婚指輪はその夫婦にとっては「人格的財産」であるのに対して、店頭で販売している宝石商にとっては「代替的財産」にすぎない。その価額を賠償してもらえば損害は償われる。金銭により客観的に評価される純粋財産に対して、愛情、愛着といった人間の感情に関わる主観的利益（価値）がある財産を認めるのである。財産的価値のないペットの老犬は、主観的な人格的価値が認められる。これは人によって左右される価値の評価とも異なる。限定もののフィギュアは、それを収集している者、また、中でもその種類を特に欲している者には特別の価値があるが、興味のない者にとってはタダでもいらないものである。ただし、この人格的な価値が付与された財産は、濃淡多様であり、長年居住した建物という所有権についてだけでなく、長年居住している賃借中の建物には賃借権に人格的財産としての性格が認められることになる。人格的財産の性格を帯びる住居は、基本的人権としての公共的保護を与える必要のある「生存的所有権」、建売住宅は販売業者にとって代替的な「資産的所有権」ということになる（吉田邦彦『多文化時代と所有・居住福祉・補償問題』［2006］45頁以下）。

19-8

◆所有権の外縁②——物のイメージについての権利

例えば、他人の所有物を勝手に写真に撮影し、これを使用したカレンダー等の作品を作成して販売する行為は、所有権を侵害しておらず、それが著作権侵害という別の権利侵害にならない限り違法ではない。著作権消滅後の美術作品の写真画像を複製販売する行為が問題となった事例で、最判昭59・1・20民集38巻1号1頁は、その作品を所有する美術館による差止請求等を退けている。「美術の著作物の原作品は、それ自体有体物であるが、同時に無体物である美術の著作物を体現しているものというべきところ、所有権は有体物をその客体とする権利であるから、美術の著作物の原作品に対する所有権は、その有体物の面に対する排他的支配権能であるにとどまり、無体物である美術の著作物自体を直接排他的に支配する権能ではない」。「美術の著作物に対する排他的支配権能は、著作物の保護期間内に限り、ひとり著作権者がこれを専有」し、「著作物の保護期間内においては、所有権と著作権とは同時的に併存する」と判示している。同様に、無断で他人の楓の木の写真が出版された事例で、木の所有者の所有権に基づく差止めと損害賠償請求が退けられている（東京地判平14・7・3判時1793号128頁）。

フランスでも、所有権と著作権とは別であるため、建物設計者の著作権は建物の所有者とは別に認められ、建物の根本的な改築は、設計者の著作権を侵害するものとして、差止請求が認められているものの、財産のイメージの無断利用に対する所有権者の差止請求は否定されている（日本法につき、若竹宏諭「建築物の法的保護（知的財産関係」御池ライブラリー 55 号［2022］25 頁参照）。

19-9 **◆所有権の外縁③――物のパブリシティーの権利**

19-8 の物のイメージと同様の問題は、物の名称についても議論されている。有名な競走馬の馬名を用いたゲームソフトの製作・販売に対して、馬主らが差止めと損害賠償を請求した事例において、これが退けられている。「競走馬等の物の所有権は、その物の有体物としての面に対する排他的支配権能であるにとどまり、その物の名称等の無体物としての面を直接排他的に支配する権能に及ぶものではないから、第三者が、競走馬の有体物としての面に対する所有者の排他的支配権能を侵すことなく、競走馬の名称等が有する顧客吸引力などの競走馬の無体物としての面における経済的価値を利用したとしても、その利用行為は、競走馬の所有権を侵害するものではない」とされている（最判平 16・2・13 民集 58 巻 2 号 311 頁［**ギャロップレーサー事件**］）。人の場合には、財産的価値のある人格的利益として肖像や名前にはパブリシティーの権利が認められるが（☞債権各論Ⅱ 4-21 以下）、物については法律がない以上、所有権を問題にせざるをえず、パブリシティーの権利を所有権の内容として認めることを否定したものである。同じ無体財産的権利であるとしても、人格に関わるか否かが差の生じた原因である。

19-10 (2) 所有権の限界――土地所有権を中心に

(a) 法令による制限　所有権も無制限ではない。私権一般の規制として、公共の福祉への適合（1 条 1 項）、信義則の遵守（同条 2 項）、濫用の禁止（同条 3 項）という制限があるが、民法はあえて所有権につき、「法令の制限内において」という制限を明記した（206 条）。法令による制限というが、法律以外の条例や政令などによる場合には、憲法・法律の規制の範囲内であることが必要になる。最大判昭 38・6・26 刑集 17 巻 5 号 521 頁（奈良県ため池条例事件）は、「ため池の破損、決かいの原因となるため池の堤とうの使用行為は、憲法でも、民法でも適法な財産権の行使として保障されていないものであって、憲法、民法の保障する財産権の行使の埒外にあるものというべく、従って、これらの行為を条例をもって禁止、処罰しても憲法および法律に牴触またはこれを逸脱するものとはいえない」と明言する。

土地所有権については、民法自体にも相隣関係という制限があるほか、公法上の制限をみると、土地収用法、都市計画法、都市再開発法、狩猟法（鳥獣保護区の指定）等上の利用規制があると共に、土地の収用といったように所有権自体が取り上げられてしまう場合もある（詳しくは、吉田克己「不動産所有権の今日的課題」『改正提案』28 頁以下参照）。

大深度地下への制限、地下の鉱物への制限——土地所有権と別の財産とするかは立法により分かれる——などもあり、また、土地以外に目を向ければ、禁制物のように私人の所有が禁止されるもの、文化財のように私人の所有は認めつつもその取引を禁止・制限しつつ、公的な支援がされる財産もある。さらには、動物愛護法44条4項の「愛護動物」については、所有者であっても虐待をするなどの行為が禁止され刑事罰まで用意されている。

19-11 **(b) 土地所有権の客体と効力の及ぶ範囲**

(ア) 土地所有権の客体 動産であれば、「物」を客体として考えてよいが、土地となると、その地盤たる土砂や岩石の所有権に尽きない。土地を構成する有体物である岩盤・土砂が土地所有権の客体であるが、その所有権の「効力が上空の空間にも及ぶ」という理解が、有体物を物とする体系からは導かれてきた——建物の内部の空間、自動車、船舶、飛行機の内部の空間と同様に、地上は所有ではなく占有——。しかし、むしろ上空の空間を含めて一定の空間(スペース)が、土地所有権の客体と考えるべきである。区分所有権も土地上の一定の空間のみの所有権と観念することが可能になる。区分所有でない建物では、有体物たる建物の所有権を観念すれば足りる。

では、土地所有権は土地の上下の空間を無限に支配できるのかというと、当然のことながら地下にも地上にも限界がある。民法も、「土地の所有権は、法令の制限内において、その土地の上下に及ぶ」ものと規定した(207条)。以下、この点について説明しよう(海面下の土地については☞ 1-2)。

19-12 **(イ) 地上** 土地の上空の空間に土地所有権の効力が及ぶことは疑いない。例えば、隣の木の枝が自分の土地の上に境界線を越えてはみ出してきた場合、土地所有権の侵害であり、隣の土地の所有者に枝を切ってもらうことができる(233条1項)。また、地上数十メートル上空の送電線は土地所有権の侵害となるが、上空を飛行機やヘリコプターが飛ぶことは、その騒音が生活に支障を来すレベルであれば、人格権侵害とはいえるが——賃借人、所有者の家族など居住者全員が人格権侵害を問題にできる——、土地の所有権侵害とまではいえない。地上への土地所有権の効力は「利益の存する限度」に限られることになる。空の産業革命ともいわれるドローンの登場により、上空の問題が現実味を帯びてきたが、生活の平穏といった人格権保護という観点から、適切な法規制がされるべきである。

19-13　**(ウ)　地下①——大深度地下**　地下に対する土地所有権の効力についても、やはり同じことがいえ、「利益の存する限度で」地下に土地所有権の効力が及ぶにすぎない。大深度地下については、私人の土地所有権が及ばず、国が自由に利用することが可能になっている。すなわち、**大深度地下の公共的使用に関する特別措置法**（2000年［平12年］）によって、政令により指定された地域（東京、大阪、名古屋）の政令で定める深度（40m以下）の地下について、国土交通大臣または知事が国や公益事業について優先利用権を持ち、収用手続を必要とせずに利用が可能とされている（リニア新幹線はこの方式で施設される）。ただし、大深度の土地は私人の土地所有権の効力の及ばない「所有者のない不動産」として「国庫に帰属する」（領土）と考えてよいのかは問題である（239条2項）。地中深くから温水を汲み上げて温泉業を営むことは近時よく行われることであり、これが許されるのは大深度地下にも私人の土地所有権が及んでいるからと考えざるをえない。そう考えると、収用手続によらず、上記特別法に従い公的利用が許されるにすぎない。

19-14　**(エ)　地下②——鉱物・温泉など**　土地所有権の効力の及ぶ範囲内であっても、①地中の未採掘の鉱物は、国にこれを採掘し取得する権利を賦与する権能が認められ（鉱業2条）、土地所有権の対象とはならず鉱業権の対象とされる（鉱業5条）。土地所有権は地中の鉱物には及ばないことになる——別の権利なので、鉱業権者が土地の所有権を取得したとしても、鉱業権が混同で消滅することはない——。②また、土地の地下を流れる水を採取することには、規制が必要である（宮崎淳「土地所有権と地下水法」稲本洋之助先生古希記念『都市と土地利用』［2006］47頁参照）。例えば、温泉を掘り当てるために土地を掘削することには都道府県知事の許可が必要であり（温泉法）、工業用水の汲上げのための土地の掘削も同様である（工業用水法）。

古くは、大判明29・3・27民録2輯3巻111頁は、「地下に浸潤せる水の使用権は元来其土地所有権に附従して存するものなれば、其土地所有者は自己の所有権の行使上自由に其水を使用するを得るは蓋し当然の条理なり」と宣言していたが、その後、下級審判決であるが、地下鉄掘削により井戸を枯渇させた事例で、「適当なる範囲……を逸脱するときは権利濫用として不法行為を構成する」とされている（東京地判昭5・7・4新聞3172号9頁）。

3　金銭所有権

19-15 (1)　金銭所有権の特殊性

金銭も動産であり、金銭債権は金銭という動産の引渡し（＝支払）を求める権利と考えられている。しかし、金銭は、単なる動産ではなく決済手段という特殊性を持ち、骨董品や特殊な価値のある蒐集の対象になるものでない限り、売買の目的物とされることはない。そうはいっても、動産としての金銭の上に所有権が観念できることは疑いなく、それが誰に帰属するのかを考えることが必要になる。民法も、交換規定に「金銭の所有権を移転することを約した」として、金銭の上の所有権が移転することを前提とした規定を置いている（586条2項）――詐欺により代金等を支払わせるのは、金銭所有権の侵害になる――。しかし、動産と同様に扱うと、他人の金銭で支払をした場合、即時取得を問題にせざるをえないことになる。ほとんどの事例は混和や、他人の金銭で支払ったということの証明ができずに事実上解決されようが、問題にしなければならないことが面倒である。では、金銭の物としての扱いと、支払手段としての特殊性とをどう調和すべきであろうか。

19-16　**(a)　大審院時代の判例――金銭について即時取得で処理**　当初の判例は、金銭も動産であることから、他人の金銭によって支払（弁済）がされた場合、受領者が受領した金銭の所有権を有効に取得できるためには、即時取得の成立を必要としていた。他人の金銭による第三者弁済の事例（大判大9・11・24民録26輯1862頁）、また、他人の金銭による貸付の事例につき（大判昭9・4・6民集13巻492頁）、即時取得を理由に有効としていた。

即時取得が成立するまで、金銭についても他の動産と同様に所有権の追及力が認められ、占有者に返還請求ができるとしても、実際上は大きな不都合はない。①まず、自分の金銭であることを証明するのは、紙幣の番号による証明や封筒等に封印することによって特定性が認められない限り、事実上不可能に近い。②また、他の金銭と混和してしまうのが普通である。判例も、混和を認めて「Xは其の金銭の所有権を失ふべきを以て、Yに対しては不当利得を原因として其の現存利益の返還を請求するは格別、金銭の所有権を原因として之が返還を請求することを得ざるものとす」と判示している（大判昭2・9・29新聞2767号14頁）。

19-17 **(b)　戦後の判例——金銭については占有あるところ所有あり**　ところが、学説により「金銭の所有は占有に従う」と主張され（末川博「貨幣とその所有権」『物権・親族・相続』〔1970〕263頁以下、川島武宜「判批」『判例民事法昭和9年度』120頁）、戦後の判例はこれを採用した。Aは財産の仮差押えを受けたのに対してB会社から横領した現金100万円を、自己の金銭として執行官に提出したため、Bが第三者異議の訴えを提起した事例において、判例変更をしている。すなわち、「金銭は、特別の場合を除いては、物としての個性を有せず、単なる価値そのものと考えるべきであり、価値は金銭の所在に随伴するものであるから、金銭の所有権者は、特段の事情のないかぎり、その占有者と一致すると解すべきであり、また金銭を現実に支配して占有する者は、それをいかなる理由によって取得したか、またその占有を正当づける権利を有するか否かに拘わりなく、価値の帰属者即ち金銭の所有者とみるべきものである」として、Bの請求が棄却されている（最判昭39・1・24判時365号26頁）。すでに刑事事件につき、最判昭29・11・5刑集8巻11号1675頁が同旨を宣言していた。

ただし、盗取または横領した金銭により盗取者または横領者が自己の債務を弁済した場合、債権者が盗取または横領の事実につき悪意または重過失であれば、債権者は被害者との関係で「法律上の原因」が否定され、被害者に債権者に対する不当利得返還請求権が認められている（最判昭49・9・26民集28巻6号1243頁☞債権各論Ⅱ 2-64以下）。

このように、判例は金銭を単なる物とは異なる扱いをしており、多くの学説もこれを支持している（末川229頁以下、舟橋224頁、鈴木448頁など）。金銭はこれに付与された支払手段としての通用力——強制通用力は硬貨では額面の20倍まで——に意味がある特殊な動産である。判例は、占有者に通用力の帰属を認め、これに所有権を結びつけており、金銭所有権はゲヴェーレ的な所有権となる。

19-18 **(2)　判例への疑問提起**

(a)　金銭については特定物の返還に拘泥する必要はない　しかし、本書はあえて判例に反対したい。金銭を物として特別扱いしなくても、所有権を証明できないこと、また、混和によって（☞20-36）、特定の金銭の返還請求は実際には否定され、所有権に基づく特定の金銭の返還請求が認められることはほとんど考えられない。ただし、他人の金銭による支払の効力は問題になる。この点、金銭については、支払手段としての高度の流通性が認められるべきなので、即時取得を適用しつつも、善意のみでよく無過失までは必要としないと考えるべきである（石田穣75頁）。

では、即時取得は成立しないが混和により所有権を失い、金銭所有権に基づく返還請求権が認められない場合に、単なる金銭債権（不当利得返還請求権、損害賠償請求権）が成立するにすぎないと考えるべきなのであろうか。しかし、金銭の返還請求権は、価値の返還を求める物権的性質を有した金銭債権であると考えるべきであり、次にこの点をみてみよう。

19-19　(b)　**単純な金銭債権化への疑問**　単純な金銭債権とは異なり、金銭の「価値の返還」請求権なので、物の返還請求に準じた保護が必要であり、また可能である。Aの金銭をBが占有し自己の金銭と混和して特定性は失いつつも、それが含まれた金銭として特定が可能な場合、その金銭全体につき、Aの価値の返還請求権が成立し、Bの債権者の単なる金銭債権に対して優先すると考えるべきである（それ以外の財産については優先しえない）。Aの絵画をBが横領すれば、Bにつき破産手続が開始しても、Aはその絵画の取戻し（破産62条）、また、その絵画がすでに売却され代金債権が残っていれば代金債権の代償的取戻しができ（破産64条）、Bの責任財産にはなっていないことを主張できる。金銭についても、自己の金銭が含まれていることの特定が可能な財産については、金銭の「価値の返還」請求権に、取戻権同様に責任財産から除外する権利を認めるべきである。このように、金銭について、「価値の上のヴィンディカチオ」――vindicatioとはラテン語で返還請求権――を認めてよい（四宮和夫「物権的価値返還請求権について」『四宮和夫民法論集』〔1990〕97頁以下、広中257頁以下、加藤262頁以下）。

§Ⅱ 相隣関係

1　相隣関係の規制の必要性――土地利用規制の一翼

19-20　例えば、AとBの宅地が隣接している場合に、それぞれ土地ぎりぎりまで自由に使用できるとなると、土地ぎりぎりまで建物を建てたり、工作物を設置できてしまい、それは土地利用において摩擦・紛争を生じさせることになる。このような紛争を未然に防いで平和な土地利用を実現するために、土地の境界付近での利用に法的規制が必要となり、民法は**相隣関係**についての規定を用意した。この相隣関係の規制は、①一方で、自分の土地についてはその使用が制限されるという意味で、土地所有権の制限であるが、②他方で、隣地が相隣関係の規制に反する行為を行った場合にその中止を求めることができ、また、自己の土地使用に必要な範囲で隣地を使用できるなど、隣地へ所有権[78)]の効力を拡大するものでもある。

ところで、都市の環境整備をめぐっては、民法の相隣関係、不法行為法（差止請求も含めて）による規制といった私法上の規制のほか、建築基準法、都市計画法などによる行政規制があり、さらにはより具体的に各地の条例による行政規制がされており、これらをばらばらに考えるのではなく、これらの協働の下に都市の土地利用の規制が考えられるべきである[79)]。

19-21 **◆日照・眺望・騒音等をめぐる近隣紛争――相隣妨害**

相隣接する土地の使用をめぐっては、騒音・振動・煤煙等による生活妨害、健康被害が問題とされているが、これは相隣関係と類似しているものの別の問題である。このようなケースについては、不法行為責任により損害賠償請求また差止請求が問題とされ、そこでは違法性が中心問題となりいわゆる受忍限度論が採用されている（☞債権各論Ⅱ 4-189）。そして、この受忍限度論は、生活場面における人格権（平穏な生活をする利益を含めて）の保護の問題であり、保護主体は土地所有者に限られない。また、隣接している土地使用の制限に限る問題ではなく、近隣での道路等の工事、飛行場による騒音など幅広く含むものである。そして、受忍限度の評価については、各地の条例で規定されている数値が原則的に基準となるが、住み始めた時期など種々の事情が個別的に考慮される。

78）**＊所有者以外への適用**　相隣関係の規定は、地上権者間また地上権者・土地所有者間にも適用される（267条）。永小作権者や土地賃借人は除外されているが、これを別異に扱う必然性はないので、拡大して適用してよい。

79）**＊相隣関係の規制の法的位置づけ**　相隣関係の規制については、隣接する土地についての利用の調整と狭く私法の観点だけからアプローチをするのではなく、また土地所有者間での利益の調整という側面だけでなく、都市法およびその中心的手法である都市計画・都市利用計画や都市政策の文脈の中でも理解される必要があり、相隣関係の規制は、建築法規・都市計画法規を含む公序ないし秩序の視角から再評価されるべきものと考えられている（秋山靖浩「相隣関係における調整の論理と都市計画との関係(1)〜(5)完」早法74巻5号〜76巻1号［1999〜2000］、同「囲繞地通行権と建築法規(1)〜(3)完」早法77巻4号、78巻2号、4号［2002〜2003］など参照）。

2　隣地使用権

19-22　**(a)　隣地につき制限的であるが使用権が認められる**　「土地の所有者は、次に掲げる目的のため必要な範囲内で、隣地を使用することができる」(209条1項本文)。「ただし、住家については、その居住者の承諾がなければ、立ち入ることはできない」(同項ただし書)。これを**隣地使用権**という。ただし書は、隣人のプライバシーや平穏生活利益等の人格的利益に配慮する必要があるために、その承諾を必要とした——承諾は必須であるが、所有者が不明また不在の場合には本文による——。その反対解釈として、隣地に家があり人が居住していなければ、自分の土地のように、下記の目的により隣地に立ち入ることができることになる。

> ①「境界又はその付近における障壁、建物その他の工作物の築造、収去又は修繕」(1号)
> ②「境界標の調査又は境界に関する測量」(2号)
> ③「第233条第3項の規定による枝の切取り」(3号)

19-23　**(b)　使用権の内容および償金支払義務**　隣地使用権の内容については、「使用の日時、場所及び方法は、隣地の所有者及び隣地を現に使用している者（以下この条において「隣地使用者」という。）のために損害が最も少ないものを選ばなければならない」(209条2項)。また、行使の手続については、原則として、「あらかじめ、その目的、日時、場所及び方法を隣地の所有者及び隣地使用者に通知しなければならない」が(同条3項本文)、「ただし、あらかじめ通知することが困難なときは、使用を開始した後、遅滞なく、通知することをもって足りる」(同項ただし書)。

隣地使用権の行使により「隣地の所有者又は隣地使用者が損害を受けたときは、その償金を請求することができる」(同条4項)。隣地使用権の行使に際する過失により、隣地の建物を損傷したなどの損害については、709条により損害賠償の請求ができることは当然であり、本規定は適法行為であるが、例えばその期間につき営業ができず損失を被った場合、その損失を填補することに意義がある。

19-24 **◆隣地使用承諾請求権から隣地使用権への変更**

209条は、2021年に改正がされており、旧規定は「隣地の使用を請求することができる」となっていて、土地の所有者が隣地所有者に対して、その目的や内容を説明して隣地の使用の承諾を求め、その承諾を得て使用ができるにすぎないことになっていた。そのため、隣地所有者が承諾をしなければ、当然には隣地の使用はできず、承諾を求める訴訟を提起し、裁判所に承諾に変わる判決を得る必要があった。

他方で、特別法では、道路法66条は「使用することができる」、電気通信事業法128条（土地等の使用権）、ガス事業法167条は「立ち入ることができる」、下水道法11条3項は「使用することができる」と規定されていて、使用そのものの法定の権利が認められている。2021年改正はこれらの立法に併せて、「使用することができる」と変更をした。そのプロセスは上記のように規律され、一方的に通知をしてその承諾を要せず隣地を使用できることになる。隣地所有者が、隣地使用権の行使を妨げる場合には、隣地使用権者は物権的請求権として妨害排除を請求でき、また、損害を被ればその賠償を請求できることになる。

3　囲繞地通行権（隣地通行権）

19-25 (1)　囲繞地通行権の意義――原則的な囲繞地通行権

(a)　囲繞地通行権の意義　①「他の土地に囲まれて公道に通じない土地の所有者は、公道に至るため、その土地を囲んでいる他の土地を通行することができる」（210条1項）。②「池沼、河川、水路若しくは海を通らなければ公道に至ることができないとき、又は崖（がけ）があって土地と公道とに著しい高低差があるときも、前項と同様とする」（同条2項）。

「他の土地に囲まれて公道に通じない土地」を**袋地**、「その土地を囲んでいる他の土地」を**囲繞地**といい、袋地の所有者には囲繞地を通行する権利が認められ、これを**囲繞地通行権**という。210条2項は、袋地ではないが、袋地に準ずる場合（**準袋地**）に同様の権利を認めたものである（以下、準袋地を含めて「袋地」という）。さらには公道に接する道があっても、それが十分なものではない場合には解釈により囲繞地通行権が拡大されている（☞ 19-30）。

19-26 **(b)　囲繞地通行権の法的性質**　囲繞地通行権の法的性質については、①袋地所有権に従たる法定の利用権と理解する学説もあるが（いわば法定の通行地役権）、②通説は、袋地所有権そのものの拡張であり独立した権利ではないと理解している（我妻・有泉283頁）。袋地の所有権の効力が囲繞地に及び、その所有権の内容ないし効力として通行権を主張でき、また、妨害がされれば、通行権の侵害であるが袋地所有権に基づく物権的妨害排除請求権が認められることになる。所有権の内容なので、囲繞地通行権は独立して消滅時効にかからない。袋地の所有者が囲繞地通行権を有するのは当然であるが（条文上「所有者」と規定されている）、用益物権を設定した場合には、使用収益権限の帰属する用益物権者に囲繞地通行権が帰属する。他方、土地の賃借権について、あくまでも囲繞地通行権は土地所有者（賃貸人）に帰属し、賃借人は賃貸借契約により、土地所有者の囲繞地通行権を援用することが認められるにすぎない。

19-27

◆継続的給付を受けるための設備の設置権等

袋地所有者が囲繞地の使用を必要とするのは、通行に限られない。ガス、水道、電気等の供給を受けるために、囲繞地の地下・地上に水道管、ガス管、電線を設置する必要がある。また、下水のため下水管を囲繞地に設置する必要がある。下水道管については、下水道法11条にこの点の明文規定があるが、ガス等の供給設備については規定がなかった。しかし、判例は、明文規定なしに隣地の給排水設備の利用を肯定していた（最判平14・10・15民集56巻8号1791頁）。2021年改正により、囲繞地に設備の設置また囲繞地の設備を利用（接続させて利用）する権利を明文化した。

すなわち、213条の2を新設して、土地の所有者に、「他の土地に設備を設置し、又は他人が所有する設備を使用しなければ電気、ガス又は水道水の供給その他これらに類する継続的給付（以下この項及び次条第1項において「継続的給付」という。）を受けることができない」無主の土地となることを要件として、「継続的給付を受けるため必要な範囲内で、他の土地に設備を設置し、又は他人が所有する設備を使用する」権利を認めた（同条1項）。囲繞地であることは必須の要件にはなっていない。設備設置・使用権利者は、「あらかじめ、その目的、場所及び方法を他の土地等の所有者及び他の土地を現に使用している者に通知しなければならない」ものとされ（同条3項）、承諾を得ることは不要である。もちろん、相手方は、次の要件充足を争うことはできる。

隣地の設備設置・利用権の内容についても、隣地通行権同様の規制がある。すなわち、「設備の設置又は使用の場所及び方法は、他の土地又は他人が所有する設備（次項において「他の土地等」という。）のために損害が最も少ないものを選ばなければならない」ことになっている（同条2項）。複数の袋地があり、その1つにすでに設備が設置されそれに接続すれば済む場合には、その設備に接続させるべきである。すでに設置してある設備を使用する場合には、209条1項ただし書および2項から4項までの規定が準用される（213条の2第4項）。

他人の土地に新たに設備を設置する場合には、その土地の損害（209条4項に規定する損害を除く）に対して償金を支払わなければならず、この場合、1年ごとにその償金を支払うことができる（213条の2第5項）。また、他人の設備を利用する場合には、「その設備の使用を開始するために生じた損害に対して償金」の支払義務を負い（同条6項）、また、「その利益を受ける割合に応じて、その設置、改築、修繕及び維持に要する費用」の負担義務を負う（同条7項）。

19-28

◆位置指定道路の通行についての生活利益の保護

接道義務を満たすために私有地の一部を道路として提供するセットバックとは異なり、**位置指定道路**は、接道義務を満たすために道路として提供された点は同じであるが、道路全部が私有地であり、私道の一種である（建築基準42条1項5号）。例えば、大きな土地を分譲して販売する場合には、奥の土地での建築ができるように位置指定道路を設置することになる。この場合、登記簿上の地目は「公衆用道路」になる。通行する人々に私法上の通行権を認めるものではなく、道路として供される反射的利益として、通行の自由が認められるにすぎない。ところが、位置指定道路の通行が妨害されている場合、私法上の救済が認められている。判例は、位置指定道路として「現実に開設されている道路を通行することについて日常生活上不可欠の利益を有する者は、右道路の通行をその敷地の所有者によって妨害され、又は妨害されるおそれがあるときは、敷地所有者が右通行を受忍することによって通行者の通行利益を上回る著しい損害を被るなどの特段の事情のない限り、敷地所有者に対して右妨害行為の排除及び将来の妨害行為の禁止を求める権利（人格権的権利）を有する」と認めた（最判平9・12・18民集51巻10号4241頁）。「公衆が通行することができるのは、本来は道路位置指定に伴う反射的利益にすぎ」ないが、「外部との交通についての代替手段を欠くなどの理由により日常生活上不可欠なものとなった通行に関する利益は私法上も保護に値するというべきであり、他方、道路位置指定に伴い建築基準法上の建築制限などの規制を受けるに至った道路敷地所有者は、……右の通行利益を上回る著しい損害を被るなどの特段の事情のない限り、右の者の通行を禁止ないし制限することについて保護に値する正当な利益を有するとはいえず、私法上の通行受忍義務を負うこととなってもやむを得ない」という。「人格権的権利」として構成する。

19-29

◆囲繞地の譲渡と囲繞地通行権の対抗

19-26にみたように、囲繞地通行権は人に属する人役権ではなく隣接する土地の間における土地（袋地）の所有権の内容の拡張にすぎない。そのため、袋地が譲渡された場合、所有権移転登記がされていなくても、譲受人は囲繞地通行権を行使できる。また、囲繞地通行権の内容が譲渡人と囲繞地所有者との間で合意されている場合（通行場所、償金の金額）、囲繞地通行権の内容についての合意であり（登記することはできない）、承継人に承継される。

他方、囲繞地が譲渡された場合、囲繞地通行権は法定の権利であり、ある一定の土地の間の関係があれば発生するものであり、また、囲繞地通行権を登記する方法もないので、囲繞地通行権、またそれについての合意を譲受人に登記なしに対抗することができる。判例も、「袋地の所有者が囲繞地の所有者らに対して囲繞地通行権を主張する場合は、不動産取引の安全保護をはかるための公示制度とは関係がないと解するのが相当であり、したがって、実体上袋地の所有権を取得した者は、対抗要件を具備することなく、囲繞地所有者らに対し囲繞地通行権を主張しうる」と判示している（最判昭47・4・14民集26巻3号483頁）。

19-30　**◆囲繞地通行権の拡大**

①囲繞地通行権の要件を満たしていない場合でも、囲繞地通行権が認められた事例がある。準袋地に類する概念として**相対的袋地**とも呼ばれる土地があり（公道に全く接していない袋地を**絶対的袋地**という）、準袋地とは異なり公道に通じる道があるにはあるが、それが使用に適さない土地である。相対的袋地にも囲繞地通行権が認められている（類推適用であるといえる）。判例としては、石材の産出地から石材を搬出するには不適切な急傾斜地（公道に接している）しかない場合に、公道に出るための隣接地に囲繞地通行権が認められ（大判昭13・6・7民集17巻1331頁）、畦道があるが迂回が甚だしく不便である場合にも囲繞地通行権が認められている（大判大3・8・10新聞967号31頁）。

②他方で、公道に接しているが、接道義務を満たしておらず（例えば、1mのみ公道に接している）、建物建築のため接道義務を満たすために周りの土地（必要な残り1m）の利用については否定されている。最判平11・7・13判時1687号75頁は、公道に1・45mのみ接している土地の所有者Xが、その所有地は、接道要件を満たしておらず宅地として使用することができないため、隣接するY所有地のうち幅員0・55mの部分につき囲繞地通行権を有すると主張し、その旨の確認およびブロック塀の収去等を求めた事例で、囲繞地通行権を否定する。囲繞地通行権とは異なり建築基準法の接道義務は「主として避難又は通行の安全を期して、接道要件を定め、建築物の敷地につき公法上の規制」であり、「各規定は、その趣旨、目的等を異にしており、単に特定の土地が接道要件を満たさないとの一事をもって、同土地の所有者のために隣接する他の土地につき接道要件を満たすべき内容の囲繞地通行権が当然に認められると解することはできない」とされた（最判昭37・3・15民集16巻3号556頁も否定）。

19-31　**(2)　囲繞地通行権の内容**

(a)　通行権の内容　囲繞地通行権の内容については、「前条の場合には、通行の場所及び方法は、同条の規定による通行権を有する者のために必要であり、かつ、他の土地のために損害が最も少ないものを選ばなければならない」ことになっている（211条1項）。囲繞地通行権者は、「必要があるときは、通路を開設することができる」（同条2項）。

19-32　(b)　**償金支払義務**　ところで、囲繞地通行権により、囲繞地所有者は不利益を受けるので、償金により囲繞地所有者の不利益が補償される。すなわち、「第210条の規定による通行権を有する者は、その通行する他の土地の損害に対して償金を支払わなければならない。ただし、通路の開設のために生じた損害に対するものを除き、1年ごとにその償金を支払うことができる」（212条）。償金の支払が怠られても、囲繞地の所有者は、通行を拒むことはできず、また、通行権の消滅を請求することはできない（石田穣313頁は、253条2項に準じて袋地の買取権を認める）。袋地が譲渡された場合、明文規定がない限り、既発生の償金支払義務は譲受人に承継されることはない。

19-33　**◆接道義務の考慮など**

囲繞地通行権の内容として問題となるのは、接道義務との関係、また、通路の開設ができるとしても自動車の通行が可能な道路を開設できるのかである。まず**接道義務**については、建築基準法43条では、建物の敷地は原則として4m以上の道路に2m以上接していなければならず、そうすると、袋地では4mの道路に通じる通路が2m以上の幅員でなければ、建物の建築ができないことになる。では、袋地の所有者は囲繞地通行権の内容として2m以上の幅員の道路を開設することができるであろうか。また、公路に通じているが2m以上接しておらず建物が建築できない場合に、袋地に準じて囲繞地通行権が認められるであろうか（この点につき☞19-30）。**最判昭49・4・9集民111号531頁**は、「原審が適法に確定した事実関係のもとにおいては、本件通行権の対象となる通路の幅員が最小限2メートル必要である旨の原審の判断は、正当として是認することができる。そして、原審が建築基準法所定の規定基準を右判断の一資料として考慮したからといって、民法210条の解釈適用を誤ったものと解することはできない」と判示して、接道義務を考慮することを認めている。

次に、道路の開設につき自動車の通行に必要な幅員を求めることができるかについては、判例は当然には否定しない。「現代社会においては、自動車による通行を必要とすべき状況が多く見受けられる反面、自動車による通行を認めると、一般に、他の土地から通路としてより多くの土地を割く必要がある上、自動車事故が発生する危険性が生ずることなども否定することができない。したがって、自動車による通行を前提とする210条通行権の成否及びその具体的内容は、他の土地について自動車による通行を認める必要性、周辺の土地の状況、自動車による通行を前提とする210条通行権が認められることにより他の土地の所有者が被る不利益等の諸事情を総合考慮して判断すべきである」とする（最判平18・3・16民集60巻3号735頁［否定した原判決を破棄］）。この差戻審である東京高判平19・9・13判タ1258号228頁は、墓地造成のため寺には自動車による通行権を認めたが、果樹園として利用しようとしている者については、自動車による通行の具体的必要性を認めるに足りる証拠がないとして、これを否定している。

19-34 **(3)　共有物分割または土地の一部譲渡の事例における囲繞地通行権**

①「分割によって公道に通じない土地が生じたときは、その土地の所有者は、公道に至るため、他の分割者の所有地のみを通行することができる。この場合においては、償金を支払うことを要しない」（213条1項）。②「前項の規定は、土地の所有者がその土地の一部を譲り渡した場合について準用する」（同条2項）。1項の「分割」は俗にいう土地の分割ではなく（これは分筆といい、2項の対象である）、共有物の分割のことである（最判昭37・10・30民集16巻10号2182頁）。

上記の袋地については、211条1項の基準によれば、分割や分筆の対象となった囲繞地よりも他の囲繞地の通行が適切であるとしても、分割や分筆の対象となった囲繞地にしか通行権が認められないのである。分割や分筆という自己の関わり知らない事情により、他の囲繞地所有者が不利益を受けるべきではなく、「他に累を及ぼすべきではない」からである。無償とされることについては合理的な根拠はなく、立法論としては再考の余地がある。

19-35 **◆213条の囲繞地通行権と囲繞地の譲渡**

(1)　譲受人への213条の適用

例えば、Aが公道に面している1筆の土地の公道に接していない一部（甲地という）をBに売却し、分筆登記をした上で所有権移転登記をしたとする。Bは213条により、他の囲繞地を通行することはできず、A所有地（乙地という）しか通行することはできない。では、その後、乙地をAがCに売却したならばどうなるであろうか。囲繞地を取得したCに不測の損害を与えることを避けるべきことから、Cの譲受けにより210条の原則に戻るという処理も可能である（東京高判昭56・8・27高民集34巻3号271頁。広中俊雄『民事法の諸問題』［1994］424頁）。しかし、CはAに対する売主の責任の追及により清算が可能であり、やはり「他に累を及ぼさない」という原則通りと考えるべきである。

19-36 **(2)　無償性も承継されるか**

そこで次に問題となるのは、乙地にしか通行権が認められないとしても、Cに対しても無償の通行権の負担が認められるのかという点である。判例は、上記の例でいうと甲地次いで乙地を時間を置いて売却した場合につき、「民法209条以下の相隣関係に関する規定は、土地の利用の調整を目的とするものであって、対人的な関係を定めたものではなく、同法213条の規定する囲繞地通行権も、袋地に付着した物権的権利で、残余地自体に課せられた物権的負担と解すべきものである」として、AからCへの譲渡があっても変更を認めない（最判平2・11・20民集44巻8号1037頁）。その後、甲地・乙地を同時に売却した事例についても同様に解している（最判昭37・10・30民集16巻10号2182頁）。特に無償の点は排除されるという留保はされていない。

しかし、学説では、無償という点の承継を否定する考えもある（玉田弘毅「判批」明大法制研究所紀要8号158頁）。さらには、承継が繰り返されて袋地の沿革がわからなくなったり、残余地が建造物により道路の確保が困難になり、他の囲繞地においては確保が容易であるなどの場合には、事情変更の原則により、残余地の通行の拒否を認め、また、無償性についても、事情変更の原則を弾力的に運用することにより、無償性の権利を失効させるべきであるともいわれている（沢井裕「判批」重判平成2年度67頁）。

4　水に関する相隣関係

19-37 (1)　承水義務など

①「土地の所有者は、隣地から水が自然に流れて来るのを妨げてはならない」（214条）。雨水や湧水が高い土地から低い土地に流れるのを、低地の所有者は忍容しなければならない。

②「水流が天災その他避けることのできない事変により低地において閉塞（そく）したときは、高地の所有者は、自己の費用で、水流の障害を除去するため必要な工事をすることができる」（215条）。ただし、費用負担について別段の慣習があればそれに従う（217条）。

③「他の土地に貯水、排水又は引水のために設けられた工作物の破壊又は閉塞により、自己の土地に損害が及び、又は及ぶおそれがある場合には、その土地の所有者は、当該他の土地の所有者に、工作物の修繕若しくは障害の除去をさせ、又は必要があるときは予防工事をさせることができる」（216条）。やはり費用負担については慣習が優先する（217条）。

④また、「高地の所有者は、その高地が浸水した場合にこれを乾かすため、又は自家用若しくは農工業用の余水を排出するため、公の水流又は下水道に至るまで、低地に水を通過させることができる。この場合においては、

低地のために損害が最も少ない場所及び方法を選ばなければならない」(220条)。この場合、「土地の所有者は、その所有地の水を通過させるため、高地又は低地の所有者が設けた工作物を使用することができる」が(221条1項)、「他人の工作物を使用する者は、その利益を受ける割合に応じて、工作物の設置及び保存の費用を分担しなければならない」(同条2項)。

19-38 **(2)　建物等からの雨水**

「土地の所有者は、直接に雨水を隣地に注ぐ構造の屋根その他の工作物を設けてはならない」(218条)。建物は境界から50cm以上離して建築しなければならず、壁を50cm離しても屋根等が境界を越えることは許されないのみならず、屋根には樋を設置し、隣地に屋根の雨水が注がないようにしなければならない。

19-39 **(3)　川の流水**

①「溝、堀その他の水流地の所有者は、対岸の土地が他人の所有に属するときは、その水路又は幅員を変更してはならない」(219条1項)。これに対して、「両岸の土地が水流地の所有者に属するときは、その所有者は、水路及び幅員を変更することができる。ただし、水流が隣地と交わる地点において、自然の水路に戻さなければならない」(同条2項)。以上と異なる慣習があればそれに従う(同条3項)。

②「水流地の所有者は、堰(せき)を設ける必要がある場合には、対岸の土地が他人の所有に属するときであっても、その堰を対岸に付着させて設けることができる。ただし、これによって生じた損害に対して償金を支払わなければならない」(222条1項)。そして、「対岸の土地の所有者は、水流地の一部がその所有に属するときは、前項の堰を使用することができる」(同条2項)。その場合には、利益を受ける割合で堰の設置および保存のために費用を分担しなければならない(同条3項)。

5　境界に関する相隣関係

19-40 **(1)　境界標設置権**

「土地の所有者は、隣地の所有者と共同の費用で、境界標を設けることができる」(223条)。そして、「境界標の設置及び保存の費用は、相隣者が等しい割合で負担する。ただし、測量の費用は、その土地の広狭に応じて分担する」(224条)。境界標は、土地と土地との境界を示す標識であり、国が設置する公的施設ではなく私人が設置するものである。境界標は境界の確定のために重要な意義を持つものであり、刑法262条の2は、「境界標を損壊し、移動し、若しくは除去し、又はその他の方法により、土地の境界を認識することができないように」する行為を犯罪として禁止している。

19-41 **(2)　囲障設置権**

(a)　境界線上の共同での囲障設置　「2棟の建物がその所有者を異にし、かつ、その間に空地があるときは、各所有者は、他の所有者と共同の費用で、その境界に囲障を設けることができる」(225条1項)。囲障とは土地の境界に設置された塀・柵などの構築物である。いかなる囲障を設けるか「当事者間に協議が調わないときは、前項の囲障は、板塀又は竹垣その他これらに類する材料のものであって、かつ、高さ2メートルのものでなければならない」(同条2項)。ただし、実費をもってすれば、これ以上の材料により囲障を一方の所有者は設置できるが、「これによって生ずる費用の増加額を負担しなければならない」(227条)。以上につきこれと異なる慣習があればそれに従う(228条)。

19-42 **(b)　敷地内囲障の設置**　「各所有者は……設けることができる」と、隣接地の所有者が一方的に境界線上に囲障を設置できるかのような規定であるが、隣家所有者に囲障の設置への協力を求めることができるにすぎないと考えられている(新注民(5)435頁［秋山靖浩］)。そのため、隣家所有者の協力を得られなければ、境界線上の共同の費用による囲障は設置できないことになる。実際には、いずれかの土地所有者が自己の敷地内に境界に接してその費用で囲障を設置しており、この方法を採ることができるので不都合はない。

敷地内囲障の設置につき規制する規定がないが、すでにある囲障の高さに揃えるべきものとされたり(東京地判平23・7・15判時2131号72頁)、または、225条2項の趣旨より2mまでとされ、それを超える部分の除去請求が認容されている(神戸簡決昭52・1・14判時860号147頁、東京高判平13・12・26判時1785号48頁)。225条は建物の敷地が隣接している場合の規定であり、例えば山林が隣接している場合には適用はなく、必要とする所有者が自己の費用で敷地内囲障を設置することになる。

19-43 **(3)　境界線上の境界標・囲障等の所有関係——互有**

(a)　**共有（互有）となる場合**　「境界線上に設けた境界標、囲障、障壁、溝及び堀は、相隣者の共有に属するものと推定」される（229条）。この共有は分割請求が認められない（257条）、永続すべき特殊な共有関係である。解消を宿命とする暫定的な個人主義的共有ではなく、存続を運命づけられた特殊な共有であり、講学上はこれを**互有**と呼んでいる。規定はないが、その持分は共有地と不可分の関係にあり、その共有持分だけ譲渡することは許されない。区分所有権と共有部分の持分権（区分所有11条以下）と同様の関係である。もちろん、隣接地所有者の一方が、自己の敷地内に境界に接して境界標や囲障等を設置した場合には、その単独所有になる。

19-44 (b)　**単独所有となる部分の承認**　例外として、①「1棟の建物の一部を構成する境界線上の障壁については、前条の規定は、適用しない」ことになっており、その建物の所有者の所有と扱われる（230条1項）。都市では建物が境界に接して建築することが認められることがあるが、建物の一部である境界に接した壁はその建物の一部であり建物所有者の所有であることを確認する規定である。②「高さの異なる2棟の隣接する建物を隔てる障壁の高さが、低い建物の高さを超えるときは、その障壁のうち低い建物を超える部分についても」、高い建物の所有となるが、「防火障壁については、この限りでな」く、共有と推定されることになっている（同条2項）。③また、「相隣者の1人は、共有の障壁の高さを増すことができる。ただし、その障壁がその工事に耐えないときは、自己の費用で、必要な工作を加え、又はその障壁を改築しなければならない」（231条1項）。そして、これにより「障壁の高さを増したときは、その高さを増した部分は、その工事をした者の単独の所有に属する」（同条2項）。また、共有の障壁の高さを増したことにより「隣人が損害を受けたときは、その償金を請求することができる」（232条）。

6　枝の切除・根の切取り

19-45 **(1)　枝について**

(a)　**切除請求権・切除権**　「土地の所有者は、隣地の竹木の枝が境界線を越えるときは、その竹木の所有者に、その枝を切除させることができる」（233条1項）。所有権に基づく物権的妨害排除請求権の確認規定にすぎない。

2021 年改正で、自力救済についての特則規定が設けられ、以下の場合には、「土地の所有者は、その枝を切り取ることができる」として、次の 3 つの場合が掲げられている（同条 3 項）。

> ① 竹木の所有者に枝を切除するよう催告したにもかかわらず、竹木の所有者が相当の期間内に切除しないとき（1 号）
> ② 竹木の所有者を知ることができず、またはその所在を知ることができないとき（2 号）
> ③ 急迫の事情があるとき（3 号）

19-46　(b)　**隣地が共有の場合および落下果実**　枝が境界線を越えた竹木の所有地が共有である場合には、「各共有者は、その枝を切り取ることができる」（233 条 2 項）。保存行為ではないが、共有者が不明であったり協力しない場合も考えて特別規定を置いたものである。なお、この場合に、前項の枝の切除の催告は、共有者の 1 人に催告すれば足りるものと考えられる。

ところで、越境した果樹の実が隣地に落下した場合、フランス民法やドイツ民法には、自然に落下した果実は落下した隣地の所有者に帰属することが規定されている。日本では同様の規定がないため、落下した果実の所有権は、樹木の所有者に属すると考えられている（新版注民(7) 365 頁［野村好弘・小賀野晶一］）。

19-47　**(2)　根の切取り**

「隣地の竹木の根が境界線を越えるときは、その根を切り取ることができる」（233 条 4 項）。根については、催告等の要件はなく、自ら根を切ることができる。例えば、土地を造成工事で掘り下げる場合、境界線で掘り下げるため隣から伸びている根を切ることができる。切った根は、空中の枝とは異なり、隣地の土地の一部になっており隣地の所有者の所有に属するとさえいえる。したがって、竹の子が出てくればこれを採取して食べてよい。

7　境界線付近での工作物建造等の規制

19-48　**(1)　建物の建築**

(a)　**距離保持義務**　「建物を築造するには、境界線から 50cm 以上の距離を保たなければならない」(234条1項)。これに違反して建物を建築しようとする場合には、「隣地の所有者は、その建築を中止させ、又は変更させることができる。ただし、建築に着手した時から1年を経過し、又はその建物が完成した後は、損害賠償の請求のみをすることができる」にすぎない(同条2項)。基本的に住居地域ないし居宅を念頭に置いて導入された規定であり、都市においては建築基準法により境界を接して建物を建築することが認められている(接境建築)。距離保持は公益的見地も含むため、当事者の特約でこれを短縮することは許されない(佐久間172頁)。

フランス民法には距離保持義務の規定はなく、都市部においては公道に面した隣接建物が接合して建築されている。しかし、接境建築が許されるのは公道に接した部分だけであり、中庭の設置が義務づけられている。日本では、建築基準法63条により都市における接境建築が認められているが(☞19-49)、中庭の設置義務が欠けている点が問題視されている(吉田克己「民法234条と接境建築」國井和郎先生還暦記念『民法学の軌跡と展望』[2002] 283頁は否定)。

19-49

◆建築基準法63条による修正

建築基準法63条は、「防火地域又は準防火地域内にある建築物で、外壁が耐火構造のものについては、その外壁を隣地境界線に接して設けることができる」と規定している。民法の規定と矛盾する建築基準法の規定の位置づけについての理解は分かれる。

①まず、この規定の要件を満たす限り、民法の234条は排除されることになるという理解(**特則説**)が可能である(我妻・有泉296頁、広中393頁以下、石田穣329頁、新注民(7) 368頁[野村＝小賀野])。建築基準法63条の要件を満たしている以上、民法234条1項の建築禁止を求めえないことになる。判例はこの立場である。「建築基準法65条[現63条]は、……同条所定の建築物に限り、その建築については民法234条1項の規定の適用が排除される旨を定めたものと解するのが相当である」。「建築基準法65条[現63条]は、耐火構造の外壁を設けることが防火上望ましいという見地や、防火地域又は準防火地域における土地の合理的ないし効率的な利用を図るという見地に基づき、相隣関係を規律する趣旨で、右各地域内にある建物で外壁が耐火構造のものについては、その外壁を隣地境界線に接して設けることができることを規定したものと解すべきであ」るという(最判平元・9・19民集43巻8号955頁)。

②これに対して、建築基準法は単に公法的規制(建築確認をとるなど)のための基準にすぎず、私人間の関係については、依然として民法の規定により規律さ

れるという理解（**非特則説**）も可能である（星野 119 頁、稲本 280 頁、東孝行『相隣法の諸問題』〔1997〕116 頁以下）。234 条は日照、通風、衛生等の生活環境利益の確保を規制目的としているのに対して、建築基準法 63 条は主として耐火建築の促進を規制目的としており、目的は同じではなく、建築基準法 63 条の要件を満たしかつ民法 234 条の目的である生活環境利益が確保されている限り、236 条の慣習を根拠として接境建築が認められると考えている（松尾 177 頁）。234 条も考慮され接境建築が許されるかどうか考えるべきであり、非特則説が適切である。

19-50　**◆権利行使期間の制限について**

234 条 2 項ただし書は建物建築の「中止」または「変更」請求権については、①建築着手から 1 年内または 1 年内でも建物が完成するまでしか認められないという期間制限（後者は不確定の期間）をしているが、これは除斥期間と考えられている。単に「完成」とのみ規定されており、何の抗議も受けずに完成した事例に限定していない。では、この期間内に抗議されたのに、工事を中止せず、1 年が経過したまたは建物が完成した以上は損害賠償請求しかなしえなくなるのであろうか。これを肯定するのは「やり得」を認めることになり適切ではない。また、除斥期間であればその期間内に権利行使がされさえすればその適用が排除されるはずである。判例も、「隣地所有者から工事中止の要請を受け、さらに裁判所の建築工事続行禁止の仮処分決定を受けたにもかかわらず、あえて建築を続行してこれを竣成させた者は後日その廃止又は変更の請求を受ける危険を負担してこれをしたものにほかならず、隣地所有者のする違反建築部分の収去請求は、右建築者において高額の収去費用等の負担を強いられることがあるとしても、権利の濫用にならない」と判示している（最判平 3・9・3 集民 163 号 189 頁）。

19-51　(b)　**越境建築**　民法には越境して建物が建築された場合についての特別規定はなく、234 条 2 項の越境建築への類推適用を認めるかは議論がある。

①当初は越境建築には 234 条 2 項が適用にならないことは当然視されていた。②ところが、大正 4 年（1915 年）の岩田新「相隣権ヲ論ス」志林 20 巻 9 号 120 頁は、234 条 2 項は自己の境界線内に建築をした場合に限定していないことを理由に、同項を越境建築にも適用（類推適用ともいわない）することを認める。その後、多くの学説が肯定説に賛成するが、ドイツ民法同様の制限をする学説が多い。ドイツ民法 912 条 1 項は、越境建築をした所有者に故意または重大な過失がなく、完成前に隣接地所有者に異議を述べられなかった場合に限り、収去を免れしめ補償金（地代）の支払を義務づけている。

東京地判昭39・6・27判時389号74頁は、越境部分はわずか2坪3合5勺にすぎないが、越境部分の除去を命じている。岡山地判昭43・5・29判時555号64頁は、234条2項ただし書は「越境建物が容易に動かすことのできないものであって巨額の撤去費を要するような場合に始めて類推適用の余地が生じる」と類推適用の余地を認めつつも、実際の事例はそれに該当しないとして、越境部分（境界からの距離保持請求は234条2項の除斥期間により否定）の建物収去土地明渡しを命じた。距離保持義務は自己の土地の使用制限であるのに対して、越境建築は隣地の所有権侵害にすぎず、両者は性質が全く異なり、類推否定説が妥当である。

19-52 **◆建築協定・緑地協定・景観協定**

民法が規定しているのは建物建築に関して境界からの距離だけであるが、地域住民のいわゆる**建築協定**により、「敷地」につき分割禁止、最低敷地面積の制限など、「位置」につき、建築物の壁面から敷地境界や道路境界までの距離の制限など、「構造」につき、耐火構造など、「用途」につき、専用住宅に限るなど、「形態」につき、高さの制限、建ぺい率や容積率の制限など、「意匠」につき、色彩の制限、屋根形状の制限など、「建築設備」につき、アマチュア無線アンテナ設置の禁止などを合意することができる（建築基準69条）。建築協定の認可を受けた場合には、認可の「公告のあった日以後において当該建築協定区域内の土地の所有者等となった者……に対しても、その効力があるものとする」（同法75条）。住民の全員一致が必要であり、協定の改正も同様である。「市町村の長は、その建築協定書を当該市町村の事務所に備えて、一般の縦覧に供さなければならない」とされており（同法73条3項）、行政のホームページで認可を受けた建築協定の地域が公示されている。期間についての制限はないが、20年や30年とする例が多く、自動継続10年ということを付記する例もある。現在では、分譲業者が建築協定付きで分譲することが可能となっている（一人協定）。法定の要件を満たさない建築協定については、「せいぜい本件決議に賛成した組合員ら同士の間において、債権契約としての効力を有するにとどまる」（福岡地判平8・5・28判タ949号145頁）。特定承継人には対抗できない。

類似の私人間の協定で行政の認可により譲受人に対抗できるものとして、**緑地協定**（都市緑地45条以下・50条）および**景観協定**（景観81条以下・86条）がある。

19-53 (2)　井戸等の掘削

①「井戸、用水だめ、下水だめ又は肥料だめを掘るには境界線から2メートル以上、池、穴蔵又はし尿だめを掘るには境界線から1メートル以上の距離を保たなければならない」（237条1項）。②「導水管を埋め、又は溝若

しくは堀を掘るには、境界線からその深さの 2 分の 1 以上の距離を保たなければならない。ただし、1 メートルを超えることを要しない」(同条 2 項)。なお、当然の規定であるが、これらの工事をするときには、土砂の崩壊、水または汚水の浸漏を防ぐための必要な注意を尽くさなければならない (238 条)。

19-54 **(3)　眺望についての制限**

「境界線から 1 メートル未満の距離において他人の宅地を見通すことのできる窓又は縁側 (ベランダを含む。次項において同じ。) を設ける者は、目隠しを付けなければならない」(235 条 1 項)。この距離は「窓又は縁側の最も隣地に近い点から垂直線によって境界線に至るまでを測定して算出する」(同条 2 項)。

この規定は、近隣において生活する者の間でプライバシーの侵害のおそれなしに平穏な生活を送ることができるようにしたものである。東京地判平 19・6・18 判タ 1256 号 113 頁は、「その構造上隣地建物内を観望することができるような『窓又はベランダ』であれば、本来的に観望を目的としたものでなくても、また、実際に、ほとんど利用されていないとしても、目隠しを設置して隣地建物居住者のプライバシーを保護する必要がある」として、隣接するマンションにおいて、日常的な利用を予定したものではなく、また、実際もエアコンの室外機置場として利用しているにすぎないサービスバルコニーについても 235 条の適用を肯定している。

第 2 節　所有権の取得

20-1 所有権の取得一般については物権変動の所で述べたので (☞ 3-1 以下)、ここでは民法の物権編第 3 章「所有権」第 2 節「所有権の取得」についての規定につき解説をしていくことにする。第 2 節「所有権の取得」には、無主物先占 (239 条)、遺失物拾得 (240 条) および埋蔵物発見 (241 条)、さらにいわゆる講学上「添付」と呼ばれる諸制度、すなわち、付合 (242 条〜 244 条) ——不動産の付合と動産の付合に分かれる——、混和 (245 条)、加工 (246 条)、また、添付の効果 (247 条・248 条) についての規定が置かれている。

§Ⅰ
無主物先占

20-2 **(1) 無主物の帰属と先占による取得**

「所有者のない動産は、所有の意思をもって占有することによって、その所有権を取得する」(239条1項)。これを**無主物先占**という。誰の所有にも属さない物を**無主物**という。「所有者のない不動産は、国庫に帰属する」(同条2項) ため、不動産は無主物先占の対象とはならない。例えば、日本の領海に海底火山が隆起し火山島が新たに誕生しても、当然に国の所有となり——国土となり、統治権が認められるにとどまらず、私法上の所有権も認められる——、無主物先占の対象とはならない。したがって、無主物先占が認められるのは、無主の動産だけである。例えば、山でカブト虫を捕まえたり、海で魚を釣り上げるのがこれに該当する。カブト虫を捕まえた瞬間に、所有権が成立し捕まえた者に帰属することになる。制限行為能力者も無主物先占が可能であり、幼稚園児がカブト虫を捕まえればその所有権を取得できる。

無主物先占の要件は、①無主の動産であること、および、②所有の意思を持って占有を開始すること、である。効果は「その所有権を取得する」ことであり、共同で捕まえた場合には、共有になるが、持分割合は当事者の合意で決められ、合意がなければ捕まえるための労力・出捐により判断し、不明な場合には平等と推定される (250条)。以下、要件について敷衍しよう。

20-3 **(2) 無主物先占の要件**

(a) **無主の動産であること**　誰の所有にも属さない「動産」だけが、無主物先占の対象である。液体も物であり、水源地で水をボトルに詰めるのも無主物先占である。捕獲が禁止される特別天然記念物は、無主物先占の対象にならず、禁制物である大麻の採取も同様である。野生動物の捕獲、飼育は鳥獣保護法9条により規制され、また、特定外来生物は外来生物法4条により飼育が禁止されている。違反して捕獲した場合にも所有権の取得は認められようが、没収の対象になる。

20-4 **◆無主物かどうかが問題となる場合**

「無主」の動産でなければ、占有を始めた者が主観的に無主物だと思っていても所有権を取得することはない。刑事事件であるが、ゴルフ場の池のいわゆるロストボールにつき、「ゴルフ場側においては、早晩その回収、再利用を予定していた」のであり、本件ゴルフボールは、「ゴルフ場側の所有に帰していたのであって無主物ではなく、かつ、ゴルフ場の管理者においてこれを占有していた」として、窃盗罪の成立が認められている（最決昭62・4・10刑集41巻3号221頁）。無主物だと思って家畜外動物を捕まえた場合については、20-5に説明する。捨てた物は無主物になり、無主物先占の対象となるといわれるが、事例による。プライバシーなどの関係で、必ず処分してもらいたいと考えて粗大ゴミとして家の前に市や都に回収してもらおうとして置いている物は、無主物先占は許されるべきではない。

20-5

◆家畜外動物を無主物と誤認した場合

「家畜以外の動物で他人が飼育していたものを占有する者は、その占有の開始の時に善意であり、かつ、その動物が飼主の占有を離れた時から1箇月以内に飼主から回復の請求を受けなかったときは、その動物について行使する権利を取得する」（195条）。

他人の所有物を無主物と信じて占有を開始しても、無主物先占も即時取得も適用されない。この点、「家畜以外の動物」、すなわち、通常ならば飼育されず無主物である野生の動物、例えば狸、スズメなどをある者が捕えて所有権を取得したが、逃げられた場合、これを無主物だと思って捕まえた場合には、特別規定が設けられている。ただし、「占有する者」なので、捕まえた者に限らず、捕まえた者が悪意でありこの者から善意で譲渡を受けた者も含まれる（有償かつ無過失であれば即時取得も可能）。

家畜外動物か否かは、このような観点から相対的（場所との関係において）に捉えるべきであり、例えば、山奥ではカブト虫や狸は家畜外動物であるが、東京の都心では家畜外動物とはならない。猫や犬については、猫や犬一般につき家畜外動物ではないと考えるべきであり、野良猫が町にあふれていても変わらない。所有者から逃げ出した九官鳥を捕まえた者がこれを飼っていたところ、所有者がこれを発見して暴力的な方法で取り返したため、捕獲者が195条を根拠に所有権に基づいて返還を請求した事例で、九官鳥は家畜外動物ではないとして195条の適用を否定し返還請求が棄却されている（大判昭7・2・16民集11巻138頁。占有訴権によっていれば202条により捕獲者の返還請求は認められていた）。1ヶ月の起算点は占有取得時ではなく、所有者の占有を離れた時——逃げ出す、盗まれる——であることに注意すべきである。

ドイツ民法には、野生動物を一度捕獲しても、捕獲後に（その後自宅に持って行って飼育中でもよい）逃げられ、捕獲者がすぐに追跡をしなかったまたは追跡を諦めた場合には、その野生動物は再び無主物に復帰することが規定されている（同法

960条2項)。例えば、Aが雑木林の木でカブトムシ1匹を捕まえたが、持って帰る途中で飛んで逃げられ、翌日そのカブトムシが同じ木に戻ってきて、Bがそのカブトムシを捕まえればBに無主物先占が成立する。日本でも、逃げられたことで黙示に所有権を放棄したものと扱うことにより、無主物に復帰し無主物先占を認めることは考えられる。

20-6　**(b)　所有の意思を持って占有すること**　無主物先占のためには、無主物の発見では足りず、占有を取得しなければならない。カブト虫をAが発見したが捕まえる前に、Bが先に捕まえればBに無主物先占が成立する。先に発見しただけでは何の権利も発生しない。また、所有の意思がなければならないが（186条1項により推定される)、無主物を採取しながら所有の意思がないのは、無主物を採取することを契約により引き受けている場合である。例えば、漁業会社に雇われて魚を釣る漁師のような場合であり、この場合にはその雇い主が間接占有による無主物先占をすることになる。

「占有」については、16-5以下に述べた通りであり、所持を取得したか否かは、社会通念上その者の支配に置かれたとみられる状況があるか否かにより判断される。狸を穴に追い詰めて、岩で出口を塞いで後で捕まえに来ようとした場合、蛸壺を仕掛けて蛸が入った場合のように罠を仕掛けておいて、動物や魚などがかかった場合でも、占有取得が認められる。海岸地域の貝殻払下げの許可を受けた者が、標杭を設置し監視人を配置した場合には、その区域に打ち上げられた貝殻について当然に占有を取得する（☞16-11)。

§Ⅱ
遺失物拾得

1　民法による所有権取得

20-7　**(1)　遺失物**

「遺失物は、遺失物法（……）の定めるところに従い公告をした後3箇月以内にその所有者が判明しないときは、これを拾得した者がその所有権を取得する」(240条)。当初規定では6ヶ月であった。

「遺失物」とは、占有者の意思によらないでその占有から離脱した物であり、盗品ではないものをいう。要するに、落とし物や置き忘れた物である。所有者が落としたまたは置き忘れたことは必要ではなく、借りた者や預かった者が落としたまたは置き忘れた場合でもよい。窃盗者が窃盗した物を落としたまたは置き忘れた場合には、被害者保護のために240条を適用すべきではない。

遺失物法2条1項・3条により、「誤って占有した他人の物、他人の置き去った物及び逸走した家畜」を**準遺失物**とし、民法240条の適用が認められている。レストランの傘置場で間違えて持ってきた傘や置き忘れた傘、逃げ出したペット等が、これに該当する。漂流物と沈没品は、遺失物に該当するが、水難救護法24条以下が特別法として適用される。

20-8 **(2)　拾得による所有権取得**

「拾得」とは、所有の意思を持たず――これがあったら遺失物横領――、事務管理意思によって遺失物の占有を取得することである。遺失物を発見しただけでは、これを拾得して所有者に渡したり然るべき機関に届ける義務は生じないが、一度、拾得をすると事務管理を開始したことになり管理継続義務を負う（700条）。この点、遺失物法は、遺失者への返還、警察署長への提出、施設（例えば遊園地）においては施設占有者への交付を義務づけている（遺失4条1項・2項）。ただし、違反に罰則はない。動物愛護法36条1項は、「……公共の場所において、疾病にかかり、若しくは負傷した犬、猫等の動物又は犬、猫等の動物の死体を発見した者は、速やかに、その所有者が判明しているときは所有者に、その所有者が判明しないときは都道府県知事等に通報するように努めなければならない」と、発見者にも努力義務を規定するが、違反に罰則はない。

民法の特則として、前述のとおり、遺失物法が制定されている。公告後3ヶ月以内に落とし主が現われない場合、拾得者がその物の所有権を取得するが、所有権を取得したのにその後2ヶ月以内に引取りに行かなければ所有権を失うことになる（同法36条）。また、「拾得の日から1週間以内に第4条第1項の規定による提出をしなかった拾得者」などについても、費用償還請求権および報労金支払請求権また所有権取得が認められない（同法34条）。また、個人情報が記載ないし記録された物品についても、所有権取得が否定されている（同法35条）。

2　遺失物法による報労金請求権

20-9　遺失物法は、拾得者が届け出て落とし主が現われた場合のみならず、拾得者が直接に落とし主に連絡して落とし主が引き取った場合についても、本来であれば事務管理であり報酬を請求できないはずのところを拾得者に報労金の請求権を認めている（同法28条1項）。報労金の額は、物件価格の5%〜20%の範囲内で、①第1次的には、遺失者の任意に任され、②争いになれば、裁判所が諸般の事情を勘案して決定する。

また、事務管理に該当するため、拾得者は、「物件の提出、交付及び保管に要した費用（誤って他人の物を占有した者が要した費用を除く。）」を、遺失者に対して請求できる（遺失27条1項）。費用償還請求および報労金支払請求は、「物件が遺失者に返還された後1箇月を経過したときは、請求することができない」（同法29条）。除斥期間である。事務管理の特則であり、702条による費用償還請求もできなくなる。

§Ⅲ
埋蔵物発見

1　原則――発見者による所有権の取得

20-10　「埋蔵物は、遺失物法の定めるところに従い公告をした後6箇月以内にその所有者が判明しないときは、これを発見した者がその所有権を取得する」（241条本文）。遺失物については、改正により6ヶ月が3ヶ月に短縮されたが、埋蔵物については6ヶ月のままである。購入した物で発見した場合には、公告だけでなく売主にも知らせるべきである。

例えば、A会社がゴルフ場を造るために、地権者Bから山林を買い取って、工事をしていたところ大判・小判の入った壺が出てきた場合である。所有者が名乗り出てくる機会を確保して、公告して6ヶ月しても所有者が判明しない場合に初めて発見者がその所有権を取得するものとしたのである。ただし、発見された埋蔵物が文化財として価値のあるものであるときには、文化財保護法により、所有権は国庫に帰属し、発見者は国庫から価格相当額の報償金を受けられるにすぎない。

埋蔵物は、購入した土地に埋蔵されているものに限らず、購入した建物や家具等の動産に埋蔵されている物でもよい。「埋蔵」されている必要があり、日本陸軍糧抹本廠整備部が国の所有銀塊29トンを、終戦直後、盗難その他第三者により持ち去られることを予防する方法として、糧抹本廠構内のドック水中に沈めた事例で、埋蔵物であることが否定されている。最高裁は、「民法241条所定の埋蔵物とは、土地その他の物の中に外部からは容易に目撃できないような状態に置かれ、しかも現在何人の所有であるか判りにくい物をいう」と定義し、本件銀塊は「所有者の占有を離れたものではなく、右銀塊の量や、その所在した場所、Xら先代が発見したという時期からすると、当時右銀塊の所有者が国であることは容易に識別し得た」として、埋蔵物という主張を排斥している（最判昭37・6・1訟月8巻6号1005頁）。

2　例外――他人の所有物からの発見

20-11　「ただし、他人の所有する物の中から発見された埋蔵物については、これを発見した者及びその他人が等しい割合でその所有権を取得する」（241条ただし書）。

例えば、Aの土地の造成工事を請け負っていたB会社の作業員Cが、土地に埋蔵されていた大判・小判の入った壺を発見した場合（無主物先占と異なりCが発見者）、土地の所有者がその所有者である可能性もあり、また、土地の所有者がいつか発見する可能性もあったため、偶然発見した発見者に全面的に所有権を与えるのも公平ではなく、土地の所有者と半分ずつの持分での共有としたのである。AがBと共同相続した土地（共有）で、Aが埋蔵物を発見した場合、Aは発見者として2分の1、共有者としてこれにプラスして4分の1の持分を取得する（合計4分の3）。Bは共有者として4分の1の持分を取得する。

§Ⅳ
添付制度――付合、混和および加工

1　添付制度

20-12　(a)　**付合、混和および加工**　以下に述べる、**付合**、**混和**および**加工**を総称して、学理上**添付**と呼ぶ。これらは、何かの原因で新たな物が作られたり、新たな価値のある物に変更された場合に（動産の付合では**合成物**、混和では**混和物**、加工では**加工物**という）、その物の分離復旧を制限して償金による清算をしたり、加工された物を加工者に帰属させる制度である[80)]。

例えば機械の部品に他人の所有物が使われた場合、部品は機械の一部（＝構成部分）になり、部品の所有権は機械の所有権に吸収されて消滅する。したがって、部品の所有者が所有権に基づく返還請求はできないが、法律上の原因がない場合には不当利得になる。復旧させて所有権を回復するという救済も理念的には考えられるが、これを否定し、償金による清算によらしめたのが付合制度である。混和も、他人の所有物が混じり合ってしまい識別不可能または分離不能であれば、原状回復はそもそも不可能であるが、その場合の権利関係を明確化することに、混和規定の意義がある。また、キャンバスに絵を描けば、白紙のキャンバスが独立した価値のある絵画に変質を遂げる。そのため、絵画を描いた者（加工者）の所有としつつ、キャンバスの価格を補償させたのが加工制度である。

20-13　(b)　**添付の意義と強行規定性**　このように、添付制度では、①1つの物になる点は理論的帰結であり、②242条ただし書が利用権者保護のために

80)　**＊人への付合**　例えば、臓器や人工臓器、人工関節等が人に移殖や備え付けられたり、血液が輸血された場合には、物への付合ではないので、これらの所有権が付合先の所有権に吸収されるということはない。①有機的に結合した臓器等については、人間の臓器だけでなく豚に人の遺伝子を組み込んで作成した肝臓も含めて、身体の一部になり所有権を消滅させてよいが、②人工心臓等については、やはり物としての存在を失わずその所有権を考えることができるというべきである。そして、ⓐ他人所有の人工臓器が権限なしに備え付けられた場合には、付合に準じて所有権の取得を認め、償金により処理するしかない。しかし、本来の用途に備え付けられた場合でなければ、ⓑ例えば、手術の際にガーゼを体内に置き忘れた場合、身体の一部になるはずはなく、身体侵害なので物権的妨害排除請求権ではないが、除去を請求できるというべきである。ⓒ他方、企業情報が入ったICチップを窃取して自己の体内に埋め込んだ場合も、その所有権は失われず、所有者は返還請求ができるが、間接強制しかできないというべきである。

この点について例外を認める一方で、③1つの物となった後に物理的に原状回復が可能でもそれを認めないという点、また、④動産の付合、混和の場合の所有関係の明確化、⑤加工について加工者への所有権の付与という特則が規定されている。

添付の規定は強行規定であるといわれるが、上記①〜⑤の点ごとに考えられるべきである。①の点は添付規定から導かれるのではなく、一物一権主義という理論から規定なしに解釈上当然に導かれるものであり、合意で排除することはできない。②も利用権者保護の規定であり、収穫した果実は利用権者に帰属させるべきであり、特約による排除は利用権の否定になり認められない。③は1つの物になった後に、当事者が合意すれば分離させることは認めてよい。一方的に返還請求や妨害除去請求ができないとすることに意義があるにすぎない。④⑤については、契約関係がある場合には特約が問題になり、契約により変更することは何ら差し支えない。

2　付合制度の趣旨・根拠——不動産への付合を中心として

20-14 (1)　一物化と復旧の禁止

複数の物が結合して1つの物になった場合、一物一権主義の適用により1つの所有権に一元化されるが、付合は、所有を異にする複数の物が1つになった事例を規律する原理である（狭義の付合）。①複数の物が1つの物になった場合に、一物一権主義が適用され1つの所有権に集約される——プラモデルを組み立てるように、同一の所有者の物であっても認められる（広義の付合）——。②そして、その所有物が他人の物の一部となり所有権を失った場合、不当利得返還請求権には、金銭賠償主義に匹敵する制限はないので、分離して返還するよう請求することを認める余地がある（広中404頁）。

付合の規律は、この①②に対して特則を認める点に意義がある。まず、①については、242条ただし書が不動産の付合の例外を認めている。次に、②に対する制限として、原状回復を認めない——付合物の所有者による返還請求も、付合先の物の所有者による妨害排除請求も——、ということを規定している点に意義がある。

20-15 (2)　付合の趣旨・根拠

(a)　**分離ないし原状回復請求権の否定**　では、どうして分離請求が否定されているのであろうか（瀬川・付合7頁以下参照）。広義の付合では、所有者が分離して元に戻そうと自由である。狭義の付合でも、当事者が協議して原状に戻すことを禁止する必要はない。①合意がない限り、労力をかけて作られた物を維持することが社会経済的に好ましいと考え、これを分離を認めないことの根拠とする**社会経済的価値維持説**が通説である。付合の根拠は、結合した物の分離が社会経済上不利益であるために、これを分離させずに維持することに求められる（富井142頁は、「公益上甚不利」という）。

②学説には、1つの物の一部に他人の所有権が成立することを認めるのは第三者の利益を害するため、これを否定して取引の安全を確保したということを根拠にする**取引安全説**もある（川島181～182頁、高島208～209頁）。しかし、それは一物一権主義という不文律の帰結であり、付合の意義は分離を否定する点にあり、その根拠を①のように考えるべきである。③このほか、私的利益の調整の問題であり、分離・復旧の請求は権利濫用として規制されるべきであるため、そのための制度（権利濫用の反射としての権利取得）として付合制度と位置づける**権利濫用説**もある（新版注民(7)397頁以下［五十嵐・瀬川］）。

20-16　**(b)　分離ないし原状回復の合意は可能**　判例は個別事例ごとに復旧を認めるかどうかを判断し、学説のように付合の趣旨を展開することは稀である。フランスでは増築したベランダを代金支払まで増築工事をした業者の所有と認めるなど一物一権主義自体が崩壊しつつある。日本でも、プロパンガス設備について、建物に付合しているはずなのに、プロパンガス業者による賃貸を有効とする下級審判決もある（東京高判令2・9・16判タ1479号43頁）。

ところで、付合の規定が強行規定だというのは注意を要する。一方的に原状回復を請求できないだけで、付合成立後に現物分割したり復旧を合意することは認められるべきである（☞ 20-15）。

3　動産の不動産への付合

20-17　**(1)　原則規定**

(a)　不動産の一部となりその所有権が拡大する

(ア)　付合により不動産に一体化される　「不動産の所有者は、その不動産に従として付合した物の所有権を取得する」（242条本文）。「所有権を取得する」というと、20-14 の①を規定しているだけかのようであるが、②の原状回復請求の否定という意味も含まれている。

付合の原因は問わない。不動産所有者の故意によるものであろうと、動産所有者の故意によるものであろうと、また、自然力や第三者によるものであろうと付合が成立し、ただ不動産所有者の故意による場合には償金の支払義務について 704 条によるという差が生じるだけである（248 条）。

20-18 **◆悪意で他人の物を自己の物と付合させた場合**

フランス民法は、不動産所有者が悪意で他人の物を付合させた場合には、付合した動産の所有者に付合を認めるか拒否するかの選択を認めている。日本法の解釈としても、分離が可能な限り、不動産所有者の故意または有過失による場合には、付合させられた物の所有者は、付合を主張し償金請求することと現物の返還を請求することを選択できるという学説がある（広中 405 ～ 406 頁。石田穣 353 頁以下も同様）。この議論は動産の付合にも当てはまり（広中 412 頁）、加工についても同様の議論ができる（☞ 20-44）。本書もこれに賛成し、不動産所有者が悪意で他人の動産を付合させた場合には、被付合物の所有者に、原状回復か付合を容認するかの選択を認めたい。

20-19 **(イ)　償金請求権が成立する**　付合により所有権を失った者は、「償金」を請求できるが（248 条）、これは不当利得の確認規定である。ただし、第三者の行為による場合、付合は認められても償金請求について特別の考慮が必要になる。例えば、A の家の増築のために、建築業者 C が B 所有の材木を盗み出して使用して建物を完成させた場合、付合により B の材木の所有権は消滅し、B は材木の返還を求めることはできない。しかし、この場合、A は C に工事代金を支払うのであり、B の A に対する償金請求権は認めるべきではない。BC 間で不法行為や不当利得を問題にして解決がされるべきである。ただ、A が C に代金を支払っていない場合には、C の A に対する代金債権につき、B の C に対する償金請求権に優先的回収を認める処理をすれば足りる。

20-20 **(b)　「付合」の成否の基準――「従として」の「付合」**

(ア)　定着と付合（従としての付合に限られる）　動産については、「損傷しなければ分離することができなくなったとき」という要件が明記されているが（243 条）、不動産への付合については単に「付合した」と規定されているのみである。いかなる場合に不動産への付合が認められるかは解釈に任されることになる。

土地の「定着物」は土地の一部となる（86条1項）――建物は土地とは別の不動産なので、建物の定着物も問題になるが、いちいち言及するのは控える――。土地の所有者が自己の動産を定着させれば、土地の一部となり所有権が吸収されて構わない。ところが、他人の動産が「定着」した場合には、「付合」が認められない限り、①別の物のままで所有権が保持されている、または、②不動産の一部になりその所有権に吸収されるが、分離・復旧をして所有権を復元することを請求できることになる。したがって、土地の一部として「定着」することは、「付合」が認められることとはイコールではない。また、「付合」と認められるとしても「従として」でなければ（高価な彫刻をコンクリートの台座で固定したなど）、付合の効果は認められず、分離復旧を求めることができる。

なお、「付合」は認められなくても、「定着」しているため、定着した動産所有者が付合を認めることができるかというと、それは不動産所有者の妨害排除請求権を奪い利得を押しつけることになるので、許されない――付合を認める合意が必要――。

20-21　(イ)　**付合の意義**　付合と定着を同意義と理解し、「定着」して土地の一部になれば、容易に分離できるかどうかを問わず「付合」を認める考えもある（高島209頁）。しかし、多くは、上記のように、定着とは別の観点から「付合」を考えている（242条ただし書との関係につき☞20-24）。

①学説には、243条と同様に考え、分離・復旧が事実上不可能になるか、ないしは、その分離に著しい費用がかかり、動産が物理的独立性を失った場合（いわゆる「強い付合」の場合）であることを必要とする考えがある（**強い付合説**）。「従として」でなければ、強い付合でも、動産所有者は分離復旧を求めることができる（上記の例では彫刻の分離・返還）。②他方で、動産が物理的独立性を失うことまでは必要とはせず、より広く弱い付合についても付合を認める考えもある（**弱い付合包含説**）。これも、上記のように「定着」と同視するもの、定着よりも制限するものとが考えられる。強い付合は壁紙を貼ったり、タイルを貼り付けたりする場合であり、弱い付合は、美術品、鉄塔、立木など土地の一部となりながら、依然として独立した価値が認められる場合である。「従として」であれば、弱い付合につき、①では付合

の効果を認めないのに対して、②ではこれを認めることになる（権原がある場合は例外☞ 20-23）。

20-22　**(ウ)　定着すれども付合せず――取引安全保護との調整**　外形的一体化が生じても、社会経済的に全く無意味な結合についてまで、分離請求を否定する必要はないといわれる（新田敏「判批」『民法の判例〔第３版〕』82 頁）。もっともであり、定着だけで付合を認め、分離・返還請求を認めないのは適切ではない。「従として」ではないという限定をするまでもなく（例えば、果樹園の果樹）、定着したが弱い付合であり、定着した動産にその部分の独立した経済的価値が認められ、価値を害することなく分離が可能なのであれば、付合は否定して、動産所有者による分離・返還請求を認めるべきである。また、土地所有者も付合を押しつけられることから保護されるべきであり、とりわけ価値のない負の財産の付合は、土地所有者にとっていい迷惑であり、除去請求（妨害排除請求）が認められるべきである[81]。

定着物でありながら、付合を認めず所有権の保持を認めると、問題となるのは、第三者の取引安全との調整である。Ａの土地にＢ所有の植木を植えて、土地をＣに販売または賃貸した場合、植木については他人物売買または他人物賃貸借になる。Ｃが土地の占有を取得することにより、立木につい

81）　**＊産業廃棄物の投棄**　例えば、Ａの土地とＢの土地とが隣接しており、Ｂが自分の土地（山林）にＣおよびＤからそれぞれ代金を得て産業廃棄物の投棄を認めてきたが、これが堆積し斜面を滑り落ちてＡ所有の山林にまで至った事例で、ＡのCDに対する妨害排除請求につき、東京地判平６・７・27 判時 1520 号 107 頁は、ＣとＤの投棄した廃棄物は識別ができず、「これらは渾然一体をなして混和し、主従の区別もできず共有の関係にあると認められる」、CDは代金をＢに払って投棄しているのだから、投棄によりその所有権はＢに移転したと主張するが、Ｂは「第三者に重大な損害を与えるような態様でされたときであっても無条件で本件山林内への廃棄物等の搬入、投棄を承諾していたものとは、到底認めることができない」として、Ａの請求を認容している。元の山林部分と産業廃棄物は容易に区別が付くので、付合が生じないことは当然視されている。

例えば、Ａの土地に、BCDが産業廃棄物を捨てたとする。その割合は、Ｂが５分の３、CDそれぞれ５分の１であるとする。産業廃棄物は混和により主たる動産の所有者であるＢ所有になるのであろうか（245 条・244 条）。もしそうだとすると、ＡはＢのみに対して妨害排除請求ができるにすぎないことになる。Ａが自ら除去すればその費用を損害賠償として、BCD全員に対して連帯して賠償させることができる。所有権に基づく物権的請求権については、Ｂだけにしか請求できないのであろうか。価値ある財産ではないので、ＢからCDへの 248 条の償金請求権は成立しない。東京高判平８・３・18 判タ 928 号 154 頁は、「自ら投棄した量はその一部であるとの事実をもって、その責任が軽減されるものではなく」、投棄者はすべて「共同妨害者として民法 719 条１項を準用し連帯してその全体の除去をすべき義務を負っている」とした。負の財については 245 条を適用せず、全員の共有として全員が妨害排除義務を負い、共有割合に応じて費用を負担すべきである。

て即時取得を認めれば（定着しているので類推適用）、付合を否定しても取引の安全は図られるが、賃貸借には即時取得が適用できない。

20-23 **(2) 付合の例外**

(a) **権原による付属**　不動産の付合についての原則に対しては、「ただし、権原によってその物を附属させた他人の権利を妨げない」という例外が認められている（242条ただし書）。

242条ただし書は、沿革的には小作人を保護するために設けられた規定である。建物賃貸借において、賃借人が建物に施設を設置する場合にも、ただし書は適用される。242条ただし書の「権原」とは、他人の土地に自分の物を付属させて利用する権原であり、賃借権、使用借権、地上権、永小作権、地役権がこれに該当する。権原があればよく対抗要件を備えている必要はない（柚木459頁）。転借人でもよいが、土地所有者（賃貸人）に権原を対抗できることが必要である。田地の無断転貸借の事例で、無断「転借人に於て之に稲苗を植付けたる場合に於ては、該稲苗は転借人が権原に因り田地に附属せしめたるものと称し難きが故に、其所有権は田地の所有者たる賃貸人に帰属する」と、242条ただし書の適用が否定されている（大判昭6・10・30民集10巻982頁）。

なお、賃借人らは契約終了後には原状回復義務を負い（また収去権）、また、特約により契約終了後に買い取ることを合意していればそれに従う。賃借人による建物の改装が認められていれば、付属させた設備などを自己の所有物として、契約期間中、自由に処分したり交換することができる。

20-24 **◆強い付合・弱い付合（付合二分論）**

学説は、権原による「附属」を2つに分けて、242条ただし書の適用のための要件として、権原が存在することのほか、下記①の強い付合ではないこと必要としている（強い付合・弱い付合の付合二分論）。ⓐ権原の存続中には、例えば土地賃借人は、土地で栽培している野菜、果物、園芸植物、立木などを自分の所有として採取・売却等の処分をすることができる。242条ただし書はそのようなことを可能にするという意義がある。ⓑ他方、権原が終了した際は、例えば賃貸借契約が終了した際は、賃借人の所有だから収去できるし、また収去義務を認めることには、242条ただし書を持ち出す必要はない――土壌を汚染したら土壌を入れ替えて汚染のない土地に復旧すべき――。付合して容易に取り外しできなくなり①の強い付合に分類されようと、その所有の有無を問わず、賃借人は原状回復義務を負う。原状回復義務は242条ただし書を離れて考えるべきである。

そうすると、もっぱら242条ただし書の意義は、契約中に分離して処分をすることが許されることにあり――分離して売却できる価値があるかどうかは問わず、新しい設備に設置し直すことなども考えられる――、それが技術的に可能であり、不動産本体に損害を与えないのであれば、賃借人らの分離・処分の権利を保障すべきである。こう考えるならば、①の強い付合となり242条ただし書が適用されるか否かは緩やかに運用されるべきであり、それが賃借人の善管注意義務に反せず不動産に損害を与えないものであれば、溶接等で固定された設備であろうと242条ただし書を適用してよい。例外が否定されるのは、土地に蒔かれた肥料等技術的に元に戻すことが不可能、または社会通念上不相当な費用がかかる事例に限定される。

① **強い付合**　付属物がその不動産の構成部分（同体的構成部分といわれる）となる場合である。例えば、建物に塗られたペンキ、セメントに混ぜられた砂、土地に混ぜられた肥料など。この場合には、権原があっても、付属物の所有権を存続させることはできない。

② **弱い付合**　これに対して、付属物が独立性を維持している場合（非同体的構成部といわれる）、土地に植えられた農作物、立木、果樹、土地や建物に設置された立て看板などの場合には、242条ただし書を適用してその付属物の所有権が存続することを認めてよい。

20-25

◆種子を播種したり、苗を植え付けた場合

権原があっても、強い付合には242条ただし書が適用にならないのだとすると、例えば農地賃借人が、農地に種を蒔いたり、苗を植え付けた場合、強い付合となる可能性がある。種は土地に混和し、苗にはいまだ独立した経済的価値はない。しかし、種でいえば、やがて芽が出て生長し、キャベツや大根といった作物になり、トウモロコシや、大豆などの穀物などを収穫することになる。この場合には付合を否定する必要があるが、種を蒔いて付合しないというのも奇妙である。芽が出てきたら、間引きをして良い苗だけを残すことができる。農地に生えている雑草を駆除できるのと同様に、農地の使用権限・管理権限に基づいて、所有権の帰属は措き、賃借人は農作物の管理・処分ができる。

動産といっても成長して変化していく植物については、242条ただし書の適用は、成長して経済的価値が出てきて初めてその所有が問題になり、そのような状態になることを停止条件とする付合の例外と考えるべきである。蒔いた種や苗が収穫できる作物に無事に育ったならば、付合の例外としてその所有権を取得することになる。それまでは、上記のように農地の管理権限を問題にすれば足り、借地人は農地の管理として除草や間引き、肥料やり、土盛りなどの作業ができ、土地所有者はこれができないといえば足りる。

20-26

◆権原がない場合と付合――建物のプロパンガス供給設備

建物を新築する際に、建築業者がプロパンガス業者にプロパンガス設備を設置させ、その費用は建物の代金に含めずに、買主とプロパンガス業者とが供給契約を締結するに際して、買主がガス供給業者からガス設備が別料金であることを聞かされ、購入か賃貸借かの選択を迫られる事例がある。賃貸借を選択した場合には、ガス料金と別に設備の賃料を支払うことになり、また、買主が供給契約＋設備賃貸借契約を解約すると、ガス供給業者から設備の補償金の支払を求められる。

この場合、ガス供給業者には建物の利用権限はなく、242条ただし書は適用にならない。建物建築段階で組み入れて設置しているため溶接で固定され、壁を壊したりしなければ取り外せないならば、付合が認められるが、償金を支払うのは建売業者である。建売業者により補償金が支払われておらず、買主はその分の代金を支払うことなく付合部分の所有権を取得している。プロパンガス業者の買主に対する不当利得返還請求が問題になるが、建物の売買の際に説明がされるべきである。判例をみると、買主が賃貸借を承諾した場合に、中途解約がされたならば、設備の未償却期間に対応する残存価格で買い取る特約になっているが、それを損害賠償額の予定として、消費者契約法９条１項の規制により設備の残存価格を平均的損害とし、これを超える金額の請求を無効として退けている（東京高判平18・4・13判タ1208号218頁、前掲東京高判令2・9・16）。

なお、賃貸住宅の場合には、賃貸人（建物所有者）がガス業者に設備を設置させ、業者の所有を認め、ガス事業者が、その設備の賃料名目で賃借人からガス料金と共に徴収することになる。賃貸借契約の際に、ガス設備の賃料は別に取られることの説明がされるべきである。

20-27

(b)　権原をめぐる問題点

(ア)　権原は付合の例外の存続要件でもある　権原の存在は付合の効果が「発生」することを阻止する要件であるだけでなく、その阻止の「存続」要件でもあり、権原が消滅したら、当然に付合の効力が生じる。例えば、土地を借りてミカン畑としてミカンの木を植えている場合に、契約が終了したら、付合の効力が生じる。しかし、付合の効力が生じるとしても、賃借人は原状回復義務を免れず、また、賃借人には収去権が認められる。地上権や永小作権では、土地所有者に工作物および竹木の買取請求権が認められている

（269条・279条）――地上権者らに買取請求権はない――。土地と建物を1つの不動産と扱う欧米では、権原がなくなると建物も土地の一部となり、償金が支払われる。そのため土地用益権者は、より良い状態で高い償金を得るために、建物の管理に努力することになる。

20-28　**(イ)　「権原」について対抗要件を具備していることが必要か**

❶　不動産と共に附属物が譲渡された場合　例えば、Aの所有地を賃借したBは、この土地上に立木を植えたが、土地につき賃借権の登記はしていないとする。①Aが土地と立木を自分の物と称してCに譲渡した場合、または、②Aが立木を自分の物と称してCに譲渡した場合に、立木をめぐるBC間の権利関係はどう考えるべきであろうか。現在では農地法16条により農地賃貸借については引渡しにより対抗要件が具備されるので、立木の事例のみが問題となる。

①の事例では、ⓐ「権原」そのものが対抗できないので、Cとの関係ではBは無権原と扱われ、242条ただし書を援用できないということも考えられる。しかし、学説には、ⓑ明認方法を施していれば、権原を対抗できなくても立木の所有権を対抗可能であるという主張もされている。権原が所有権を「保持」できる根拠なのに、その対抗を無視して明認方法でよいというのは、立木を242条ただし書とは無関係に建物同様に独立した物と考えなければ説明は無理である（本書は反対）。

20-29　**❷　不動産所有者が附属物だけ譲渡した場合**　20-28の②の事例については、立木を留保して山林売却後、買主が立木を含めて売却した事例（☞13-24）と同様に、242条ただし書の留保を一種の物権変動とみてその対抗の問題と考えるか否かにかかる。ⓐこれを一種の物権変動と考えれば、明認方法または借地権の対抗要件具備が必要となる。ⓑこれに対して、立木を建物同様に当然に独立した物と考えれば、242条ただし書は確認規定にすぎず、立木については無権利の法理により解決される（稲本290頁、石田喜202頁）。

不動産所有者に対抗できない転借人については、20-23に述べた。また、関連する事例として、AからBが土地を買い受け、所有権移転登記をしない間に植え付けた立稲等について、Aの債権者Cが稲を差し押さえた事案で、「田地の所有者より適法に之を賃借したる者が、賃貸借の登記なきも、其の田地を耕作して得たる立稲並束稲の所有権を以て第三者に対抗し得ると同様、Bが本権土地の所有移転登記を受けざるも、本権の立稲並束稲の所有権を以て」、Cに「対抗し得る」とされている（大判昭17・2・24民集21巻151頁）。他方、山林の二重譲渡事例で、未登記の第1譲受人が譲受け後に植栽した立木につき明認方法を施していれば、山林の所有権移転登記をした第2譲受人に立木の所有権を対抗できるとされている（最判昭35・3・1民集14巻3号307頁☞13-23）。判例は、ⓑに親和的である。

20-30

◆無権原者の植え付けた立木や農作物

(1)　判例の状況

Xが無権原でYの土地に稲の苗を植えたので、Yが苗床を掘り返したため、XからYに対する損害賠償請求がされた事例で、原判決は、Xは無権原であり242条本文により稲の苗はYの所有に帰したためYの行為は不法行為にはならないとした。大審院もXは耕作をする権利がなく、土地の占有使用耕作が妨げられたとしても、何ら正当の利益を害されていないとしてYに対して損害賠償請求ができるものではないとした（大判昭12・3・10民集16巻313頁）。また、Aの山林とBの農地の交換契約が、Bの不履行を理由に解除されたが、Aがすでに畑に小麦を植えていたため、Aによる小麦収穫後に畑を返還する合意がされ、小麦収穫後、Bがサツマイモを植えるため、畑を鋤き返えそうとしたところ、Aが植え付けた甜瓜（まくわうり）（メロン）があるためやめるよう求めたにもかかわらず、Bが二葉、三葉程度に成育していた甜瓜の苗を鋤き返えしてしまったため、BがAに対して所有権侵害を理由に損害賠償を請求した事例がある。判例は、Aは「本件土地に生育した甜瓜苗について民法242条但書により所有権を保留すべきかぎりでなく、同条本文により右の苗は附合によって本件土地所有者たるBの所有に帰した」と、付合を肯定して、Aの請求を退けた（最判昭31・6・19民集10巻6号678頁）。

付合は土地所有者に常に有利に働くとは限らない。Xの土地にYが無権原で杉および桧の苗木を植え付けて占有している事例で、XがYに対して苗木を抜き去り土地を明け渡すよう求めた事例で、最判昭46・11・16判時654号56頁は、「権原のない者が他人の土地に植栽した樹木またはその苗木は、民法242条本文の規定に従い、土地に附合し、土地所有者がその所有権を取得するものと解されるから、……本件苗木はYの所有に属するものではなく、したがって、YにおいてXらに対しこれを収去する義務を負うものではない」として、Xの請求を認容した原判決を破棄している。他人の土地に無権原で苗木を植えることは不法行為になるが、不法行為の効果は金銭賠償なので（722条1項）、付合した苗木の除去費用を損害賠償請求するしかない。収去するので、付合による償金請求は否定すべきである。

20-31

⑵ 学説の状況

まず、242 条ただし書の反対解釈として、農作物であっても、ただし書が適用にならないならば、本文の原則通り付合してしまうという学説がある（**付合説**［松坂 161 頁など］）。上記判例の立場を支持する。A が B の土地に農作物を植えた例でいうと、ⓐ A は収穫できず、収穫すれば B の所有権侵害となり、ⓑ B は A に償金を支払う必要があり――利益がなければ別――、ⓒ B は植えられた農作物を除去でき、自力救済にならない。なお、学説には、付合しても原状回復請求権を認める主張がある。本書もこれに賛成し、土地所有者に収去請求か買取り（＝償金支払義務を負う）かの選択を認めるべきである。前者を選んだ場合には、自力救済について、233 条 3 項を類推適用すべきである。

②他方で、農作物や立木は土地とは別個の独立した経済的価値を有し、また土地とは別個の取引の対象になり、「不動産の従として付合したる物」ではなく、植栽者の権限（権原）の有無を問わずに土地に付合しないという考えもある（**独立説**［末弘厳太郎「判批」判民昭和 12 年度 85 頁、末川 308 頁、川島・理論 185 頁など］）。そもそも、農作物や立木といった独立的地上物には、建物と同様に 242 条自体が適用にならないと考えることになる（土地所有者の農作物でも独立した動産に準じて扱われる［独立説］）。付合を否定すれば、ⓐ A は農作物等の所有権を保持し、これを収穫できる、ⓑ B は償金を支払う必要はなく、A は土地利用につき不当利得返還義務を負う、ⓒ A は土地を使用する権原がないので、B は A に対して妨害除去を請求できる。なお、付合説を基本にしながら、無権原だが善意の者については、収去権と償金請求権とを選択的に行使することを認める考えもある（星野 128 頁、鈴木 36 頁、内田 391 頁）。

20-32

◆他人の土地への無権限による建物の建築

A の土地を B は A の知らないうちに所有権移転登記をして、この土地を自己の土地と偽り C に売却をし、C がこの土地の上に建物を建築したとする。この場合、建物の所有権は誰に帰属するのであろうか。

①まず、土地使用権限の有無を問わず、完成した建物は C に帰属するという処理が考えられる（末川 302 頁など通説）。建物は土地と同一所有に属しても独立した物であり、権原の有無は独立財産性には関わらない。判例もこの考えを当然の前提として、土地所有者の建物所有者への妨害排除請求を問題としている。本書も、建物については、権原の有無を問わず、また、完成前から付合せず――注文者帰属説で C 所有と考える―― C の所有であり、A は C に対して妨害排除を請求できると考える。ただし、この場合、269 条 1 項ただし書の類推適用により、A に C に対する建物買取請求権を認めてよい（C には買取請求権なし）。

②これに対して、権原がない以上 242 条ただし書が適用されず、建築中の段階から土地所有権に吸収されてしまい、建物が完成しても変わることはなく、し

たがって建物はAに帰属するという考えもある（松尾186頁）。起草者は土地に付合するものと考えていたらしいと評されている（瀬川・付合43頁）。異例な下級審判決として、東京高判昭61・12・24判時1224号19頁があり、建築者所有とすると、「土地所有者は無権原者に対して建物の収去請求をすることができる……が、実際上殆んどの場合強制執行をすることになり結局代執行費用を請求し得るに過ぎない」、土地所有者に帰属させると、「土地所有者は、建物を不要と思えば、自ら収去して無権原者に対して収去費用（代執行費用と同額であろう）を請求するか、又は建物を必要と思えば、無権原者に対して償金を支払えば足りるという選択の余地を有することになり、土地所有者にとっても無権原者にとっても又社会経済的にも望ましい結果が得られる」として、付合を認めている[82]。

20-33
◆借家人の増築

借家人が賃貸人（建物所有者）に無断で増築した場合に、建物の増築部分について242条ただし書により付合の例外が認められ、賃借人の自己所有部分になるのかが問題とされたことがある。しかし、借家人には賃貸人の同意がなければ建物を増改築する権限がそもそもない。242条ただし書は、典型的には農地を念頭に置いており、付合を否定し賃借人に収穫を認めるための規定であり、このような事例は念頭に置かれていない。この点、学説には、借家人が賃貸人の承諾を得ており、かつ、増築部分が区分所有の対象としての性格を持つ場合には、付合の例外を認めてもよいという主張がある（広中407頁）。中国ではビルの屋上に建物を建築した事例があるが、そのように屋上を賃貸し合意を得て行った場合に限り、独立した建物として区分所有権を認める余地はある。下記判例も傍論として242条ただし書の適用の可能性を認める。

Xから土地を借りて建物を所有している借地人Y_1所有の平屋建物に、Y_1の承諾を得てY_2が2階部分を増築した事例で、2階建物はY_2所有であり、その結果、その敷地に当たる部分の賃借権がY_2に譲渡または転貸されたかどうかが問題とされた（XがY_1との賃貸借契約の解除をした）。2階部分には1階部分から出入りするしかない構造になっており、「既存の第二建物の上に増築された二階部分であり、その構造の一部を成すもので、それ自体では取引上の独立性を有せず、建物の区分所有権の対象たる部分にはあたら」ず、242条ただし書の適用はなく、「その敷地にあたる部分の賃借権が同人に譲渡または転貸されたことを認めることができない」とされた（最判昭44・7・25民集23巻8号1627頁）。

82）　ただし、付合が認められたからといって、妨害排除＝原状回復が可能な限り、原則として土地所有者による建物収去請求権を認めるべきであるという考えもある（吉田克己「判批」判タ649号69頁以下）。

4　動産の付合および混和

20-34 (1) 動産同士の付合――合成物の所有権の帰属

(a) 付合の要件　ⓐ「所有者を異にする数個の動産が、付合により、損傷しなければ分離することができなくなったときは、その合成物の所有権は、主たる動産の所有者に帰属する。分離するのに過分の費用を要するときも、同様とする」(243条)。ⓑ「付合した動産について主従の区別をすることができないときは、各動産の所有者は、その付合の時における価格の割合に応じてその合成物を共有する」(244条)。付合によりできあがった1つの物を**合成物**という。

不動産の付合では単に「従として付合した」とのみ規定されているが、動産については「付合」により、①「損傷しなければ分離することができなくなった」、または、②「分離するのに過分の費用を要する」ことが要件として明記されている。損傷には物理的損傷だけでなく、経済的損傷、すなわち分離により経済的価値を著しく減損する場合も含まれる。

刑事事件であるが、被告人が少年Aの窃取してきた中古婦人用自転車の車輪2個とサドルを取り外し、これを別の男子用自転車の車体に取り付けたため、付合して贓物性が失われるのかが問題とされた事例で、「両者は原形のまま容易に分離し得ること明らかであるから、これを以て両者が分離することできない状態において附合したともいえない」として、贓物牙保の成立が認められている(最判昭24・10・20刑集3巻10号1660頁)。これに対して、他人の船のエンジンを自分の船に設置した場合には、付合が認められている(大判昭12・7・23判決全集4輯17号3頁)。

20-35 **(b) 付合の効果**　付合の効果は、1つの物となり1つの所有権が成立することである。所有権の帰属は、主たる動産の所有者に帰属し、主従が決められないと、付合時の価格による共有となる。本規定の一物化については強行規定であり事前にその適用を排除することはできない(帰属については異なる合意可能)。ただし、付合成立後に当事者の合意により復旧を約束することは――共有の場合は分割になる――許されてよい。

この点、1つの物になるという広義の付合の効果は認められても、原状回復を否定するという狭義の付合の効果については、私的利益の調整も考慮すべきであり、盗難の場合には、被害者に原状回復請求か付合を認めて償金請求をするかの選択を認めるべきである。

なお、主従については、244条の趣旨からして量や大きさで決定するのではなく、価格や重要度により決定すべきである。例えば、Aの宝石とBのプラチナを用いて指輪が作成された場合には、合成物である指輪は宝石の所有者であるAの所有に帰すると考えられる。ただし、物理的な関係また社会通念の考慮も必要であり、エンジンの船への付合事例につき、「取引社会の支配的な意識」では、船とエンジンとでは常にエンジンは船の構成部分となるのであり、価格は考慮されない（川島「判批」前掲115～116頁）。

20-36 **(2)　動産同士の混和**

「前二条の規定は、所有者を異にする物が混和して識別することができなくなった場合について準用する」（245条）。前2条は動産の付合についての規定である。付合は物が結合するのに対し、混和は物が混り合って原物を識別しえない状態になることであり、一物化より分離不能性に着目された概念である。混和した物を**混和物**という。

例えば、Aが、その所有地から砂利を採取する際に、誤ってB所有の隣地からも砂利を採取してしまい、Bの土地から採取した砂利がA所有地から採取した砂利と混ざってしまった場合、混和物の所有は、①混和した量に主従が付けられれば——数量が上回るだけでなく「主」「従」の関係が認められる必要がある（60％を超えるくらいか？）——、主たる物の所有者の所有となり（243条の準用）、②主従が決められない場合には、混和した全ての物の所有者の共有となる（244条の準用）。

なお、信託法は17条で信託財産と固有財産または他の信託財産の付合、混和、加工について民法の規定によることを規定するほか、同法18条は信託財産と固有財産とが「識別することができなくなった場合」につき、主従を問題にせず共有としている。混り合う必要はなく、同じ種類の物があり、どれが信託財産かわからなくなった場合である。信託以外の事例についても、混和の規定を類推適用してよい（準混和）。

20-37 **◆宝くじの混和（識別不能）**

ABCDが、各自3000円ずつ出資し合計40枚の宝くじを購入し、当たりくじが出た場合は、その賞金を出資に応じて分配することを合意したが、DはAらに無断でさらに 3000 円を加えて自分の分を 10 枚余計に合計 50 枚を一括購入し、D が追加購入分の 10 枚の区別のないままに一括して 50 枚を保管していた事例がある。そのうち 1 枚が 1000 万円の賞金が当選したため（D が 1000 万円の支払を受ける）、ABCD 間の分配が問題となった。盛岡地判昭 57・4・30 判タ 469 号 210 頁は、動産の混和を認め「一括購入された 50 枚全部につき、A ～ D らの共有となる」とし、「50 枚の宝くじ全部の内、1 枚が当せんすれば、その賞金を出資の割合に応じ、ABC ら各自が 5 分の 1、D が 5 分の 2 の割合で分配すべきもの」とした（信託法 18 条の識別不能に準ずる事例である）。D が 10 枚余計に追加したため当選の可能性が増加したのであり、公平の観点からも妥当な解決というべきである。

5　加工――他人の動産に工作を加えた事例

20-38 (1)　加工規定の適用のための要件

(a)　**加工の意義**　「他人の動産に工作を加えた者（以下この条において「加工者」という。）があるときは、その加工物の所有権は、材料の所有者に帰属する。ただし、工作によって生じた価格が材料の価格を著しく超えるときは、加工者がその加工物の所有権を取得する」（246 条 1 項）。例えば、A 所有の米で B が日本酒を作った場合である。このように、「他人の動産に工作を加えた」場合の法律関係を規律する制度を**加工**という。工作を加えた者を「**加工者**」―― B が C に依頼して日本酒を作ってもらったならば、加工者は B と考えるべきである――、工作により作られた物を「**加工物**」という。要件は以下のようであり、加工者の善意は要件ではない。

20-39　(b)　**加工の対象は動産のみ**　加工の規定の適用は、「動産」に限定されているために、不動産についてはいくら加工を加えても、加工者が不動産の所有権を取得できない。例えば、他人所有の原野を、所有者と詐称する者から購入しこれを開発してリゾート施設を作り出しても、その土地を加工により取得することはない。判例は、建物として完成する前の建前に追加工事をして完成させた場合については、動産たる材料の集合体（建前）を問題とすることにより、動産に対して材料を加えた加工と構成している（最判昭 54・1・25 民集 33 巻 1 号 26 頁☞ 20-43）。

20-40　(c)　**加工の要件――新たな物が作られることが必要か**　「工作を加えた」といえるためには、洗浄や修理ではなく、加工により新たな物が作られることが必要か——例えば、小麦粉でクッキーを作る——は文言上明確ではなく、学説上争いがある。

①まず、他人の動産に工作を加えて新たな物を作出することを加工と理解して、修繕は加工ではないという必要説がある（中島418頁、石田文385頁、末川304頁、柚木465頁など通説、判例［大判大8・11・26民録25輯2114頁等］）。②これに対して、修繕か否か、新たな物か否かの判断は容易ではなく、また、加工者の所有権取得の根拠は、加工労働によって新たな価値が創造されることにあるものとして、新たな物となることを要件としない不要説もある（舟橋371頁、広中414頁、石田穣362頁）。オンボロの自動車を別の車に改造するだけでなく、新品同様に修繕するのも——別物になると考える余地もある——加工ではないが、加工に準じて扱ってよいと考える（類推適用説）。

20-41 **(2) 加工の効果**

(a) 加工者が材料を付け加えない場合　①「加工物の所有権は、材料の所有者に帰属する」（246条1項本文）。加工によって価値が上がった点については、不当利得となり所有者は加工者に不当利得の返還義務を負うことになる（248条）。②しかし、「工作によって生じた価格が材料の価格を著しく超えるときは、加工者がその加工物の所有権を取得する」（246条1項ただし書）。①では物の所有者が、②では加工者が加工物の所有者になり、償金を支払うべきことになる（248条）。例えば、Aの山から石材を採取した彫刻家Bが、これに彫刻を施して美術品を製作した場合、石材の価値が10万円程度、彫刻の価格が100万円相当だとすると、Bの彫刻により90万円分価値が生じたことになるので、著しく材料の価格を超える。したがって、彫刻はBの所有となり、AはBに10万円の償金請求ができる。

請負の押売りを避けるため、加工者が他人の物であることを知りながら加工をした場合には、加工の規定が適用されるが、材料所有者は、償金請求と加工物の所有権移転請求——ただし書が適用にならない事例、買取請求に等しい——とを選択しうるという考えがあり（広中415頁）、賛成したい。

20-42 **(b) 加工者が材料を付け加えた場合**　「加工者が材料の一部を供したときは、その価格に工作によって生じた価格を加えたものが他人の材料の価格を超えるときに限り、加工者がその加工物の所有権を取得する」（246条2項）。加工をめぐる立法には、①加工物を材料の所有者に帰属させる**材料主義**と、

②加工物を加工者に帰属させる**加工主義**とがあるが、③日本民法は、材料主義を原則としつつ例外を認める折衷的解決を採用したことになる。

加工者の所有になるためには、1項では、加工によって生じた価格が材料の価格を「著しく」超えなければならないのに対して、2項では、材料の価格と加工によって生じた価格とを足した額が、他人の材料の価格を超えればよい。

20-43 **◆建前を別の請負人が建物として完成させた場合と建物の帰属**

①Aはその所有の土地上に建物の建築をすることをBに注文し、②Bは途中まで建築したが（1200万円の材料費をかけたとする）、③その後工事を続行しなくなったので、Aは催告の上Bとの契約を解除した。そして、④AはCに工事の続行を依頼し、⑤Cが500万円の費用をかけて建物を完成させた（完成した建物の評価額は3000万円だとする）。AB間には建物の所有について何ら特約がされていなかったが、AC間では完成した建物はAに帰属する旨の特約がされている。この事例における建物の所有について、判例は、Bの材料にCが材料を付け加えて加工したものとして――不動産の加工は認められないので動産の加工を問題にする――、1200万円のBの材料にCが500万円の材料を加えて3000万円の建物を完成させたとして、500万円+1300万円（価値増加分）をCに帰属させC所有とし、AC間には特約があるのでA所有としている（最判昭54・1・25民集33巻1号26頁）。

しかし、BCの労力の総和が材料に対する価格上昇分であり、それを完成段階の請負人Cが独り占めする計算になっており適切ではない。なお、そもそも注文者帰属説（☞債権各論Ⅰ 11-14）では問題が生じることはない。

20-44 (3) 加工規定の適用排除

加工の規定は任意規定と考えられており、加工を契約で請け負った場合には、特約により246条1項ただし書の適用は排除され、常に注文者に加工物の所有権は帰属し、加工者は契約上の報酬債権が認められる。

刑事事件であるが、小麦の製粉の依頼を受けた者が、製粉後の小麦粉を勝手に販売等した事例につき、「民法第246条は加工者が他人の依頼を受け其者より預かりたる材料に対し単に工作を加ふるが如き場合に之を適用すべきものにあらず」として（大判大6・6・13刑録23輯637頁）、また、「洋服の仕立業者が、他人の注文を受けて、仕立のためにその者から預かった洋服生地に加工を加え洋服に仕立てたような場合には、たとえその結果著しく価格が増加しても、その所有権は注文者に属する」として（最決昭45・4・8判時590号91

頁)、246条1項ただし書の適用が否定され、業務上横領罪の成立が認められている。

労働者による加工の事例は、請負の場合と同様に黙示の特約により加工の規定の適用が排除されているという説明もできるが、雇用契約の場合には、労働者のなした加工は使用者の加工と評価すべきである(舟橋372頁、我妻・有泉305頁)。

6　添付の効果

20-45 (1)　第三者の権利

(a)　消滅した所有物についての権利　民法は、付合、混和および加工のそれぞれの効果が各条文で規定されているのとは別に、3つの添付制度の効果について共通規定を置いている。まず、付合、混和および加工の規定により、所有権が消滅した物についての第三者の権利について、「第242条から前条までの規定により物の所有権が消滅したときは、その物について存する他の権利も、消滅する」と規定した(247条1項)。

例えば、AがBに販売し先取特権を有する砂利が、Cの砂利と混和し、Cが混和物の所有権を取得した場合、Bの所有権が消滅するだけでなくAの先取特権も消滅する。この場合には、Aは、BのCに対する償金請求権への物上代位ができる(304条)。加工も同様であり、AからBが購入して代金未払いのキャンバスに、画家Cが絵を描いて加工規定によりC所有になった場合、Aの動産売買先取特権はBのCに対する償金請求権への物上代位により存続することになる。

20-46　**(b)　所有権が拡大される場合または共有となる場合**　他方で、「物の所有者が、合成物、混和物又は加工物(以下この項において「合成物等」という。)の単独所有者となったときは、その物について存する他の権利は以後その合成物等について存し、物の所有者が合成物等の共有者となったときは、その物について存する他の権利は以後その持分について存する」(247条2項)。例えば、AがBに販売し先取特権を有する砂利が、Cの砂利と混和し、Bが混和物の所有権を取得した場合、Aの先取特権が混和物全部につき存続する。共有となった場合には、共有持分について先取特権が存続する。

添付の事例でなく、全てB所有の砂利の場合でも、Aの先取特権が成立している砂利とそれ以外のBの他の砂利とが混ざった場合や、BがAの先取特権が成立している部品を組み入れて完成品を製作した場合など、先取特権がどうなるかは同様に問題になる。複数の建物を合体して1つの建物にした場合、その1つの建物に設定されていた抵当権の効力については1-11を参照されたい。全てB所有の動産が混和した場合には、混和物全体にBの先取特権が拡大することを認めてよいであろう。

20-47 **(2)　所有権を失う所有者や加工者の償金請求権**

「第242条から前条までの規定の適用によって損失を受けた者は、第703条及び第704条の規定に従い、その償金を請求することができる」(248条)。付合により法律上の原因なしに他人の物の所有権を取得するため、その法律関係は本来ならば不当利得により規律されることになる。契約により加工をする場合には、報酬が支払われるので不当利得は問題にならず、また、そもそも加工の適用は否定されるべきである(☞20-44)。

「償金」請求のためには「利得」が必要なので、押し付けられた利得を認めるか否かなど、不当利得法の議論が適用されることになる。「利益」の判断時点も同様であり、加工された物の引渡しを受けた時点で「利益」を認めるべきであり、その後に所有者の故意・過失で目的物を滅失・損傷して利益が残存しなくなっても、償金支払義務を免れない。

第3節　共有(共同所有)

§I 共有の意義および種類

1　共有の意義

21-1 同一の物が複数の者に帰属する所有形態を広く**共有**という。共有が生じる主たる原因は共同相続であるが、それ以外にも、共同購入、共同での無主物先占、付合、混和など種々の原因が考えられる。「夫婦のいずれに属するか明らかでない財産は、その共有に属するものと推定」される(762条2項)。

組合財産は「共有」と規定されているが（668条）、後述するように団体的権利関係であり、合有と考えられている。

民法の「共有」規定が適用になる通常の共有（狭義の共有）とは別に、学理上、合有と総有という概念、さらには互有といった概念が認められており（☞ 19-43）、共有も含めてこれらの上位概念としては、**共同所有**（広義の共有といってもよい）という概念を認めることができる。なお、所有権以外の地上権、抵当権等の財産権が複数人に帰属する場合、これは**準共有**といわれ、法令に特段の規定がない限り共有の規定が準用される（264条☞ 21-96）。

2　共有の種類と理念

21-2 (1)　民法上の共有（狭義の共有）

(a)　近代民法の出発点としての個人主義的共有　所有権は、物を自由に使用、収益、処分できる権利である（206条）。ところが、同じ物を複数人で所有（＝共有）するとなると、共有者は、目的物の処分はもちろんできず１人で自由に使用や管理ができなくなり、また、使用や管理をめぐり共有者間で争いが生じる可能性がある。共有は争いの元である。

それ以前の封建主義的制約を排して所有権絶対を宣言した1804年のフランス民法典は、徹底して共有を敵視した。所有権は自由で拘束のない姿を理念とし、共有は経済社会の発展の足かせとなるものと敵視したのである。このような**個人主義的共有**観からは、共有関係の解消、それからの離脱の自由が保障されるべきであると考えられたのである。その結果、共有者に次の２つの権利が本質的な権利として認められる。そして、共有物の処分だけでなく、管理も全て全員の同意を必要としたのである（2006年改正で３分の２の多数決で管理は決められるようになった）。

① 持分を自由に譲渡できる。
② 共有物の分割をいつでも請求できる。

21-3 **(b)　個人主義的共有を緩和**　日本民法が249条以下の「共有」の規定で予定しているのは、上の２つの権利が認められる個人主義的な共有形態である。ただし、管理は持分の過半数で決められると修正するなど、完全なフランスの個人主義的共有そのものではない。そのため、民法の共有に多様性を認めて、共有を単に個人主義的共同所有とすることは適切な理解ではないと主張されている（山田誠一「共有者間の法律関係（4・完）」法協102巻7号102頁）。

21-4　(c)　**団体的共有関係**　共有物を長年にわたって規約を作って管理していても、単に共有物の管理についての合意がされているにすぎなければ、それは組合ではない。漁民が網干場として土地を共有し共同で使用している場合に、最判昭26・4・19民集5巻5号256頁は組合の成立を否定する。これに対して、同好の趣味の者複数が出資をしてヨットやセスナ機を共同購入した場合には、組合の成立が認められている（最判平11・2・23民集53巻2号193頁、東京地判昭62・6・26判時1269号98頁）。組合と認められると、その所有関係は合有とされ、組合財産として組合員の財産から独立した存在になる。

組合といった団体関係がない共有でも、区分所有の共用部分や分譲地の共有の私道など、存続・維持されるべき共有形態もあり、全てが速やかに解消されるべき個人主義的共有関係というわけではない。解釈により、持分譲渡や分割請求権が認められない共有関係を認めるべきである（☞21-5）。

21-5　**◆存続保障されるべき共有関係**

組合共有のように団体関係が基礎にある場合以外にも、互有のように存続保障されるべき共有関係が認められている（257条☞19-43）。さらに規定はないが、分譲地の土地所有者が通行地役権ではなく、私道を共有して使用するように、その存続が保障されるべき共有関係がある（玉田弘毅「共有類型論への1つの接近」曹時43巻4号1頁以下☞21-71）。この場合、あえて団体を擬制する必要はない。共有の存続保障を常に組合に倣って団体という法律関係を想定することは必要ではない。区分所有における共用部分の共有も同様である。現行区分所有法は、区分所有者団体（管理組合）を創設して団体的要素を取り込もうとしているが、必ずしも団体的要素と結び付ける必然性はない。共用部分の共有を、共有、合有、総有のいずれにも該当しない第4の共同所有であるとして、新たな「集団的建物所有権」概念を構築することが必要であるとする考えがある（加藤284頁）。他方、物の使用や管理等につき相互に一定の拘束を受けることを約するため、複数の者が共同所有の状態に入ろうというのは、広い意味での組合契約を結んだともいえるとする考えもある（鈴木74頁）。また、区分所有建物の共用部分についての共同所有関係に入ること自体が、いわば法定組合関係に入ることを意味し、さらには、相隣関係における境界上の物についての互有も、一種の法定組合関係であるという。しかし、共有＝団体といった思考はいささか短絡的な印象を受ける。

21-6 **(2)　団体的共同所有**

(a)　合有

(ア)　合有概念の解釈による承認　組合財産は民法上「共有」と規定されているが（668条）、判例・通説はこれを**合有**と理解し、所有権だけでなく、債権債務も含めて組合財産を全て合有法理で規律しようとしている（☞債権各論Ⅰ 15-20以下）。組合財産を組合員の個人財産から独立した目的財産であることを認める点では異論はないが、合有説の中でも合有の内容の理解は分かれる（☞21-7）。団体的財産関係であり、財産の管理は持分ではなく組合員の頭数の過半数で決定される（670条1項）。合有が共同相続についても認められるのかは議論がある（☞21-8）。

21-7 **(イ)　組合の場合**　組合財産全体について包括的な持分が認められるだけで、個々の財産には潜在的な持分しかないという徹底した理解もあるが、個々の財産にも持分があり、その譲渡や共有物分割請求が組合原理により制限されているだけ（676条）という理解が一般的理解である。合有とは、1つの独立した財産関係を作り上げる法理であり、少なくとも潜在的持分が認められる点で、21-9の総有とは異なっている。判例は、組合財産について、「普通の共有と異にし」「一種の団体財産たる特質を帯有せしめたる」もの（大判昭7・12・10民集11巻2313頁）、「組合財産は、特定の目的（組合の事業経営）の為めに各組合員個人の他の財産（私有財産）と離れ別に一団を為して存する特別財産（目的財産）にして、其の結果此の目的の範囲に於ては或程度の独立性を有し、組合員の私有財産と混同せらるることなし」、「組合財産として、組合員に合有的に帰属」すると、明言している（最判昭43・6・27判時524号52頁）。

21-8 **(ウ)　遺産共有**　組合のほかに、遺産共有（898条）も「共有」と規定されているが、これを合有と理解する学説がある（例えば、中川善之助・泉久雄『相続法〔第4版〕』〔2000〕217頁以下）。しかし、判例・通説は、遺産共有も物権法の共有であると考えている。最判昭30・5・31民集9巻6号793頁は、「相続財産の共有（民法898条、旧法1002条）は、民法改正の前後を通じ、民法249条以下に規定する『共有』とその性質を異にするものではない」と明言する。

21-9 **(b)　社団総有**　団体の独立財産を認める法技術という点では合有と共通し

ているが、**総有**はさらに団体財産の独立性を徹底し、構成員に潜在的にも持分が認められない財産関係である。

総有も合有も、団体への財産帰属を実現する法的手段であり、直截に組合や社団に法人格を認めることが検討されてよい。フランスでは、19世紀に組合に解釈により法人格が認められ、ドイツでも、2001年に連邦通常裁判所の判決により組合に権利能力（法人格）が認められ、これが一般に承認されるようになり、2009年の土地登記法の改正により、組合名義での登記が可能になった（後藤元伸『権利能力なき社団と民法上の組合』［2021］191頁以下）。近時は、日本でも、社団への帰属を認めたり（柳勝司「『権利能力なき』社団の財産の帰属といわゆる総有理論について」名城64巻4号［2015］104頁）、組合に権利能力を認める主張もされている（高橋英治「ドイツにおける民法上の組合の規制の現状と課題」『会社法の継受と収斂』［2016］330頁）。

21-10　**(ア)　総有論の導入**　総有は、日本法上、入会団体と社団について認められている財産帰属形態である（☞注119）。判例は、社団（権利能力なき社団）への財産の帰属を「総有」と理解している（最判昭32・11・14民集11巻12号1943頁等）。構成員全員に財産が帰属し、構成員の個人財産から独立した1つの財産関係である。ただ、組合合有と異なり、構成員は社団財産に潜在的にさえ持分を持たないと考えられている。そのため、持分の認められる組合合有では、組合債務について組合員が個人的に分割責任ながら責任を負うのに対し（675条2項）、社団では、構成員は社団債務について個人的責任を負わないと考えられている（☞民法総則4-42）。

21-11　**(イ)　総有論への疑問提起**　しかし、本来、総有概念は、ゲルマン法上の村落共同体による特殊な封建的共有関係についての理論であり、ドイツ民法での立法に際して否定され、過去の法史学的概念として葬り去られている。総有という理解は、日本でも近時は批判が強い。団体は組合も社団も全て合有と構成し、営利か公益かという団体の目的により構成員の責任を考えれば足りる（☞民法総則4-41）。また、団体に法人格を認める動きがあることは、21-9に述べた。ただし、判例をみる限り、権利能力なき社団や入会団体について、その財産関係を総有と理解することで確立されており、変更される見込みはない。

§Ⅱ
共有および持分の法的構成

1　共有の法的構成

21-12　❶　**単一説**　共有の法的構成については、学説の理解が分かれている。

まず、ある物について所有権は1つしか存在しえないのであり、本来ならば1人に帰属すべき所有権が、共有者に数量的に分属する状態を共有と考える学説がある（**所有権量的分属説**ないし**単一説**）。例えば2人の共有で持分が平等ならば、1つの所有権の内容が2人に分属することになる。これが通説である。判例はこの立場である（☞21-14）。この説では、255条の共有の弾力性を説明できないと批判されるが、255条によって共有の弾力性が認められていると考えれば足りる（本書もこちらを支持）。

21-13　❷　**複数説**　これに対して、共有者の数だけ所有権が成立し、それらが同一の物を対象としているがためにお互いに制約し合っており、それぞれの所有権は他の所有権により制約され、その制約を受けた所有権の総和が1つの所有権に等しいと考える学説もある（**複数所有権説**ないし**複数説**［末弘413頁以下、我妻・有泉320頁、生熊84頁］）。この立場では、1人の共有者からみて他の共有者の所有権は自己の所有権を制約する制限物権のようなものになり、それがなければ完全な所有権に当然に復帰することになるため、共有の弾力性を理論的に説明できることになる。

21-14　❸　**判例は単一説を採用**　判例は、「共有は、数人が共同して一の所有権を有する状態にして、各共有者は物の全部に付所有権を有し他の共有者の同一の権利によりて減縮せらるるに過ぎず。したがって、共有者の有する権利は単独所有権者の権利と性質内容を同うし、唯其の分量及範囲に広狭の差異あるに過ぎざる」（大判大13・5・19民集3巻211頁）といい、①の立場と解することができる。なお、判例は、「いわゆる共有権（数人が共同して有する1個の所有権）」、「共有者全員の有する1個の所有権」という概念、また、その確認を求めることを認めている（最判昭46・10・7民集25巻7号885頁☞21-60）。各共有者は持分の譲渡はできるが、「物」の譲渡は所有者でなければできない（☞21-15）。

21-15 **◆所有権論と共有**

19-3に述べた所有権の議論は、共有の議論にどう影響を及ぼすのか確認しておきたい。ただし、所有権量的分属説を基礎として考える。①伝統的な支配権説では、使用・収益・処分を内容とする排他的支配権である所有権が、数量的に分属することになる。②帰属関係説では、所有権が数量的に分属する点は同じであり、それぞれの持分が各共有者に帰属する（「所有」が「分有」になる）ため、それぞれの持分をその帰属者が処分できることになる。

帰属理論では、債権（共同債権）であろうと、無体財産権であろうと、所有権であろうとまたその量的一部の持分であろうと、その帰属主体に法的処分権限が認められるという構造に変わりはない。しかし、「物」自体の処分は、所有者でなければできず、共有の場合には以下のように考えられる。

①共有物の持分の譲渡は、「持分」という権利の譲渡である。権利の内容が合意通りでなければ権利の担保責任が問題になる。②単独所有の場合には、所有権を売却するのではなく、売却の対象は「物」であり、物を売ってその所有権の移転義務を負うのである。③共有者の1人が、単独所有と称して共有「物」を売却した場合、他の共有者の持分の部分について、数量的に無効になる。④共有者が全員で共有物を譲渡する場合、1つの所有権に匹敵する21-14の「共有権」に基づく共有「物」の譲渡であり、各共有者が売主として持分の移転義務を負うことになる。この場合、例えば1人につき無権代理無効があると、共有「物」の売却は成立するが、③同様に無権代理の部分の持分の移転の効果は生じない。

2　持分（共有持分）の法的構成と共有の弾力性

21-16 (1)　持分の意義と法的構成

条文上、「持分」という用語は、2つの意味で使われている。共有者たる法的地位、すなわち持分権の意味で使っている条文があり（例えば、255条の持分の放棄）、他方で、持分権の量的割合の意味で使っている条文があり、この条文が多い（249条・250条など）。以下では、持分権の意味では単に持分と称し、割合の意味では、「持分の割合」と明示して説明する。

持分の法的分析は、共有の法的構成を持分の側から言い換えただけの議論である。①所有権量的分属説（単一説）では、共有持分は、1つの所有権の量的一部ということになり、数量的な一部にせよ所有権ではあるから、使用、収益、処分はできるが、量的に全面的な使用、収益はできないことになる。②これに対して、複数所有権説（複数説）では、共有持分それ自体も所有権であり、ただほかにも所有者がいるがために完全な所有者のようには物を使用、収益、処分ができないだけである。

21-17 **(2)　共有の弾力性**

民法は、「共有者の1人が、その持分を放棄したとき、又は死亡して相続人がないときは、その持分は、他の共有者に帰属する」と規定している（255条）[83]。これを**共有の弾力性**と呼ぶ。残された共有者が複数いる場合には、各自の持分の割合に応じて帰属する（広中423頁など）。

この効果は、共有の法的説明において、複数所有権説を採用すれば論理的に説明が付くが、所有権量的分属説では論理的には説明が付かない。しかし、共有の弾力性ということ自体、論理必然的な結果ではなく、政策的考慮の結果であると解されており（広中423頁以下）、255条の規定は政策的な創設規定と考えれば足りる。

255条は準共有にも適用されるが（264条）、分割債権には適用すべきではない（保険金請求権につき、神戸地尼崎支判平26・12・16判時2260号76頁）。

21-18 **◆ 958条の2（特別縁故者制度）との関係——特別縁故者への分与が優先**

1962年の相続法の改正により、相続人がいない場合に、相続財産を国庫に帰属させる前に、「被相続人と特別の縁故があった者」に分与するという制度が新設された（958条の2第1項）。この改正により255条の「死亡して相続人がないとき」という部分は、さらに特別縁故者もないときという制限が加わったと考えるべきである。

例えば、AB共有の土地につき、Aが相続人なくして死亡して、Cがその特別縁故者であるとする。Aの持分については、まずCに帰属させてBCの共有とするのが特別縁故者制度を設けた趣旨に合致する。したがって、255条は958条の2により同条が適用になる限りにおいてその適用が制限される（広中425頁）。判例も、958条の2の規定による特別縁故者への財産分与がされず、当該共有財産が残余することが確定して初めて255条が適用され、他の共有者に帰属することになると解している（最判平元・11・24民集43巻10号1220頁）。

83）　共有持分の放棄は単独行為であるが、他の共有者と通謀して行った場合には、94条2項の類推適用が認められている。すなわち、「共有持分権の放棄は、……その放棄によって直接利益を受ける他の共有者に対する意思表示によってもなすことができるものであり、この場合においてその放棄につき相手方である共有者と通謀して虚偽の意思表示がなされたときは、民法94条を類推適用」してよいと判示されている（最判昭42・6・22民集21巻6号1479頁）。

21-19

◆持分放棄による255条の効果の対抗

例えば、AB共有の不動産（共有登記済み）につき、ABの合意で分割されBの単独所有になった場合には、177条が適用されるが（遺産分割につき☞9-33）、Aが持分を放棄して255条の法定の効果によりBが単独所有になった場合、持分放棄にも177条が適用され、Aの債権者がAの持分を差し押さえた場合に登記なくして対抗できないのであろうか。なお、Bの同意なしにAが放棄できるのかは疑問がある。Aが放棄してBの単独所有になると、Bは土地所有権を放棄できない。負財については先に放棄した者勝ちになってしまう。

この場合のBの持分取得は法定の原始取得であるが、登記法上は、「持分権放棄」を登記原因として、持分の放棄者から他の共有者への「持分権移転登記」手続により、他の共有者は持分放棄者に対して「持分権移転登記」手続に応ずべきことを訴求することができる（名古屋高判平9・1・30行集48巻1＝2号1頁）。原始取得でありながら移転登記をする点は取得時効に類似しており、また結論においても、ここでも177条の適用が肯定されている。すなわち、「すでに共有の登記のなされている不動産につき、その共有者の一人が持分権を放棄し、その結果、他の共有者がその持分権を取得するに至った場合において、その権利の変動を第三者に対抗するためには、不動産登記法上、右放棄にかかる持分権の移転登記をなすべき」であるとされている（最判昭44・3・27民集23巻3号619頁）。遺産分割によるか持分の放棄によるかという形式の差だけで、177条の適用の可否が変わるのは適切ではなく、妥当な解決である（相続財産の場合には、899条の2第1項が適用される。債権には255条は適用にならない）。

なお、持分に抵当権が設定されている場合には、持分放棄は有効であるが抵当権者には対抗できず（398条の趣旨の類推）、抵当権者は持分が存続しているものとして抵当権の実行によりこれを競売できる。

§Ⅲ
持分の割合および持分の譲渡

1　持分の割合

21-20

共有の持分の割合は、①当事者の合意により定まる場合（当事者が合意して共同で物を購入した場合等）、②法の規定により定まる場合（241条ただし書・244条・245条・900条～904条等）とがある。共有関係にあることは明らかだが、その持分の割合が不明な場合については、民法は「各共有者の持分は、相等しいものと推定する」と規定した（250条）。ただし、不動産については、持分が登記簿に記載されることになっているため、登記の推定力が優先され、250条の推定は排除される（我妻・有泉321頁など）。

2　持分の譲渡

21-21 (1)　持分譲渡の自由性

持分は、1つの財産権として自由にこれを譲渡できる。譲渡性があるために、不動産の持分に抵当権の設定もできる。持分の譲渡性は特に規定がされていないが、財産権が譲渡性を有することはあえて規定を待つまでもない。254条は持分の譲渡が可能なことを前提としており、また、組合の「共有」（＝合有）では、組合員による持分の処分の効力が否定されており（676条1項）、共有では持分譲渡が有効であることがその前提である。

共有者間で持分譲渡をしない特約（譲渡禁止特約）をすることは可能であるが、これは債権的な効力を有するのみで第三者には対抗しえず、また、不動産についてもこれを登記することはできない（登記事項ではない）。

21-22 (2)　持分譲渡の効果

(a)　共有についての合意の承継

(ア)　共有についての合意は物権的合意として承継される　まず、共有物の使用・管理・費用分担などに関する合意が、譲渡以前に共有者間でされていた場合には、その合意の効力は持分の譲受人に承継されると考えられている（舟橋378頁）。債権的利用関係ではなく、共有という物権関係の内容についての合意であり、公示はないが、あえて持分の譲渡を受けようとする者は自ら調査すべきであるからである。大審院は傍論として、「共有の持分を譲受けたる者は譲渡人の地位を承継して共有者となり、共有物分割又は共有物管理に関する特約等総て共有と相分離すべからざる共有者間の権利関係を当然承継すべき」ことを認めている（大判大8・12・11民録25輯2274頁）。

21-23 **(イ)　共有についての合意が承継される理由**　東京高判昭57・11・17判タ492号65頁は、承継を肯定する理由として、以下の3つを挙げる。①まず、「共有物の使用収益、管理又は費用の分担に関する定めは、共有関係と相分離しえないものであり、共有者は、自己が持っていた以上の権利を譲り渡すことができず、譲受人も、譲渡人が受けていたと同じ制限を受ける権利を取得する」こと。②次に、「もし右述のように解しないと、共有者間の特約により負担を負う共有者の一人が、持分を譲渡することにより一方的にいつでもその特約を破棄したと同等の効果を生じさせうることにな」ること。③そして、「右特約については公示方法がないので、持分の譲受人が不測の損害を受け、取引の安全を害することがないとはいえないが、これは譲渡人の瑕疵担保責任、あるいは、共有者となった譲受人による共有解消の問題として考慮すれば足りる」ことである。

21-24　(b)　**共有物についての負担の承継**　これに対し、共有関係から譲渡前に共有者間に生じていた費用償還請求権等の債権については、各共有者の人的債権関係にすぎず、買主らには承継されないはずである。この点、民法は債務者が持分を譲渡した場合について例外を認めている。すなわち、「共有者の1人が共有物について他の共有者に対して有する債権は、その特定承継人に対しても行使することができる」ものと規定した（254条）。政策的に物的な債務として持分と一体として承継されることになるが（法定の併存的債務引受）、傍点部分からして譲渡人も債務を免れず、連帯債務の関係に立つ。弁済をした譲受人は、譲渡人に対して求償をすることができる。

ところで、譲受人の責任については、譲受人の財産を責任財産とするものではなく、譲り受けた持分について売却を求めることができるという物的有限責任にすぎないという主張があり（鈴木42頁）、賛成したい。その代わりに、譲受人の他の債権者に対し、持分につき優先権が認められるべきである。持分買取請求権も認められる（☞ 21-41）。

21-25　**◆転々譲渡がされたらどうなるか**

持分がＡからＢ、ＢからＣと譲渡され、Ａの債務がまだ決済されていない場合、Ｂも債務を免れないのであろうか。254条について判例はないが、254条と同様の規律をする区分所有法８条については興味深い判決がある。例えば区分所有権をＡが管理費を滞納したままＢに譲渡し、Ｂにおいても支払われないままＢがＣに区分所有権を譲渡したとする。Ａが滞納していた費用について、①Ａが債務者のままであることは当然であり、また、②現区分所有者Ｃが区分所有法８条により債務を負担することも疑いない。問題は、③中間者Ｂである。

この点、大阪地判平21・7・24判タ1328号120頁は、「区分所有法８条に基づき元の区分所有者の管理費等の債務をいったん負うことになった以上、その後その区分所有権を他に譲渡しても、その債務の支払を免れることはできない」とする。理由として、「区分所有法８条は、その債務の履行を確実にするために特定承継人に特に債務の履行責任を負わせることを法定して債務履行の確実性を担保することに立法趣旨があり、いったん特定承継人となって債務を負うことになった者が所有権を他に譲渡して債務を免れるなどという責任軽減は、規定もなく、全く想定していないと考えられるからである」と述べる。21-24の末尾に述べた物的有限責任説では、Bはもはや物的有限責任を負わないことになる。

21-26

◆ 254条の適用範囲の拡大

254条で念頭に置かれているのは金銭債権である。ところが、最判昭34・11・26民集13巻12号1550頁は、以下のように、本規定を金銭債権以外にも適用を拡大している。

Xは訴外Aほか2名より、本件土地につき4797分の2075の共有持分の譲渡を受け登記を完了し、共有者となり、共有者間で、「土地を分割し、20坪7合5勺はXの単独所有として独占的に使用し、のち分筆登記が可能となったとき直ちにその登記を為すことを約し、土地引渡を了しておるのであり、Yは、その後において、Aを除く2名の者から右土地につきXのため登記された残余の共有持分の3分の1宛の譲渡を受け、その登記をなし共有関係に入ったものであるというのである。しからば、Yは民法254条にいわゆる特定承継人に該当するものであることは明らかであり、前示共有地分割契約により前主たる共有者の負担した義務を承継したものであるから、Xがその主張の土地につき他の共有者に対して有する前記分割契約上の債権は、Yに対してもこれを行うことができ、Yはこれが行使を妨害してはならないものである。このことは、分割契約につき登記を経たものであると否とにかかわらない」。

Yは「民法第254条に共有者の1人が、共有物につき他の共有者に対して有する債権は、其の特定承継人に対しても之を行うことを得ると規定してあるのは、他の共有者の負担すべき管理費用、公租公課等を共有者の1人が立替えたと言ふ様な場合を言うのであって、共有物の分割についての債権的契約の承継を意味するものではな」いと主張したが、この点、最高裁は「民法254条は所論のような場合にのみ関する規定と解すべき何らの根拠もない」と判示している。

§Ⅳ
共有者の内部関係

1　共有物の使用（利用）——占有権原

21-27

(a)　共有物全部の使用ができる　「各共有者は、共有物の全部について、その持分に応じた使用をすることができる」(249条1項)。共有者は量的に制限されているが、目的物に所有権を有しており、その対象は不可分的に全てであり対象自体が制限されることはない。しかし、同じ立場にある者が複数いるため、「持分に応じた」使用という制限をしたのである。ただし、これは共有者間で使用についての内容を取り決める際の合意の基準としての意味を有するにすぎない。後述のように、共有者の 1 人が合意に基づかずに共有物を独占的に占有し使用していても、それは適法占有であり、他の共有者は使用を禁止したり明渡しを求めることはできない（☞ 21-42）。共有物の管理についての合意がない限り、分割されるまで、その使用は、持分割合に応じて清算がされるべきであり、持分割合よりも多く使用した共有者に対して、他の共有者は不当利得の返還を請求できるにすぎない（249 条 2 項）。

21-28　(b)　**使用方法など**　使用方法について協議が調わない場合、次に述べるように「各共有者の持分の価格に従い、その過半数で決する」ことになる（252 条 1 項前段）。この決定に不服のある者は、共有物の分割請求をするしかない。合意の有無を問わず、共有物の使用に際しては、共有者は善管注意義務を負う（249 条 3 項）。自分だけの所有物ではないからである。

2　共有物の管理・処分

21-29 (1)　共有物の変更・処分

(a)　**全員の合意が必要**　「各共有者は、他の共有者の同意を得なければ、共有物に変更（……）を加えることができない」（251 条 1 項）。共有物は、全ての共有者の持分の客体であり、共有物を変更・処分することは、事実上の処分・法律上の処分共に、他の共有者の持分の処分にもなるので、全員の同意が必要である。民法は共有物の「変更」についてしか規定していないが、当然の事理である。

21-30　(b)　**共有者が不明または共有者の所在が不明な場合**　他の共有者が不明か、共有者はわかっているが所在が不明な場合には、共有者は、裁判所に「当該他の共有者以外の他の共有者の同意を得て共有物に変更を加えることができる旨の裁判」を求めることができる（251 条 2 項）。例えば、AB 共有の不動産につき、B が所在不明ならば、裁判所により A だけで変更することを認める――変更内容までは裁判所の許可は要しない――旨の判決を出してもらうことができる。

21-31 **(c)　変更・処分と管理・保存の区別**　全員一致の原則に対する特則が、共有物の管理と保存について 21-32 に述べるように規定されているが、103 条の議論を含めて処分・管理・保存の区別は相対的なものである。売却、贈与、抵当権や質権の設定等の法律的な処分、捨てる・食べる（消費）等の事実上の処分は、ここでの「変更」に該当する。共有物が無権代理人により処分された場合の追認も共有者全員の同意を要する。共有の金魚の一部に病気が発生した場合に、他に伝染しないよう病気の金魚を廃棄処分する、共同相続した果樹園の果実を適時に出荷することは、性質は処分でも状況によっては管理や保存と認められる。

251 条 1 項括弧書で、「その形状又は効用の著しい変更を伴わないもの」は変更から除かれ、管理行為に分類される。建物区分所有法 17 条（☞ 22-4）に倣った規定である（伊藤栄寿「改正共有法の意義と課題」上法 65 巻 3 号〔2022〕93 頁以下参照）。例えば、共有の建物の増築は変更、防犯カメラの設置は管理といえるが、住宅用太陽光発電システムの設置は微妙である。

21-32 **(2)　共有物の管理・保存**

(a)　共有物の管理（保存以外）

(ア)　持分の過半数で管理事項を決する　「共有物の管理に関する事項（……）は、各共有者の持分の価格に従い、その過半数で決する。共有物を使用する共有者があるときも、同様とする」（252 条 1 項）。例えば、土地の共有において、その土地をどのように使用するかは、過半数を超える持分を有する者だけで決定することができる。頭数による多数決ではない。「決する」というが、共有者は団体を構成するものではないので、総会を開催する必要はなく、多数持分を持つ共有者が他の共有者に意見を述べる機会を与えるプロセスは不要である（判例はなく不明）。ただし、共有者は共有物の管理に利害関係を有しているため、決定内容を通知すべきである。不満のある共有者には分割請求権が保障されている（☞ 21-69 以下）。

管理には、庭木を剪定するといった事実行為、業者に修理やペンキの塗替えを依頼するといった法律行為が含まれ、また、共有物の賃貸も含まれるが（☞ 21-34）、使用貸借は含まれない。使用貸借は、第三者に対するものであろうと、共有者の 1 人に対する者であろうと、反対する共有者の使用収益権を補償なく奪うものだからである。したがって、使用貸借は処分行為として全員の同意を必要とする（東京地判平 18・1・26 金判 1237 号 47 頁）。

21-33　**(イ)　共有者が不明または協力しない場合**　「裁判所は、次の各号に掲げるときは、当該各号に規定する他の共有者以外の共有者の請求により、当該他の共有者以外の共有者の持分の価格に従い、その過半数で共有物の管理に関する事項を決することができる旨の裁判をすることができる」（252 条 2 項）。管理不全不動産対策のために立法された規定であるが、不動産に限定されず、また、遺産共有の事例に限定されておらず、全ての共有、全ての共有財産に適用される。

① 共有者が他の共有者を知ることができず、またはその所在を知ることができないとき（1 号）
② 共有者が他の共有者に対し相当の期間を定めて共有物の管理に関する事項を決することについて賛否を明らかにすべき旨を催告した場合において、当該他の共有者がその期間内に賛否を明らかにしないとき（2 号）

共有物の管理についての決定は、1 項または 2 項のいずれの場合であっても、「共有者間の決定に基づいて共有物を使用する共有者に特別の影響を及ぼすべきときは、その承諾を得なければならない」（252 条 3 項）。

21-34

◆共有物の賃貸

21-32 に説明した 252 条 1 項から 3 項の要件を満たす限り、「管理」事項の限度内で共有不動産を賃貸することができるが、602 条との関係、また、借地借家法との関係で、可能となる賃貸借については議論があった。この点、2021 年改正は明文規定を設けて解決した。すなわち、「賃借権その他の使用及び収益を目的とする権利」については、以下の要件を満たすものである限り、管理事項として全員一致によらずに決定できることにしたのである（252 条 4 項）。例えば、建物については、3 年未満また期限の定めのない契約が可能である。しかし、正当事由がないと更新拒絶また期間を定めなかった場合には解約申入れができないため、管理事項を超えることになる。そのため、建物で 3 年未満の期間で定期借家契約である場合に限り、本規定の適用が認められるにすぎない。

① 樹木の栽植または伐採を目的とする山林の賃借権等→ 10 年（1 号）

②　①に掲げる賃借権等以外の土地の賃借権等→５年（2号）
③　建物の賃借権等→３年（3号）
④　動産の賃借権等→6ヵ月（4号）

共有土地の賃借権の譲渡を承諾する行為は、共有者に格別の不利益を与えるものではないから、特段の事情がない限り、管理事項として共有持分の価格の過半数を有する共有者の同意により決定することができる（東京地判平8・9・18判時1609号120頁）。共有物の賃貸借契約における賃料の減額につき全員の合意を必要とするとした判決がある（東京地判平14・7・16金法1673号54頁）。賃貸借契約の解除や更新拒絶は、管理事項として持分の過半数で決せられる。

21-35

◆共有物の管理者制度

(1)　管理者の選任が可能

共有物の管理について、従前は共有者らが全員で管理するのではなく、管理者を定めて管理者に管理を委ねることができることは当然視されていたものの、関連規定は置かれていなかった。この不備を補うために、2021年改正により、管理人に共有物の管理を委ねる場合についての規定を新設した（252条の2）。遺産共有にも適用になる。

管理者は共有者の１人でも、第三者であっても、無償でも有償であってもよい。管理者に管理を依頼することも管理に関する事項であり、共有持分の過半数を有する者により決することができ、共有者の１人をその決定で管理者に選任する場合、その決定にその共有者が含まれていれば改めて管理委託契約をする必要はない。これに対して、第三者に管理を委ねる場合には、決定後、共有者全員の名で（☞21-39）第三者との準委任契約を締結することになる。

21-36

(2)　管理者の権限と第三者保護

管理者にどのような権限を認めるかは管理の委託内容による。「共有物の管理者は、共有者が共有物の管理に関する事項を決した場合には、これに従ってその職務を行わなければならない」ことになる（同条3項）。これに違反して行った共有物の管理者の行為は、「共有者に対してその効力を生じない」が、「共有者は、これをもって善意の第三者に対抗することができない」（同条4項）。例えば、252条４項の管理の範囲内の賃貸借であっても、賃貸をするには共有者全員の同意を必要とするといった制限をしても、善意の賃借人に対抗できない。あえて「善意」のみが要件とされ、無過失は要件とされていない。110条の原則に対する例外を認める根拠は、受託者の包括権限（☞(3)）を原則とし、その制限につき第三者に厚い保護を与えるという、法人代表者（会社349条5項など）、支配人（商21条3項）、商業使用人（商25条2項・26条ただし書）等と共通の思想である。

21-37

⑶　共有物の変更

管理者への管理委託も管理事項として決定する以上、管理を超える権限を付与することはできない。他方で、「共有物の管理者は、共有物の管理に関する行為をすることができる」と、特に制限をしなければ管理に関する一切の権限を有することが認められ（252条の２第１項本文）、これへの制限は⑵のように善意の第三者に対抗できない。「共有物に変更（その形状又は効用の著しい変更を伴わないものを除く。次項において同じ。）を加えること」は、管理の権限を越えるため「共有者の全員の同意」が必要になる（同条同項ただし書）。この場合に、「共有物の管理者が共有者を知ることができず、又はその所在を知ることができないときは、裁判所は、共有物の管理者の請求により、当該共有者以外の共有者の同意を得て共有物に変更を加えることができる旨の裁判をすることができる」（同条２項）。

21-38

(b)　共有物の保存　「各共有者は、前各項の規定にかかわらず、保存行為をすることができる」（252条５項）。民法は内部的意思決定とその実行（実行権限が必要）とを明確に区別していないため、管理は「決する」と規定し、保存行為は「することができる」と規定している。ただし、共有者間で保存行為についての取決めがある場合には、それに従うことを要する。保存行為は、他人の持分部分との関係では、事務管理になり、事務管理規定が適用される。

共有物の保存とは、庭の雑草を取ったり、建物を掃除したり、雨漏りを修理したりまた修理を業者に依頼するという、自己の財産の保全であるが、他方で他の共有者との関係では、事務管理となる行為である。判例は、持分侵害に対する共有者による共有物の明渡請求や無効な所有権移転登記の抹消登記請求を保存行為として説明する。持分侵害による物権的請求権は各共有者に認められるが、それを単独で行使することを正当化する必要があるからである。保存行為としては、持分の侵害はないが共有物の妨害がされている場合にも、持分に基づく妨害排除請求が認められている（☞ 21-66 以下）。共同相続があった場合に、各相続人は単独で保存行為として相続人全員の共有登記の申請ができるというのが登記実務である。未登記の地上権や地役権が共同相続された場合には、各共同相続人が全員のために地上権や地役権の設定登記を保存行為として請求できる[84)]。

21-39

◆決定事項の実行権限（代理権）

252条１項前段で規定されているのは「決する」という内部的意思決定だけで

あり、その実行、事実行為の実行権限、また、修理を依頼するという法律行為を決めた場合には、共有者全員を代理して——自分を当事者とする部分も含まれる——契約をする権利を持つのは誰であろうか。組合規定も同様の不明瞭さがあったが、民法改正によりこの点は明確化された（670条・670条の2参照）。これに対して、共有規定は2021年改正においてもこの点は改正されておらず、依然として実行権限また代理権についての規定は置かれていない。

意思決定に際して、誰が実行できるかを決めていればそれに従うが、決められていない場合には、共有者の全員に実行権限また代理権が認められる（広中428頁）。契約ないし意思表示の当事者については、全員を当事者とする必要があり、各共有者が全員を当事者とする意思表示ができると考えるべきである。例えば、AB共有の土地を、Aが裁判所の許可を得て単独で売却することを決めた場合、AはABを売主とする売買契約を締結できる（☞21-15）。不動産を賃貸することを決めた場合には、全員を賃貸人とする賃貸借契約が締結されるべきである。賃貸借の解除も同様であり、解除の内部的意思決定は持分の多数で決められるが、解除は全員の名でしなければならない。したがって、解除権不可分の原則（544条）とは抵触することはなく、持分の過半数で解除が決まったら、全員の名で解除の意思表示ができるのである。判例は、「民法544条1項の規定の適用が排除される」と説明するが（最判昭39・2・25民集18巻2号329頁）、適切ではない。

なお、保存行為は各共有者が行うことができるが（252条5項）、修補など法律行為の場合、自己の名で行うのか、共有者全員の名で（他の共有者については代理）行うことができるのか、明確ではない。単独でできるが自己の名で行わなければならないとしても、債権者はその共有者の他の共有者に対する償金請求権（253条1項）につき代位行使ができ、また、共有物につき先取特権も認められる（320条・326条）。

3　共有物に関する負担——持分買取請求権

21-40　(a)　**持分に応じた負担**　「各共有者は、その持分に応じ、管理の費用を支

84）　最判平7・7・18民集49巻7号2684頁は、未登記地役権の要役地の共同相続人の一部が承役地の所有者に対して地役権の設定登記手続を求めた事例で、原審判決は、要役地が数人の共有に属する場合においては地役権設定登記手続を求める訴えは固有必要的共同訴訟であるとして請求を棄却したが、最高裁は「要役地の共有持分のために地役権を設定することはできない」が、Xらの請求は、「右のような不可能な権利の設定登記手続を求めているのではなく、Xらがその共有持分権に基づいて、共有者全員のため本件要役地のために地役権設定登記手続を求めるものと解すべきであ」り、「要役地が数人の共有に属する場合、各共有者は、単独で共有者全員のため共有物の保存行為として、要役地のために地役権設定登記手続を求める訴えを提起することができるというべきであって、右訴えは固有必要的共同訴訟には当たらない」と判示した。

払い、その他共有物に関する負担を負う」(253条1項)。

「管理の費用」としては、除草費用、管理人への報酬、その土地の不法占有者を排除するために要した費用、「負担」としては、固定資産税、都市計画税、その土地の瑕疵により第三者が損害を受け717条の責任を共有者が負う場合のその賠償金である。これらを、各共有者は「持分に応じ」て負担することになる。持分に応じて共有物の使用ができ、また、共有物の収益(天然果実、賃料)も持分に応じて分配されるため、利益の割合に応じて損失も負担すべきであることから、負担も持分に応じるものとしたのである。

21-41　(b)　**持分買取権**　もし、「共有者が1年以内に前項の義務を履行しないときは、他の共有者は、相当の償金を支払ってその者の持分を取得することができる」として(253条2項)、債権者たる共有者に、支払を怠る他の共有者の持分の取得権を認めている。持分買取権は、裁判所の許可を不要とする形成権であるが、買取りの意思表示だけでは足りず、「相当の償金を支払」うことが要件である——相殺でよく、また、受領を拒絶されたならば提供でよい——。相当かどうかは争いになれば裁判所に決めてもらうしかない。また、「共有者の1人が共有物について他の共有者に対して有する債権は、その特定承継人に対しても行使することができる」(254条☞21-24)。

4　共有者間における持分権の主張

21-42　(1)　持分確認請求および明渡請求

各共有者は、自分の持分を争う共有者のみを被告として、単独で自分の持分権の確認を求める訴えを提起することができる(共同相続のケースにつき、最判昭40・5・27判時413号58頁)。

また、共有である山林における薪採取の妨害が問題となった事例で、「Xが該原野の使用収益を為す権利を争ふY等25名のみに対し該権利の確認及其の権利の行使を妨害すべからざることを求むる本訴は」適法であるとされている(大判大11・2・20民集1巻56頁)。しかし、共有者の1人が他の共有者の同意を得ることなく共有物を占有している場合、それは持分に基づく適法な占有であり(☞21-27)、他の共有者は明渡しを求めることはできない(後掲最判昭41・5・19☞21-43)。これは共有者が占有する場合のみならず、共有者の一部から第三者が賃借ないし使用貸借して占有している場合も同様である

（後掲最判昭 63・5・20 ☞ 21-44）。夫とその父親が共有する建物を占有している妻に対して、夫およびその父親が持分に基づいて明渡請求をした事例がある。東京地判平 30・7・13 判タ 1471 号 189 頁は、夫には 752 条の扶助義務があるため、妻にはこれに基づく占有権原が認められることを理由に、夫だけでなく、夫の父親の明渡請求も否定している。

21-43　**◉最判昭 41・5・19 民集 20 巻 5 号 947 頁**　「共同相続に基づく共有者の一人であって、その持分の価格が共有物の価格の過半数に満たない者（以下単に少数持分権者という）は、他の共有者の協議を経ないで当然に共有物（本件建物）を単独で占有する権限を有するものでない……が、他方、他のすべての相続人らがその共有持分を合計すると、その価格が共有物の価格の過半数をこえるからといって（以下このような共有持分権者を多数持分権者という）、共有物を現に占有する前記少数持分権者に対し、当然にその明渡を請求することができるものではない。けだし、このような場合、右の少数持分権者は自己の持分によって、共有物を使用収益する権限を有し、これに基づいて共有物を占有するものと認められるからである。従って、この場合、多数持分権者が少数持分権者に対して共有物の明渡を求めることができるためには、その明渡を求める理由を主張し立証しなければならない」。

21-44　**◉最判昭 63・5・20 判時 1277 号 116 頁**　「共同相続に基づく共有者は、他の共有者との協議を経ないで当然に共有物を単独で占有する権原を有するものではないが、自己の持分に基づいて共有物を占有する権原を有するので、他のすべての共有者らは、右の自己の持分に基づいて現に共有物を占有する共有者に対して当然には共有物の明渡しを請求することはできない」。「この理は、共有者の一部の者から共有物を占有使用することを承認された第三者とその余の共有者との関係にも妥当し、共有者の一部の者から共有者の協議に基づかないで共有物を占有使用することを承認された第三者は、その物の占有使用を承認しなかった共有者に対して共有物を排他的に占有する権原を主張することはできないが、現にする占有がこれを承認した共有者の持分に基づくものと認められる限度で共有物を占有使用する権原を有するので、第三者の占有使用を承認しなかった共有者は右第三者に対して当然には共有物の明渡しを請求することはできない」。

21-45
◆明渡しを求める理由がある場合

21-43 の最判昭 41・5・19 は、「明渡を求める理由」があれば例外的に明渡請求が可能なことを前提としている。しかし、その「理由」については何ら説明していない。考えられるのは、共有物管理についての協議が成立しており、それに違反して占有していたり、善管注意義務に違反して占有している場合である。

例えば、共有者ABC全員の合意でCが分割まで使用すると決めたのに、Aが勝手に使用・占有している場合には、Cは明渡請求ができる（Bができるかは微妙）。しかし、使用貸借は全員一致によるべきであり（☞21-32）、BCが過半数の持分でBが無償で使用すると決めることはできない。これに対し、賃貸をすることは持分の過半数で決めることができ、それに従わず占有しているAに対して、BCは保存行為として各自単独で明渡しを請求できてよい。また、改築をした上で売却することを全員一致で決めた場合にも、改築に必要ならば、占有しているAに対して明渡しを求めることも許されよう。

21-46

◆不当利得返還請求は可能

単独で占有している共有者に対して他の共有者は明渡請求はできないが、その持分に応じた不当利得返還請求または不法行為による損害賠償請求をすることはできる（最判平12・4・7判時1713号50頁。249条2項に明文化された）。適法占有であるはずのところ、この結論をどう説明すべきであろうか。占有権原はあるが、全面的な利用権限までは認められず、いわば量的に法律上の原因がなくまた違法になるというしかない。

AB共有の土地を、AがBに無断でCに使用貸借または賃貸借している場合、BはCに対して明渡請求はできないが、誰に対して不当利得返還請求ができるのであろうか。賃貸借の場合には、Cは賃料を支払っているので、Aが不当利得していることになる。他方、使用貸借の場合には、Aには利得はない。Cが善意ならば189条が適用になる。Cが悪意の場合には、Aと同じ部分的な不当利得がCにつき成立すると考えられる。

21-47

◆黙示的使用貸借

判例は、不当利得返還請求もできない事例を認めている。

①まず、共同相続人の1人が被相続人と同居し家業を手伝っており、被相続人死亡後も建物に居住し家業を承継している事例で、最判平8・12・17民集50巻10号2778頁は、「共同相続人の一人が相続開始前から被相続人の許諾を得て遺産である建物において被相続人と同居してきたときは、特段の事情のない限り、被相続人と右同居の相続人との間において、被相続人が死亡し相続が開始した後も、遺産分割により右建物の所有関係が最終的に確定するまでの間は、引き続き右同居の相続人にこれを無償で使用させる旨の合意があったものと推認される」とした。下線部から、被相続人死亡前から使用貸借が成立しており、使用貸主たる地位を他の共同相続人が承継すると構成していることがわかる。

②他方で、相続が考えられない内縁の夫婦が不動産を共有し、そこで事業を共同で行っていた場合につき、一方が死亡しその相続人と共有になった後の法律関係についても、将来、一方が死亡した場合の使用貸借の予約が認められている。最判平10・2・26民集52巻1号255頁は、「特段の事情のない限り、両者の間において、その一方が死亡した後は他方が右不動産を単独で使用する旨の合意が成立していたものと推認するのが相当である。けだし、右のような両者の関係及び共有不動産の使用状況からすると、一方が死亡した場合に残された内縁の配偶者に共有不動産の全面的な使用権を与えて従前と同一の目的、態様の不動産の無償使用を継続させることが両者の通常の意思に合致するといえるからである」とされる。①のように遺産分割までという期間の制限はないが、改正法598条1項の解除はこの事情を考慮して制限がされるべきである。

2018年の相続法改正により、配偶者短期居住権（1037条以下）また配偶者居住権（1028条以下）が導入されたが、配偶者以外の親族（子など）また内縁については、上記の判例が適用されることになる。

21-48 **(2)　妨害排除請求**

(a)　修補などの原状回復請求はできない　共有者の1人が無断で共有物に変更を加えている場合、例えばAB共有の山林で、Aが勝手に伐採をしている場合には、BはAに対して持分に基づいて伐採の停止を求めることができる（大判大8・9・27民録25輯1664頁）。このように共有物に変更を加える場合には、他の共有者の持分を侵害するものとして、持分侵害に基づく物権的請求権が共有者間でも認められる。

共有者の1人が共有物を変更する行為は不法行為になるが、不法行為の効果は金銭賠償にすぎない（722条1項・417条）。21-50の最判平10・3・24は「原状回復」を請求できるといっているが、その内容は物権的妨害排除請求を認めるにすぎない。「第三者によるとを問わず」と説明していることから、共有者間における特別な扱いをする趣旨ではないことがわかる。したがって、共有物を損傷した場合に、その修補を請求することはできない。

21-49 **(b)　建物の収去請求**　判例は、土を盛った者に対して除去請求を認めながら（☞21-50）、建物の建築を完成させた事例で、他の共有者による建物収去請求を退けている（☞21-51）。いずれも共有物の変更であるのに、より重大な後者につき請求を否定する理由は明らかではない。確かに土地の明渡しは請求できないが、共有物を妨害しているのであり、盛土の除去同様に妨害排除請求として建物収去請求はできるはずである。21-50の最判平10・

3・24の②の部分の傍論からすると、権利濫用によるべきであったように思われる。

21-50

> **◉最判平10・3・24判時1641号80頁**　共有地に共有者の1人により土盛りがされた事例で、北側に隣接する公道の路面より25cm低い地平面となるよう本件土地上の土砂を撤去する方法により、①**「原状回復する工事」**をすることを、他の共有者が求めた事例。「共有者の一部が他の共有者の同意を得ることなく共有物を物理的に損傷しあるいはこれを改変するなど共有物に変更を加える行為をしている場合には、他の共有者は、各自の共有持分権に基づいて、右行為の全部の禁止を求めることができるだけでなく、共有物を原状に復することが不能であるなどの特段の事情がある場合を除き、右行為により生じた**結果を除去して共有物を原状に復させる**ことを求めることもできる」。②「もっとも、共有物に変更を加える行為の具体的態様及びその程度と妨害排除によって相手方の受ける社会的経済的損失の重大性との対比等に照らし、あるいは、共有関係の発生原因、共有物の従前の利用状況と変更後の状況、共有物の変更に同意している共有者の数及び持分の割合、共有物の将来における分割、帰属、利用の可能性その他諸般の事情に照らして、他の共有者が共有持分権に基づく妨害排除請求をすることが**権利の濫用**に当たるなど、その請求が許されない場合もある」。

21-51

> **◉最判平12・4・7判時1713号50頁**　共有者の1人が共有の土地の上に建物を所有し占有していても、他の共有者は明渡しを請求できないとした上で、「本件各土地の地上建物の収去及び本件各土地の明渡しを当然には請求することができず」「本件各土地の登記済権利証の引渡しを請求することや同Y_1の所有する本件建物一に居住している同Y_2に対して退去を請求することもできないものというべきである。しかし、同Y_3及び同Y_1が共有物である本件各土地の各一部を単独で占有することができる権原につき特段の主張、立証のない本件においては、Xは、右占有によりXの持分に応じた使用が妨げられているとして、右両名に対して、持分割合に応じて占有部分に係る地代相当額の不当利得金ないし損害賠償金の支払を請求することはできるものと解すべきである。」

21-52 **(3)　共有者の1人の単独登記になっている場合**

(a)　更正登記請求（自分の持分のみ）しかできない

(ア)　自分の持分登記を公示する更正登記（肯定）　例えば、ABCがDから相続した甲地を共有しているとして（相続分平等）、①相続後に、Aが勝手に単独の所有権移転登記をした事例、さらには、②その後、Aが甲地をEに売却し、Eに所有権移転登記がされた事例を考えよう。BCは、登記に関して、AやEに対してどのような請求ができるのであろうか。

まず、①の事例は、Aも持分を有しており、その部分は実体に符合した登記であるので、抹消登記の請求はできない。そのため、BCはAに対して、「実体関係に符合させるための更正登記手続」を請求できるだけである（最判昭44・9・2判時574号30頁、最判昭59・4・24集民141号603頁など）。すなわち、Bは、自己の持分を侵害している登記部分は無効であり、その部分の一部抹消登記（＝ABの共有登記への更正登記）を請求できるだけである。②の事例についても、EはAから有効にその持分を取得できるため（☞21-15）、Aが単独の所有権移転登記を受けているのと同じ状態となり、BCはEに対して抹消登記を請求できず、やはり更正登記しか請求できない（☞21-54）。

21-53　**(イ)　他の共有者の持分まで公示する更正登記（否定）**　Cが自己の持分部分につき更正登記を請求するか否かはCに任されるので、BはCの部分の更正登記まで含めて、ABCの共有登記への更正登記を請求することはできない（最判昭44・5・29判時560号44頁）。ただし、最判平15・7・11（☞21-67）の議論を応用すれば、BがABCの共有登記への更正登記を請求できそうであるが、これを認めるものではないことは、同判決が明言している。その後も、最判平22・4・20判タ1323号98頁が、BがCの部分までの更正登記を請求できないことを確認している。

21-54　**◉最判昭38・2・22民集17巻1号235頁**　「相続財産に属する不動産につき単独所有権移転の登記をした共同相続人中の乙ならびに乙から単独所有権移転の登記をうけた第三取得者丙に対し、他の共同相続人甲は自己の持分を登記なくして対抗」でき、「甲がその共有権に対する妨害排除として登記を実体的権利に合致させるため乙、丙に対し請求できるのは、各所有権取得登記の全部抹消登記手続ではなくして、甲の持分についてのみの**一部抹消（更正）登記手続**でなければならない……。けだし右各移転登記は乙の持分に関する限り実体関係に符合しており、また甲は自己の持分についてのみ妨害排除の請求権を有するに過ぎないからである」（最判昭39・1・30集民71号499頁、前掲最判昭和44・5・29、前掲最判昭59・4・24等も同様）。

21-55 **(b)　更正登記以外の登記請求ができる場合**

(ア)　持分移転登記請求ができる場合　まず、生前に A が無断で D から所有権移転登記を受けており、その後に、D が死亡し ABC が共同相続をした事例を考える。A も持分を有するので抹消登記はできないのは(a)と同じであるが、登記原因を変更せずに、ABC の共有名義に更正登記することは認められない。それは、D の生前に ABC に所有権が移転していたという更正登記を求めることになり、「右更正登記手続は、帰するところ、実体法上は生ずることのない物権変動を原因とする登記を行うものであって、これを認めることはできない」からである。そのため、持分の移転登記請求の趣旨の請求と解釈されて、持分移転登記が命じられている（最判平 11・3・9 判タ 999 号 236 頁）。

21-56 **(イ)　抹消登記請求ができる場合**　D 死亡後に A も死亡し、A を子の E が F と共同相続したが、甲地について、D から E への直接の所有権移転登記がされた場合に、BC は E に対してどのような請求ができるであろうか。E も A から相続した 3 分の 1 の持分を F と半分ずつ相続し、甲地につき 6 分の 1 の持分を有している。そうすると、(a)の事例と同様に、BC また F は更正登記しか請求できないかのようである。事例はもっと複雑であるが、判例は抹消登記請求を認めている（最判平 17・12・15 判時 1920 号 35 頁）。更正登記は、更正の前後を通じて登記としての**同一性がある場合に限り**認められるものであり、「本件登記と更正後の登記とは**同一性を欠く**ものといわざるを得ない。したがって、上記更正登記手続をすることはできない」ので、**共有持分権に基づき**本件登記の抹消登記手続をすることを求めることができるという。

§Ⅴ
共有と第三者（対外的主張）

1　確認訴訟

21-57 **(1)　持分の確認訴訟および筆界確定訴訟**

AB 共有の土地につき、C が（単独の）所有権を主張している場合に、A

は単独で、その土地についての自分の持分についてのみ、Cに対して確認を求めることができる。Aの持分が確認されればよいのであり、Bと共同でなければできないというのでは、Bが協力してくれない場合に困るからである。Aが単独で、ABの共有であることの確認を求めることができないのは当然である。

21-58 **◆共有地の境界確定訴訟（固有必要的共同訴訟）**

「土地の境界は、土地の所有権と密接な関係を有するものであり、かつ、隣接する土地の所有者全員について合一に確定すべきものであるから、境界の確定を求める訴は、隣接する土地の一方または双方が数名の共有に属する場合には、共有者全員が共同してのみ訴えまたは訴えられることを要する固有必要的共同訴訟」と考えられている（最判昭46・12・9民集25巻9号1457頁）。AB共有の甲地と隣接するC所有の乙地との境界が争いになっている場合に、境界確定訴訟は、ABが共同でCに対して提起し、また、Cが訴訟を提起する場合には、ABを被告として提起することが必要になる。すなわち、固有必要的共同訴訟となる。

この結果、Aは、Bが協力してくれないと、Cに対して境界確定訴訟の提起ができないことになる。そのため、「共有者のうちに右の訴えを提起することに同調しない者がいるときには、その余の共有者は、隣接する土地の所有者と共に右の訴えを提起することに同調しない者を被告にして訴えを提起することができる」と解されている（最判平11・11・9民集53巻8号1421頁）。この場合、共有者が原告と被告に分かれることになる。このような訴訟が認められる理由は、「裁判所は、当事者の主張に拘束されないで、自らその正当と認めるところに従って境界を定めるべきであって、当事者の主張しない境界線を確定しても民訴法246条の規定に違反するものではない」ため、「このような右の訴えの特質に照らせば、共有者全員が必ず共同歩調をとることを要するとまで解する必要はなく、共有者の全員が原告又は被告いずれかの立場で当事者として訴訟に関与していれば足りる」ことに求められている（同判決）。

21-59 (2) 共有関係の確認訴訟——共有権の確認・行使

21-57の事例で、①Cに対してABがそれぞれ単独で持分の確認訴訟を提起するだけでなく、共同訴訟でそれぞれ2分の1の持分を有することの確認を行うこともできる。判例は、このほかに、ABがCに対してその土地がABの共有であり、共有者はABだけであり、ABの持分合計が1つの所有権であるという、共有における所有権確認訴訟も認める。この合計して1つの所有権を「**共有権**」と呼びその確認また、「共有権」に基づく所有権移転登記手続請求を認め、これを固有必要的共同訴訟であるとする（☞21-

60)。しかし、「共有権」という概念を認め、その確認請求を認める必要があるのかは疑問である（鈴木41頁)。ただし、共有者全員でなければできない「物」の処分は、各人の持分だけでは認められないので、その根拠づけのために「共有権」を認める余地はある（☞21-15)。

21-60 **◉最判昭46・10・7民集25巻7号885頁**「1個の物を共有する数名の者全員が、共同原告となり、いわゆる共有権（数人が共同して有する1個の所有権）に基づき、その共有権を争う第三者を相手方として、共有権の確認を求めているときは、その訴訟の形態はいわゆる固有必要的共同訴訟と解するのが相当である（……)。けだし、この場合には、共有者全員の有する1個の所有権そのものが紛争の対象となっているのであって、共有者全員が共同して訴訟追行権を有し、その紛争の解決いかんについては共有者全員が法律上利害関係を有するから、その判決による解決は全員に矛盾なくなされることが要請され、かつ、紛争の合理的解決をはかるべき訴訟制度のたてまえからするも、共有者全員につき合一に確定する必要があるというべきだからである。また、これと同様に、1個の不動産を共有する数名の者全員が、共同原告となって、共有権に基づき所有権移転登記手続を求めているときは、その訴訟の形態も固有必要的共同訴訟と解するのが相当であり（……)、その移転登記請求が真正な所有名義の回復の目的に出たものであったとしても、その理は異ならない」。

2　持分に基づく妨害排除ないし返還請求[85)]

21-61 (1)　持分に基づく妨害排除請求

(a)　各共有者に自己への明渡請求権が認められる　例えば、ABの共有の土地に、Cが廃棄物を投棄したり、不法占有しているCがいる場合、ABはそれぞれ持分に基づいて――物権的請求権の行使――単独でCに対して妨害排除や明渡しを求めることができる（また、共有動産の引渡しも請求できる)。この場合、明渡請求はABへの明渡しではなく、自己への明渡しを請求できる。したがって、AもBもそれぞれ上記物権的請求権を取得し、明

85)　**＊共有物についての損害賠償請求権・不当利得返還請求権**　共有物が滅失させられた場合には、不法行為に基づく目的物の価格の損害賠償請求権は、持分価格に応じた分割債権になる。また、共有物が不法に使用された場合の、不当利得返還請求権また不法行為による損害賠償請求権も、持分価格に応じた分割債権になる。ただし、組合の合有財産の場合には、損害賠償請求権や不当利得返還請求権も1つの合有債権として組合員全員に帰属する。

渡請求に対してCはいずれかに明渡し――動産ならば返還――をすればよい。1人に明け渡すことにより妨害状態がなくなるため他の共有者の物権的請求権も消滅する。共有持分に基づいて各共有者は共有物全部を占有する権原を有するからである（249条1項☞21-27）。この法的根拠をどう説明をするかは、判例の変遷がある。

21-62　**(b)　法的根拠づけ**

❶　不可分債権説　大判大7・4・19民録24輯731頁は、「不法占有に因る妨害を排除し之が明渡」しの「請求は各共有者単独にて之を為すことを得る」と結論を述べたが、根拠は示していなかった。その後、大判大10・3・18民録27輯547頁は、「所有権に基き第三者に対して共有物の引渡を請求すべき場合に於ては、数人の債権者ある不可分債権に在て各債権者が単独にて債務の履行を請求し得るが如く、各共有者は総共有者の為めに単独にて引渡を請求すること」ができると、説明をしていた（**不可分債権説**）。

21-63　**❷　保存行為説**　しかし、その後、大判大10・6・13民録27輯1155頁は、原告は「共有者の一人として共有者全員の為め、Yに対し其引渡を請求するものにして、斯かる請求は民法第252条但書に所謂**保存行為として**各共有者単独に之を為し得る」と、保存行為（現252条5項）を根拠とするようになる（最判昭31・5・10民集10巻5号487頁も同旨）。**保存行為説**と呼んでおこう。判例は、無効な登記の抹消登記請求も保存行為を根拠とする（☞21-65、21-68）。

21-64　**❸　持分権説**　学説には、単純に持分に基づく物権的請求権であるとして説明すればよいという主張もある（**持分権説**〔広中437頁、石田喜215頁、稲本303～304頁〕）。しかし、共有物の侵害により持分の侵害がある場合でも、共有者全員の利害に関わるのであり、なぜ単独で権利行使ができるのか法的説明が必要である。また、21-67のように持分の侵害がなくても保存行為が認められる点にも、共有物の保存行為と説明する意義が認められる。保存行為だとすると、Aの提起した訴訟の判決の効力が、敗訴判決であっても、訴訟当事者となっていないBにも及ぶと批判されるが、訴訟告知を要件とすることで、他の共有者の利益保障は図られる。

21-65　**(2)　持分に基づく無効な登記の抹消請求**

(a)　第三者が所有者としての無効な登記を有する場合　例えば、ABがD

から共同相続した土地につき、Cが勝手にDからの所有権移転登記をしている場合、AないしBは単独で持分に基づいて、その抹消登記を求めることができる。その構成については、⑴と同じ問題があり、最判昭31・5・10民集10巻5号487頁は、「共有権者の一人がその持分に基き当該不動産につき登記簿上所有名義者たるものに対してその登記の抹消を求めることは、妨害排除の請求に外ならずいわゆる保存行為に属する」と、保存行為説に依拠する。

Cから AB が共同で土地を購入した場合、「各買受人は同条［旧252条、現252条5項］に依り他の買受人と共同せずして持分全部の取得登記手続を請求する権利を有するものと」はいえないとされている（大判大11・7・10民集1巻386頁）。AB が共同で原告になって AB への所有権移転登記請求をする必要がある（不可分債権になる）。

21-66　**(b)　無効な持分移転登記がある場合**　ABC の共有登記がされた後に、Aの持分登記について、AからFへの譲渡担保を原因とする持分移転登記がされたが、それは無効な貸付による無効な移転登記であるとする。この場合、AがFに対して、持分侵害を理由として持分移転登記の抹消登記請求ができるのは当然であるが、BC の持分は登記により公示されており、持分の侵害はないので何らの請求もなしえないのであろうか。

21-67　**(ア)　持分の侵害はないが共有物の妨害が認められる**　最判平15・7・11民集57巻7号787頁は、原審判決が、BC らには持分侵害がないので物権的請求権を有しないとして、BC らのFに対する請求を棄却したのを破棄している。「不動産の共有者の1人は、その持分権に基づき、共有不動産に対して加えられた妨害を排除することができるところ、不実の持分移転登記がされている場合には、その登記によって**共有不動産に対する妨害状態**が生じているということができるから、共有不動産について全く実体上の権利を有しないのに持分移転登記を経由している者に対し、単独でその持分移転登記の抹消登記手続を請求することができる[86]」と説明している。原審判決の否定の理由となった BC の持分の侵害がないという点については変更はせず、共有物への「妨害」があることを理由として、BC が単独で妨害排除として抹消登記請求ができるというのである。

21-68　**(イ)　共有物の保存行為が法的根拠**　共有物の「保存行為」は、自己の持分侵害の有無にかかわらない半ば共有物についての事務管理制度である。共有物の管理・処分に利害関係があるため、たとえ共有者に自己の持分の侵害がなくても、共有物の管理・処分——判例の事例では税の物納——に支障が生じていて共有物の妨害状態があるのであれば、保存行為として他人の事務についても干渉することを認め、妨害の排除を請求できて然るべきである（ただし、21-44を変更するものではない）。判例に賛成である。

学説には、持分権は共有物全部に及ぶのだから、持分権に対する妨害と判断でき、21-67の最判平15・7・11は、持分権を1つの物全体に成立する他の所有権により制約された所有権と解する複数説（☞21-13）と親和的であるとも評されている（生熊91頁）。他方で、持分権の譲渡は自由であり、現在誰が他の共有者であるかについて、共有者が干渉することはできないことを理由に、判例に反対する学説もある（松岡53頁）。

§Ⅵ
共有関係の解消（共有物の分割）

1　共有物分割請求権（共有関係の解消請求権）

21-69 (1)　原則として分割請求は自由

(a)　共有物分割請求権が認められる　「各共有者は、いつでも共有物の分

86）　本判決は、最判昭31・5・10民集10巻5号487頁、最判昭33・7・22民集12巻12号1805頁を援用するが、前者は「不動産の共有権者の一人がその持分に基き当該不動産につき登記簿上所有名義者たるものに対してその登記の抹消を求めることは、妨害排除の請求に外ならずいわゆる保存行為に属」し、「共同相続人の一人が単独で本件不動産に対する所有権移転登記の全部の抹消を求めうる」という（後者も抹消登記請求）。持分の侵害を問題にせず、「妨害」排除請求を各共有者が保存行為としてできるというが、持分の侵害はある。

他方、本判決は、最判昭59・4・24集民141号603頁は、「本件とは事案を異にする」という。同判決は、共有者の1人が所有権の移転登記をしている場合に、「共有者の一人がその共有持分に対する妨害排除として登記を実体的権利に合致させるため右の名義人に対し請求することができるのは、自己の持分についてのみの一部抹消（更正）登記手続である」とした判決である。持分侵害に基づく妨害排除請求であり、保存行為として共有物の妨害の排除請求をするものではない。

また、本判決は共有不動産の妨害というが、どう妨害しているのかの説明はない。調査官解説は、「共有物に関しては、共有者間の人間関係が共有関係の維持の重要な要素になっている」ことから、不実の持分移転登記が妨害行為になっていることを説明している（尾島明・最判解民事篇平成15年度(下)397頁）。

割を請求することができる」（256条1項本文）。個人主義的共有理論の帰結である（☞21-2）。共有物の分割請求権は、持分権に基づく請求権という意味で、一種の物権的請求権である（広中439頁）。なお、共有物分割というと、現物分割には当てはまるが、価格分割や全面的価格賠償には言葉としてしっくりこないので、共有関係の解消というのがより正確な表現である。

21-70　(b) **共有物分割請求権は共有の本質的属性**　最判昭62・4・22民集41巻3号408頁（**森林法違憲判決**）は、「共有物分割請求権は、各共有者に近代市民社会における原則的所有形態である単独所有への移行を可能ならしめ、右のような公益的目的をも果たすものとして発展した権利であり、共有の本質的属性として、持分権の処分の自由とともに、民法において認められるに至ったものである」。「したがって、当該共有物がその性質上分割することのできないものでない限り、分割請求権を共有者に否定することは、憲法上、財産権の制限に該当し、かかる制限を設ける立法は、憲法29条2項にいう公共の福祉に適合することを要する」という。森林法旧186条（現在削除）は、共有森林につき、持分価額2分の1以下の共有者（持分価額の合計が2分の1以下の複数の共有者を含む）に256条1項所定の分割請求権を否定していたが、これを違憲無効とした。

21-71
◆分割請求が否定される場合

①組合共有は合有であり分割請求することは許されず（676条2項）、また、②境界線上の界標等の設置物は互有と理解され、分割請求が制限されている（257条）。③区分所有建物の共用部分は、区分所有者の共有であるが、分割請求ができない（区分所有24条）。共用部分の持分は、区分所有権とワンセットになっており、持分は区分所有権の処分に従う（同法15条1項）。

④その他、規定はないが存続を宿命づけられた共有関係（☞21-5）も、分割請求が否定されるべきである。例えば、分譲住宅のために共通に使用される共有の私道がその例であり、分割を認めつつも、「将来本件土地が分割される場合には、沿接所有地のために互いに利用を必要とする限度で、各自に分割帰属する部分につきいわば潜在的に通行地役権を設定する」合意があったものと認めた判決（東京高判平4・12・10判時1450号81頁）もあるが、「共有者間で共有物の分割が予定されていない共有物であって、その外形上もそのような関係にあることが明らかな共有物においては、民法257条、676条に準じ、その権利に内在する制約として、共有関係が設定された共同の目的、機能が失われない間は、他の共有者の意思に反して共有物の分割を求めることができない」とする判決もある（横浜

地判昭62・6・19判時1253号96頁)。福岡高判平19・1・25判タ1246号186頁は、分割請求を権利濫用として退けるが、分割請求権が否定されるべきである。

21-72 **(2) 不分割の合意**

共有者は、共有物を分割しないという合意をすることができる。不分割の合意には全員の同意が必要であり持分の多数決によることはできず、また、その期間は5年を超えることはできない(256条1項ただし書)。5年以上の期間の合意がされた場合、5年を超える部分についてのみ無効（一部無効）となる。なお、不分割の合意を延長することもできるが、延長される期間も5年を超えることができない(同条2項)。

なお、不分割の合意は物権的効力を有し、また、持分についての物的制限であり一種の物権変動といえる。そのため、登記(不登59条6号)をすればこれを第三者にも対抗することができ、逆にいえば、登記しなければ持分の譲受人などの第三者に対抗しえない。

2　共有関係の解消の方法

21-73 **(1) 当事者の合意（協議）による解消**

(a) 協議分割が原則

(ア) 内容は自由　当事者は自由に共有関係の解消方法を決定でき——処分なので全員の合意が必要——、その方法は、共有物の分割に限らず種々の方法によることができる。また、相続分（持分）通りである必要はなく、一部の相続人が一切財産を取得しない事実上の放棄も可能である。持分を他の共有者に譲渡し、その単独所有とすることになる。ABC共有の土地を分割し、一部をCの所有とし、残りをABの共有のままとする合意もできる。

21-74 **(イ) 債権者の保護**　債権者の保護のために260条が置かれている。すなわち、「共有物について権利を有する者及び各共有者の債権者は、自己の費用で、分割に参加することができる」(同条1項)。また、「前項の規定による参加の請求があったにもかかわらず、その請求をした者を参加させないで分割をしたときは、その分割は、その請求をした者に対抗することができない」(同条2項)。この場合、AB共有の土地をAに帰属させる全面的価格賠償の合意をしても、Bの持分を差し押えることができる——償金請求権への物上代位も可能——。また、共有者間で共有をめぐる債権が成立している場合、「分割に際し、債務者に帰属すべき共有物の部分をもって、その弁済に充てることができる」（259条1項[87]）。

21-75　(b)　**分割協議（合意）の法的規律**　なお、遺産分割も詐害行為取消しの対象とされており（最判平11・6・11民集53巻5号898頁）、遺産分割以外の共有物分割も同様に考えてよい。また、遺産分割の合意において、相続人間で約束された金銭の支払がされなかった場合に、債務不履行解除は否定されている（最判平元・2・9民集43巻2号1頁）。これは、共有物分割一般に当てはまり、全面的ないし部分的価額賠償が合意されたが、合意された補償金が支払われなくても、契約解除はできないことになる。解除を認めても、解除権不可分の原則（544条）があるため、特定人間で債務不履行があっても遺産分割の解除はできない。

21-76　(c)　**共有物の現物分割（狭義の分割）**　まず、共有物を現実に「分割」——現実に共有物を分けるため**現物分割**という——することができる。例えば、共有物である土地を2つの土地に分割し、それぞれにつき単独所有とする方法である。共有物を2つにした上で、それぞれの持分を交換し合うことになる。なお、共有物が複数ある場合に、ある財産をA、ある財産はBのものとするという分割は現物分割ではない（☞ 21-79）。

21-77
◆賃貸中の土地の現物分割

現物分割されたのが、賃貸中の土地である場合、賃貸借関係はどうなるであろうか。ゴルフ場として賃貸中の土地をABが共同相続し、ABがこれを甲地と乙地に分割し、Aが甲地、Bが乙地を取得したとする。仙台高判昭43・8・12下民集19巻7＝8号472頁は、「従前1個の契約であった賃貸借契約が当然に単独所有となった土地毎の数個の賃貸借契約に変更されるものと解することはできないから、共有物の分割後も従前の賃貸借契約がそのまま存続する」と、契約関係の分割を一方的にすることを否定する。その上で、同判決は、「共有物の分割によりその単独所有となった土地については、互いに他の者の管理処分の権限は

87)　共有者間の債権保護については、①共有者が受ける部分について先取特権を認める立法と、②共有者が受けるべき部分弁済（代物弁済）として取得することを認める立法とがあり、フランス民法と旧民法は不動産について先取特権を認める①方式によったが、現行法はドイツ民法に倣い②方式を採用したものと説明される（梅212頁）。明確ではないが、債権額を上回っていても、共有者が取得すべき部分を代物弁済として強制的に取得でき、差額は清算金として支払われることになろう。その部分の取得は不要であり売却して債権の回収を図りたい場合には、現物の取得ではなく売却させてその代金を取得することもできる（259条2項）。

なくなり、該土地に関する管理処分の権限は、その単独所有となった者においてのみこれを有することとなるのであるから」、「各単独所有となった土地に関する部分のみの賃貸借契約」は、「その所有者である賃貸人において単独でこれを解除することができる」と判示する。甲地はA、乙地はB所有となっても、ABを賃貸人とする1つの賃貸借契約のままであり、賃料債権は分割債権になるものの、解除権不可分の原則（544条）が適用されるはずである。他人物賃貸借同様、A所有部分についてもBは修補義務を免れないものと思われる。地上権や抵当権といった物権であったら、物ごとに成立するので、それぞれの土地ごとの権利になるが、賃貸借は債権関係であり、上記判決は疑問である。

21-78 **◆土地の現物分割の場合の登記方法**

共有の土地を現物分割する場合の登記手続については、「共有物の分割は、共有者相互間において、共有物の各部分につき、その有する持分の交換又は売買が行なわれる」のであり、「各共有者がその取得部分について単独所有権を原始的に取得するものではない」。そのため、「1箇の不動産が数人の共有に属し分割の結果各人がその一部ずつについて単独所有者となる場合には、①まず分筆の登記手続をしたうえで、②権利の一部移転の登記手続をなすべきである」とされている（最判昭42・8・25民集21巻7号1729頁）。したがって、まず共有のまま分筆登記をし、その後に持分の移転登記をすることになる。

21-79 **(d)　現物分割以外の方法による共有関係の解消**　美術品など現物分割に適しない場合もあり、現物分割以外の共有の解消も考えられる。その方法としては、①まず、例えば共有物たる土地が2つある場合に、1つをA、もう1つをBの単独所有にすることが考えられる。②また、共有物を売却してその代金を分割することが考えられる（**代金分割**）。③さらに、共有物をある所有者の単独所有とし、その代わりに持分を失う共有者に補償金を支払う方法も考えられる（**価格賠償**）。現物分割が、持分の交換であるのに対して、これは単なる持分の売却である。④また、①と③を組み合わせることも可能であり、2つの土地の価値が異なる場合に、より高額な土地を取得した共有者に、他方に対する調整金を支払わせることも可能である。③を**全面的価格賠償**というのに対して、**部分的価格賠償**という。

21-80 **(2)　当事者の合意が調わない場合**

(a)　裁判所に分割を請求できるための要件　「共有物の分割について共有者間に協議が調わないとき、又は協議をすることができないときは、その分割を裁判所に請求することができる」（258条1項）。

協議が調わなかった場合や、他の共有者が全く分割の協議に応じない場合だけでなく[88]、共有者の所在が不明で協議ができない場合にも、裁判所に後見的に介入してもらい、裁判所に共有関係の解消の方法を決定してもらうことができる。現物分割の内容、共有関係の解消の内容については、裁判所が裁量でその内容を決定できるので、非訟事件である。共有物分割の訴えは形成訴訟であり、また、共有者全員に判決の効力を及ぼす必要があるので、他の共有者全員を被告としなければならない（固有必要的共同訴訟）。

21-81　(b)　**裁判所による分割の方法**　裁判所は、①原則として現物分割または価格賠償（一部または全部の価格賠償が可能）について決定し（258条2項）、②①の方法により「共有物を分割することができないとき、又は分割によってその価格を著しく減少させるおそれがあるときは、裁判所は、その競売を命ずることができる」（258条3項）。裁判所は、共有物の分割の裁判において、当事者に対して、金銭の支払（価格分割の場合）、物の引渡し（共有者の1人が占有している場合）、登記義務の履行（分筆、持分移転など）、その他の給付を命じることができる（258条4項）。

共有者が3人以上おり、1人だけが分割を求めている場合には、3分の1を現物分割しそれを単独所有とし、残りを他の共有者の共有のままに残すことも可能である。価格賠償（☞ 21-79）を命じうることは、258条2項2号に明記されたが、要件は規定されておらず、21-83の最判平8・10・31の示した①～③の準則が先例としての意義を有することになる。

21-82　**●最判昭62・4・22民集41巻3号408頁（一部価格賠償および一部分のみの分割）**「現物分割をするに当たっては、当該共有物の性質・形状・位置又は分割後の管理・利用の便等を考慮すべきであるから、持分の価格に応じた分割をするとしても、なお共有者の取得する現物の価格に過不足を来す事態の生じることは避け難いところであり、このような場合には、持分の価格以上の現物を取得する共有者に当該超過部分の対価を支払わせ、過不足の調整をすることも現物分割の一態様として許される」。「また、共有者が多数である場合、その

88）「協議が調わないとき」とは、協議したが不調に終わったことは必要ではなく、初めから分割協議を拒んでいる共有者がいる場合も含まれる（最判昭46・6・18民集25巻4号550頁）。また、共有不動産を任意売却して売却代金を分配する旨の合意が成立していたが、その後3年半近く経っても任意売却できる見込みがない状態にある場合には、共有者は、分割の協議が調わないときとして、共有物の分割を裁判所に請求し、競売を求めることができるとされている（東京高判平6・2・2判タ879号205頁）。

中のただ１人でも分割請求をするときは、直ちにその全部の共有関係が解消されるものと解すべきではなく、当該請求者に対してのみ持分の限度で現物を分割し、その余は他の者の共有として残すことも許される」（最判平4・1・24判時1424号54頁も同趣旨）。

21-83 **◉最判平8・10・31判時1592号51頁（全面的価格賠償を容認）** 相続財産である土地建物（病院）につき、持分を買い取った会社による分割請求に対して、病院経営を引き継いだ相続人の１人が「自らこれを取得する全面的価格賠償の方法による分割を希望して」いる事例で、原審判決は全面的価格賠償を否定し競売による代金分割を命じた。しかし、最高裁はこれを破棄し、次のように判示する。

「裁判所による共有物の分割は、民事訴訟上の訴えの手続により審理判断するものとされているが、その本質は非訟事件であって、法は、裁判所の適切な裁量権の行使により、共有者間の公平を保ちつつ、当該共有物の性質や共有状態の実状に合った妥当な分割が実現されることを期したものと考えられる。したがって、右の規定は、すべての場合にその分割方法を現物分割又は競売による分割のみに限定し、他の分割方法を一切否定した趣旨のものとは解されない」。「①当該共有物の性質及び形状、共有関係の発生原因、共有者の数及び持分の割合、共有物の利用状況及び分割された場合の経済的価値、分割方法についての共有者の希望及びその合理性の有無等の事情を総合的に考慮し、当該共有物を共有者のうちの特定の者に取得させるのが相当であると認められ、かつ、②その価格が適正に評価され、③当該共有物を取得する者に支払能力があって、他の共有者にはその持分の価格を取得させることとしても共有者間の実質的公平を害しないと認められる特段の事情が存するときは、共有物を共有者のうちの１人の単独所有又は数人の共有とし、これらの者から他の共有者に対して持分の価格を賠償させる方法、すなわち全面的価格賠償の方法による分割をすることも許される」[89)]。

21-84 **◆相続財産と共有物分割訴訟**

共同相続により共有関係が生じた場合に、遺産全部について遺産分割がされるが、その協議が調わない場合には、家庭裁判所による遺産分割手続（906条以下）

89） 全面的価格賠償を命じて特定の相続人の所有としておきながら、その後に相続人が価格賠償をしなかった場合の事後処理について疑問が残される。契約ではないので解除はありえない。札幌地判平11・7・29判タ1053号131頁は、この点を考慮して、判決から6ヶ月以内の支払を停止条件とする全面的価格賠償を認めている。

がとられることになる。これによらずに、例えば遺産の一部である甲土地だけについて、共有規定により共有物分割請求ができるのであろうか。2つの事例が問題となる。

> ①　**共有物の全部が相続財産である場合**　AがB所有していた財産がBCに共同相続される場合である。これも、ⓐ共同相続人の共有のままの場合と、ⓑ例えばBが持分をDに譲渡し、CDの共有になっている場合が考えられる。
> ②　**共有持分が相続財産である場合**　AがDと共有していた財産につき、Aの持分がBCに共同相続される場合である。

判例は、①ⓐの事例につき、通常裁判所による物権法の共有物分割手続によることを認めない（最判昭62・9・4家月40巻1号161頁）。これに対して、①ⓑの事例では、もはや相続人間の遺産ではなく、通常の共有関係になるので、第三者からの分割請求も（最判昭50・11・7民集29巻10号1525頁）、相続人から第三者に対する分割請求も（東京地判昭63・12・27判タ704号222頁）、いずれも共有物分割手続によることになる。なお、①ⓐの事例でも、改正前258条2項（改正法も2項）の適用は否定されないという。遺産分割でも全面的価格賠償を命じることができることになる。

2021年改正民法は、「共有物の全部又はその持分が相続財産に属する場合」で、「共同相続人間で当該共有物の全部又はその持分について遺産の分割をすべきときは」、258条の共有物分割請求によることは認められないものと規定した（258条の2第1項）。①ⓐおよび②の事例は、遺産分割手続によらなければならないことになる――①ⓑの判例の変更はなく、また、②でもBC間ではなく、Dを相手にまたはDからの共有物の分割請求も共有規定によることになる――。

「共有物の持分が相続財産に属する場合」で、かつ、「相続開始の時から10年を経過したときは」、相続財産に属する共有物の持分について258条による分割をすることができる（同条2項本文）。ただし、「当該共有物の持分について遺産の分割の請求があった場合」で、「相続人が当該共有物の持分について同条の規定による分割をすることに異議の申出をしたときは、この限りでない」（同条同項ただし書）。相続人によるただし書の申出は、当該相続人が258条1項の規定による請求を受けた裁判所から当該請求があった旨の通知を受けた日から2ヶ月以内に、当該裁判所にしなければならない（同条3項）。

3　共有関係の解消（共有物分割）の効果――担保責任など

21-85 **(1)　分割の不遡及、分割後の担保責任**

(a)　**売主と同じ担保責任が成立**　分割は、持分の売買、贈与または交換である。遺産分割（909条）以外では、その効力は遡及することはない。そして、持分の売買また交換による分割の場合には、「各共有者は、他の共有者が分割によって取得した物について、売主と同じく、その持分に応じて担保の責任を負う」（261条）。

例えば、ABが1つの絵画を共有していて、これをAの単独所有とする全面的価格賠償の合意がされ、AからBに償金（価格の半額）が支払われたが、後日その絵画が贋作であることが判明した、また、ABCがトマトを共同で購入し山分けしたが、Aが取得したトマトに傷んでいて食べられないものがあったとする。前者は持分の売買であり、また、後者は持分の交換であり559条により売買契約の規定が準用される。したがって、261条は、当事者の合意によらない裁判所の判決による分割の場合に意義があることになる。合意であれば契約解除が可能であるが（21-75とパラレルに考えれば、遺産分割では否定すべき）、判決による場合には、契約ではないので解除はできず、損害賠償や代金減額により処理するしかない。

21-86 (b)　**無償（事実上の放棄）の場合**　261条は有償の分割事例が念頭に置かれている。そのため、持分の実質的交換という有償性に責任の根拠があるので、例えば、ABCが相続分3分の1で甲地と乙地を相続し（価格は等しいものとする）、Aが甲地、Bが乙地を取得しCは事実上放棄する形で遺産分割がされた場合は、Cは責任を負わないと考えるべきである。例えば、甲地に産業廃棄物が埋まっていてその除去費用に100万円がかかったならば、Bのみに50万円の賠償請求ができるだけである。

21-87 **(2)　第三者の権利**

「共有物について権利を有する者及び各共有者の債権者」が分割協議への参加の機会が保障されていることは21-74に説明した。ここでは持分に抵当権が設定されている場合の共有物分割の効果について説明する。

例えば、AB共有の土地につき、Aの持分にCのために抵当権が設定されているとする。①Aが分割によりその土地の単独所有となっても、抵当権はAの従前の持分につき存続する。抵当権が土地所有権全体に拡張されることはない。②Bが分割によりその土地の単独所有となった場合にも、BがAから取得した持分につきCの抵当権が存続する（追及効あり）。この場合には、BからAに価格賠償がされることになり、Cは代価弁済（378条）または物上代位権の行使が可能である。③その土地を甲地と乙地に現物分割し、甲地をA、乙地をB所有とした場合にも、甲地には①、乙地には②と同じ扱いが認められる。④共有物を第三者に売却し、代金を分割した場合も、買主の単独所有になるが、Aの持分の抵当権は存続する。要するに、共有物分割によって、Cの抵当権は何ら影響を受けないということである。

21-88 **(3)　分割後の証書保存義務**

あまり意味のある規定ではないが――後日何か問題が生じた場合のための証拠保全を義務づけるものである――、①現物分割をした場合、その分割を受けた物についての証書をその物を取得した各人が保管することになり（262条1項）、例えば、ABの共有の犬2匹を1匹ずつ分けた場合、各犬についての血統書などはそれぞれが自分の取得した犬のものについて保管することになる。②また、1つの物について1つの証書があるのに、その物を現実に分割した場合、例えばセメントをABが共同購入して、山分けしたがAの方が多く持分を有し多く分割を受けた場合、そのセメントの売買に際して交付を受けた品質保証書はAが保管することになる（同条2項）。③②で最大部分を取得した者を決定できない場合には、協議によって保管者を定め、協議が調わない場合には裁判所が指定をする（同条3項）。そして、証書を保管している者は、他の分割者がその証拠の使用を求めてきた場合、これに使用させなければならない（同条4項）。

§Ⅶ
所在等不明共有者がいる不動産の共有持分の取得および譲渡

1　所在等不明共有者がいる不動産の共有持分の取得

21-89 **(1)　不動産持分取得の要件**

①不動産が共有に属する場合に、②ⓐ「共有者が他の共有者を知ることが

できず」、または、ⓑ「その所在を知ることができないときは」（例えば、AB共有の甲土地があり、Bの所在が不明な場合）、共有者の請求により、裁判所は不明または所在不明共有者の「持分を取得させる旨の裁判をすることができる」（262条の2第1項前段）。もしABCの共有の土地であり、Cが所在不明の場合には、Aの請求によりCの持分をAに取得させることができるだけでなく、ABが共に自己による取得を請求した場合には、ABの持分が平等であれば、Cの持分を半分ずつ取得し、ABそれぞれ2分の1ずつの持分での共有とすることができる（同後段）。

相続があったのに長年放置され共同相続が積み重ねられると、ものすごい数の共有（俗に「メガ共有」と呼ばれる）になっており、その所在をつきとめることに難儀する。請求者は、「所在を知ることができない」ことの証明をしなければならない。負財ではこれが行使されることは、事実上期待できない。

21-90 **(2)　持分取得の障害事由**

次の2つの場合には、裁判所は、他の共有者の持分取得を求める訴えの提起があっても、これを認める裁判をすることができない。

①まず、ⓐその不動産につき258条1項による共有物分割請求がされている場合、または、遺産分割請求がされており、かつ、ⓑ「所在等不明共有者以外の共有者が前項の請求を受けた裁判所に同項の裁判をすることについて異議がある旨の届出をしたとき」には、裁判所は(1)の裁判をすることができない（262条の2第2項）。②また、ⓐ「所在等不明共有者の持分が相続財産に属する場合（共同相続人間で遺産の分割をすべき場合に限る。）」であり、かつ、ⓑ「相続開始の時から10年を経過していないとき」も、同様である（同条3項）。

21-91 **(3)　持分取得の手続・効果など**

(a)　持分取得の手続　非訟事件手続法第3編「民事非訟事件」第1章「共有に関する事件」の中に、87条が設けられ、地方裁判所の管轄とし、一定の期間を定めて公告し、その期間を経過するまで決定をすることができないことが規定されている（同条2項）。そして、裁判所が持分取得の決定をする場合には、「申立人に対して、一定の期間内に、所在等不明共有者のために、裁判所が定める額の金銭を裁判所の指定する供託所に供託し、かつ、その旨を届け出るべきことを命じなければならない」(同条5項)。申立人が命じられた供託を行わない場合には、裁判所は、その申立人の申立てを却下しなければならない(同条8項)。「所在等不明共有者の持分の取得の裁判は、確定しなければその効力を生じない」(同条9項)。

21-92　(b)　**持分取得決定の効果**　持分取得を認める判決による持分取得の登記は、判決による登記として、申立人が単独で自己への持分移転登記を申請することができる。

所在等不明共有者は、持分を取得した共有者に対して、「当該共有者が取得した持分の時価相当額の支払を請求することができる」(262条の2第4項)。判決では、時価相当額の償金の支払を命じることなく、「持分を取得させる旨の裁判」がされるだけである。償金請求権は、所在等不明共有者が判決を知ってから5年、判決から10年の消滅時効にかかることになるが(166条1項)、後者の時効の起算のために公示催告は要件にはなっていない。

以上の規定は、「不動産の使用又は収益をする権利(所有権を除く。)が数人の共有に属する場合」に準用される(262条の2第5項)。例えば、借地上の建物が、ABに共同相続されてBが所在不明の場合、Aは裁判所に対して建物と共に借地権をAに全部帰属させるように請求することができる。

2　所在等不明共有者の不動産持分の譲渡

21-93　(1)　持分譲渡権付与判決の要件

不動産が共有に属する場合において、「共有者が他の共有者を知ることができず、又はその所在を知ることができない」こと、「共有者の請求」があったことを要件として、裁判所は、その共有者に、当該他の共有者(所在等不明共有者)以外の共有者の全員も持分を譲渡することを停止条件として、所在等不明共有者の持分を特定の者に譲渡する権限を付与する旨の裁判をすることができる(262条の3第1項)。例えば、ABC共有の甲土地につき、Cの所在が不明な場合、ABが裁判所にCの持分譲渡の権限付与を得て、甲土地を第三者に売却することができる(☞21-15)。この場合、ABCを売主とする甲土地の売買契約が締結されることになる(Cの部分は法定代理)。

21-94　(2)　持分譲渡権付与判決の障害事由など

「所在等不明共有者の持分が相続財産に属する場合(共同相続人間で遺産

の分割をすべき場合に限る。）」には、相続開始の時から10年を経過していないと、持分譲渡権を付与する判決をすることはできない（262条の3第2項）。

本規定により、所在等不明共有者の持分を含めて、例えば21-93の例であれば、甲土地を売却し、ABC全員の持分（合計が所有権に匹敵）を移転する合意がされることになる。代金債権については、特約がない限り分割債権になるが（427条）、譲渡権限の付与の中には、代金の受領権限の付与も含まれ、ABはCの分の代金も有効に受領できる。この場合、Cは、「当該譲渡をした共有者に対し、不動産の時価相当額を所在等不明共有者の持分に応じて按分して得た額の支払を請求することができる」（262条の3第3項）。AがCの代金分を保管していれば、CはAに対してしか代金の3分の1（Cの持分は3分の1であるとする）の引渡しを請求することはできない。

以上は、「不動産の使用又は収益をする権利（所有権を除く。）が数人の共有に属する場合」に準用される（同条4項）。

21-95 **(3)　持分譲渡権付与手続・効力**

所在等不明共有者の持分譲渡権付与判決の手続は、非訟事件手続法88条により規律され、地方裁判所が管轄裁判所となり、21-91同様の規律がされている（非訟88条1項・2項）。所在等不明共有者の持分を譲渡する権限の付与の裁判の効力が生じた後、「2箇月以内にその裁判により付与された権限に基づく所在等不明共有者（……）の持分の譲渡の効力が生じないときは、その裁判は、その効力を失う」ものとされている（同条3項本文）。ただし、この期間は、裁判所において伸長することができる（同条同項ただし書）。21-59の例では、ABがCの持分を含めて甲地の売却の権限付与決定がされても、その2ヶ月以内に――裁判所はこれを伸張できる――、ABにより甲地の売却がされない限り、決定の効力は失われることになる。非訟事件手続法87条5項も準用されているので（同法88条2項）、一定の期間内に所在等不明共有者に配分すべき金額を代金から供託することを命じ、2ヶ月以内に売却がされても、この期間内に代金の供託がされないと決定の効力は失われることになる。

§Ⅷ
準共有（所有権以外の財産権の共有）

21-96　**(a)　所有権以外の財産権の準共有**　民法は、「共有」規定を「数人で所有権以外の財産権を有する場合に」（これを**準共有**という）、「法令に特別の定めがあるとき」を除いて準用することにした（264条）。しかし、債権関係については分割主義等の特別の規律がされるので、共有規定の適用の余地はほとんどない。株式については、権利行使については特別規定が優先する（最判平27・2・19民集69巻1号25頁）。株式についての権利を行使する者を1人定めて会社に知らせることが必要である（会社106条）。他方、契約上の当事者たる地位は、その契約上の債権は分割債権とされても、1つの地位として不可分的に共同相続人に準共有される（最判平21・1・22民集63巻1号228頁）。

21-97　**(b)　形成権の準共有**　形成権については、全員での行使が必要かは、権利ごとに判断される。

判例は、無権代理行為による保証契約の追認権につき、傍論であるが、「その性質上相続人全員に不可分的に帰属」し、「共同相続人全員が共同してこれを行使」することを要求する（最判平5・1・21民集47巻1号265頁）。保証契約の追認権は、契約上の地位と同様に1つであり全員に不可分的に帰属する。他方、これも傍論であるが、不動産の取得時効の援用権の共同相続の事例では、「共同相続人の1人は、自己の相続分の限度においてのみ取得時効を援用することができる」という（最判平13・7・10判時1766号42頁）。私的自治の原則からして各自が自由に権利行使できることを認める分割主義が債権（427条）を超えて妥当し、不可分的な契約上の地位に結び付いた解除権、取消権、予約完結権などが例外となる。預金者たる地位は不可分に帰属する（最判平21・1・22前掲参照）。ただし、共有物賃貸借の解除権については、共有物管理の規定が特則として優先適用され、持分の過半数で決定することができるが、解除自体は全員の名で——各共有者が解除権の行使はできる——される必要があり、544条の適用は排除されない（☞ 21-39）。

21-98　**(c)　無体財産権など特別規定があるもの**　なお、特許権、実用新案権、意匠権等の知的財産権についても特別法により、これらの権利が複数人に帰属する場合について規定が置かれ（特許 73 条、著作権 64 条・65 条等）、また特別の解釈原理により規律されるべきである。準共有については判例がほとんどないが、無体財産権の準共有について若干の判例がある。例えば、商標権の準共有の事例で、「いったん登録された商標権について商標登録の無効審決がされた場合」、「取消訴訟の提起は、商標権の消滅を防ぐ保存行為に当たるから、商標権の共有者の 1 人が単独でもすることができる」ものとされる（最判平 14・2・22 民集 56 巻 2 号 348 頁）。また、特許権が準共有されている事例について、「いったん登録された特許権について特許の取消決定がされた場合」、「特許権の共有者の 1 人は、共有に係る特許の取消決定がされたときは、特許権の消滅を防ぐ保存行為として、単独で取消決定の取消訴訟を提起することができる」ものとされる（最判平 14・3・25 民集 56 巻 3 号 574 頁）。

第 4 節　建物区分所有

1　建物区分所有の意義

22-1　建物区分所有については、民法の原始規定には、棟割長屋についての旧 208 条しか置かれていなかった。しかし、戦後の高度成長期に、都市部において高層の区分所有建物が登場するに至り、これを分割所有することを認め適切に規律する特別規定が必要になり、性質上かなり詳細の規定が必要とされるようになる。そのため、民法に関係規定を設けるのではなく、1962 年（昭和 37 年）に旧 208 条を削除して、「建物の区分所有等に関する法律」（いわゆる**建物区分所有法**。マンション法とも通称される）が制定された（本節では「法」で引用する）。

その後、老朽化した建物の建替え、管理関係の改善などを目的として、1983 年（昭和 58 年）に区分所有法の大改正がされた。さらに、マンション管理の適正化のために、2000 年（平成 12 年）には、区分所有法の改正がされると共に、「**マンションの管理の適正化の推進に関する法律**」（マンション管理適正化法）が制定され、また、2002 年（平成 14 年）には、阪神・淡路大震災後にマンションの建替えが問題となり、区分所有法が改正されると共に、新たに「**マンションの建替え等の円滑化に関する法律**」（マンション建替え等円滑化法）が制定された。区分所有法と上記2つの法律をあわせて**マンション3法**と俗称されている[90]。阪神・淡路大震災に対処するために制定された「**被災区分所有建物の再建等に関する特別措置法**」（被災区分所有法）も含めて、**マンション4法**と呼ばれることもある。

2　建物の権利関係

22-2 (1)　専有部分およびその利用に伴う義務

「1棟の建物に構造上区分された数個の部分で独立して住居、店舗、事務所又は倉庫その他建物としての用途に供することができるものがあるときは、その各部分は、この法律の定めるところにより、それぞれ所有権の目的とすることができる」（区分所有法1条［以下この節では、法として引用する］）。この部分を**専有部分**といい（法2条3項）、この上の所有権を**区分所有権**という（同条1項）[91]。専有部分は各区分所有者の所有に属するため、排他的に使用、収益、処分（法的処分）ができる。相隣関係的な規制がされ、「区分所有者は、建物の保存に有害な行為その他建物の管理又は使用に関し区分所有者の共同の利益に反する行為をしてはならない」とされ（法6条1項）、他方で、「区分所有者は、その専有部分又は共用部分を保存し、又は改良するため必要な範囲内において、他の区分所有者の専有部分又は自己の所有に属しない共用部分の使用を請求することができる。この場合において、他の区分所有者が損害を受けたときは、その償金を支払わなければならない」（同条2項）。上層階からの水漏れなどの事例が考えられる。

90）建物区分所有法にはマンションという用語はないが、「マンションの建替え等の円滑化に関する法律」2条1項1号には「マンション」を「2以上の区分所有者が存する建物で人の居住の用に供する専有部分のあるものをいう」と定義する規定が置かれている。「マンションの管理の適正化の推進に関する法律」2条1号は、「その敷地及び附属施設」も定義に加える。

91）このように日本の区分所有法は、専有部分の所有権のみを区分所有権と理解しているが、フランスでは、区分所有権は専有部分の所有権と共用部分の持分権とが一体となった財産関係として理解されている（区分所有の構成につき、丸山英氣『区分所有法』［2020］13頁以下参照）。名称は措くとして、日本においても、専有部分の区分所有権、共用部分の持分権、さらには、管理組合の構成員たる地位これらが混然一体また密接不可分に結び付いた1つの財産関係を想定することができる。区分所有権自体は、19-11に述べたように空間所有権と考えれば、建物が建設される前から成立しうるが、建物という有体物の存在は必要である。壁などの有体物が成立して、その室内の空間支配が可能となり、室内も含めて空間所有権が成立することになる。

22-3

◆法6条1項違反の効果

①「区分所有者が第6条第1項に規定する行為をした場合又はその行為をするおそれがある場合には、他の区分所有者の全員又は管理組合法人は、区分所有者の共同の利益のため、その行為を停止し、その行為の結果を除去し、又はその行為を予防するため必要な措置を執ることを請求することができる」(法57条1項)。②この場合に、「区分所有者の共同生活上の障害が著しく、前条第1項に規定する請求によってはその障害を除去して共用部分の利用の確保その他の区分所有者の共同生活の維持を図ることが困難であるときは、他の区分所有者の全員又は管理組合法人は、集会の決議に基づき、訴えをもって、相当の期間の当該行為に係る区分所有者による**専有部分の使用の禁止**を請求することができる」(法58条1項)。この「決議は、区分所有者及び議決権の各4分の3以上の多数でする」(同条2項)。③さらには、「区分所有者の共同生活上の障害が著しく、他の方法によってはその障害を除去して共用部分の利用の確保その他の区分所有者の共同生活の維持を図ることが困難であるときは、他の区分所有者の全員又は管理組合法人は、集会の決議に基づき、訴えをもって、当該行為に係る区分所有者の**区分所有権及び敷地利用権の競売**を請求することができる」(法59条1項)。この決議も区分所有者および議決権の各4分の3以上の多数でする(同条2項)。

22-4

(2) 共用部分およびその管理

マンションには、専有部分以外に、エントランス、屋上、階段、エレベーター等の性質上区分所有者の共有と扱われる部分があり、この部分を**共用部分**といい(法2条4項)、原則として区分所有者全員の共有となるが[92]、一部の区分所有者のみの共有となる一部共用部分もある(法4条1項)。共用部分にも、集会所など本来区分所有権が成立しうるが、規約により共用部分とされているものもある。これを**規約共用部分**といい、性質上当然に認められる共用部分は**法定共用部分**といわれる。共用部分についての「各共有者の持分は、その有する専有部分の床面積の割合による」(法14条1項)。区分所有者

92)「共有」とはいうものの、分割請求権は認められず、持分だけの放棄も譲渡もできず、区分所有者にとどまる以上は団体的拘束を受け、また、専有部分と一体的関係のものであり、合有の一種といわれたり、第4の共有といわれたりする。最判平27・9・18民集69巻6号1711頁は、「一部の区分所有者が共用部分を第三者に賃貸して得た賃料のうち各区分所有者の持分割合に相当する部分につき生ずる不当利得返還請求権は各区分所有者に帰属するから、各区分所有者は、原則として、上記請求権を行使することができる」という原則論を述べつつ、「区分所有者の団体は、区分所有者の団体のみが上記請求権を行使することができる旨を集会で決議し、又は規約で定めることができ」、その場合には、「各区分所有者は、上記請求権を行使することができない」とする。

は共用部分の管理費用を負担し[93]、また、規約で定まっている修繕積立金なども負担する[94]。

共用部分は共有とはいっても、民法の共有とは異なる規律を受ける。「共用部分の変更（その形状又は効用の著しい変更を伴わないものを除く。）は、区分所有者及び議決権の[95]各４分の３以上の多数による集会の決議で決する。ただし、この区分所有者の定数は、規約でその過半数まで減ずることができる」（法 17 条 1 項)。「形状又は効用の著しい変更」を伴わない限り、全員一致を必要としないのである。ただし、「共用部分の変更が専有部分の使用に特別の影響を及ぼすべきときは、その専有部分の所有者の承諾を得なければならない」（同条 2 項)。

共用部分の管理に関する事項は、集会の決議で決し、ただし、保存行為は――例えば掃除――、各共有者がすることができる（法 18 条 1 項)。

また、区分所有権は、専有部分の所有権と共用部分の持分を不可分一体とする１つの財産権であり、「共有者の持分は、その有する専有部分の処分に従う」（法 15 条 1 項)、また、「共有者は、この法律に別段の定めがある場合を除いて、その有する専有部分と分離して持分を処分することができない」ことになっている（同条 2 項)。このように「共有」とはいっても、専有部分の従として共用部分の共有は存続を運命づけられた特殊な共有である。

22-5

◆共用部分についての分譲業者の担保責任

専有部分に品質不適合がある場合、その区分所有者が分譲業者（売主）に対して独自に担保責任を追及し、損害賠償、修補請求、代金減額、解除をすることが

93)「各共有者は、規約に別段の定めがない限りその持分に応じて、共用部分の負担に任じ、共用部分から生ずる利益を収取する」（法 19 条)。利益としては、屋上に企業の広告利用を認める場合の利用料などが考えられる。区分所有関係をめぐって区分所有者、管理人または管理組合法人が区分所有者に対して有する債権については、特定承継人に対しても行うことができる（法 8 条)。「に対しても」というので、譲渡人・譲受人の両者が連帯して債務を負担することになる。共有についての 254 条と同趣旨の規定である（☞ 21-24)。

94) ①区分所有者の、「共用部分、建物の敷地若しくは共用部分以外の建物の附属施設につき他の区分所有者に対して有する債権又は規約若しくは集会の決議に基づき他の区分所有者に対して有する債権」、および、②管理者または管理組合法人の「その職務又は業務を行うにつき区分所有者に対して有する債権」につき、「債務者の区分所有権（共用部分に関する権利及び敷地利用権を含む。）及び建物に備え付けた動産」の上に先取特権が認められる（法 7 条 1 項)。この先取特権は、共益費用の先取特権と同じ扱いを受ける（同条 2 項)。また、民法 319 条が準用され、即時取得の規定が準用される（法 7 条 3 項)。

95) 区分所有者数の 4 分の 3 以上であり、かつ、専有部分の床面積に応じた議決権の 4 分の 3 以上という二重の基準を満たすことが必要であるという趣旨である。

できる。問題は、共有に属する共用部分に瑕疵がある場合である。物を共同で購入して共有している場合、売主の担保責任の追及は、1つの契約についての多数当事者の債権関係になる。ところが、先の場合は、各区分所有権の売買で、共用部分の持分を取得し、それぞれの売買契約上の担保責任を追及する権利になり、それでいながらその足並みを揃える必要のある特殊な関係となる。

各区分所有者の持分取得原因はそれぞれの売買契約であるが、共用部分の管理に関わるため、各区分所有者がばらばらに責任追及をするのは適切ではない。共同で物を購入した事例とも、共用部分の管理の一環として管理者が代表して補強工事を業者に依頼したが工事に不適合があったという場合とも異なるのである。

①解除は個別的に行えるが（共用部分の不適合を理由に売買契約自体の解除ができる場合［耐震偽装など］）、②共用部分の管理の一環として、管理組合の規律に服するべきであり、管理者に代理権を認め、権利行使の内容等も管理行為の一環として集会による決定ないし規約に従って決められるべきである。損害賠償請求も同様である。そうでないと、管理組合として修補請求をしているのに、個々の区分所有者が修補費用部分の損害賠償請求ができるという不合理を生じる。

なお、区分所有者が区分所有権を譲渡した場合には、譲受人は分譲業者と売買契約関係になく、管理者が代表して権利行使しようにも権利のない区分所有者が混じってきてしまう。東京地判平28・7・29LEX/DB25536804は、区分所有権が転売された事例で、担保責任を追及する権利が譲受人に譲渡されていたことが認められない者が2人いることから、法26条4項の管理人による訴訟担当は区分所有者全員の権利を行使する場合に適用されるため、この要件を満たしていないとして、管理人を原告とした請求を却下した。しかし、共用部分の持分と共用部分の管理に関わる区分所有者の権利は不可分と考えるべきであり、区分所有権の譲渡により当然に承継され、全区分所有者が損害賠償請求権を常に有することになるため、この問題を回避できる。

22-6　(3)　敷地利用権

マンションの敷地[96]は、区分所有者の共有に属する場合と、他人の所有であり、地上権ないし賃借権の設定を受けそれを準共有する場合とが考えられる。「敷地利用権が数人で有する所有権その他の権利である場合には、区分所有者は、その有する専有部分とその専有部分に係る敷地利用権とを分離して処分することができない。ただし、規約に別段の定めがあるときは、この

96）　建物が所在する土地は法律上当然にその建物の敷地とされる（法2条5項）。これを**法定敷地**といい、そのほかに、「区分所有者が建物及び建物が所在する土地と一体として管理又は使用をする庭、通路その他の土地は、規約により建物の敷地とすることができる」（法5条1項）とされる**規約敷地**がある。

限りでない」（法22条1項）。

3　管理・建替え

22-7 (1)　区分所有者団体

共有物の管理を行う共有者の関係は、団体であっても組合ではないことは21-4に述べた。基本的にこれは区分所有者についても当てはまり、同一マンションの区分所有者という運命共同体（地域の自治会に近い）にすぎず、マンション管理を超えて親睦団体が存在するわけではない[97]。

ところが、区分所有法は、「区分所有者は、全員で、建物並びにその敷地及び附属施設の管理を行うための団体を構成し[98]、この法律の定めるところにより、集会を開き、規約を定め、及び管理者を置くことができる」（法3条前段）と規定するだけでなく、これを法人とすることを認めた。すなわち、一般法人法により法人とするのではなく、区分所有法に、区分所有者団体は「区分所有者及び議決権の各4分の3以上の多数による集会の決議で法人となる旨並びにその名称及び事務所を定め、かつ、その主たる事務所の所在地において登記をすることによって法人となる」ものと規定した（法47条1項[99]）。これを**管理組合法人**という。理事が置かれるが（法49条）、法人の代表行為を行う者であり、22-9の管理を法人から委託される管理人と混乱しないようにしてほしい。

22-8 (2)　規約、集会および管理者

(a)　**管理規約**　区分所有者団体は法人化しているか否かを問わず、その団

97) しかし、マンション管理組合を権利能力なき社団と認めた下級審判決がある（大阪地判昭57・10・22判時1068号85頁）。共用部分は共有であり総有ではなく、共用部分の損壊による損害賠償債権は分割債権であり総有債権ではない。そのために、権利行使の便宜のために管理者に全区分所有者の代理権を2002年改正で認めた。管理のために取得した動産類が総有になるだけであろう。

98) 区分所有者は、区分所有関係が成立すると当然に共同で建物を管理する仕組みの中に取り込まれ、当然に団体的拘束ができ、区分所有関係が存続する限り、管理組合からの脱退・除名は認められず、法3条の「団体を構成し」というのはこのように当然に団体的拘束が成立することを確認した規定と考えられている。当然に団体が成立するという意味ではない。正規の管理組合を設立するか否かを問わず、区分所有法の団体的規律に服し、共有であれば共有物の変更は全員一致であるところ、区分所有法の多数決によることになるのである。

99) 団体法理に拘泥して、改正前の規定では30人以上の区分所有者が存在することが要件とされていたが、30人未満の区分所有者の管理組合からも法人格の付与を求める要望があったため、人数要件を撤廃したのである。

体関係につき区分所有法による規律のほかに、自治的な規約（**管理規約**）を作って自ら規律することができる（法30条1項）。そして、「規約の設定、変更又は廃止は、区分所有者及び議決権の各4分の3以上の多数による集会の決議によってする。この場合において、規約の設定、変更又は廃止が一部の区分所有者の権利に特別の影響を及ぼすべきときは、その承諾を得なければならない」（法31条1項）。必ず規約で定めておかなければならない法定事由（必要的規約事項。例えば、法4条2項）以外は、例えばペット飼育可か禁止かといったことは、規約によらずに、集会決議などにより多数決によって決めることができる（任意的規約事項）[100]。

22-9　(b)　**管理者**　区分所有者団体は、集会の決議により管理者を選任または解任できる（法25条1項）。必須の機関ではない[101]。管理者は、共用部分等を保存し、集会の決議を実行し、ならびに規約で定めた行為をする権利を有し、義務を負い（法26条1項）、「その職務に関し、区分所有者を代理する[102]」（同条2項前段）。「管理者の代理権に加えた制限は、善意の第三者に対抗することができない」（同条3項）。また、「管理者は、規約又は集会の決議により、その職務（第2項後段に規定する事項を含む。）に関し、区分所有者のために、原告又は被告となることができる」（同条4項）。また、管理者は、規約に特別の定めがあるときは、共用部分をその所有とすることができる（法27条1項）[103]。この場合、信託関係が成立するが、さらには、管理信託制度を導

100）　国土交通省は、標準管理規約を作成公表しており、強制力はないが全国のマンションの管理規約のうち、87・5%は標準管理規約に準じた内容になっている。

101）　区分所有者は当然に「建物並びにその敷地及び附属施設の管理を行うための団体」を構成し、これは建物の管理を目的とした団体であり、その代表者は当然に団体の任務また権限である管理関係の権限（代表権限）を、法人化の有無を問わずに認められるはずである。しかし、管理を専門の機関に任せるなど、財産管理を専門に行う管理人を別個に選任することが実際上便宜なので、管理者という制度を用意したのである。

102）　管理組合法人が設立され理事が選任されている場合とは異なり、契約当事者は区分所有者全員ということになる（実質的には、権利能力なき社団たる管理組合）。427条の分割主義が適用され、持分割合による分割債務となる（法29条1項）。区分所有者がこの債務を履行しないまま区分所有権を譲渡した場合には、債権者は譲受人にも履行請求することができる（同条2項）。

103）　管理を円滑にするための便法であり、管理人が共用部分の損害保険契約の締結や、修繕工事の業者への依頼などを所有者本人として行うことができることになる。しかし、実質的には区分所有者の共有であり、法11条～19条を適用してよい。また、管理のための権限しか付与されておらず、共用部分の処分をすることはできない。そして、管理人と管理組合との委託契約が終了し管理人でなくなれば（また死亡により契約が終了すれば）、区分所有者の共有に当然に復帰すると考えるべきである。

入し、信託会社による一貫性、継続性のある管理運営を実現する法制度の導入が望まれよう。

22-10　(c)　**集会**　区分所有者集会は、少なくとも毎年1回集会を招集しなければならず（法34条1項・2項）、「区分所有者の5分の1以上で議決権の5分の1以上を有するものは、管理者に対し、会議の目的たる事項を示して、集会の招集を請求することができる。ただし、この定数は、規約で減ずることができる」（同条3項）。議決権は、各区分所有者の専有部分の床面積の割合による（法38条）。

22-11　**(3)　復旧および建替え**

(a)　**復旧**　①「建物の価格の2分の1以下に相当する部分が滅失したとき」、ⓐまず、「各区分所有者は、滅失した共用部分及び自己の専有部分を復旧することができる」（法61条1項本文）。この場合に、共用部分を復旧した者は、他の区分所有者に対し、復旧に要した金額を専有部分の床免責の割合に応じて償還を請求できる（同条2項）。ⓑまた、「集会において、滅失した共用部分を復旧する旨の決議をすることができる」（同条3項）。②「建物の価格の2分の1以下に相当する部分」の滅失に至らない「建物の一部が滅失したときは、集会において、区分所有者及び議決権の各4分の3以上の多数で、滅失した共用部分を復旧する旨の決議をすることができる」（同条5項）。

22-12　(b)　**建替え**

(ア)　**全員一致を不要とした**　「集会においては、区分所有者及び議決権の各5分の4以上の多数で、建物を取り壊し、かつ、当該建物の敷地若しくはその一部の土地又は当該建物の敷地の全部若しくは一部を含む土地に新たに建物を建築する旨の決議（以下「建替え決議」という。）をすることができる[104)]」（法62条1項）。共用部分については、共有物の処分であるため民法の理論では全員の建替えの同意が必要なはずであるが、1人でも反対したり所在不明であることにより建替えが進められないことは、老朽化したマンションが放置されることになり社会的に問題となるため、全員一致の原則を修

104)　改正前は、老朽、損傷、一部の滅失など建物が効用を維持または回復するのに過分の費用を要するに至った場合に限定していたが（それ以外は原則通り全員一致が必要）、改正によりこのような要件は撤廃された。そのため、高度利用など効用増のみの目的の建替えも可能となっている。現在、この要件を、1つの敷地に複数の棟がある50戸以上の団地については「3分の2以上」に緩和する改正が検討されている。

正したのである[105)]。憲法上の財産権保障（憲29条）の観点から、反対区分所有者の法的保護についての配慮は不可欠になる。

22-13　**(イ)　建替・反対区分所有者の保護**　まず、建替決議が成立した場合に、反対区分所有者に対して、書面でもって建替えに参加するかどうかの催告をしなければならない（法63条1項)。2ヶ月以内に回答しない場合には、参加しない旨を回答したものとみなされる（同条3項)。催告から2ヶ月が経過すると、建替決議に賛成した各区分所有者もしくは建替えに参加する旨を回答した各区分所有者またはこれらの者の全員の合意により区分所有権および敷地利用権を買い受けることができる者として指定された者（買受指定者という）は、さらに2ヶ月以内に、建替えに参加しない旨を回答した区分所有者に対し、区分所有権および敷地利用権を時価で売り渡すべきことを請求することができる（同条5項)[106)]。

105)　さらに、団地については、A棟とB棟を一括建替えをして1棟の高層マンションにするといった建替え決議も、それぞれA棟およびB棟について建替え決議の要件が満たされ、かつ、AB両棟の区分所有者全体の3分の2の賛成が得られることを要件として可能とされている（法70条)。

106)　買取請求があった場合に、「建替えに参加しない旨を回答した区分所有者が建物の明渡しによりその生活上著しい困難を生ずるおそれがあり、かつ、建替え決議の遂行に甚だしい影響を及ぼさないものと認めるべき顕著な事由があるときは、裁判所は、その者の請求により、代金の支払又は提供の日から1年を超えない範囲内において、建物の明渡しにつき相当の期限を許与することができる」（法63条6項)。

第9章
用益物権および入会権

第1節　用益物権

23-1　民法は、土地——動産や建物については認められない——についての「用益」を内容とする2種類の物権を認めている。講学上これを**用益物権**という。①1つは、土地と土地との関係において、ある土地を他の「土地」の便益のために供する「地役」権であり、ある土地の所有権の内容の拡大ないし従たる権利である。②もう1つは、特定の「人」に他人の土地での用益権限——占有を伴う用益——を認める「人役」権であり、便益を受ける土地とのつながりを要せず特定の人に帰属する用益物権である。

前者の**地役権**については、「地役」の内容は自由に決められるが、後者の「人役」の内容については、起草者はこれを広く認めることは弊害があると考えて、「工作物又は竹木を所有」のための**地上権**（265条）と「耕作又は牧畜」のための**永小作権**（270条）のみを認めるにとどめている（☞ 23-6）。

賃借権とは異なり、用益物権は所有権を分属させるものであり、所有権の利用権限を移転し（委譲）、所有権は虚有権になる。他方、地役権については、相隣関係上の法定の権利と同様に要役地の所有権の拡大である。

§Ⅰ
地上権

1　地上権の意義

23-2　**(1)　地上権の意義——工作物または竹木所有目的の用益**

(a)　工作物または竹木所有目的に限られる　「他人の土地において工作物又は竹木を所有するため、その土地を使用する権利」を**地上権**という（265条）。土地の上下の一部だけを対象とする**区分地上権**の設定も可能である（269条の2 ☞ 23-4）。借地権は「建物の所有を目的とする地上権又は土地の賃借権」であり（借地借家2条1号）、地上権にも借地借家法が適用される。

例えば、建物所有のため、高速道路、鉄道、地下鉄、高架橋、送電用鉄塔、広告塔、電波塔等の所有のため、植林（林業経営）のためといったように、工作物や立木（耕作に含まれる果樹等を除く）を設置・植栽して継続的に土地を使用するため、所有者から使用権限の付与（所有権の中の用益権限の譲渡＝委譲）を受ける場合が考えられる。「工作物又は竹木を所有するため」でなければならず、耕作のための土地の利用は、永小作権または賃借権の設定によらなければならない。永続性のある工作物や竹木所有目的が必要であるため、例えば資材置場とする目的の地上権設定は認められない。

確かに建物建築目的であれば、土地を買い取ればよい。しかし、土地所有者側の事情によるものとして、土地を手放したくなく、定期的安定的な収入を望んでいる場合、利用権者側の事情によるものとして、利用期間が制限されていて土地を買い取るまでもない場合、また、地下だけの利用でよいといった場合には（☞ 23-4）、地上権設定という選択肢が採用される。

23-3　(b)　**賃借権（債権関係）ではなく物権関係**　土地使用という同じ目的は、賃貸借によっても達することができる。両者の差異は、地上権は物権であるのに対して、賃借権は賃貸人に対する債権にすぎない点にある[107)]。その結果、所有権が地上権設定により用益権限を失い虚有権になり、土地が譲渡されてもそのような所有権しか移転しないのに対し、債権である賃借権は賃貸人に対する債権にすぎず、土地が譲渡されれば賃貸人の債務は履行不能になり、賃貸借契約は終了するはずである――これを「売買は賃貸借を破る」という――。ところが、民法は不動産賃貸借について登記による対抗力を認め（いわゆる**不動産賃借権の物権化**☞債権各論Ⅰ 9-6 以下）、さらには建物所有のための土地賃貸借については借地借家法により、対抗力取得の要件が緩和されている（借地借家 10 条）。その結果、実際には賃貸借が用いられるのが普通である。

賃借権では、土地所有者は賃借人に対して契約内容に従った使用収益をさせる債務を負うが、地上権では土地所有者はそのような債務を負担せず、使

107）　実務上用益物権ではなく賃貸借が選択されるのは、土地所有者によって「物権たる地上権によって強い拘束を受けることは不利」なためであるが（末川 322 頁）、民法は物権・債権という差から次のような大きな法的扱いの差を導いている（地上権と比較する）。①賃借権では 50 年という制限がある（604 条）、②地上権は自由に譲渡・賃貸ができるが賃借権ではこれができない（612 条）、③ 2 年以上の地代の支払を怠って初めて地上権の消滅請求が認められる（266 条・276 条）、④期間の定めのない地上権は裁判所が 20 年～ 50 年の範囲内で期間を定めるが（268 条 2 項）、賃貸借ではいつでも解約できる（617 条）、⑤地上権では登記請求権が認められ、賃借権ではこれを判例が認めない。このような差もあるものの、日本で用益物権が利用されないのは、ヨーロッパと異なり馴染みがないということが大きいように思われる。

用収益権限を地上権者に移譲し無権利になるだけである。土地所有者が地上権者の使用を妨害することは不法行為になり、地上権者に物権的請求権が認められる。ただし、地上権においても、継続的契約関係を認め、契約に基づく権利・義務の関係として理解する異説はある（鈴木 462 頁以下）。

23-4 **◆区分地上権**

地上権は土地所有権の中から用益権能を独立させたものだとすれば、土地所有権が土地の上下に及ぶのと同じように、地上権も土地の上下に及ぶことになる。しかし、目的によっては、地上または地下の一定の空間さえ利用できればよく、それ以外については所有者の使用権能を奪う必要はない事例がある。例えば、地下でいえば地下鉄の敷設、地上でいえば送電線の敷設である。いずれも地下または地上の一定の空間だけの利用権能が認められればよく、支払うべき使用料も低額で済むことになる（「地上」権という用語は適切でなくなる）。

このような要請に応えるために、1966 年（昭和 41 年）の改正により 269 条の 2 が追加され、「地下又は空間は、工作物を所有するため、上下の範囲を定めて地上権の目的とすることができる。この場合においては、設定行為で、地上権の行使のためにその土地の使用に制限を加えることができる」と規定され（同条 1 項）、これを**区分地上権**という。この結果、1 つの土地につきそれぞれ抵触しない範囲で複数の区分地上権が成立しうることになる。土地のその目的部分のみの利用権限の譲渡（委譲）ができることになる。また、「前項の地上権は、第三者がその土地の使用又は収益をする権利を有する場合においても、その権利又はこれを目的とする権利を有するすべての者の承諾があるときは、設定することができる。この場合において、土地の使用又は収益をする権利を有する者は、その地上権の行使を妨げることができない」（同条 2 項）。例えば、土地に賃借権が設定されていても、賃借人の承諾があれば地下に地下鉄敷設のための区分地上権を設定できる。例えば空中地上権が設定されている場合には、2 項の適用はなく、空中地上権者の承諾なしに地下の地上権を設定することができる。

23-5 (2) 用益物権と「人役権」

(a) **その人限りの人役権**　ローマ法には「他人の物を自己の用に供する物権」として広く「役権」を認め、人の便益のための「人」役権と土地の便益のための「地」役権とが認められていた。日本の民法では、用益物権として永小作権と地上権が認められているが、フランスでは終身のもので相続性のない「その人」限りのものが人役権であり（☞ 1-17）――現在は法人による人役権の取得が可能となっているが、期間が限られている――、これに限定すれば日本には人役権は存在しないことになる。ただし、一身に専属しないという点を除けば、地上権と永小作権も人役権の一種である（梅264頁、富井247頁も広義の人役権という）。日本の特殊性は、その選択肢が限定され、内容を自由に決められないという点にある。

23-6 **(b) 日本は独自の用益物権を制限的に導入** 日本の民法では、地上権と永小作権のみを認め、弊害があるし認める必要性もないという理由で（梅264頁、富井247頁）、フランス民法に倣い規定されていた旧民法の人役権の諸規定は導入されなかった。所有者も人役権者も、不動産の保存・改良に熱心ではなくなるということが理由である。しかし、立法論として、人役権の必要性を説く論調が次第に強くなってきている（石田文632頁、末川350頁、我妻・有泉408頁、山野目章夫「物的義務の現代的再生」法学53巻6号210頁以下など）[108]。ただし、賃借権でも、社会的必要性があれば特別法により対抗力を認め、また、担保の設定を認めるなど、物権と同様の保護を認めることは可能であり、物権に拘泥する必要があるのかは疑問である。なお、フランスでも、単にある土地で猟をする、ある池で釣りをするといった特殊な人役権の導入が立法論として、検討されている（ただし、物権法定主義がないので、現行法の解釈としても無名の物権として認めることは可能だと考えられている）。

23-7 **◆建物上の工作物**

地上権は「土地において」工作物または竹木を所有する目的で、「その土地を使用する権利」であるため、建物の屋上、駅のホーム等の建造物の上に工作物を設置・所有する場合には、地上権によりえない。この場合、究極的に土地を土台としていることに変わりはないので、土地の一部空間だけを利用する区分地上権と説明することが可能なため、区分地上権の設定として認める学説がある（玉田弘毅「部分地上権」法時38巻11号58頁）。しかし、送電線のために上空部分の空間のみを利用するのとは異なり、土地と建物を別の物と構成する日本の法構造の下では、建物の屋上部分の賃貸借（借家契約にはならない）によるしかなく、地上権によることはできない。建物への地上権の設定を認めて、登記をすることはできない。ドームのような建物内部に大きな空間があり、所有者が第三者に、その中に建物などの工作物の設置を認める場合は、借地契約と認めることができる。

108） 人役権の有用性に注目する近時のその他の文献として、山野目章夫「新しい土地利用権体系の構想」ジュリ1362号61頁、大沼友紀恵「人役権制度の比較法的・立法論的考察——物の文化的利益の確保の観点から」成蹊大学一般研究報告46巻第6分冊1頁以下がある。

2　地上権の法律構成および内容

23-8 (1)　地上権の法律構成

地上権設定契約は、土地所有者と地上権者との間における、所有権の内容である用益権限を地上権の設定を受ける者に譲渡（委譲）する物権的合意であり、これにより土地所有権は虚有権となる。

地上権設定契約は物権契約であり、これにより成立した地上権に基づいて、土地所有者に土地の引渡しまた地上権設定登記手続を求めることができる。これに加えて、契約自由の原則からして、地上権を設定する契約に併存する、引渡しまた地上権設定登記をするという債権的合意を認め、債権として上記権利を認めることができる（☞ 23-10）。地代支払義務については、賃貸借契約のように債権契約により発生するのではなく、所有権の使用権限の譲渡の対価であり、ある期間の使用権限を取得する対価を区切って賃料同様に分割払いとすることができる。債権ないし債務であることは疑いないが、物権である地上権と不可分の特殊な債務であり、物上債務といわれる。地上権が譲渡されると、地上権の内容である地代支払の合意部分も承継される――既発生の滞納部分は承継されない――。

23-9 (2)　地上権者の権利

(a)　用益物権である　地上権者は、設定契約で定められた目的――「工作物又は竹木を所有する」ものでなければならない――の範囲内において、目的とされた「土地を使用する権利を有する」（265 条）。

物権であるから、その侵害に対しては、物権的請求権が認められ、設定者による妨害に対しても、債権関係ではないので物権的請求権により規律される[109)]。ただし、他人の所有物なので、地上権者も目的不動産につき善管注意義務を負う（地上権者が修繕義務を負う）。目的に定められた用法に違反した場合には、541 条が準用され（☞ 23-26）、土地所有者には地上権消滅請求権が認められる。地上権の設定がある場合に、地上権者に相隣関係の規

109)　設定者（所有者）が地上権者による使用を妨害しても、地上権侵害になるだけであり、不法行為を理由に損害賠償義務を負う。また、地上権者には地上権に基づく物権的妨害排除請求権が認められ、賃貸借のように債務不履行が問題になるものではない。

定が準用されるが、229条については、地上権設定後に行われた工事についてのみ適用される（267条）。

23-10

◆地上権と債権関係

所有者たる設定者は、地上権という物権を設定するのみであり、賃貸借のように使用収益をできる状態に置く債務を負うことはない（梅226頁）。設定時に約束された期間にかかる使用権限の設定の対価が支払われる場合と地代を定期的に支払う場合、さらには無償の場合が考えられる。賃貸借においては使用収益と賃料とが対価関係に立ち、賃貸人には修善義務が認められている（606条1項）。同じく地代を支払うのに、双務契約ではないということから修善義務を否定するのは適切ではないとして、地代を支払う場合には、606条を類推適用して土地所有者（設定者）に修善義務を認める学説がある（石田穣438頁）[110]。しかし、賃貸借とは異なり、所有者同様に地上権者は自分で修善すべきであり――原則として費用償還請求権は認められない――、使用できない期間の減額請求権の保護を与えればよい（266条2項・611条）。土地所有者が設備などの維持管理義務を合意することは有効であり、これは、「物権の附随義務」（物上債務 obligatio propter rem）という特殊な債権関係である（☞ 23-51）。

23-11

(b)　用益を目的とした物権であり譲渡性もある

(ア)　用益権限を有し賃貸も可能　地上権は土地の占有を目的とする権利であるから、本権である。地上権者は、賃貸借とは異なり、地上権を有する土地に地上権の範囲を超えない限度で賃借権を設定することができる（大判明36・12・23民録9輯1472頁）。地上権は債権関係ではないので、転貸にはならない。この場合、地上権者が設定した賃借権は、地上権の消滅と共に履行不能により消滅する。永小作権では賃貸を禁止できるが（272条ただし書）、地上権ではそのような制限がないため、地上権では、設定行為で賃貸を禁止しても債権的効力しか認められない（石田穣438頁）。また、地上権の成立している土地を要役地として地役権の設定を受けることができ、また、相隣関係の規定を援用することもできる。

23-12

(イ)　譲渡が可能　賃借権と異なり、地上権は自由に譲渡ができる。規定は

110）類似の問題は、土地に土壌汚染が発見された（ないし設定後に汚染された）場合、面積不足や他人物であった場合の地上権設定者の責任についても生じうる。利用権限の委譲なので、無償の場合には、贈与の規定を類推適用し、有償の場合には売買の規定を準用することができる（559条）。しかし、使用収益させる義務はないので債務不履行を理由とする損害賠償や解除は問題にしえない。錯誤や詐欺を理由とした取消し、地上権の放棄、不法行為による損害賠償を問題にするしかない。

ないが、財産権である以上譲渡性があることは当然視されている。そのため、物権法定主義により、永小作権のように譲渡禁止を認める規定がないので、譲渡禁止を合意しても債権的効力しか認められない。ただし、譲受人が悪意であれば所有者は地上権取得を否認することを認める学説もある（石田穣439頁）。譲渡登記は、地上権認定登記への付記登記による。地上の建物を譲渡すれば、従たる法律関係として建物に付随して地上権も移転する（ドイツの地上権法12条1項は、土地工作物を地上権の本質的構成部分とする）。譲渡性があり競売が可能なことを前提に、地上権への抵当権設定が認められている（369条2項）

23-13 **◆所有者との対抗関係**

賃貸借の場合には、不動産と共にする賃貸人たる地位の譲渡は、所有権移転登記をしなければ賃借人に対抗できないが（605条の3・605条の2第3項）、判例を適用すれば、誰に地代を支払ったらよいか登記で確認する実益があるため、登記欠缺を主張する正当な利益が認められ、地上権者にも177条が適用されることになる。しかし、改正による上記規定の導入により変更されたと考えられる（☞7-22）。地上権者に、605条の3を類推適用すべきではない。

他方で、賃借権とは異なり地上権は自由に譲渡できる。この場合、地上権譲渡の付記登記をしなくても、地上権譲受人は、土地所有者に対して地上権取得を対抗できると考えられる（新注民⑸719頁［松尾］）。むしろ、逆に、地上権譲渡人が、地代の支払義務を免れることを土地所有者に対抗するためには、登記が必要と考える余地がある。物権的請求権の相手方について、除去対象である建物につき所有権移転登記をしていない限り、土地所有者に妨害排除義務を免れることを対抗できないというのが判例であり（☞2-19）、717条の所有者の責任や、地代支払義務を免れることにも177条を適用することが考えられる（☞注14）。本書の立場では対抗関係に立つ第三者とは考えないため、登記は不要である。

23-14 ⑶ 地上権者の義務

ⓐ 地代支払義務　地上権の設定は、約定された期間内の利用権限を譲渡するのに等しく、地上権の設定に対して無償（＝贈与）ではない限り――小作料が要件になっている永小作権とは異なり、地上権は無償でもよい――、設定（＝約定期間の利用権限取得）の対価、すなわち設定期間分の利用権限の譲渡の対価が支払われることになる。期間ごとに支払うことを約束することも（定期払い）、期間を定めて一括してその期間全部についての権限取得の代金を支払うことも（一時払い）、またその併用も可能である。定期に地

代を支払うときは――地上権の内容となり登記可能（不登78条2号）――、永小作権についての274条～276条が準用されており（266条1項）、また、賃貸借に関する規定も準用される（同条2項）。地上権が譲渡された場合には、物的債務として地上権と共に地代支払義務も譲受人に移転するが（☞23-15）、遅滞中の既発生の地代支払義務は譲受人に承継されない。判例（最判平3・10・1判タ772号134頁）も承継を否定する（新注民(5) 727頁［松尾］も否定）。

23-15

◆地代特約の承継

地上権は永小作権のように必ず小作料を払うものではなく、無償とするか地代を支払うか自由に合意できる。地上権の設定の対価は、賃貸借のようにその期間の使用収益を認める対価（賃料）ではなく、設定された期間にかかる所有権の利用権限の譲渡（委譲）の対価であり、代金に匹敵するものである。ただ、切り売りのように期間ごとにその期間分の利用権限取得の対価を約束することもできる――経済的には賃料と変わりなく、建物所有目的の借地の場合には、賃料増減など賃貸借と同じ規律を受ける――。その場合、地代の支払義務は金銭債務であるが、対価を支払う地上権であることは地上権の内容をなし、物権関係の1つになる（石口638頁）。そうすると、地代の合意は地上権の内容についての合意なので（☞23-10）、地上権の内容としてそのまま、土地譲受人また地上権の譲受人に承継される。問題は、地上権の登記がない場合、また、地上権の登記はあるが地代についての登記がない場合である。次に考察したい。

23-16

⑴　地上権が譲渡された場合

地上権が譲渡された場合、地上権の取得者が譲渡人から無償と説明を受け、または、月の地代が登記されていないが10万円と説明を受けて取得したが、実際には地代は20万円であったとする（内容についての虚偽の説明）。土地が譲渡され、地上権と対抗関係になる事例ではない。対抗関係ではなく、地上権設定契約書の内容が虚偽であれば、94条2項の適用を受けるが、そうでない限り、地上権の譲受人は地上権者の地位をそのまま承継し、売主たる譲渡人の責任追及ができるだけである。地代が20万円なのに、10万円と登記されていれば、地上権取得者は94条2項の第三者として保護される。

23-17

⑵　土地が譲渡された場合と地代の合意の承継

ⓐ　土地所有者により承継が争われた事例　Aの土地にBが地上権を有し、地代として毎年米4石3斗と定められていた。ところが、Aから本件土地をCが買い取り、Cを相続したDが、地代の約定は第三者には及ばないとして、経済状況に応じた地代をBに対して請求した事例がある。大判明39・7・5民録12輯1074頁は、「該地代の支払は地上権者の義務之れが収受は土地所有者の権利たるものなれば、特に之を変更せざる限りは地上権に従属し之れと運命を共にすべき性質のものなり」として、その当然の承継を認めた。地代の内容についての

合意が、地上権と共に当然に承継されるのかが争われた事例である。地代については登記の有無を問わず当然に承継されることになる。

23-18　(b)　**地上権者により承継が争われる事例**　地上権者は、土地の譲受人とは対抗関係になり対抗要件具備が必要になる。地上権の設定登記はあるが地代の登記がない場合（地代の合意はある）、地上権を土地譲受人に対抗でき、しかも無償の地上権を対抗できることになるのであろうか。地上権者は地代を支払っていたのに、たまたま土地が譲渡されたら支払をしなくてよいことになるというのは、どうみても不合理である。この場合に、地上権が譲渡された場合には、土地所有者は地上権の内容を対抗できることは、23-16で説明した。

23-19　(b)　**土地返還義務および利用に際する義務**　地上権者は地上権が消滅した場合には、占有権限を失い、土地を返還することを要する。この際には土地を原状に復しなければならない。建物が建っていれば、更地に戻して返還しなければならない。日本では、建物は土地とは別個の所有物なので、権原がなくなっても土地に付合することはなく、地上権者の所有のままであり、妨害状態が生じるからである。土地所有者には買取権があるが（☞ 23-27）、民法上は、地上権者には買取請求権は認められない。ただし、借地借家法13条により、借地権者たる地上権者は建物の買取りを求めることができる（同法23条・24条の場合にはこれは否定される）。地上権者は土地を設定目的の範囲内で自由に使用収益できるが、271条の類推適用により、地上権者は土地に回復しえない変更を加えることは禁止される。

23-20　(4)　土地所有者（地上権設定者）の義務

債権契約ではないので、設定者（土地所有者）は、使用収益権を委譲するだけであり、賃貸人のように使用収益させる債務を負うことはない。地上権の設定により所有者は利用権限を失ったため、土地を利用すれば違法であり、地上権者による物権的請求権や不当利得返還請求権が認められることになる。所有者による賃貸は、他人物賃貸同様の関係になる。土地を使用収益しうる状態に保つのは地上権者の責任である。ただし、特約で所有者に修善義務を負わせることは、債権契約としては可能である（☞ 23-10）。

3　地上権の取得および消滅

23-21　(1)　地上権の取得・移転

地上権は、①当事者の契約により設定されるのが通常であるが、②法定地上権という当事者の合意に基づかず法律規定により成立する例もある（388条、工場抵当16条1項、立木5条、民執81条前段、国税127条等）。③また取得時効も可能であり[111]（163条）、さらに、④地上権とは明記されていないが、公共事業のように収用ができない民間の電気通信事業者には、総務大臣の裁定により「使用権」の設定・存続が認められる（電気通信事業128条以下）。

地上権も譲渡が可能なことはすでに述べた（☞ 23-12）。また、地上権が1つの財産権として相続され、無償であっても597条3項（借主の死亡による使用貸借の終了）のような規定はない。地上権の期間が定められていなくても、20年以上50年以下の存続保障がされており（268条2項）、地代を支払う場合に限定されていない。借地借家法は、使用貸借には適用にならないが、地上権には有償・無償を問わず適用される。しかし、物権か債権かという形式だけで、このような差異を生じさせるのが合理的かは疑問である。

23-22 **(2)　地上権の消滅**

(a)　**地上権の存続期間の満了**　当事者は地上権の存続期間を自由に合意することができ、終身の権利とはされず相続性が認められ、また、特に期間制限は設けられていない（266条では278条の準用はされていない）。地上権の存続期間が合意されている場合には、更新がされない以上、その期間の満了により消滅する。266条は、273条を準用していないため、619条の更新の推定は認められない。なお、建物所有目的の地上権については、借地借家法が適用になり（借地借家1条）、正当事由制度が適用されるため、土地所有者は正当事由がないと地上権の更新を拒絶できない。

23-23 **◆無期限または永久の地上権の設定**

地上権について無期限と合意されていても、期限の定めのないものとされたり

111）　**＊地上権の取得時効**　地上権の取得時効も可能である（163条）。ただし、所有権の取得時効とは異なり、占有が他主占有であることが必要であり、判例は、「地上権の取得時効が成立するためには、土地の継続的な使用という外形的事実が存在するほかに、その使用が地上権行使の意思にもとづくものであることが客観的に表現されていることを要し、そして、右成立要件が存在することの立証責任は地上権の取得時効の成立を主張する者の側にある」という（最判昭45・5・28判時596号41頁）。Xの玄祖Aが甲部落の税金を代納した代償として、甲部落民が使用収益権を有していた本件各山林を杉などの立木所有の目的で利用することを、甲部落民から許された旨代々伝えられてきた事実からして、立木所有の目的で継続的に使用してきたものであり、かつ、その使用が立木所有のための地上権を行使する意思に基づくことが客観的に表現されているとして、地上権の取得時効を認めたことを正当とした判例がある（最判昭46・11・26判時654号53頁）。

(大判昭15・6・26民集19巻1033頁)、または、目的たる事業の終了を終期とするものとされたり(大判昭16・8・14民集20巻1074頁)、永久の地上権の約束ではないと認定されている。では、永久の地上権と明示的に合意したら、それは有効であろうか。永小作権とは異なり、地上権には期限についての制限はない。判例はこれを有効とする(大判明36・11・16民録9輯1244頁)。放棄や地代不払いによる消滅請求はありうるので、必ずしも永遠に地上権が存続するわけではないが、所有権の全面的支配権としての性格を害するため、永久の地上権設定の効力を否定する──設定契約が無効になるのではなく永久という合意部分のみの無効──のが通説である(横田秀雄「永久ナル地上権ノ設定」『法学論集』〔1920〕737頁以下)。

23-24　**(b)　地上権の存続期間につき定めがない場合**　地上権の存続期間が定められていない場合には、①「別段の慣習がないときは、地上権者は、いつでもその権利を放棄することができる」(268条1項本文)。②「ただし、地代を支払うべきときは、1年前に予告をし、又は期限の到来していない1年分の地代を支払わなければならない」(同項ただし書)。

しかし、地上権者が権利を放棄しない限り永遠に地上権が存続するのではない。民法は、「地上権者が前項の規定によりその権利を放棄しないときは、裁判所は、当事者の請求により、20年以上50年以下の範囲内において、工作物又は竹木の種類及び状況その他地上権の設定当時の事情を考慮して、その存続期間を定める」ものとした(同条2項)。20年以上50年以下の起算点は、「存続期間」というのであるから、設定時から起算されるべきである。

23-25　**(c)　存続期間の有無を問わない共通の終了原因**　①275条が266条1項により準用され、地上権者は、不可抗力によって、引き続き3年以上全く収益を得ず、または5年以上地代より少ない収益を得たときは、その権利を放棄することができる。地代の定めがある場合には268条1項ただし書による放棄によらざるをえないが、その例外である。

②また、276条が266条1項により準用され、2年以上地代の支払を怠ると土地所有者は地上権の消滅を請求できる──毎月の地代を2年以上連続して支払っていないことが必要であり、ある月の地代の支払が2年以上遅れているというのでは足りない──。賃貸借と異なり、賃料の不払いを理由に契約の債務不履行解除(541条)をすることはできないが、所有者の保護が必要なのは変わらないので、所有者に地上権の消滅請求権を与えたのであ

る。２年以上の滞納が要件になっており、催告は要件になっていないが不都合はない。266 条・273 条により善管注意義務違反については、541 条により催告の上で地上権消滅請求権が認められるべきである（☞ 23-26）。なお、消滅時効（166 条２項）がありうることは他の制限物権と同じである。

23-26 **◆地上権消滅請求権の拡大**

地代滞納による地上権消滅請求権は、２年以上の地代の滞納が必要なので、あえて 541 条の適用を問題にする必要がない。では、設定目的を超えて土地を利用したり、回復することのできない損害を生ずべき変更を加えようとしている場合（271 条違反）、所有者は 541 条の類推適用により催告の上――拒絶をしたら 542 条１項２号により即時に――地上権消滅請求ができると考えるべきであろうか。所有者の保護と地上権者の保護とを調和させるならば、肯定しつつ信頼関係破壊の法理の適用を認めるべきである。

また、273 条は２年の滞納を要件としているが、これを３年に加重したり、１年に緩和したりする合意は有効であろうか。273 条は強行規定なのかという問題である。物権法定主義があるので、条文自体が異なる合意を認めているのではなければ、原則として強行規定となる。しかし、所有者保護も考慮して、信頼関係破壊の法理に反しない限りで特約は認められると考えてよい。大判明 37・3・11 民録 10 輯 264 頁は、永小作権の事例であるが、「永小作の設定に関しても、或条件を以て其設定の契約を解除すべき特約を為すが如きは固より当事者の自由にして、敢て法律の禁ずる所にあらず」と判示している。

23-27 (3) 地上権消滅後の法律関係

(a) 地上権者の地上物収去権など　①「地上権者は、その権利が消滅した時に、土地を原状に復してその工作物及び竹木を収去することができる」（269 条１項本文［地上権者の収去権］）。②「ただし、土地の所有者が時価相当額を提供してこれを買い取る旨を通知したときは、地上権者は、正当な理由がなければ、これを拒むことができない」（同項ただし書［土地所有者の買取権］）。以上と異なる慣習があればそれに従う（同条２項）。23-19 に述べたように、地上物の除去は、権利（権限）というだけでなく義務でもある。

本規定については、当初から無権原で建物が建築された場合にも類推適用を認める余地がある（☞ 20-32）。

23-28 **(b) 費用償還請求権**　費用償還請求権については、①必要費は、ⓐ賃貸借では直ちに償還請求ができ（608 条１項）、ⓑ使用貸借では、通常の必要費は償還請求できないことになっているが（595 条・583 条２項本文・196 条１項）、これを地上権にも地代の有無に応じて類推適用しようとする学説がある（石田穣441頁）。②有益費についても、賃貸借の規定（608条2項）と使用貸借の規定（595条2項）を、地上権にも地代の有無により類推適用することが考えられる（石田穣441頁以下）。地代を支払う場合には賃貸借の規定を準用するとしており（266条2項）、基本的にこの意見に賛成したい。ただし、地上権者が設置した工作物の維持の費用（例えば、地下通路を設置した場合の管理維持費用）は、地上権者の負担である。

§Ⅱ
永小作権

1　永小作権の意義

23-29　「小作料を支払って他人の土地において耕作又は牧畜をする権利」を**永小作権**という（270条）。小作料を支払うことが要件となっており、物権法定主義があるため無償の永小作権は認められない。小作料の額は登記事項になっている（不登79条1号）。

永小作権は小作問題という民法制定当時の社会的大問題に関わるものであるが、戦後の農地解放により解決されたため、本書ではそのような議論については省略する。ただ、戦後の農地法が小作の解放、地主による搾取の再現の阻止といった方針に基づくため、永小作権は事実上利用が否定された制度となった。そのため、民法の規定を概説するにとどめる。

農地の賃貸借も可能であり、農地法は、引渡しによる第三者対抗力を認め（同法16条。永小作権にはこの保護は認められない）、賃貸人についての解除権の制限もあり（同法18条）、永小作権と共にその設定・移転には農業委員会（事例により都道府県知事）の許可が必要とされている（同法3条1項）。

2　永小作権の内容

23-30　(1)　永小作人の権利

(a)　永小作権の内容　「永小作人は、小作料を支払って他人の土地において耕作又は牧畜をする権利を有する」（270条）。ただし、「永小作人は、土地に対して、回復することのできない損害を生ずべき変更を加えることができない」(271条)。設定行為で禁止されていない限り――自らの使用しかできない、譲渡性のない永小作権を合意することができる――、永小作人は、永小作権を譲渡することも、永小作権の存続期間に限り他人にその土地を賃貸することができる(272条)。いずれも、これと異なる慣習があればそれに従う(277条)。永小作権に抵当権を設定することもできる(369条2項)。

23-31　(b)　**存続期間の制限**　永小作権の存続期間については、①「20年以上50年以下」でなければならず、50年以上の合意をしても50年に短縮される(278条1項)。②更新できるが、更新については短期の制限はないが長期については50年を超えることができない(同条2項)。③存続期間について定めなかった場合は、地上権とは異なって(268条参照)、30年の存続期間とされる(278条3項。別段の慣習があればそれによる)。これはあまりにも長期にわたる用益物権を認めると、所有権を自ら使用収益ができない虚無の所有権（虚有権）ならしめるため、一定期間の限度を設定したのである。

23-32　(2)　永小作人の義務

地上権とは異なって、永小作権では、小作料を支払うことが契約の要素になっている(270条)。

民法上は、「永小作人は、不可抗力により収益について損失を受けたときであっても、小作料の免除又は減額を請求することができない」が(274条)、この点については農地法により修正され、当事者は小作料の増減を請求できることになっている(農地20条)。

永小作権の消滅の際には、小作人は土地を原状に復する義務を負い、その際には収去権が認められ、また、地主に買取権が認められることは地上権と同じである(279条による269条の準用)。

3　永小作権の取得および消滅

23-33　(1)　永小作権の取得

永小作権は契約により設定できるが（なお、現在では、農地法３条１項により、農業委員会の許可が必要）、民法施行後に新たに設定されたものはほとんど賃貸借による形式がとられている。したがって、永小作権が問題となるのは、民法以前から存在した封建的物権が物権法定主義(175条)また民法施行法35条により永小作権に整理されたものにとどまることになる。

23-34 (2) 永小作権の消滅

永小作権は存続期間の満了、放棄、消滅時効により消滅することになるが、民法は次の2つについて特に規定を置いた（いずれも異なる慣習があれば、慣習が優先される〔277条〕)。賃貸借とは異なり、債務不履行解除（541条）は適用されず、②の永小作権消滅請求権によるしかない[112]。

> ①「永小作人は、不可抗力によって、引き続き3年以上全く収益を得ず、又は5年以上小作料より少ない収益を得たときは、その権利を放棄することができる」（275条）
> ②「永小作人が引き続き2年以上小作料の支払を怠ったときは、土地の所有者は、永小作権の消滅を請求することができる」（276条）

その他、永小作人の収去権および地主の買取請求権（279条による269条の準用)、費用償還請求権については、地上権について述べたところがそのまま当てはまる。

112） **＊用法違反による消滅請求権**　永小作権において、小作料の支払義務の違反については276条が規定しているが、用法違反については特に規定はない。273条によりその性質に反しない限り賃貸借に関する規定が準用されているため、賃貸借におけると同様の規律がされる。大判大9・5・8民録26輯636頁は、次のように判示する。

「民法第273条の規定に依れば、永小作人の義務に付ては賃貸借に関する規定の準用あること明白にして又民法第616条の規定に依れば賃貸借に付同法第594条第1項の規定の準用あるの結果として、賃借人は契約又は其目的物の性質に因り定まりたる用法に従ひ其物の使用及び収益を為すことを要す。故に賃借人が斯る範囲外の使用を為したるときは、賃貸人は賃借人に対し該違反行為の停止を請求することを得べく、若し賃借人が斯る違反行為の停止義務の履行を為さざるときは賃貸人は民法第541条の規定に依り契約の解除を為すことを得べきこと同法第594条第3項の規定の賃貸借に準用なき法意に徴し疑を容れず」。

§Ⅲ 地役権

1　地役権の意義

23-35 (1)　地役権の意義および設定権者

(a)　地役権の意義　「設定行為で定めた目的に従い、他人の土地を自己の土地の便益に供する権利」を、**地役権**といい（280条本文）、合意により設定される[113)]。「便益に供する」だけである点が、占有を取得する地上権等とは異なる。積極的に隣接地に通路や水路を設置して利用する**積極的地役権**だけでなく、眺望や日照を害する建物等を設置しないという**消極的地役権**も可能である。便益を享受する土地を**要役地**、要役地のために便益を供する土地を**承役地**という（281条1項参照）。

隣接する土地についての最低限度の調整は相隣関係についての規定（☞19-20以下）により図られているが、地役権の設定はこれを明確化したり、拡大する意味を持つことになる（制限する内容は許されない）。要役地と承役地とは直接に隣接している必要はない。引水地役権でいえば、隣接していない川沿いの土地から自己の土地までの全ての土地を承役地とできる（鉄道や送電線もこの論理で地役権によりうる）。地役権の期間については制限はなく、永久の地役権も設定可能である。ただし、地役権の期間は、登記事項ではなく登記はできない（不登80条参照）。

23-36　**(b)　地役権の設定権者**　地役権の設定ができるのは承役地の所有者であるが、地上権や永小作権が設定されている場合にはこれらと牴触する地役権の

113)　**＊黙示の合意も認められるか**　契約は黙示の意思表示によっても可能である。では、隣地の所有者が自己の土地を権限なしに通行していることを所有者が長年黙認している事実をもって、通行地役権を黙示的に合意したとみるべきであろうか。もしこれを肯定するならば、所有者が好意的に黙認していただけなのに（通行者からいえば反射的利益であり、保護される利益はない）、地役権の負担という不利益を受けることになり、不合理であろう。そのため、通行地役権の黙示的合意については、次のように判示する裁判例がある。

通行地役権設定の「黙示の契約を認めるためには前示のような通行の事実があり通行地の所有者がこれを黙認しているだけでは足りず、さらに、右所有者が通行地役権または通行権を設定し法律上の義務を負担することが客観的にみても合理性があると考えられるような特別の事情があることが必要である」（東京高判昭49・1・23東高民時報25巻1号7頁）。

設定は認められない。他方、所有者から用益権限の移譲を受けた永小作権者らは、その権限の範囲内で有効に他の土地のために地役権を設定することができる（用益権の登記の付記登記による）。この場合、永小作権者らの用益権限の存在が地役権の成立要件かつ存続要件であり、永小作権などの消滅により地役権は当然に消滅する。

設定者が承役地を第三者に譲渡した場合、地役権は登記なしには譲受人に対抗できない。ただし、この点は緩和されている（☞ 23-53）。無償の場合でもよいのか、無償性まで対抗を認めるべきなのかは疑問が残る。

23-37 **(2) 地役権の設定を受けられる者**

地役権者となる者は、「自己の土地の便益に供する」という規定をみると、要役地の所有者に限られる。しかし、これはあくまでも原則論を規定しただけである。所有権の用益価値を独立させた地上権または永小作権が設定されている場合に、要役地の使用のために地役権の設定が必要なのは、土地所有者ではなく地上権者または永小作権者である。そこで、地役権の規定を地上権者や永小作権者に拡大してよい（広中 481 頁、鈴木 12 頁）。この場合の地役権は、土地所有権ではなく、地上権ないし永小作権の従たる権利ということになり、地上権ないし永小作権の消滅により当然に消滅する。

23-38 **(3) 地役権の付従性・随伴性**

地役権は人と人との権利関係ではなく、ある土地の便益のための土地と土地の権利関係である[114]。そのために、「地役権は、要役地（……）の所有権に従たるものとして、その所有権とともに移転し、又は要役地について存する他の権利の目的となるものとする。ただし、設定行為に別段の定めがあるときは、この限りでない」と規定されている（281 条 1 項）。そして、「地役権は、要役地から分離して譲り渡し、又は他の権利の目的とすることができな

114）　**＊公益のための地役権**　英米法には文化財保護のための保全地役権という制度がある（大沼友紀恵「物の文化的利益の確保のための一般財産法上の所有権の制限の比較法的研究(1)」一法 9 巻 3 号 295 頁以下参照）。フランスでも、都市計画地役権のように一般的な利益のために公権力が設定する要益地を必要としない名ばかりの公法上の「地役権」がある。破毀院第 3 民事部 1996 年 3 月 6 日判決は、パリ市によるサン・ミシェル広場 6 番地を売却する売買契約書において、所有者は、隣接する通りに出るために人々が通路を通行することを恒久的に認める条項の効力が問題となり、特定の要役地に便益をもたらすものではなく、パリ市民、全ての通行者に便益をもたらすものであるため地役権の設定ではないが、地役権とは異なる不動産物権の成立を認めている。

い」(同条2項)――地役権への抵当権設定はできない――。これを**地役権の付従性**という。承役地または要役地が共有物であり現物分割されても、従前の関係が承継されることになる。

要役地の所有者は、地役権だけを譲渡することはできない(281条1項)。また、要役地の所有権または地上権ないし永小作権が譲渡された場合にそれに伴って当然に移転し、地役権だけを保持することはできない。ただし、譲渡担保の場合には、担保に必要な限度での所有権の移転にとどまるため(☞担保物権法4-8)、地役権は実行がされるまで移転しない。

23-39

◆地役権の分類

(1)　作為地役権・不作為地役権

作為地役権は、地役権者が承役地において認められた一定の行為をすることができ(例えば、通行)、承役地の所有者がこれを受忍することを義務づけられる地役権である。これに対し、不作為地役権は、要役地の所有者の利益享受が、承役地の積極的な利用ではなく、例えば、承役地の所有者が高い建物を建てて要役地の眺望を害しないという不作為を義務づけられ、これにより要役地所有者に良い眺望を得られるという利益享受が実現される地役権である。

23-40

(2)　継続地役権・不継続地役権

継続地役権は、地役権の行使が、1回ごとの通行といったものではなく、水路を設置して水を引く、通行するための通路を開設するといったように、継続している状態となるものである。他方、不継続地役権は、地役権の行使が、道路を開設することなく、その都度の承役地の通行といったように、間断なく継続した状態ではないものである。この区別は、地役権の取得時効に関して認められ、時効取得は継続地役権についてしか認められない(283条)。

23-41

(3)　表現地役権・不表現地役権

表現地役権は、地役権の行使が外部からの認識が容易な外形的事実を伴うものである(通路、水路、線路の開設)。2004年の現代語化前の「表現」という用語に由来し、現在では「外形上認識することができる」地役権と表示されている(283条)。これに対して、不表現地役権は、地役権の行使がそのような外形上認識しうる形で行われないものである。これも地役権の取得時効において意味のある分類であり、時効取得は表現地役権のみ認められる。地下に通路を作って通行するのは、継続地役権ではあるが、表現地役権ではないので、取得時効は認められない。

2　地役権の内容――地役権の要件

23-42 (1) 要役地所有者（地役権者）に認められる権利

(a) **地役権の内容たる便益**　「地役権者は、設定行為で定めた目的に従い、他人の土地を自己の土地の便益に供する権利を有する」（280条本文）。

「目的」たる「自己の土地の便益」（地役）の内容は「人役」権とは異なり制限されておらず、あらゆる内容の便益が可能になる[115]。代表的な地役権に、**用水地役権**（承役地の水を利用）、**引水地役権**（他の所から要役地に水を引くために承役地に水を通過させる）、**通行地役権**（承役地の通行）、**観望地役権**（要役地の観望を承役地において邪魔しない）がある[116]。「便益」は要役地の使用価値を客観的に増すものでなければならないが、精神的な利益でもよいと考えられている。そのために景観地役権も認められる。フランスでは、ガソリンスタンドの土地所有者と隣の土地所有者との間で、隣の土地所有者がガソリンスタンドを経営しない約束を地役権の設定と認められたが、日本法で認めるのは難しい。

23-43　(b) **占有権原はない**　地役権は独占的利用を実現するものではなく[117]、また、承役地を占有するものではない。承役地の用益を奪うものであってはならず、これを奪う地上権や永小作権とは異なる。ただし、承役地の一部の用益を奪うことは可能であり、承役地の一部に通行地役権を設定して、排他

115）「地役権設定の目的及び範囲」は必要的登記事項であり（不登80条2号）、具体的に「目的」を特定することが必要である。また、承役地のどこを通行するなど「範囲」も特定しておかなければならない（眺望地役権のように承役地「全部」ということも可能）。英米法は、判例法であり、ある土地に対して不作為義務を課す不動産権である制限的約款（restrictive covenant）により、例えば、住宅地内の土地にビルや工場や大型店を建設しないといった義務を認めることが可能である。

116）イギリス法にも地役権（easement）制度があり、これは積極的地役権（positive easement）と消極的地役権（negative easement）に分かれ、眺望権やプライバシー権といった曖昧な地役権の設定は認められない（南部あゆみ「イギリスの土地利用における地役権について」ソシオサイエンス14号143頁）。消極的地役権はしばしば承役地の開発を阻害することになるため、裁判所は新しい権利の認定を控える傾向にあるといわれている（南部・前掲論文145頁）。

117）承役地を自己の土地の「便益に供する」という権利内容については、地役権の取得時効の要件を満たすか否かの評価の際に問題になる。所有権の取得時効（162条）のように他人の土地を「占有」していることは必要ではないが、地役権を行使する意思とその行使という客観的状況が必要になる（205条の準占有）。しかし、単に通行しているというだけで準占有――地役権の行使――ありと認めてしまうのは不合理なので、土地所有者保護のために、後述のように地役権を取得時効する者が通路などを開設することが要件とされている（☞23-54）。

的な通行（さらには占有）を認めても、承役地の他の部分は用益可能なので地役権である。承役地の所有者が地役権の内容を妨げない限度で、承役地を利用することはでき、また、相両立するものであれば、同一の承役地に複数の者のために地役権を設定することができるが（眺望地役権と通行地役権）、内容的に抵触する場合には、先に登記を備えたものが優先する。

23-44　(c) **用水地役権についての特別規定**　民法は、用水地役権について特別に規定を設けており、①「水が要役地及び承役地の需要に比して不足するときは、その各土地の需要に応じて、まずこれを生活用に供し、その残余を他の用途に供するものとする」（285条1項。別段の合意は可能［同項ただし書］)。②「同一の承役地について数個の用水地役権を設定したときは、後の地役権者は、前の地役権者の水の使用を妨げてはならない」（同条2項)。甲地に乙地のために用水地役権を設定後、丙地のためにも用水地役権を設定した場合には、先登記された用水地役権が優先する。ただし、通行地役権の判例（☞ 8-16）から推論すれば、水路が開設され客観的に明らかな場合には、登記なくして先の地役権は対抗できると考える余地がある。

23-45

◆通行地役権に基づく物権的請求権

地役権も物権であり、占有権原がないものの、その侵害について、地役権の行使に必要な限度で、侵害者に対して地役権に基づく物権的妨害排除請求権が認められ、また、侵害のおそれがある場合には妨害予防請求権が認められる。第三者の侵害に対してだけでなく、承役地の所有者による侵害に対しても同様である。債権関係ではないので、設定者に対しても物権的請求権によるしかないためである。しかし、地役権には占有権原はないため、返還ないし明渡請求までは認められない。この点で注目される判例がある。

分譲地において通行地役権が成立している承役地たる通路（いわゆる位置指定道路）にその所有者Yが自動車を駐車させているが、残りの幅員（3m余り）でも自動車による通行が可能な場合に、通行地役権者Xが通行妨害行為の禁止を求めることが許されるかが問題とされた事例がある。原審判決は、本件通路土地の入口付近の幅員は2・8mしかなく、ここを通過できる車両は、残りの幅員が3m余あるので問題のY所有部分を通過できるため、地役権者Xの妨害排除請求を棄却した。

しかし、最高裁は、原審判決を破棄しYに対し、「土地上に車両を恒常的に駐車させて、Xによる幅員2・8m未満、積載量2・5t以下の車両の通行を妨害してはならない」と命じた（最判平17・3・29判時1895号56頁)。最高裁は、「本件車両によってXが本件通路土地を通行することが妨害されているとはいえない」としつつも、分譲の経緯などの諸事情から、「本件地役権の内容は、通行の目的の限度において、本件通路土地全体を自由に使用できる」とし、本件Y所有通路部分の特定の2・8mに制限されるのではなく、不可分的に全部の土地に通行する権利を認める。そのことから、「本件車両を本件通路土地に恒常的に駐車させることによって同土地の一部を独占的に使用することは、この部分をXが通行することを妨げ、本件地役権を侵害するものというべきであって、Xは、地役権に基づく妨害排除ないし妨害予防請求権に基づき、Yに対し、このような行為の禁止を求めることができる」、と説明している。通行自体は可能であるが、駐車されている部分の通行は妨害されているという理由である。占有権原はなく通行という権利行使ができればよいので、地役権の侵害はないかのようである。しかし、通行可能な部分だけを残して、承役地の所有者が自由に使用できるというのでは、幅員全体を通行地役権の対象とした趣旨が没却されてしまう。幅員全部が地役権の対象であり、その一部で通行を妨げられれば地役権の侵害があることになる。制限された状態が長く続けば、地役権が消滅時効にかかることになる（291条）。

23-46

◆債権契約による通行権

(1)　債権契約（非典型契約）も可能

他人の土地を通行する権利は地役権によることなく、債権契約として使用貸借または賃貸借類似の契約によることも可能である――賃貸借は「引渡し」が必要であり、地役権に匹敵する利用では占有を移さないので賃貸借ではない――。債権契約たる通行権は、通行地が譲渡された場合、新たな所有者には契約関係は承継されないため（ただし、23-47は対抗を認める）、地役権とは異なり脆弱な権利である。殊に地役権では登記なしに対抗さえ可能なことと比較するとあまりにも結論の差が大きい。土地の利用は賃貸借が選ばれるが、通行等に関わる場合には、なるべく地役権の設定と認定すべきである。

23-47

(2)　債権的通行権の第三者への対抗

東京地判平25・3・26判時2198号87頁は、「本件係争地における無償通行（工事車両及び一般自家用車両の通行を含む。）、Y_7及びY_3らによる本件係争地の無償通行の妨げとなる障害物を設置することの相互禁止、Y_7及びY_3らから譲渡を受ける第三者にこの合意内容を継承することの約定を含んだ本件私道使用契約を締結した」と認定して、承継人への承継を認めている。第三者に合意内容が承継されると当事者で合意しても、当然には第三者に承継されることはないはずであり、契約内容を根拠にしたことには疑問が残る。

23-48

(2)　地役権者の義務――地役権設定料等の支払義務

地役権者が、設定契約の時に期間の定めをしてその期間分を設定料としてまとめて支払う場合のほか、定期に通行料などを支払う合意がされたならば（登記事項ではなく登記できない）、地役権者はその支払義務を負うことになる。通行料などを支払う場合、この支払義務については、①「報酬支払の特約を為すも其の特約は地役権の内容を構成することなく単に債権的効力を有するに過ぎざるもの」とするのが判例であるが（大判昭12・3・10民集16巻255頁）、②地役権の内容をなすという学説もある（広中484頁）。要役地が譲渡された場合に、通行料などの支払義務は登記なくして、物上債務として、譲受人への承継を認めるべきである（既発生の未払通行料は承継されない）。

地役権が有償の場合、料金を支払わないからといって通行等を禁止できないが、276条を類推適用すべきである。

23-49 **(3)　承役地所有者の義務**

(a)　使用忍容義務――地役権者が工作物を設置する場合　①「承役地の所有者は、地役権の行使を妨げない範囲内において、その行使のために承役地の上に設けられた工作物を使用することができる」（288条1項）。要役地所有者は、承役地について合意された要役地の便益のために使用する権限を取得するが、地上権や永小作権とは異なり、占有を移転するものではなく、承役地の所有者もそれと抵触しない限りで承役地の使用権限を保持している。そのため、承役地の所有者は、地役権者の使用を忍容すべき義務を負うだけである。承役地の所有権がそのような制限を受けるのであり、物的な負担ないし義務である。

②「承役地の上に設けられた工作物を使用する」場合、承役地の所有者は、その受ける利益に応じて工作物の設置および保存の費用を負担しなければならない（同条2項）。用水地役権でいえば、要役権者の設置した用水路を承役地の所有者も使用することができるが、その代わりに用水路の設置および維持のための費用を、受ける利益に応じて負担すべきことになる。

23-50 **(b)　工作物設置・維持義務――承役地の所有者が工作物を設置する場合**　「設定行為又は設定後の契約により、承役地の所有者が自己の費用で地役権の行使のために工作物を設け、又はその修繕をする義務を負担したときは、承役地の所有者の特定承継人も、その義務を負担する」（286条）。

この場合の、承役地所有者の義務また地役権者の権利については、①起草者は地役権の内容ではなく物権関係と一体になった債務と考えていた（梅

286頁以下)。承役地の所有者は承役義務のみを負い、積極的な義務を負わないと考えていたのである。②しかし、近時は、この義務を地役権の内容（物権関係）として構成しようとする学説が有力である――抵当地の所有者の抵当不動産についての適切管理・価値保全義務を彷彿させる――。この考えでは、物権の内容そのものと構成するため（物上債務)、地役権者の承役地所有者に対する工作物設置・修善請求権は物権的請求権となる。承役地の所有者の義務は地役権の内容なので、承役地の譲受人に承継される。

地役権の内容を特に制限せず、「承役地の所有者は、いつでも、地役権に必要な土地の部分の所有権を放棄して地役権者に移転し、これにより前条の義務を免れることができる」ものと規定されている（287条)。本規定については、地役権者は通行等ができればよく土地所有権まで欲していないのに、強制的に所有権を取得させられることになるため、起草過程において議論があった。地役権者は拒絶でき、拒絶されたら国庫に帰属するという意見が出され、決着が付かないまま立法に至っている。地役権者の承認なしに、承役地所有者が一方的に所有権を地役権者に移転することはできないと考えるべきである。

23-51

◆承役地所有者の義務（物上債務）

フランスでは、「地役権は人に作為義務を課すことはできない」という法格言により、地役権は土地と土地との関係であり、要役地所有者と承役地所有者間に債権債務関係は存在しえず、承役地所有者が要役地所有者に対して債務を負うことはないと考えられている。地役権の設定により、承役地の所有権の機能の一部が制限されるだけである。しかし、学説には、地役権者による用益を受忍する消極的な不作為義務および積極的義務を、土地所有者に課される相対的な義務とみて、これを**物的義務**ないし**物上債務**（obligation réelle、obligation propter rem）と呼ぶ主張もある。物上債務の性質については、①債権的性質を認める説、②物権的な性質を認める説、および、③両者が合わさった中間的なものであるという説に分かれる。なお、ここでの物上債務とは、抵当権で物上保証人や第三取得者について物的有限責任と構成するために、物上保証人らが負担すると考えられる物上債務とは異なる概念である。判例は、承役地所有者の積極的義務は地役権に付随する義務（物上債務）であることを認め、地役権者は承役地の特定承継人に対してもその履行を請求でき、万人に対する絶対的な対抗力を有する債権と考えている（以上につき、吉井啓子「地役権概念の再検討」同法60巻7号301頁以下)。23-50に述べたように、日本では、上記②に匹敵する理解が有力である（起草者は③か)。侵害状態がある限り時効にかからないなど、物権的請求権と考えることを可能とする②の理解が適切である。

3　地役権の取得および消滅

23-52 ### (1)　地役権の取得

(a)　**地役権の取得時効**　地役権は、設定行為により取得されるほか――登記のためには書面が必要であるが、設定契約は口頭でも成立する――、時効による取得も可能であるが、地役権の取得時効には特別の要件が設定されている（283条☞23-53）。囲繞地通行権（法定の地役権とでもいうべき権利）は償金の支払が必要であるのに対して、地役権の取得時効については無償の地役権の取得が認められるのは、いささかバランスを失する。取得時効による地役権については、212条を類推適用して償金の支払義務を認めるべきである。過去の分の償金請求権は時効により消滅していない分だけ請求できるにすぎず、地役権の時効取得者に大きな負担とはならない。

23-53 (b)　**地役権と177条**　地役権の登記は承役地の登記簿に要役地が表示され（不登80条1項1号）、要役地にも地役権の登記がされる（不登規159条1項）。

地役権の設定にも、177条の適用があり、設定登記をしなければ第三者に地役権の取得を対抗できない。不表現地役権はこの通りでよい。問題は、表現地役権（☞23-41）であり通路の開設など単なる好意通行ではないことが客観的に明らかな場合である。判例は、177条を地役権設定にも適用することを肯定しつつ、登記欠缺を主張することが信義則に反する者を177条の「第三者」から除外し、背信的悪意者排除論を飛び越えて「悪意」さえも不要としている（最判平10・2・13☞8-16）。

また、未登記の地役権があるが承役地に抵当権が設定・登記され、その後に抵当権が実行され競落人が承役地を取得した場合につき、最判平25・2・26民集67巻2号297頁は、「最先順位の抵当権の設定時に、既に設定されている通行地役権に係る承役地が要役地の所有者によって継続的に通路として使用されていることがその位置、形状、構造等の物理的状況から客観的に明らかであり、かつ、上記抵当権の抵当権者がそのことを認識していたか又は認識することが可能であったときは、特段の事情がない限り、登記がなくとも、通行地役権は上記の売却によっては消滅せず、通行地役権者は、買受人に対し、当該通行地役権を主張することができる」とする。本判決は、表現地役権にその先例価値が限定されるべきであり、177条の不動産物権変動一般に還元されるべき議論ではない[118)]。

23-54

◆地役権の取得時効の要件――通路の開設が必要

例えば、甲地の所有者Aが、乙地の所有者Bに無断でまたはBの好意的な黙認のために、乙地を通行していて20年が経過したとする。この場合に、Aに乙地につき甲地のために通行地役権の時効取得を認めるのは不当である。地役権は占有ではなく、権利の行使が継続して存在することが必要になるが（163条）、時効取得の要件につき民法は特に規定を設けた。すなわち、「地役権は、継続的に行使され、かつ、外形上認識することができるものに限り、時効によって取得することができる」、と規定されている（283条）。通行地役権については、近隣の者の通行を好意で認めていただけなのに、取得時効が成立してしまうのは不都合なので、承役地たるべき土地に「通路の開設」が必要と解されている。すなわち、「地役権は継続且表現のものに限り時効に因り取得し得るものにして、通行権は特に通路を設くるにあらざれば継続のものとならず（……）。従て通路の設備なき一定の場所を永年間通行したる事実に依りては未だ以て、時効に因り地役権を取得するに由なきものとす」、と判示されている（大判昭2・9・19民集6巻510頁。最判昭33・2・14民集12巻2号268頁など同旨。実際に時効取得を肯定した判例として、最判平6・12・16判時1521号37頁）。

ただし、通路があれば、それを要役地所有者が開設したのではなかったとしても、自らの費用と労力によってこれを維持している場合には、承役地所有者にはそれが通行地役権の行使であってその取得時効が問題になることがわかるので、通行地役権の要件である継続性を満たすものと考えてよい。これが通説であるといえる（新注民(5)780頁［松尾］参照）。

23-55

◆地役権の取得時効ができる者

要役地の所有者が地役権の設定を受けたり地役権を時効取得できるだけでなく、要役地の地上権者や永小作人も、要役地の用益権限を有しているため、要役地のために地役権の設定を受けたり地役権を時効取得することができる。これに

118)　調査官解説も、この判決は、「地役権、それも通行地役権に限って判断を示した」ものにすぎないと述べつつも、その射程は、「抵当権その他の担保物権に及ぶとはいえないが、通行地役権以外の地上権その他の用益物権には及ぶと解する余地がある」と評している（近藤崇晴・最判解民事篇平成10年度(上)106頁）。その後の平成18年判決は、通路部分とはいえ形式的には所有権の取得時効が問題にされているので、平成10年判決をそのまま承継せず背信的悪意者排除論を適用しており、調査官解説も「所有権の取得時効について通行地役権に関する平成10年判決の法理によることができないことを示」したと評している（松並重雄・最判解民事篇平成18年度(上)19頁）。しかし、その形式的な構成はともあれ、実質的な評価・考慮は異ならない。

対して、要役地の賃借人は、要役地の用益権限を有する者ではなく、地役権の設定を受けたり地役権を時効取得することはできない。判例も、大判昭2・4・22民集6巻198頁は、「地役権者は他人の土地を自己の土地の便益に供する者たることを要し、他人の土地の一部を賃借する者が他の部分を自己の借地の便益に供するが如き場合は、他人の土地を自己の土地の便益に供する者と云ふを得ざるや勿論なるが故に、斯る賃借人が其の賃借部分と他の場所との間を往復する為他の部分を継続して通行するも、之が為時効に因りて他の部分の上に通行地役権を取得することを得ざるや言ふを俟たず」という（東京地判昭28・2・4下民集4巻2号156頁も否定）。ただし、賃借人の占有により間接占有を取得する賃貸人が土地所有権を時効取得できるのと同様に、ここでも地役権の準占有を問題にする余地はある。すなわち、賃借人の準占有（地役権の行使）により、土地所有者たる賃貸人が地役権を時効取得し、賃借人がそれを援用することは可能である。

23-56 **(2)　地役権の消滅**

(a)　承役地の取得時効　地役権の存続期間については何らの規定も置かれていないが、存続期間を合意することは有効であり、地役権も存続期間の満了により消滅する。また、放棄、混同（要役地と承役地が合筆される）などの事由により消滅する。民法は承役地の取得時効による地役権の消滅と、地役権の消滅時効について特に規定を設けている。まず、前者を説明したい。

「承役地の占有者が取得時効に必要な要件を具備する占有をしたときは、地役権は、これによって消滅する」（289条）。承役地の占有者が地役権を容認して占有していた場合には、地役権の負担の付いた所有権の取得時効になる（大判大9・7・16民録26輯1108頁）。この点、抵当権についての397条についての議論（☞担保物権法2-164以下）と同様の議論が考えられる。一般的な理解は、397条についての通説のように、承役地について、取得時効があれば、それは原始取得なので地役権も消滅することを規定した条文であると解することになる。

23-57 **(b)　地役権の消滅時効**　地役権も債権および所有権以外の財産権として、166条2項の20年の消滅時効にかかるが、その起算点について、地役権の規定の中に特則が置かれている。①「継続的でなく行使される地役権」（不継続地役権）については（例えば、通路の開設のない通行地役権）、「最後の行使の時から」消滅時効を起算し、②「継続的に行使される地役権」（継続地役権）については（例えば、用水路を開設した用水地役権）、「その行使を妨げる事実が生じた時から」（用水路が埋め立てられるなどの時）消滅時効を起算する（291条）。①については、権利行使がされる度に起算点が改められることになり、それは更新に等しい（290条は権利行使による「中断」を明記）。

なお、「地役権者がその権利の一部を行使しないときは、その部分のみが時効によって消滅する」ことになる（293条）。場所的に一部というだけでなく、通行地役権と用水地役権とを設定したが、水田を畑にして用水地役権だけ行使しなくなったという場合も考えられる。

23-58

◆共有地上のまたは共有地のための地役権の不可分性

要役地をAとBが共有している場合、Aだけが自分のために通行地役権を設定することができるであろうか。地役権は地上権のような人役権ではなく、要役地と承役地との間の権利関係であるが、合意に基づく権利にすぎない。そうすると、Aだけが地役権を取得するというのは問題である。

民法は、「土地の共有者の1人は、その持分につき、その土地のために又はその土地について存する地役権を消滅させることができない」と規定しており（282条1項）、共有地については、その共有者が全員でしなければその土地のための地役権またはその土地の上の地役権を消滅させることはできず、共有者の1人がその持分との関係においてのみ地役権を消滅させることはできないものということになる（同条2項）。これを**地役権の不可分性**という。この規定は消滅についてだけであるが、この規定から、共有地の場合、全員でしなければその土地のために地役権を設定することはできないことになる（ただし、284条1項の趣旨より、1人でも地役権を設定すれば有効であり、共有者全員が地役権を取得すると解する余地はある）。共有物の管理に関する事項であるから、過半数の持分を有する者により決定できるが、全員の名で契約をする必要がある。

要役地が共有の場合、地役権は準共有となるが、その消滅時効につき、1人について時効の完成猶予または更新があれば、共有者全員にその効力を生ずる（292条）。他の共有者の部分だけ地役権がばらばらに消滅時効にかかることはない。土地についての権利であり、共有者全員に不可分的に1つの地役権が帰属するといってよい。これも地役権の不可分性の帰結である。

この趣旨は取得時効に関しても貫かれており、①共有者の1人が地役権の取得時効の要件を満たした場合、全員のために地役権の取得時効の効力が認められ（284条1項）、②時効更新は、地役権を行使している共有者全員にしなければならず、共有者の1人にした時効の更新は無効である（同条2項）。また、③時効の完成猶予の事由が共有者の1人に生じても、他の共有者の時効の進行は影響を受けない（同条3項）。

第２節　入会権

１　入会権の意義

24-1 (1)　入会権の詳細は慣習に任せた

民法は、独立した物権として章立てはしていないが、入会権という「各地の慣習」により規律される物権の存在を認めている。すなわち、①263条で「共有の性質を有する入会権については、各地方の慣習に従うほか、この節［＝共有］の規定を適用する」、②294条で「共有の性質を有しない入会権については、各地方の慣習に従うほか、この章［＝地役権］の規定を準用する」ことを規定している。

旧民法には入会権の規定がなく、これが旧民法施行に対する反対派の１つの根拠であり、現行民法の起草に際して入会権規定の導入は絶対命題であった。ところが、各地の入会権を調査したところ、地方により入会権を規律する慣習の内容はあまりにもまちまちであり、起草者は詳しい規定を置くことを断念し、上記のような２つの規定を置くにとどめ各地の慣習に任せることにしたのである――共有の規定、地役権の規定を準用するというのは意味をなさない――。新たに入会権が設定されることは考えられず、民法制定時までに慣習法上すでに成立している入会権の規律が考えられるだけである。当時の入会権は、「お爺さんは山に芝かり（＝木の枝を取り）に」という昔話に出てくるような原始的・牧歌的な入会であった。

24-2 (2)　入会権の意義

(a)　原始的・牧歌的な個人の入会権――村民個人の権利　入会は、①村落の所有（総有）の場合には、山林原野を村落が所有し、その構成員（村人）が薪などを採取するために「入り会う」権利関係である。団体には所有権が認められ土地の管理がなされ、構成員には薪などの採取権が認められ、この村民の権利が入会権であった。②他方、国有地など他人所有地については、村落自体が所有権を有しないため、構成員の収益権たる個人的入会権のみが認められ、団体による土地の管理がなされることになる。①は共有者として認められる権利、②は村民たる地位でそこに居住しているという場所的関係にあることから認められる地役権類似の用益物権として構成されている。土地が村落の所有の場合には、村民全員の同意で売却などの処分をすることができる。

24-3　**(b)　入会権の近代化による変容——団体による入会地の管理**　ところが、山林原野に生活が支えられ、毎日山に入ることが生活に必須とされる時代は終わった。村民個人に薪などの採取権を保障する必要はなくなり、山林は管理されず荒廃しかねない。そのため、個人が日常生活のために山を利用するのではなく、村で山林を林業などを営むために管理し、また、構成員や第三者に割り当てて林業などを営ませるという、至って近代的な利用へと転換している（☞ 24-5）。原始的・牧歌的な入会ではなく、慣習の適用の余地は残しつつ、権利能力なき社団の法律関係に解消されたといえる。しかし、入会関係が継続しており、これが変容したというのがもっぱらの理解である。いずれにせよ、入会は、個人の利用ではなく、村落（の住民団体）が山林原野等を共同で管理し利用する権利（団体が入会権の主体）へと変容していることは疑いない（牧洋一郎「『入会権の現在』論序説」Law & Practice No. 6［2012］151頁以下参照）。したがって、入会団体が入会地を第三者に賃貸している場合にも、それもまた入会権の行使ということになる。

また、このような近代的入会権の存在意義であるが、山林原野からの収益にとどまらず、山林原野を放置すれば崖崩れ等の災害を生ずるおそれがあり、それを集団的に管理することで予防するという保安的な機能も担っているといわれる（中尾英俊『入会権』［2009］13頁）。共有の性質を有しない入会権は、土地を使用収益するだけでなく、集落の保全のために土地を管理する権利でもあるといわれる（中尾・同書14頁）。管理不全土地対策としても機能していることになる。

24-4　**◆国有地の入会権の認否（肯定）**

当初、判例は明治初年の土地官民有区分に伴う官地編入により、官有地上の入会権は消滅したと解したが（大判大4・3・16民録21輯328頁）、最高裁によって変更される。「そもそも、官民有区分処分は、従来地租が土地の年間収穫量を標準とした租税であつたのを地価を標準とする租税に改め、民有地である耕宅地や山林原野に従前に引き続きまたは新たに課税するため、その課税の基礎となる地盤の所有権の帰属を明確にし、その租税負担者を確定する必要上、地租改正事業の基本政策として行なわれたもので、民有地に編入された土地上に従前入会慣行があつた場合には、その入会権は、所有権の確定とは関係なく従前どおり存続することを当然の前提としていた」として、官有地に編入されたことにより入会権が消滅したとはいえないとされている（最判昭48・3・13民集27巻2号271頁）。

2　入会権の法的性質

24-5 (1)　団体の権利と構成員の権利

①使用収益権は構成員に、管理処分権は団体に帰属し、構成員には持分がないというのが原始的・牧歌的な入会であった。個々の構成員は、持分はないが、山林原野における薪などを採取する利用権限（入会権）を有していた。入会の権利関係は「総有」であり、総有の構成員の権利として採取権が認められ、これが物権たる入会権と理解されていたような印象を受ける。判例は、「入会権は権利者である一定の部落民に総有的に帰属する」（☞24-15)、「入会権の内容である使用収益を行なう権能は、入会部落民の構成員たる資格に基づいて個別的に認められる権能」（☞24-17）といい、入会権を構成員の個人的権利として認めている。

②これに対して、入会の近代化に伴い、構成員に持分を認め（中尾・前掲書34頁)、また、「持分権者（構成員）は各々、使用・収益・管理・処分の権能を有し、その総和が入会集団権であると解される。そうすると、団体と構成員を分離し団体と構成員を別個に観念したもので誤りといえる」という主張がされている（牧・前掲論文154頁)。先に述べたように、入会権は入会団体に帰属し（入会権の主体は入会団体)、その行使をどうするか、構成員による個別行使を認めるのかを含めて、入会団体により決められることになる。

24-6 (2)　権利関係は総有

入会地が入会団体の所有であっても、それは総有と理解され[119)]、判例も入会を総有関係と認めている（☞24-11）[120)]。入会団体による総有登記はできず、地租改正の際に入会地でも個人に地券が交付され、登記は個人、寺、神社などの名義となっていても、他人所有地の入会権ではなく、入会団体の総有であることが考えられる。共有とは異なり分割請求や持分譲渡はできず、地盤の処分はその入会団体の議決――異なる慣習や規約がなければ全員一致――によることが必要である。上記のように個々の村民に持分はなく、村民たる地位に基づいて慣習により認められた利用権として入会権を位置づける理解もされていたが、近代化した入会については、持分を認め、入会権を入会団体の権利として再構成されるに至っている（もはや権利能力なき社団の一種にすぎない☞24-9）。

総有という理解については、入会権の現代的変容を主張する者により、「我が国の入会は果して総有によるものか、もしくは我が国固有の権利であるのか、をもう一度原点に立ち戻って究明する必要があ」り、「我が国の共同所有の特殊形態を総有と定義してはいかがなものであろうか」と主張されている（牧・前掲論文164頁）。

24-7 (3) 慣習法上の物権かまた民法規定の適用

入会権については、慣習法上の物権と理解されることもあるが、「慣習上の権利とは通常、制定法上規定のない権利で水利権や旧慣温泉権等慣習上そして判例上物権として効力を認められた権利をいい、入会権は、民法上の――共有の規定の適用あるいは地役権の規定の準用を受ける――権利である」といわれている（牧・前掲論文155頁）。入会権は、慣習により規律され、民法の共有また地役権の規定が準用される余地はないともいわれるが、上記

119）　**＊総有論**　総有理論は、末弘博士が、『物権法』（1921）で、共有とは別に、「同有（連有、総有、合有）」があると主張し、「各自は独立して格別の所有権を有することなく、数人が結合して一体として其物を所有する場合」とし、共有の性質を有する入会権がこの「同有」であると論じたことに始まる。入会という日本の慣習を認めるだけでなく、これに古代ゲルマンの血縁的村落共同体の総有概念を導入しようとしたのである。平野義太郎『民法におけるローマ思想とゲルマン思想』（1924）により、ローマ法の個人主義的な「共有」と「法人単独所有」に対して、ゲルマン法の団体主義的な「総有」と「連有」とを対置した上で、入会を総有（186頁以下）、組合の連有にそれぞれ分析する（181頁以下）。総有論を詳細に研究し日本の入会団体に適用した石田文次郎『土地所有権史論』（1967）、川島武宜「入会権の基礎理論」『川島武宜著作集8巻』（1983）64頁以下等などにより、総有論は通説として確立されていく。石田・前掲書606頁以下は、「入会権は一定地域の住民全体が入会林野に対して有する総有権である。町村内の部落は其住民の総合体として、又町村は法人として入会林野に対する管理処分権を有し、住民は住民たる資格に於て入会林野に対する共同的使用収益の権能を有している」という。その後、総有論は、昭和初期の我妻博士の民法総則の教科書によって権利能力なき社団に取り入れられ、さらに、総有論の分野をリードする研究をしてきた石田博士により権利能力なき社団にも転用され、日本では総有論は思わぬ方向に発展していく。

120）　近時、最高裁によって、入会地が総有であることを認め、総有に属する入会地が売却された場合、その売却代金債権は、権利者らに「総有的に帰属する」ものであり、分割債権を取得するものではないとする判決が出されている（最判平15・4・11判時1823号55頁）。そのため、原告が売却代金債権について持分に応じた分割債権を取得したことを前提とする損害賠償請求は、理由がないと退けられた。持分がないので、分割債権を取得することもないのである。すでに入会漁業権について同趣旨の判決があり、次のように判示していた（最判平元・7・13民集43巻7号866頁）。

「共同漁業権は従来の入会漁業権の性質を失っておらず、法人たる漁業協同組合が管理権を、組合員を構成員とする入会集団（漁民集団）が収益権能を分有するものであり、右収益権能喪失による損失の補償を目的として支払われた本件補償金は上告人の組合員を構成員とする入会集団に総有的に帰属するものであるから、その分配手続については、構成員全員の一致の協議によるべきであ」る。

の反対説は、準用を肯定する。確かに、近代化された入会は、明文で規約を作成して運営され、慣習による補完の余地を残した権利能力なき社団の総有関係にすぎなくなっている。しかし、地上権のような法定の物権を規定したのではなく、慣習法により規律される物権関係を確認しただけの規定である。

また、他人の土地の入会権は、慣習としてその地方に明らかなので、登記による公示なしに地盤の譲受人に対抗することができる（大判明36・6・19民録9輯759頁、大判大10・11・28民録27輯2045頁[121]）。村民が入会の対象である山林などでどのような利用ができるかは、慣習やその団体の取決めに従うことになる。村民という要件についても、各地の慣習により判断される。

24-8

◆入会権の近代化と解体

⑴　入会権の近代化

薪が日常必需品であった時代には、入会権は生活のために必要な人格権的権利とさえいえたが、電気・ガスが普及した現代においては、その意義は乏しい。薪の需要がなくなった以降は、山林経営に着目され、1966年（昭和41年）に、「入会林野等に係る権利関係の近代化の助長に関する法律」が制定された。この法律は、「入会林野又は旧慣使用林野である土地の農林業上の利用を増進するため、これらの土地に係る権利関係の近代化を助長するための措置を定め、もって農林業経営の健全な発展に資すること」を目的としている（同法１条）。この目的に従い、入会林野について、入会権を消滅させ、所有権または地上権、賃借権その他の使用および収益を目的とする権利に解消する入会林野整備を推進しようとして、その手続を規定している。入会林野は個人所有の林野と比べて植林利用が進められていなかったが、入会林野整備により近代的な山林経営が進められることを期待したものである。しかし、日本の林業は壊滅的な状態にあることは周知の事実である。

24-9

⑵　入会権の解体

①古典的な構成員各人が、入会林野で、田畑の肥料、午馬の飼料、生活のための薪などを採取するという原始的形態は今や姿を消し、入会権は次第に消滅しつつある（消滅が否定された事例として☞24-10）。②まず、分け地として議決を経て分配され入会地が特定の個人の所有とされるようになることがある（**分割利**

121）　本判決は、入会権が成立している山林の競落人が、入会権者13名に対して入会権の不存在確認を求めた事例につき、「不動産登記法には入会権に付きては共有の性質を有すると地役の性質を有するとを問はず、総て登記を以て其対抗条件と為したる規定存せざるを以て入会権は之を登記することを要せずして第三者に対抗せしむることを得るものと解するを相当とす」判示し、請求を棄却した原判決を支持した。

用型）。また、入会林野を区分して各構成員に割り当てて利用させ、特定の個人が管理占有することもある。③また、村民の自由な利用を禁止して、入会団体が植林などして直轄する事例もみられる（**直轄利用型**）。④さらには、入会団体が契約により、第三者に入会地を林業、農業、牧場等のために利用させ、契約上の対価を取得するという形にシフトする例もみられる（**契約利用型**[122]）。③④では、慣習により規律される点を除けば、もはや村民が「入り会う」入会ではなく、権利能力なき社団の権利関係といってしまってよいかもしれない。

24-10

◉最判昭 40・5・20 民集 19 巻 4 号 822 頁（入会権の消滅が否定された事例）「釜山谷共有林は、釜山谷部落民共同の平等的な使用収益の目的に供されていたが、明治初年頃右部落全戸を地域的に四組に分けて釜山谷共有林の大部分を右各組に割当配分し、右各組においてはそれぞれ更にその割当区域中一部を組持の共同使用収益区域に残した上で、残余をすべて組所属の各部落民に分け地として配分したが、柴草の採取のためには分け地の制限はなく、毎年一定の禁止期間の終了をまって、部落民一同はどこにでも自由に立入ることができたし、部落民が部落外に転出したときは分け地はもとより右共有林に対する一さいの権利を喪失し、反対に他から部落に転入し又は新たに分家して部落に一戸を構えたものは、組入りすることにより右共有林について平等の権利を取得するならわしであったこと、そして、明治 36 年分け地の再分配を行なったが、右共有林自体に対する部落民の前記権利について他の部落民又は部落民以外の者に対する売買譲渡その他の処分行為がなされた事例は、少なくとも大正 6 年頃までは認められないというのである。しからば、原判決が右分け地の分配によって入会権の性格を失ったものということはできないとした判断は、正当であ」る。

122）　最判平 18・3・17 民集 60 巻 3 号 773 頁は、「本件入会地は、第２次世界大戦後は駐留軍の用に供するために使用されていて、現在は個々の入会権者が直接入会地に立ち入ってその産物を収得するといった形態での利用が行われているわけではないけれども、入会権に基づく入会地の利用形態には様々なものがあり、入会団体が第三者との間で入会地について賃貸借契約等を締結してその対価を徴収したとしても、その収入は入会権者の総有に帰属するのであって、入会権が消滅するわけでも、入会権の内容や入会団体としての性質が変容するものでもない」とした原審判決を是認する。

3　入会権の２つの形態

24-11 #### (1)　村落所有地の入会権——共有の性質を有する入会権

まず、入会団体の所有する土地における入会があり、土地の所有関係は**総有**と考えられている[123)]。その登記については、法人格のない村落名義では登記ができないため、村民全員で登記がされている場合、代表者などの特定の個人名義で登記されている場合などがある。後者の場合、94条２項の適用は否定される（最判昭43・11・15判時544号33頁）[124)]。村落の所有に属する山林を神社の名義で登記をしておいたが、入会権者に無断で神社が土地に地上権を設定しその仮登記をした事例で、村民らが仮登記を有する地上権者に対して、使用収益権の確認と妨害排除請求をすることは認められたが、仮登記の抹消請求は入会権の管理処分に関する事項であり、個々の入会権者がこれを請求することはできないものとされ退けられた（最判昭57・7・1民集36巻6号891頁）。

24-12 #### (2)　他人所有地の入会権——用役物権の性質を有する入会権

山林が入会団体の総有（所有）ではない場合も少なくない。①まず、神社などの私有地——(1)のように便宜上名義だけの登記ではなく——に入会権が認められる場合がある。②また、歴史的な経緯から、国公有地に入会権が認められることも少なくない（☞24-4）。

他人所有地における入会団体の入会権は、慣習法上の用益物権であるが、入会団体に帰属（総有）する特殊な物権である。物権法定主義の導入により消し去ろうとした封建的所有関係と紙一重の権利関係といえる。用益物権と

123）例えば、最判平20・4・14（☞24-13）は、「前記事実関係によれば、G区は権利能力なき社団であり、本件各土地がG部落の世帯主の総有に属するものであることは、G区の成立の前後を通じて変わりがないことが明らかであるから、本件各土地を管理処分する権能がG区に帰属することになったとしても、G部落の世帯主が有していた本件入会権が共有の性質を有しないもの、すなわち、他人の所有に属する土地を目的とするものになったということはできない。したがって、G区の成立後も、本件入会権は共有の性質を有するものであったというべきであ」るという。

124）同判決は、「登記の必要上、当時の部落の区長ないし区長代理をしていた……3名の代表者名義で……共有登記を経由した」ものであり、「部落民全員が入会権者として登記の必要に迫られながら、共有の性質を有する入会権における総有関係を登記する方法がないため、単に登記の便宜から登記簿上前記3名の共有名義にしたにすぎないのであって、これを捉えて入会権者と前記3名との間に仮装の売買契約があったものと解し、あるいはこれと同視すべきものとすることは、相当でな」く、「民法94条2項の適用または類推適用がないとした原審の判断は是認できる」と判示する。

は異なり、使用料の支払は問題にならない――ただし、近代化した入会権については、無償でよいのか疑問は残る――。入会地が所有者により譲渡されても、登記なくして入会権を譲受人に対抗することができる（☞ 24-20）。

4　入会権の効力

24-13 (1)　入会権の内容――村民の権利、入会団体による管理・処分

入会団体の構成員は、その地方の慣習、入会団体の規約に従い、入会地において山菜、果実、薪等の採取、植林、狩猟、採石などをすることができる。ただし、これは原始的・牧歌的入会における入会権であり、現在では、村民が「入り会う」という権利関係ではなく、団体により山林経営・観光経営されている事例が多い（☞ 24-8）。これは、入会権に由来するだけで、もはや入会ではないというべきかもしれない。

共有の規定が適用されることになっているが、慣習がこれに対して優先する。そのため、共有規定によれば処分には全共有者の同意が必要であるが、入会地の処分について構成員全員の同意を要件としない慣習がある場合には、それが公序良俗に反するなどその効力を否定すべき特段の事情がない限り、その効力が認められている（最判平20・4・14民集62巻5号909頁）。ただし、「総有に属する土地について、構成員の総有権そのものを失わせてしまうような処分行為は、本来、構成員全員の特別な合意がなければなら」ず、「同処分行為を役員会の決議にゆだねるというのは例外的事柄に属するから、その旨の慣行が存在するというためには、これを相当として首肯するに足りる合理的根拠を必要とする」という批判もある（新基コメ131頁［上谷均］はこれを支持）。

24-14 (2)　入会権の対外的主張

入会団体に管理者がいれば、権利能力なき社団としての要件を満たしているか否かを問わず、入会団体の名で原告また被告になることができる（民訴29条）。入会団体は、総有権確認訴訟の原告になることができるものとされている（最判平6・5・31民集48巻4号1065頁☞ 24-19）。入会権の侵害がある場合には、土地について持分がなくても、また、他人所有地上の入会権であっても、各入会権者は、入会権（構成員としての権利としての個別的入会権）を有することの確認や妨害排除請求をすることができる（☞ 24-17以下）。損

害賠償については、土地の侵害により改修工事が必要になった工事費用は、入会団体に総有的に損害賠償請求権が帰属するが、個々の入会権者が利用できないことにより受けた損害は、各入会権者が自己の損害分の賠償請求権を有する。

24-15

◆入会権をめぐる訴訟

⑴　入会権自体の確認を求める訴訟

入会権の確認を求める訴訟については、「入会権は権利者である一定の部落民に総有的に帰属するものであるから、入会権の確認を求める訴は、権利者全員が共同してのみ提起しうる固有必要的共同訴訟というべきであ」り、「この理は、入会権が共有の性質を有するものであると、共有の性質を有しないものであるとで異なるところがない」とされる（最判昭41・11・25民集20巻9号1921頁）。その後、最判平20・7・17は、次のように判示する。

24-16

◉最判平20・7・17民集62巻7号1994頁　「特定の土地が入会地であることの確認を求める訴えは、……入会集団の構成員全員が当事者として関与し、その間で合一にのみ確定することを要する固有必要的共同訴訟である。そして、入会集団の構成員のうちに入会権の確認を求める訴えを提起することに同調しない者がいる場合であっても、入会権の存否について争いのあるときは、民事訴訟を通じてこれを確定する必要があることは否定することができず、入会権の存在を主張する構成員の訴権は保護されなければならない。そこで、入会集団の構成員のうちに入会権確認の訴えを提起することに同調しない者がいる場合には、入会権の存在を主張する構成員が原告となり、同訴えを提起することに同調しない者を被告に加えて、同訴えを提起することも許されるものと解するのが相当である。このような訴えの提起を認めて、判決の効力を入会集団の構成員全員に及ぼしても、構成員全員が訴訟の当事者として関与するのであるから、構成員の利益が害されることはない」。最判昭41・11・25は、「前記のような形式で、当該土地につき入会集団の構成員全員が入会権を有することの確認を求める訴えを提起することを許さないとするものではない」。

24-17

⑵　入会権の構成員の使用収益権に関する訴訟

⒜　**構成員の使用収益権に基づく妨害排除請求**　入会権者が、その使用収益権を争いまたはその行使を妨害する者を被告として自己の使用収益権の確認または妨害排除を求めることは、「入会部落の構成員が入会権の対象である山林原野に

おいて入会権の内容である使用収益を行う権能は、入会部落の構成員たる資格に基づいて個別的に認められる権能であって、入会権そのものについての管理処分の権能とは異なり、部落内で定められた規律に従わなければならないという拘束を受けるものであるとはいえ、本来、各自が単独で行使することができるものであるから」、被告が入会部落の構成員であるかどうかを問わず、各自が単独でできる（最判昭57・7・1民集36巻6号891頁）。

24-18　(b)　**構成員の使用収益権の確認訴訟**　また、入会権者の1人が他の入会権者に対して、自己の入会権の確認を求める訴訟については、「入会団体の構成員に総有的に帰属する入会権そのものの存否を確定するものではなく、右主張者が入会団体の構成員たる地位若しくはこれに基づく入会権の内容である当該山林に対する使用収益権を有するかどうかを確定するにとどまるのであって、入会権を有すると主張する者全員と入会権者との間において合一に確定する必要のないものであるから」、固有必要的共同訴訟ではない（最判昭58・2・8判時1092号62頁）。

24-19　**(3)　入会団体の原告適格**

また、権利能力のない社団である入会団体は、総有権確認訴訟の原告適格が認められるが、そのためには、「当該入会団体の規約等において当該不動産を処分するのに必要とされる総会の議決等の手続による授権を要する」。なぜならば、「総有権確認請求訴訟についてされた確定判決の効力は構成員全員に対して及ぶものであり、入会団体が敗訴した場合には構成員全員の総有権を失わせる処分をしたのと事実上同じ結果をもたらすことになる上、入会団体の代表者の有する代表権の範囲は、団体ごとに異なり、当然に一切の裁判上又は裁判外の行為に及ぶものとは考えられないからである」（最判平6・5・31民集48巻4号1065頁）。

24-20　**◆入会権の対抗（登記不要）**

入会権はその登記の途が開かれていないので、登記により公示し対抗することができない。そのため、その利用の事実があることにより公示があるものとみて、あるいは、その地方に周知のものということから（水利権などの慣習法上の物権と同様に）、登記なくして対抗を認めてよいと考えられている（中尾英俊「入会権の意義とその存在形態」西南法学28巻4号26頁以下）。判例も、例えば、「民法第177条は、登記法に列記したる物権に付いては登記を為すにあらざれば第三者に対抗するを得ざることを規定したるに過ぎずして、登記なき物権は絶対に対抗力なしと為したる法意にあらざる」。「然れば民法に於て既に入会権を物権と認めたる以上は、其権利の性質上登記なきも当然第三者に対抗するを得べきものと為さざるべからざる」とされている（大判明36・6・19民録9輯759頁）。その後も、山林を競売により取得したところ、競落後にその部落の住民が古来慣習により入会権を持っていることを知ったので、競落人が住民らを被告として入会権不存在確認訴訟を提起した事例で、「不動産登記法には、入会権に付きては共有の性質を有すると地役の性質を有するとを問はず総て登記を以て其対抗条件と為したる規定存せざるを以て、入会権は之を登記することを要せずして第三者に対抗せしむることを得るものと解するを相当とす」とされている（大判大10・11・28民録27輯2045頁）。

24-21

◆入会団体（村落共同体）

入会団体は、権利能力なき社団と区別されるべきであると考えられており、次のようにいわれる。

「権利者が近隣に転出した場合、総会での評決や出役義務すなわち管理を果すことが可能である故、例外的に失権せず、逆に永住の意思がなく一時的駐留者（学校の教師等）は集落内に住居を構えても、村持山などの管理に関し総会出席も要請されず出役義務の負担もなく無権利者である。つまり、集落は元来、林野管理集団と地域集団が重畳しており、その林野管理集団が入会集団たる集落である。集落は藩政期には、生活単位としての機能（入会集団）と行政単位としての機能（末端行政単位）が融合していたが、明治以降はこれが次第に分離し、生活単位としての側面は行政改革とは別個に存続してきたものである。入会集団は、民訴法第29条の適用（当事者能力・訴訟能力）など、人格なき社団と共通の取り扱いを受ける場合もあるが、団体と個人が未分離・融合した入会集団（実在的総合人、総有集団）と多数決原理に基づき共同目的のために結合した人の団体である人格なき（権利能力なき）社団は明確に区別されるべきである」（牧・前掲論文158～159頁）。

村民が「入り会う」個人的入会権ではなく、元入会地の団体による山林や観光地としての利用は、村民の規律が伝来的な慣習・慣行によるという特殊性を措けば、伝来的な特殊な団体たる権利能力なき社団の権利関係であるといえる。そのような近代化された団体は、団体自体の同一性は維持していても、権利関係はもはや「入会」ではない。

24-22

◆漁業権（海の入会権）について

⑴　新漁業法まで

起草者は入会権の中に、海など水面の入会権（漁業権）を含めて考えていた。その後、入会権がその意義が失われつつあるのに対して、漁業権は、漁民の生活に関わる重大な問題であり、旧慣の村民たる地位と結びついた漁業権は全て否定し、再編成して国家による規制が図られている。したがって、民法の入会規定は適用にならない。

①明治維新後、明治政府は、土地の地租改正などの改革と並行して、明治８年12月、太政官布告をもって海面官有を宣言し、旧来の漁業に関する権利や慣行を否認し、新たな申請に基づいて借区料を徴して権利を設定する制度の実施を強

行した。しかし、その結果、紛争が各地で生じたため、翌明治9年7月、この海面借区制を事実上廃止し、従来の慣行を認めることで事態を収拾した。②明治19年には、漁業組合準則が制定され、旧慣による漁民の権利を認め、各地に漁業組合を組織させ、これを単位として漁場区域と操業規律を定めさせて、当面の漁場秩序の維持を図った。③明治34年に制定された旧漁業法は、漁業権免許制を確立し専用漁業権を認めたが、その内容は、旧来の慣行がほとんどそのまま維持されたものであった。④明治43年漁業法は、漁業権を物権とみなして（☞1-18）、新たに入漁権を創設して従来の漁業権をこれに整理し、専用漁業権および入漁権につき、漁業をなすことを組合員の権利として認めた。

24-23

⑵　新漁業法

昭和24年に、戦後の経済民主化政策の一環として、新漁業法が制定され、同法の施行と共に、既存の慣習に由来する漁業権を2年以内に消滅させることとし、旧漁業権者に対しては補償金が交付された（漁業法施行法1条～17条）。これによって、旧来の慣習法上の漁業権が正式に廃止され、政府の許可を受けその管理にかかる漁業権のみが認められることになった。しかし、新漁業法制定後も、入浜権など慣習法上の権利の主張がされることがあり、公有水面埋立免許処分取消訴訟において福岡高判平20・9・8裁判所ウェブサイトは、以下のように判示し、慣習法上の漁業権の廃止を確認し、新たな慣習法の成立を否定する。

①「慣習法上の漁業権が消滅したと解するのは、新漁業法が、水面の総合利用の見地から漁場計画を樹立することとして、広範な水面を計画的かつ総合的に利用できるような漁場配置を可能とし、さらに、漁業権の存続期間の短縮と更新制度の廃止により、漁場を固定化させずに、事情の変化に応じた合理的な漁場利用をし得るよう配慮したものであり、そのような新漁業法の趣旨及び内容からすれば、新漁業法は慣習上の漁業権を認めない趣旨であると解すべきことによるのであって、もとより補償金の支払があったかどうかという理由のみによるものではない」。②「新漁業法は、慣習法上の漁業権を認めない趣旨であるから、新たな慣習法上の漁業が成立、存続する余地はない」。

第10章
所有者不明または
管理不全土地・建物の管理命令

1　問題の所在と 2021 年改正

25-1　2021 年物権法改正では、所有者不明不動産、管理不全不動産が年々増え続けて社会問題となっていたことから、民法の関連規定を改正し、不動産登記法等の改正と共に、相続土地国庫帰属法を制定して（☞ 15-14 以下）、問題の発生の予防と解決を図ろうとした。不動産登記法の改正により相続登記を義務づけ（☞ 5-3 以下）、所有者が不明になることを予防し、以下に述べる管理制度により所有者不明土地また管理不全土地の円滑な管理を図ろうとしたのである。さらに、援護射撃的に民法上の物権法の関連規定を改正している。隣地の使用（209 条☞ 19-24）、継続的給付を受けるための設備設置・利用権（213 条の 2 ☞ 19-27）、自然水流に関する妨害の禁止等（214 条・220 条以下☞ 19-37 以下）、竹木の切除（233 条☞ 19-45）、境界線付近の建物の建築制限、掘削の制限（234 条以下☞ 19-48 以下）、共有物の管理、分割（252 条・252 条の 2・258 条・258 条の 2 ☞ 21-35 以下、21-84 以下）などの規定である。

以下には、新たに創設された所有者不明ないし管理不全土地管理命令および所有者不明ないし管理不全建物管理命令について説明をしていく。なお、手続については、非訟事件手続法の第 3 編「民事非訟事件」に第 2 章「土地等の管理に関する事件」（同法 90 条以下）が設けられている。

2　所有者不明土地管理命令および所有者不明建物管理命令

25-2 (1)　所有者不明土地管理命令

所有者不明不動産、管理不全不動産が年々増え続けて社会問題となっていたことから、2014 年（平成 26 年）には家屋を対象とした「空家等対策の推進に関する特別措置法」（空家対策法）が制定され、また、2018 年（平成 30 年）には「所有者不明土地の利用の円滑化等に関する特別措置法」が制定されていた（☞ 15-11 以下）。

しかし、これらの制度とは別に、所有者不明土地だけでなく、所有者は判明している管理不全土地また建物について、管理人を選任させてこれに管理させ、場合によっては処分まで可能とする制度の導入が希求されていた。そのため、民法を改正して、管理不全不動産につき、所有者が不明な場合と、所有者が判明しているが管理が行われていない場合とに分け、その上で、土地と建物とにつきそれぞれ裁判所による管理人選任などの管理命令を認める規定を置いた。まず、所有者が不明な土地についての管理命令制度から説明をしていく。

25-3　(a)　**管理人の選任――管理命令の要件**　①ⓐ所有者が不明、または、ⓑ所有者はわかっていてもその所在が不明――所在もわかっていれば次の単なる管理不全――の土地（共有の場合には共有持分。以下同じ）について、②利害関係人の請求により、③「必要があると認めるときは」、裁判所は、請求に係る土地（共有持分）を対象として、**所有者不明土地管理人**（以下「管理人」という）による管理を命ずる処分＝**所有者不明土地管理命令**（以下「管理命令」という）を発することができる（264条の2第1項）。裁判所は、管理命令を発する場合には、管理人を必ず選任しなければならない（同条4項）。

25-4　(b)　**管理命令の効力の及ぶ目的物**　所有者不明土地およびその上にある動産（以下「土地等」という）――不明所有者の所有に属することが必要――に、管理命令の効力が及ぶことになる（264条の2第2項）。もちろん土地の一部を構成する立木や鉄塔等の工作物も、管理命令の対象となり、管理人の管理権限が及ぶことになる。管理命令が発せられたがそれが取り消された場合において、土地（共有持分）および管理命令の効力が及ぶ動産の管理、処分その他の事由により管理人が得た財産についても、必要があると認めるときは、管理命令を発することができる（同条3項）。

25-5　(c)　**管理人の権限**

(ア)　**権限の範囲**　管理命令があった後は、その目的物である所有者不明土地等の「管理及び処分をする権利は、所有者不明土地管理人に専属する」（264条の3第1項）。管理人は、以下の範囲（103条と同じ）を超える行為をするには、裁判所の許可を得なければならない（同条2項本文）。

> ①　保存行為（1号）
> ②　所有者不明土地等の性質を変えない範囲内において、その利用または改良を目的とする行為（2号）

その行為が法律行為である場合、裁判所の許可なしに行ってもその効力は認められないが、「善意の第三者に対抗することはできない」（同条2項ただし書)。無過失は要求されておらず、管理人の権限が代理権であるとするならば、表見代理（110条）に対する特則となる[125)]。善意の対象は、①②の範囲内の行為であること、また、裁判所の許可を得ていること、その許可の範囲内の行為であることになる。なお、「所有者不明土地等に関する訴えについては、所有者不明土地管理人を原告又は被告とする」と（264条の4)、訴訟担当を認める規定が置かれている。「専属する」というので、土地所有者が名乗り出てきても、管理命令が取り消されない限り、所有者の権限は制限されることになる。

25-6 **(イ) 権限の性質** ①管理人の権限は、代理権なのか自己の名で行う権限なのかは明確ではない。本人のための管理の場合には、制限行為能力者や不在者の財産管理人などは代理（代理権)、②本人のためにではなく債権者のために権限を認める場合には、債権者代位権、破産管財人等は自己の名での管理処分権と考えるべきであるが——後者も物権的な効力が所有者に及ぶ——、所有者が不明な場合に代理では本人を示すことができない。そのため、「○○土地の所有者不明土地管理人◇◇」と称して法律行為を行うことになる。本人未確定で代理形式にすることも考えられるが、本人を示すことができないため、立法上、代理形式にしなかったのかもしれない。本人のためでなく公益的観点が主眼であるため、②に準じた権限に位置づけたのであろうか。条文上は、①②のいずれなのか明確ではない。

25-7 **(d) 管理人の義務、その他** 管理人は、所有者不明土地等の所有者（共有持分権者）のために、善良な管理者の注意をもって、その権限を行使する義務を負う（264条の5第1項)。不明な共有持分権者が複数いる場合には、管理人は、「共有持分を有する者全員のために、誠実かつ公平にその権限を行使」する義務を負う（同条2項)。

管理人が「その任務に違反して所有者不明土地等に著しい損害を与えたことその他重要な事由があるときは」、利害関係人の請求により、裁判所は管理人を解任できる（264条の6第1項)。管理人は、正当な事由があるときは、

125) 特則とする根拠は不明である。32条1項後段の趣旨を参考としたのであろうか。不在者財産管理人については特別規定はなく（28条)、110条1項が適用され、善意無過失が必要になる。管理不全土地管理人については、第三者の善意無過失が必要とされており（☞ 25-13)、差別化の根拠は明確ではない（共有物管理人については善意［252条の2第4項］)。

裁判所の許可を得て、辞任することができる（同条2項）。

管理人は、所有者不明土地等から裁判所が定める額の費用の前払いおよび報酬を受けることができる（264条の7第1項）。管理に必要な費用および報酬は、所有者不明土地等の所有者（共有持分権者）が負担する（同条2項）。

25-8 **(2)　所有者不明建物管理命令**

(a)　**管理人の選任——管理命令の要件**　上記の制度の建物版である。区分所有建物、借地権付き建物のように建物だけが問題になる場合のほか、土地と建物共に所有者不明である場合が考えられる。その場合には、土地建物を一体として管理命令が発せられ、管理人が選任されることになる。

①所有者が不明、または、②所有者はわかっていてもその所在が不明の建物（共有の場合には共有持分。以下同じ）について、③利害関係人の請求により、「必要があると認めるときは」、裁判所は、請求に係る建物（共有持分）を対象として、**所有者不明建物管理人**（以下「管理人」という）による管理を命ずる処分＝**所有者不明建物管理命令**（以下「管理命令」という）を発することができる（264条の8第1項）。裁判所は、所有者不明建物管理命令を発する場合には、管理人を必ず選任しなければならない（同条4項）。

25-9 (b)　**管理命令の効力の及ぶ目的物**　管理命令の効力は、その対象とされた建物だけでなく、「建物……にある動産」——建物所有者の所有であることが必要——および「建物の敷地に関する権利」——建物所有者に帰属することが必要——にも及ぶ（264条の8第2項）。また、管理命令が発せられたが取り消された場合において、建物（共有持分）および管理命令の効力が及ぶ動産の管理、処分その他の事由により管理人が得た財産について、必要があると認めるときも、管理命令を発することができる（同条3項）。

25-10 (c)　**その他**　土地か建物かという差があるだけで、その規制の内容は変わらないので、民法は、所有者不明土地管理命令についての264条の3から264条の7までの規定を、所有者不明建物管理命令に準用している（264条の8第5項）。25-5から25-7の説明はそのまま、所有者不明建物管理命令に当てはまる。

3　管理不全土地管理命令および管理不全建物管理命令

25-11 **(1)　管理不全土地管理命令**

(a)　管理人の選任――管理命令の要件　上記の制度と異なる点は、不動産の所有者またその所在がわかっているが――そのため連絡ができる――、不動産の適切な管理がされていない点である。

①「所有者による土地の管理が不適当であることによって他人の権利又は法律上保護される利益が侵害され、又は侵害されるおそれがある場合において」、②「必要があると認めるときは」、③「利害関係人の請求により」、裁判所は、**管理不全土地管理人**（以下「管理人」という）による管理を命ずる処分＝**管理不全土地管理命令**（以下「管理命令」という）を発することができる（264条の9第1項）。裁判所は、管理命令を発する場合には、管理人を選任しなければならない（同条3項）。

25-12 **(b)　管理命令の効力の及ぶ目的物**　管理命令の効力は、その対象とされた土地およびその上にある動産（以下「土地等」という）にも、管理不全土地所有者の所有するものである限り及ぶことになる（同条2項）。264条の2第3項のような規定はない。なお、管理開始後に管理人が得た財産にも、管理人の権限は及ぶ（264条の10第1項参照）。

25-13 **(c)　管理人の権限**　管理命令があった後は、管理人は、管理命令の目的物である管理不全土地等の「管理及び処分をする権限を有する」（264条の10第1項）。所有者不明土地管理人は権限を「専属する」のに対し（264条の3第1項）、「権限を有する」と規定するにとどめ、土地所有者の管理処分権は奪われないことを確認している――自ら管理するのは好ましいこと――。管理人は、以下の範囲（103条と同じ）を超える行為をするには、裁判所の許可を得なければならない（264条の10第2項本文）。管理人の権限は、代理権なのか自己の名で行う権限なのかは明確ではない――所有者が不明という事情はここにはない――。

> ①　保存行為（1号）
>
> ②　管理不全土地等の性質を変えない範囲内において、その利用または改良を目的とする行為（2号）

その行為が法律行為である場合、裁判所の許可なしに①②を超える行為を行っても、「善意でかつ過失がない第三者に対抗することはできない」(同条2項ただし書)。善意無過失の対象は、①②の範囲内の行為であること、また、裁判所の許可を得ているまたその範囲内の行為であると信じたことになる。土地の処分についての裁判所の許可には、その所有者の同意が必要であり、この場合には第三者保護規定はない(同条3項)。なお、管理人には管理不全土地について原告また被告になる資格は認められていない。

25-14　(d)　**管理人の義務、その他**　管理人は、管理不全土地等の所有者（共有持分権者）のために、善良な管理者の注意をもって、その権限を行使する義務を負う(264条の11第1項)。さらに、管理不全土地等が共有に属する場合には、管理人は、「共有持分を有する者全員のために、誠実かつ公平にその権限を行使」する義務を負う(同条2項)。

管理人が「その任務に違反して管理不全土地等に著しい損害を与えたことその他重要な事由があるときは」、裁判所は、利害関係人の請求により、管理人を解任できる(264条の12第1項)。管理人は、正当な事由があるときは、裁判所の許可を得て、辞任することができる(同条2項)。

管理人は、管理不全土地等から裁判所が定める額の費用の前払いおよび報酬を受けることができる(264条の13第1項)。管理に必要な費用および報酬は、管理不全土地等の所有者（共有持分権者）が負担する(同条2項)。

25-15　**(2)　管理不全建物管理命令**

(a)　**管理人の選任――管理命令の要件**　上記の制度の建物版である。①「所有者による建物の管理が不適当であることによって他人の権利又は法律上保護される利益が侵害され、又は侵害されるおそれがある場合において」、②「必要があると認めるときは」、③「利害関係人の請求により」、裁判所は、**管理不全建物管理人**（以下「管理人」という）による管理を命ずる処分＝**管理不全建物管理命令**（以下「管理命令」という）を発することができる(264条の14第1項)。裁判所は、管理命令を発する場合には、管理人を選任しなければならない(同条3項)。

25-16　(b)　**管理命令の効力の及ぶ目的物**　管理命令の効力は、その対象とされた建物だけでなく、「建物にある動産」――管理不全所有者の所有であることが必要――および「建物の敷地に関する権利」――管理不全所有者に帰属することが必要——にも及ぶ（264条の14第2項）。管理人はこれらについても管理の権限が認められることになる。

25-17 (c) **その他** 土地か建物かという差があるだけで、その規制の内容は変わらないので、民法は、管理不全土地管理命令についての264条の10から264条の13までの規定を、管理不全建物管理命令また管理不全建物管理人について準用している（264条の14第4項）。25-13から25-14の説明はそのまま、管理不全建物管理人に当てはまる。

事項索引

＊頁数ではなく、通し番号または注による。

判例索引

＊頁数ではなく、通し番号または注による。◉が付いているものは、囲み枠で詳しく説明している箇所である。

──大正 10 年代──

［昭和時代］

――平成10年代――

条文索引

＊頁数ではなく、通し番号または注による。

［民法］

［遺失物法］

［会社法］

［漁業法］

［区分所有法］

平野　裕之（ひらの・ひろゆき）

1960年　東京に生まれる
1982年　明治大学法学部卒業
1984年　明治大学大学院法学研究科博士前期課程修了
1995年　明治大学法学部教授
現　在　慶應義塾大学大学院法務研究科教授
　　　　早稲田大学法学部、日本大学法科大学院非常勤講師
主　著　『民法総則』（日本評論社、2017）
　　　　『担保物権法』（日本評論社、2017）
　　　　『債権総論』（日本評論社、2017）
　　　　『債権各論Ⅰ契約法』（日本評論社、2018）
　　　　『債権各論Ⅱ事務管理・不当利得・不法行為』
　　　　（日本評論社、2019）
　　　　『新債権法の理論と法解釈（第2版）』
　　　　（慶應義塾大学出版会、2021）
　　　　『製造物責任法の論点と解釈』（慶應義塾大学出版会、2021）
　　　　『高齢者向け民間住宅の論点と解釈』
　　　　（慶應義塾大学出版会、2022）

物権法（ぶっけんほう）　第2版（だいはん）

2016年9月25日　第1版第1刷発行
2022年10月10日　第2版第1刷発行

著　者――平野裕之
発行所――株式会社 日本評論社
　　　　〒170-8474　東京都豊島区南大塚3-12-4
　　　　電話 03-3987-8621（販売）-8590（同FAX）-8631（編集）
　　　　振替 00100-3-16
印刷所――平文社
製本所――松岳社
装　丁――大村麻紀子

ISBN978-4-535-52621-1　　Printed in Japan